HÄNDEL-HANDBUCH · BAND 3

HÄNDEL-HANDBUCH

Begründet vom Kuratorium der Georg-Friedrich-Händel-Stiftung von Dr. Walter Eisen und Dr. Margret Eisen

In fünf Bänden

Gleichzeitig Supplement zu
HALLISCHE HÄNDEL-AUSGABE
(Kritische Gesamtausgabe)

Band 1
Lebens- und Schaffensdaten
Thematisch-systematisches Verzeichnis:
Bühnenwerke

Band 2
Thematisch-systematisches Verzeichnis:
Oratorische Werke
Vokale Kammermusik
Kirchenmusik

Band 3
Thematisch-systematisches Verzeichnis:
Instrumentalmusik

Band 4
Dokumente zu Leben und Schaffen

Band 5
Bibliographie

BÄRENREITER KASSEL · BASEL · LONDON

HÄNDEL-HANDBUCH · BAND 3

Thematisch-systematisches Verzeichnis:
Instrumentalmusik
Pasticci und Fragmente
von Bernd Baselt

BÄRENREITER KASSEL · BASEL · LONDON

217780

© VEB Deutscher Verlag für Musik Leipzig · 1986
Gemeinsame Edition: „Bärenreiter-Verlag Kassel,
Basel, London"
und „VEB Deutscher Verlag für Musik Leipzig"
Printed in the German Democratic Republic
Gesamtherstellung:
Offizin Andersen Nexö, Graphischer Großbetrieb, Leipzig
III/18/38
Schutzumschlag und Einband: Egon Hunger, Leipzig
ISBN 3-7618-0716-3

Inhaltsverzeichnis

Anhang

Pasticci und Opernfragmente

Vorwort

Der in diesem Band vorgelegte dritte Teil des Thematisch-systematischen Verzeichnisses der Werke G. F. Händels (HWV) umfaßt die Gruppen der Instrumentalmusik (Orchesterwerke: Konzerte für 1–2 Soloinstrumente und Orchester – Concerti grossi und Orchesterkonzerte – Ouverturen, Sinfonien, Suiten und Suitensätze; Kammermusik: Sonaten für ein Soloinstrument und Basso continuo – Triosonaten – Einzeln überlieferte Stücke verschiedener Besetzung; Musik für Tasteninstrumente: Suiten und Ouverturen – Einzeln überlieferte Stücke und Tänze, Stücke für Spieluhren – Fugen) sowie den Anhang A (Pasticci und Opernfragmente). Anhang B (Zweifelhafte, unter Händels Namen überlieferte Kompositionen) und Anhang C (Händel fälschlich zugeschriebene Kompositionen) werden in einem Ergänzungsband zum HWV zusammengefaßt, der zu einem späteren Zeitpunkt in gleicher Form wie die bereits vorliegenden Bände erscheint und gleichzeitig Addenda und Corrigenda zu Band 1–3 enthalten wird.

Für Band 3 des Thematisch-systematischen Verzeichnisses gelten die gleichen Bearbeitungsgrundsätze wie für die bereits erschienenen Teile des Händel-Handbuches: Jedes Werk trägt zu Beginn die jeweilige Ordnungsnummer, die es im Gesamtverzeichnis einnimmt, um eine eindeutige Identifizierung und Zitierung zu gewährleisten. Infolge der in letzter Zeit durch die internationale Händel-Forschung erarbeiteten neuen Erkenntnisse im Hinblick auf die quellenmäßige Überlieferung der Werke, ihre Datierung und Authentizität kam es in einigen wenigen Fällen zu einer Änderung der ursprünglichen Nummernfolge des Verzeichnisses, wie sie im Händel-Jahrbuch, 25. Jg., 1979, S. 91–136, zunächst veröffentlicht wurde, um den zur Zeit gültigen Stand in der Händel-Überlieferung wiederzugeben. Im übrigen entspricht die Anlage von Band 3 dem bereits bewährten Schema: Am Anfang jedes Werkes erscheint der (normalisierte) Werktitel in originaler Form mit der aus den Quellen (Handschriften, Drucken oder Textbüchern) übernommenen Gattungsbezeichnung. Es folgen Angaben über die genauen Besetzungshinweise für das gesamte Werk mit allen zum Einsatz kommenden Vokal- und Instrumentalstimmen (bei den im Anhang verzeichneten Vokalwerken zusätzlich Hinweise

auf den Textautor oder die Textquellen), die Verzeichnung der Bandzahl der Ausgabe der Deutschen Händelgesellschaft (ChA) und der Hallischen Händel-Ausgabe (HHA) sowie der Nachweis der Entstehungszeit (EZ) und der Uraufführung (UA), soweit diese ermittelt werden konnten. Für das thematische Verzeichnis waren die Editionsrichtlinien der HHA bindend; sie sind sinngemäß auch für die Wiedergabe der Instrumentalwerke im Notenteil angewandt worden. Für die Verzeichnung der Pasticci und Opernfragmente gelten die in Band 1 (Vorwort, S. 39 ff.) ausgeführten Bearbeitungsgrundsätze.

Am Schluß jedes Incipits erscheint die Zahl der Gesamttakte eines Satzes; auf Continuo-Bezifferungen oder editorische Ergänzungen (Artikulationszeichen etc.) wurde grundsätzlich verzichtet. Kleingedruckte Noten bezeichnen daher keine editorischen Zusätze, sondern beziehen sich auf obligate Begleitstimmen im System der notierten Hauptstimme, die zur Verdeutlichung der Satzstruktur eingefügt wurden. Um den Umfang des Notenteils in erträglichen Grenzen zu halten, mußten die Incipits wie schon bei Band 1 und 2 auf die Wiedergabe der wichtigsten motivischen Zusammenhänge beschränkt bleiben. Die Verzeichnung ausführlicher thematischer Strukturen, die bei Händel häufig relativ ausgedehnt sind, konnte demzufolge nicht vorgenommen werden. Die Grundlage für die Form, in der ein Werk im thematischen Verzeichnis wiedergegeben wird, bildet in der Regel die Fassung des Autographs (bzw. beim Fehlen eines solchen die der Primärquelle). Alle späteren Ergänzungen und Einfügungen, die eindeutig auf Händels Intentionen zurückgehen und bei Aufführungen von ihm berücksichtigt wurden, sind an den jeweils in Betracht kommenden Stellen des Werkes eingeordnet.

Varianten und Mehrfassungen einzelner Sätze, die bereits vor der Uraufführung im Autograph gestrichen wurden, sowie ausführlicher notierte Skizzen und Entwürfe, die zugunsten von Endfassungen von Händel wieder verworfen wurden, sind in der Regel in einem Anhang zu jedem Werk zusammengefaßt. Auch sie erhielten – soweit sich das ermitteln ließ – diejenige Nummer, unter der sie in der Reihenfolge der einzelnen Sätze im Werk selbst einzuordnen wären.

Der Textteil ist folgendermaßen gegliedert:

Quellenverzeichnis

Das Quellenverzeichnis ist geordnet nach Handschriften, deren Fundorte mit den Bibliothekssiglen des Internationalen Quellenlexikons der Musik (RISM) bezeichnet sind, Erst- und Frühdrucken, deren Erscheinungsjahr mit wenigen Ausnahmen in der Regel vor 1800 liegt, mit Angabe von Originaltitel (in normalisierter Form), Impressum und Erscheinungsjahr, soweit dies bekannt ist. Auf ausführliche Quellenbeschreibungen konnte dagegen verzichtet werden, da fast alle der angeführten Handschriften bereits in den bekannten beschreibenden Katalogen[1] erfaßt sind, auf die auch im Literaturverzeichnis verwiesen ist; aus Raumgründen wurden daher nur die notwendigsten Angaben im Quellenverzeichnis wiedergegeben und für den Benutzer dieses Werkes präzisiert.

Handschriften, die sich in Privatbesitz befinden, konnten nur dann berücksichtigt werden, wenn sie durch Publikationen bekannt geworden sind oder – wie im Falle der Sammlung von Mr. Gerald Coke (Bentley, Hants.) – dem Bearbeiter des vorliegenden Verzeichnisses zur Einsichtnahme zugänglich waren. Sammeldrucke (z. B. „Apollo's Feast", „A Pocket Companion" oder dgl.) sind lediglich dort angeführt, wo sie nicht als Nachdrucke oder Titelauflagen gelten müssen. Umfassendere Informationen über all diese Ausgaben bietet der Katalog von W. C. Smith[2].

Bemerkungen

Dieser Abschnitt enthält Angaben zur Entstehungs- und Aufführungsgeschichte, Bemerkungen zu den Quellen bzw. Fassungen, in denen das betreffende Werk überliefert ist, sowie Nachweise von Entlehnungen und Wiederverwendungen musikalischer Themen aus eigenen oder Werken anderer Komponisten.

Zur Frage der Überlieferung der umfangreichen Anzahl kleinerer Instrumentalkompositionen, vor allem innerhalb der Kammermusik und der Musik für Tasteninstrumente, ist folgende Vorbemerkung zu beachten: Eine genaue Datierung der meisten Instrumentalwerke ist nur in wenigen Fällen möglich, da Händel selbst nur sehr selten seine Instrumentalwerke mit einem Entstehungsdatum versehen hat. Eine Hilfe für die chronologische Bestimmung bieten jedoch die diplomatischen Befunde der erhaltenen Autographe (Schrift- und Papiercharakteristika, Wasserzeichen und Rastralvermessungen) sowie in Ergänzung dazu die Kopierungs- und Aufführungsdaten, die

durch zeitgenössische Angaben in den Quellen selbst und durch die Händel-Dokumente (vgl. Band 4 des Händel-Handbuches) mitunter präzisiert werden können. Die Angabe von Wasserzeichen (WZ) in den Handschriften erfolgt nach den von Larsen[3] eingeführten und von Clausen[4] weiterentwickelten Siglen. Eine von Martha Ronish[5] und Donald Burrows[6] zur Zeit erarbeitete Katalogisierung sämtlicher Wasserzeichen in den Händel-Autographen konnte für Datierungsfragen in vorliegendem Band leider nicht mehr grundsätzlich, sondern nur in Einzelfällen berücksichtigt werden; für entsprechende Auskünfte sei beiden Verfassern an dieser Stelle nochmals Dank gesagt. Ähnliches gilt für Datierungsfragen im Hinblick auf wichtige Sekundärquellen, die sich in Privatbesitz befinden und dem Verfasser zur Einsichtnahme nicht zur Verfügung standen, und deren Kopisten. Auskünfte dazu verdankt der Verfasser vor allem Mr. Terence Best (Brentwood, Essex) und Mr. Anthony C. Hicks (London), deren präzise Beschreibungen einiger dieser Quellen für die Arbeit an vorliegendem Band von großem Nutzen waren.

In den Bemerkungen zu den einzelnen Werken selbst ist daher bei der zeitlichen Einordnung der nur durch sekundäre Quellen überlieferten Kompositionen auf diese diplomatischen Befunde Bezug genommen worden. Die wichtigsten Sekundärquellen mit Musik für Tasteninstrumente, die in England entstanden, sind in Kopien folgender Schreiber überliefert:

GB BENcoke

Ms. aus dem Besitz von Charles Wesley senior (1707–1788):
Overtures & Lessons for the Harpsicord: of Mr Handel[7] and other Antient Composers[8], p. 1–118: John Christo-

[1] Vgl. folgende Standardwerke: Fuller-Maitland, J. A./ Mann, A. H.: Catalogue of the Music in the Fitzwilliam Museum, Cambridge, London 1893; Squire, W. B.: British Museum Catalogue of the King's Music Library. Part I: The Handel-Manuscripts, London 1927; Hughes-Hughes, A.: Catalogue of Manuscript Music in the British Museum, vol. 1–3, London 1906–1909, 2/1964–1966; Clausen, H. D.: Händels Direktionspartituren („Handexemplare"), Hamburg 1972; Walker, A. D.: George Frideric Handel. The Newman Flower Collection in the Henry Watson Music Library, Manchester 1972.

[2] Smith, W. C.: Handel. A Descriptive Catalogue of the Early Editions, London 1/1960, 2/1970.

[3] Larsen, J. P.: Handel's Messiah. Origins, Composition, Sources, London 1/1957, New York 2/1972.

[4] Clausen, H. D.: Händels Direktionspartituren („Handexemplare"), Hamburg 1972.

[5] Ronish, M.: The Autograph Manuscripts of George Frideric Handel: A Catalogue, Ph. D. diss., University of Maryland 1983, maschinenschriftl. Für Auskünfte sei Mrs. Ronish herzlich gedankt.

[6] Burrows, D.: A Handlist of Paper Characteristics of Handel's English Autographs, 1982, maschinenschriftl. Dr. Burrows hat dem Verfasser mehrfach freundliche Auskünfte über Datierungsfragen im Zusammenhang mit seiner Arbeit erteilt, wofür ihm auch an dieser Stelle zu danken ist. In einigen Fällen konnten seine Ermittlungen zur Präzisierung von Datierungen mit Hilfe von Wasserzeichen und Rastralvermessungen der Autographe noch eingefügt werden; Wasserzeichen-Siglen, die von den bei Clausen, a. a. O., S. 249 ff., angeführten abweichen, basieren auf Burrows's System der Beschreibungen.

[7] Handschrift von Elizabeth Legh.

[8] Handschrift unbekannter Provenienz.

pher Smith senior, ca. 1721, p. 119–168; Kopist H$_1$, nach 1721;

Ms. aus dem Besitz von Lady Martha Rivers (geb. Coxe, Stieftochter von John Christopher Smith junior), Kopist H$_1$ und ein weiterer bisher nicht identifizierter Schreiber, ca. 1727;

Ms. aus dem Besitz von William Walond (1778):
Harp.^{d} *Sonatas M. S. By Handel & C. N.°* 8, 2. Hälfte des 18. Jahrhunderts, verschiedene Schreiber (darunter Walond selbst), letzter Teil der Handschrift (mit HWV 483 und HWV 484) in der Kopie von John Christopher Smith senior, ca. 1720/30.

GB Lbm

R. M. 18. b. 8., ca. 1718/32, verschiedene Kopisten, darunter S$_1$, S$_2$ und Smith junior in seiner frühesten Handschrift, Aylesford Collection;

R. M. 19. a. 3., ca. 1732, Kopist S$_2$, Aylesford Collection;

R. M. 19. a. 4., ca. 1732, Kopist S$_2$, Aylesford Collection;

R. M. 19. d. 11., ca. 1750/60, Kopist S$_{13}$;

Add. MSS. 31577, ca. 1723, Kopist unbekannt.

GB Malmesbury Collection

Pieces for the Harpsicord compos'd by Sign.^{r} *G. F. Handel 1718* (aus dem Besitz von Elizabeth Legh mit dem Vermerk *Elizabeth Legh her book 1717*), verschiedene Kopisten, darunter RM$_1$, RM$_4$, D. Linike;

Ms. mit Ouverturen, datiert *Eliza. Legh August y^e 30. 1722,* ca. 1722–1727, verschiedene Kopisten, darunter John Christopher Smith senior und junior sowie S$_2$, D. Linike und RM$_1$;

IIX Fuges For an Organ or Harpsicord Compos'd by George Fred^k Handel Esqr, ca. 1727, Kopist Hb$_1$.

US Bfa (E. M. Ripin-Collection)

Ms. mit Cembalowerken, 1. Teil (p. 1–104) ca. 1717, Kopist RM$_1$, 2. Teil (p. 105–163) nach 1730, Kopist S$_1$.

US NYp (Mus. Res. Drexel 5856)

Ms. mit Cembalowerken aus dem Besitz von Charles Wesley (1813), ca. 1720/21, Kopist John Christopher Smith senior.

Die in den Titelübersichten und in den *Bemerkungen* mitgeteilten Daten beziehen sich, soweit sie Händels Leben in England betreffen, auf den dort bis um 1750 gültigen „alten" Stil in der Datenbezeichnung. Zur Umrechnung der Angaben in die auf dem Kontinent seit etwa 1700 üblichen Datierungen sei auf das einschlägige Werk von H. Grotefend[9] verwiesen.

Literaturangaben

Die Literaturhinweise sind alphabetisch nach Verfassern geordnet. Sie wurden auf solche Titel beschränkt (Einzeldarstellungen, Aufsätze in Zeitschriften und Sammelbänden, Vorworte und Kritische Berichte zu Neudrucken sowie Dokumentationen), die wesentliche Informationen über das jeweils angeführte Werk Händels vermitteln und vor allem quellenkritische Aspekte erörtern. Eine umfassende Übersicht des gesamten Schrifttums bietet die *Händel-Bibliographie* von K. Sasse[10], die in erweiterter Form als Band 5 dieses Händel-Handbuches erscheinen wird.

Register

Der Registerteil enthält ein alphabetisches Verzeichnis der Textanfänge, der Instrumentalsätze und Partien in den Pasticci und Opernfragmenten sowie ein Personen-, Orts- und Sachregister.

Allen im Bibliotheksverzeichnis genannten Bibliotheken und Musiksammlungen dankt der Bearbeiter für vielfach gewährte detaillierte Auskünfte. Besonders dankbar verbunden fühlt er sich dem am 12. 3. 1980 verstorbenen Vorsitzenden des Kuratoriums der Georg-Friedrich-Händel-Stiftung Dr. W. Eisen, der dieses Handbuch angeregt und sein Entstehen über viele Jahre hinweg tatkräftig gefördert hat. Weiterhin gilt sein Dank dem Präsidenten der Georg-Friedrich-Händel-Gesellschaft Herrn Prof. Dr. Dr. h. c. E. H. Meyer (Berlin), Herrn Prof. Dr. W. Siegmund-Schultze und der Redaktion der Hallischen Händel-Ausgabe, der Direktion des Händel-Hauses, Herrn Dr. K. Sasse (†) und Herrn Dr. E. Werner, sowie den Herren T. Best (Brentwood, Essex), Dr. D. Burrows (Bedford, Beds.), G. Coke (Bentley, Hants.), W. Dean (Godalming, Surrey), W. D. Gudger (Charleston, South Carolina/USA), A. C. Hicks (London), Dr. O. Landmann (Dresden), Prof. Dr. H. J. Marx (Hamburg), O. W. Neighbour (The British Library, London), Dr. H. Serwer (Chevy Chase, Md./USA), Dr. R. Strohm (New Haven, Conn./USA) und Prof. Dr. Ch. Wolff (Cambridge, Mass./USA), die bereitwillig Quellen und Literatur für die Arbeit an vorliegendem Band zur Verfügung stellten und sie durch wertvolle Hinweise ständig förderten.

Dem VEB Deutscher Verlag für Musik Leipzig und seinem verantwortlichen Lektor, Herrn F. Zschoch, ist für die umfangreiche verlegerische Betreuung und kollegiale Hilfe bei der Arbeit an diesem Handbuch besonders zu danken.

Halle (Saale), Juni 1984   Bernd Baselt

---

[9] Grotefend, H.: Taschenbuch der Zeitrechnung des deutschen Mittelalters und der Neuzeit. Zehnte erweiterte Auflage, hrsg. von Th. Ulrich, Hannover 1960.

[10] Sasse, K.: Händel-Bibliographie, Leipzig 1963; 1. Nachtrag: 1962–1965, Leipzig 1967.

Verzeichnis der mehrfach benutzten Literatur

Kataloge und Sammlungen

Fellowes, E. H.: The Catalogue of Manuscripts in the Library of St. Michael's College, Tenbury. Paris 1934.

Fuller-Maitland, J. A./Mann, A. H.: Catalogue of the Music in the Fitzwilliam Museum, Cambridge. London 1893. Zitiert: Catalogue Mann.

Hughes-Hughes, A.: Catalogue of Manuscript Music in the British Museum, vol. 1–3, London [1]/1906–1909, [2]/1964–1966.

Knapp, J. M.: The Hall Handel Collection. In: The Princeton University Library Chronicle, vol. XXXVI, No. 1, Autumn 1974, S. 3 ff.

Lenneberg, H./Libin, L.: Unknown Handel Sources in Chicago. In: Journal of the American Musicological Society, vol. XXII, 1969, S. 85 ff.

Squire, W. B.: British Museum. Catalogue of the King's Music Library. Part I: The Handel-Manuscripts. London 1927. Zitiert: Catalogue Squire.

Walker, A. D.: Georg Frideric Handel. The Newman Flower Collection in the Henry Watson Music Library. Manchester 1972.

Willets, P. J.: Handlist of Music Manuscripts Acquired 1908/67. London (The British Library) 1970.

Nachschlagewerke

Deutsch, O. E.: Handel. A Documentary Biography. London 1955. Zitiert: Deutsch.

Grove's Dictionary of Music and Musicians. 5th Edition, ed. by E. Blom. 9 vols., 1 suppl. vol. London 1954, 1961.

The New Grove. Dictionary of Music and Musicians. Ed. by S. Sadie. 20 vols. London 1980 ff.

Sasse, K.: Händel-Bibliographie. Leipzig 1963; 1. Nachtrag: 1962–1965. Leipzig 1967.

Smith, W. C.: Verzeichnis der Werke Georg Friedrich Händels. In: Händel-Jb., 2. (VIII.) Jg., 1956, S. 125–167.

Smith, W. C.: Handel. A Descriptive Catalogue of the Early Editions. London [1]/1960, [2]/1970.

Internationales Quellenlexikon der Musik: Einzeldrucke vor 1800, Bd. 4. Kassel etc. 1974, S. 4–84.

Verzeichnis der Werke Georg Friedrich Händels (HWV), zusammengestellt von B. Baselt. In: Händel-Jb., 25. Jg., 1979, S. 10–139. – Vollkommen neu bearbeitete Fassung Leipzig 1985.

Monographien, Artikel

Burney, Ch.: A General History of Music from the Earliest Ages to 1789, Third Edition, vol. IV. London 1789 (Musicological Reprints, Baden-Baden: Heitz, 1958). Zitiert: Burney IV.

Chrysander, F.: G. F. Händel, Bd. I–III. Leipzig 1858, 1860, 1867. Register angefertigt von S. Flesch. Leipzig-Hildesheim 1967. Zitiert: Chrysander I, II, III.

Chrysander, F.: Händels zwölf Concerti grossi für Streichinstrumente. In: Allgemeine Musikalische Zeitung, 16. Jg., 1881, S. 81–148, 17. Jg., 1882, S. 894.

Clausen, H. D.: Händels Direktionspartituren („Handexemplare") (Hamburger Beiträge zur Musikwiss., Bd. 7). Hamburg 1972. Zitiert: Clausen.

Coopersmith, J. M.: An Investigation of Georg Friedrich Handel's Orchestral Style. Ph. D. diss., Harvard University, Cambridge (Mass.) 1932, maschinenschriftl. Vol. 1: Commentary, vol. 2–12: A Thematic Index of the Complete Works of Georg Friedrich Handel.

Dale, K.: The Keyboard Music. In: Handel. A Symposium, ed. by G. Abraham. London [1]/1954, [2]/1963. Zitiert: Dale (Symposium).

Dean, W.: The New Grove: Handel. London 1982.

Drummond, P.: The German Concerto. Five Eighteenth-Century Studies. Oxford 1980. Zitiert: Drummond.

Ewerhart, R.: Die Händel-Handschriften der Santini-Bibliothek in Münster. In: Händel-Jb., 6. Jg., 1960, S. 111–150.

Flesch, S.: Georg Friedrich Händels Triosonaten. Phil. Diss., Martin-Luther-Universität Halle, 1972, maschinenschriftl.

Flesch, S.: Georg Friedrich Händels Triosonaten. In: Händel-Jb., 18./19. Jg., 1972/73, S. 139–211. Zitiert: Flesch.

Flower, N.: George Frideric Handel: His Personality and his Times. London [1]/1923, [2]/1943, [3]/1947, [5]/1959. – Deutsche Ausgabe: Georg Friedrich Händel. Der Mann und seine Zeit. Aus dem Englischen übersetzt von A. Klengel. Leipzig [1]/1925, [2]/1934.

Gudger, W. D.: The Organ Concertos of G. F. Handel: A Study based on the Primary Sources. Ph. D. diss., Yale University, New Haven (Conn.) 1973, maschinenschriftl., vol. 1, 2. Zitiert: Gudger.

Hawkins, J.: George Fredric Handel. In: A General History of the Science and Practice of Music, vol. V. London 1776 (New ed. vol. II. London 1875).

Hicks, A.: Handel, George Frideric, Works. In: The New Grove Dictionary of Music and Musicians, ed. by S. Sadie, vol. 8, London 1980, S. 114–137; rev. Neufassung in: The New Grove: Handel. London 1982, S. 118–166.

Horton, J.: The Chamber Music. In: Handel. A Symposium, ed by G. Abraham , London ¹/1954, ²/1963. Zitiert: Horton (Symposium).

Kahle, F.: Georg Friedrich Händels Cembalosuiten. Diss. Berlin 1928. Eisenach 1928. Zitiert: Kahle.

King, A. H.: Handel and his Autographs. London ¹/1967, ²/1979.

Krause, P.: Handschriften und ältere Drucke der Werke Georg Friedrich Händels in der Musikbibliothek der Stadt Leipzig, Leipzig 1966.

Lam, B.: The Orchestral Music. In: Handel. A Symposium, ed. by G. Abraham. London ¹/1954, ²/1963. Zitiert: Lam (Symposium).

Lang, P. H.: Georg Frederic Handel. New York 1966. – Deutsche Ausgabe: Georg Friedrich Händel. Sein Leben, sein Stil und seine Stellung im englischen Geistes- und Kulturleben. Übersetzung: Eva Ultsch. Basel 1979.

Larsen, J. P.: Handel's Messiah. Origins, Composition, Sources. London ¹/1957, New York ²/1972. Zitiert: Larsen.

Leichtentritt, H.: Händel. Stuttgart 1924. Zitiert: Leichtentritt.

Loewenberg, A.: Annals of Opera 1597–1940. Cambridge 1943 (Geneva: Societas Bibliographica ²/1955).

The London Stage, 1660–1800; A Calendar of Plays, Entertainments ... compiled from the Playbills, Newspapers and Theatrical Diaries of the Period. Part 2: 1700–1729. Ed. E. L. Avery, 2 vols. Carbondale, Ill. 1960; Part 3: 1729–1747. Ed. A. H. Scouten, 2 vols. Carbondale, Ill. 1961.

Mainwaring, J.: Memoirs of the Life of the Late George Frederic Handel. To which is added, A Catalogue of his Works, and Observations upon them. London 1760. – *Mattheson, J.:* Georg Friderich Händels Lebensbeschreibung, nebst einem Verzeichnisse seiner Ausübungswerke und deren Beurtheilung; übersetzet, auch mit einigen Anmerkungen, absonderlich über den hamburgischen Artikel, versehen ... Hamburg 1761. Zitiert: Mainwaring/Mattheson.

Müller von Asow, H./E.H.: Georg Friedrich Händel: Briefe und Schriften. Lindau 1949.

Müller-Blattau, J.: Georg Friedrich Händel. Potsdam 1933.

Müller-Blattau, J.: Georg Friedrich Händel. Der Wille zur Vollendung. Mainz 1959.

Rolland, R.: Händel. Berlin ²/1955.

Sadie, S.: Handel Concertos (BBC Music Guides). London 1972. Zitiert: Sadie.

Schneider, G.: Mehrfassungen bei Händel. Phil. Diss. Köln 1952, maschinenschriftl.

Schoelcher, V.: The Life of Handel. London 1857.

Serauky, W.: Georg Friedrich Händel. Sein Leben – sein Werk. Bd. III, IV, V. Leipzig 1956–1958. Zitiert: Serauky III, IV, V.

Siegmund-Schultze, W.: Georg Friedrich Händel. Leipzig 1980.

Smith, W. C.: Concerning Handel, his Life and Works. London 1948.

Streatfeild, R. A.: Handel. London ¹/1909, ²/1910.

Strohm, R.: Händels Pasticci. In: Studien zur italienisch-deutschen Musikgeschichte 9 (= Analecta musicologica 14). Köln 1974, S. 208–267. Zitiert: Strohm, Pasticci.

Strohm, R.: Italienische Opernarien des frühen Settecento (1720–1730), Bd. I, II (= Analecta musicologica 16/I, II). Köln 1976. Zitiert: Strohm, Italienische Opernarien.

Taylor, S.: The Indebtedness of Handel to Works by Other Composers. Cambridge ¹/1906, New York ²/1979.

Verzeichnis der Bibliotheken

A Sm	=	Salzburg, Mozarteum (Internationale Stiftung Mozarteum und Akademie für Musik und Darstellende Kunst Mozarteum)
A Wgm	=	Wien, Bibliothek der Gesellschaft der Musikfreunde
A Wm	=	Wien, Minoritenkonvent, Klosterbibliothek und Archiv
A Wn	=	Wien, Österreichische Nationalbibliothek, Musiksammlung
B Bc	=	Brüssel, Conservatoire Royal de Musique, Bibliothèque
CH AShoboken	=	Ascona, Privatbibliothek Anthony van Hoboken
CH Zz	=	Zürich, Zentralbibliothek, Kantons-, Stadt- und Universitätsbibliothek
D (brd) B	=	Berlin (West), Staatsbibliothek Preußischer Kulturbesitz, Musikabteilung
D (brd) BNms	=	Bonn, Musikwissenschaftliches Seminar der Universität
D (brd) DS	=	Darmstadt, Hessische Landes- und Hochschulbibliothek, Musikabteilung
D (brd) Hs	=	Hamburg, Staats- und Universitätsbibliothek, Musikabteilung
D (brd) HVs	=	Hannover, Stadtbibliothek, Musikabteilung
D (brd) Mbs	=	München, Bayerische Staatsbibliothek, Musiksammlung
D (brd) MÜs	=	Münster (Westfalen), Bibliothek des Bischöflichen Priesterseminars und Santini-Sammlung
D (ddr) Bds	=	Berlin, Deutsche Staatsbibliothek, Musikabteilung
D (ddr) Dlb	=	Dresden, Sächsische Landesbibliothek, Musikabteilung
D (ddr) LEm	=	Leipzig, Musikbibliothek der Stadt Leipzig
D (ddr) SWl	=	Schwerin, Wissenschaftliche Allgemeinbibliothek des Bezirkes Schwerin, Musikabteilung
DK Kk	=	Kopenhagen, Det kongelige Bibliotek
EIRE Dcc	=	Dublin, Christ Church Cathedral Library
EIRE Dm	=	Dublin, Marsh's Library (Archbishop Marsh's Library, Library of St. Sepulchre)
EIRE Dmh	=	Dublin, Mercer's Hospital Library
EIRE Dtc	=	Dublin, Trinity College Library
F BO	=	Bordeaux, Bibliothèque municipale
F Pa	=	Paris, Bibliothèque de l'Arsenal
F Pc	=	Paris, Bibliothèque nationale (ancien fonds du Conservatoire national de musique)
GB BENcoke	=	Bentley (Hampshire), Gerald Coke private Collection
GB Cfm	=	Cambridge, Fitzwilliam Museum
GB Ckc	=	Cambridge, Rowe Music Library, King's College
GB Cu	=	Cambridge, University Library
GB CDp	=	Cardiff, Public Libraries, Central Library
GB DRc	=	Durham, Cathedral Library
GB En	=	Edinburgh, National Library of Scotland
GB Er	=	Edinburgh, Reid Music Library of the University of Edinburgh
GB Lam	=	London, Royal Academy of Music
GB Lbm (bl)	=	London, The British Library (in British Museum)
GB Lcm	=	London, Royal College of Music
GB Lco	=	London, Royal College of Organists
GB Lsm	=	London, Royal Society of Musicians of Great Britain
GB Thomas Coram Foundation	=	London, Thomas Coram Foundation (Foundling Hospital), Library
GB Malmesbury Collection	=	Basingstoke (Hampshire), The Earl of Malmesbury private Collection
GB Mp	=	Manchester, Central Public Library (Henry Watson Music Library)
GB Ob	=	Oxford, Bodleian Library
GB Shaftesbury Collection	=	Wimborne St. Giles, Dorset (Dorsetshire), The Earl of Shaftesbury private Collection
GB T	=	Tenbury (Worcestershire), St. Michael's College Library (Depositum in GB Ob)
I Bc	=	Bologna, Civico Museo Bibliografico-Musicale
I Gi(l)	=	Genua, Biblioteca dell'Istituto (Liceo) Musicale „Paganini"
I Mc	=	Mailand, Biblioteca del Conservatorio „Giuseppe Verdi"

I Nc	=	Neapel, Biblioteca del Conservatorio di Musica S Pietro a Maiella
I Vnm	=	Venedig, Biblioteca nazionale Marciana
J Tn	=	Tokyo, The Ohki Collection, Nanki Music Library
S LB	=	Leufsta Bruk, Privatsammlung de Geer
S Skma	=	Stockholm, Kungliga Musikaliska Akademiens Bibliotek
US Bfa	=	Boston (Mass.), Boston Fine Arts Museum
US Cn	=	Chicago, Newberry Library
US Cu	=	Chicago, University of Chicago, Music Library
US CA	=	Cambridge (Mass.), Harvard University, Music Library (Houghton)
US NBu	=	New Brunswick (N.J.), Rutgers University Library (The State University)
US NH	=	New Haven (Conn.), Beinicke Library
US NYp	=	New York (N. Y.), Public Library at Lincoln Center
US NYpm	=	New York (N. Y.), Pierpont Morgan Library
US Pru	=	Princeton (N. J.), Princeton University Library
US SM	=	San Marino (Cal.) Henry E. Huntington Library & Art Gallery
US Wc	=	Washington (D. C.), Library of Congress, Music Division

Abkürzungsverzeichnis

Anm.	=	Anmerkung
Bd., Bde.	=	Band, Bände
Bl., Bll.	=	Blatt, Blätter
ChA	=	Chrysander-Ausgabe (Georg Friedrich Händels Werke. Ausgabe der Deutschen Händelgesellschaft, herausgegeben von Friedrich Chrysander, Leipzig und Bergedorf 1858 ff.)
conc.	=	concertino
DDT	=	Denkmäler der Tonkunst in Deutschland
DTB	=	Denkmäler der Tonkunst in Bayern
DTÖ	=	Denkmäler der Tonkunst in Österreich
ed.	=	edited
EZ	=	Entstehungszeit
Ex.	=	Exemplar, Exemplare
Faks.	=	Faksimile
f.	=	folio
fragm.	=	fragmentum, unvollständig überliefert
GA	=	Gesamtausgabe
HHA	=	Hallische Händel-Ausgabe
Hrsg., hrsg.	=	Herausgeber, herausgegeben
Hs., Hss.	=	Handschrift, Handschriften
Instr.	=	Instrumente
instr.	=	instrumental
Jb.	=	Jahrbuch
Jg.	=	Jahrgang
Kl. A.	=	Klavierauszug
Krit. Bericht	=	Kritischer Bericht
Ms., Mss.	=	Manuskript, Manuskripte
p.	=	pagina
Part.	=	Partitur
r	=	recto
rip.	=	ripieno
S.	=	Seite
Sign.	=	Signatur
s. l.	=	sine loco (ohne Ortsangabe)
Slg.	=	Sammlung
s. n.	=	sine nomine (ohne Verlagsangabe)
T.	=	Takt, Takte
UA	=	Uraufführung
unis.	=	unisono
v	=	verso
vol.	=	volume

WZ   = Wasserzeichen
Z.   = Zeile, Zeilen

B.   = Baß, Basso
B. c.   = Basso continuo
Cbb.   = Contrabbasso
Cemb.   = Cembalo
Cont.   = Continuo
Cor.   = Corno, Corni
Fag.   = Fagotto, Fagotti
Fl.   = Flauto (dolce), Flauti (dolci)
Fl. trav.   = Flauto traverso, Flauti traversi
Ob.   = Oboe, Oboi
Org.   = Organo
St.   = Stimme, Stimmen
Str.   = Streicher
Timp.   = Timpani
Trba., Trbe. = Tromba, Trombe
V.   = Violino, Violini
Va.   = Viola, Viole
Vc.   = Violoncello, Violoncelli

Orchesterwerke

Konzerte für 1–2 Soloinstrumente und Orchester
Concerti grossi und Orchesterkonzerte
Ouverturen, Sinfonien, Suiten und Suitensätze

Konzerte für 1–2 Soloinstrumente und Orchester

287. Konzert g-Moll für Oboe und Orchester (Oboenkonzert Nr. 3)

Besetzung: Solo: Oboe. – Orchester: V. I, II; Va.; Cont.
ChA 21. – HHA IV/12. – EZ: Hamburg (?), 1703/05 (Echtheit nicht verbürgt)

1. Grave

Takt 6   29 Takte

2. Allegro

48 Takte

3. Sarabande Largo   4. Allegro

21 Takte

[vgl. HWV 291 (2.), HWV 390 (4.), HWV 576 (2.)]

Takt 11   70 Takte

Quellen
Handschriften: Autograph: verschollen.
Abschrift: verschollen (ehemals im Besitz des Verlages J. Schubert & Co., Leipzig).
Drucke: Concert für Oboe mit Begleitung von 2 Violinen, Viola, Violoncello & Contrabass (oder Piano-Forte) im Jahre 1703 in Hamburg componirt von G. F. Händel. – Leipzig & New York: J. Schuberth & Co., No. 3901 (ca. 1863/64); — – ib. (ca. 1875); — – ib. (ca. 1876); — – ib. (ca. 1890).

Bemerkungen
Das als *Oboenkonzert Nr. 3* in der Musikpraxis bekannte Werk ist nur durch die Drucke von J. Schuberth überliefert, auf denen auch sämtliche späteren Nachdrucke (ChA 21, HHA IV/12) beruhen.
Wie aus dem Erstdruck hervorgeht, war Schuberths Vorlage angeblich ein Manuskript aus eigenem Besitz, das heute als verschollen gelten muß und das auch Friedrich Chrysander seinerzeit schon nicht mehr für ChA 21 zur Verfügung stand[1].
Der Erstdruck enthält auf der ersten Notenseite den Vermerk: „Diese Partitur ist genau nach dem Manuscripte gestochen" sowie die Angabe „Componirt 1703 in Hamburg von G. F. Händel". Danach ist anzunehmen, daß der ungenannte Editor seine Vorlage entweder als Autograph oder als Abschrift Hamburger Provenienz gewertet wissen wollte.
Da für das Konzert keine Quellen vorliegen, ist seine Authentizität nicht restlos gesichert und erscheint daher problematisch. Da jedoch stilistische Eigenheiten in der Melodiebildung und thematische Parallelen mit anderen Werken Händels sowohl die Echtheit als auch die vermutliche Entstehungszeit um 1703/05 zu bestätigen scheinen, bleibt vor allem die Frage ungeklärt, ob die Form der Veröffentlichung Schuberths einer wie auch immer zu bewertenden zeitgenössischen Quelle entspricht, wie der Herausgeber der Edition behauptete[2].
Der 4. Satz *(Allegro)* weist folgende direkte thematische Entsprechungen zu anderen Werken Händels auf:
HWV 291 Orgelkonzert op. 4 Nr. 3 g-Moll: 2. Satz *(Allegro)*
HWV 390 Triosonate op. 2 Nr. 5 g-Moll: 4. Satz *(Allegro)*
HWV 576 (Preludio ed) Allegro a-Moll.

Eine etwas modifizierte, ältere Version des Themas bieten:
HWV 387 Triosonate op. 2 Nr. 2 g-Moll: 4. Satz *(Allegro)*
HWV 362 Sonate a-Moll (op. 1 Nr. 4): 4. Satz *(Allegro)*
HWV 408 Allegro c-Moll für Violine und B. c.

Literatur
Chrysander III, S. 156; Drummond, S. 122 ff.; Hudson, F.: Ein seltener Händel-Druck: Das Concerto g-Moll für Oboe, zwei Violinen, Viola und Continuo. In: Händel-Jb., 13./14. Jg., 1967/68, S. 125 ff.; Hudson, F.: Vorwort (Zum vorliegenden Band) zu HHA IV/12, Kassel und Leipzig 1971, S. VII; Lam (Symposium), S. 211 (NB. Die Fußnote 2 bezieht sich auf HWV 364[b]!); Leichtentritt, S. 797; Sadie, S. 8 f.

[1] Auch der Verlag der Musikalienhandlung Karl Dieter Wagner (Hamburg) als Rechtsnachfolger des Verlages Julius Ferdinand Schuberth (Leipzig) konnte keine Angabe über den Verbleib des Manuskripts machen.
[2] Auf einige offensichtlich keiner zeitgenössischen Quelle entstammenden editorischen Zusätze verweist bereits F. Hudson in HHA IV/12, Vorwort, S. VII.

288. Sonata (Concerto) a 5 B-Dur für Violino solo und Orchester

Besetzung: Solo: Violino. – Orchester: Ob. I, II; V. I, II; Va.; Cont.
ChA 21. – HHA IV/12. – EZ: Italien, 1706/07

[vgl. HWV 302a (3.), HWV 396 (1.), HWV 250a,b (1.), HWV 580]

Quellen

Handschriften: Autograph: *GB* Lbm (R. M. 20. g. 14., f. 11ʳ–20ʳ: *Sonata à 5*).

Bemerkungen

Das im Autograph als *Sonata à 5* bezeichnete Werk stammt aus der ersten Zeit von Händels Italienaufenthalt 1706/07. Handschrift und Papierbeschaffenheit des Autographs (WZ: Typ 1/F, f. 13–18, Typ 1/H, f. 11–12, 19–20)[1] verweisen es in den Umkreis der dem Autograph der Oper HWV 5 *Vincer se stesso* (Rodrigo) vorangestellten Ouverturensuite (*GB* Lbm, R. M. 20. c. 5., f. 1–14, WZ: Typ 1/F) bzw. HWV 232 *Dixit Dominus* (Autograph: *GB* Lbm, R. M. 20. f. 1., f. 30ʳ–82ᵛ, WZ: Typ 1/H, f. 62–65), der mit Florenz (Herbst 1706/Anfang 1707) in Verbindung gebracht werden kann. Als möglicher Adressat für das konzerthaft angelegte Werk wäre Arcangelo Corelli denkbar, der zu dieser Zeit bei Pietro Kardinal Ottoboni wirkte[2], und mit dem Händel kurz darauf (Frühjahr 1707) für einige der in Rom entstandenen Werke als Interpret rechnen konnte[3].

[1] Klassifizierung der Wasserzeichen nach Watanabe, K.: The Paper used by Handel and his Copyists during the time of 1706–1710. In: Ongaku Gaku, Journal of the Japanese Musicological Society, vol. XXVII, 1981, No. 2, p. 129 ff.

[2] Vgl. Marx, H. J.: Die Musik am Hofe Pietro Kardinal Ottobonis unter Arcangelo Corelli. In: Analecta musicologica 5, 1968, S. 104 ff.

[3] Vgl. HWV 46ᵃ Il Trionfo del Tempo e del Disinganno, Bd. 2, S. 20 ff., sowie die Bemerkungen zu HWV 150 (Bd. 2, S. 572) und HWV 336. A. Hicks (a. a. O., S. 87) deutete in diesem Zusammenhang auch die führende Violinstimme der Kantate HWV 99 Delirio amoroso als möglichen Part für Corelli.

Auf den motivischen Zusammenhang zwischen HWV 288, HVW 232 und HWV 336 Ouverture B-Dur als stilistisch und zeitlich benachbarte Kompositionen verwies bereits Anthony Hicks (vgl. die motivisch eng verwandten Sequenzpassagen in HWV 288, 3. Satz, T. 31–36, HWV 232, 6. Judicabit, T. 167–172, und HWV 336, T. 33–35).

Das thematische Material des 1. Satzes (Andante) von HWV 288 verarbeitete Händel später in folgenden Werken:
HWV 580 Sonata für Cembalo g-Moll
HWV 250[a,b] I will magnify thee (1)
HWV 302[a] Oboenkonzert Nr. 2 B-Dur: 3. Satz (Andante)

HWV 396 Triosonate op. 5 Nr. 1 A-Dur: 1. Satz (Andante)
HWV 61 Belshazzar (50)

Literatur
Chrysander III, S. 156f.; Drummond, S. 124; Hicks, A.: Handel's Early Musical Development. In: Proceedings of the Royal Musical Association, vol. 103, 1976/77, S. 81ff.; Hudson, F.: Vorwort (Zum vorliegenden Band) zu HHA IV/12, Kassel und Leipzig 1971, S. VIIf.; Leichtentritt, S. 797; Sadie, S. 9f.
Beschreibung des Autographs: Lbm: Catalogue Squire, S. 46.

289.–294. 6 Konzerte für Orgel und Orchester op. 4 (I. Serie)

289. Konzert Nr. 1 g-Moll (Orgelkonzert Nr. 1)

Besetzung: Solo: Org. – Orchester: Ob. I, II; V. I, II; Va.; Cont.
ChA 28. – HHA IV/2. – EZ: London, Anfang 1736. – UA: London, 19. Februar 1736, Theatre Royal, Coventgarden, anläßlich der UA von HWV 75 Alexander's Feast

Quellen

Handschriften: Autograph: *GB* Lbm (R. M. 20. g. 12., f. 1–5ᵛ: *Concerto per l'Organo ed altri stromenti,* fragm., nur Satz 1).

Abschriften: GB BENcoke [Partitur des Kopisten S₄, eingebunden in Walsh-Druck (1738) von HWV 75 Alexander's Feast], Cfm (Barrett-Lennard-Collection vol. 67, Mus. Ms. 836, p. 78–111: *Concerto ... 6*ᵗʰ), DRc [MS. E 26(I), St. für V. I, II, Va., Org., Cont.], Lbm (Egerton 2945, f. 18ʳ–32ᵛ: *Concerto. 4.*), Mp [MS 130 Hd4, v.84(7): *Concerto 7.*], Shaftesbury Collection (v. 1/3).

Drucke: Six Concertos For the Harpsicord or Organ Compos'd by Mʳ Handel ... These Six Concertos were Publish'd by Mʳ Walsh from my own Copy Corrected by my Self, and to Him only I have given my Right therein. George Frideric Handel. – London, J. Walsh ... NB. In a few days will be Published the Instrumental Parts to the above Six Concertos (1738, 3 verschiedene Ausgaben 1739, 1740 und ca. 1745); —— – ib., J. Walsh (ca. 1750, mit neuem Titelblatt); —— – ib., J. Walsh (ca. 1755, 3 verschiedene Ausgaben ca. 1761, ca. 1765, ca. 1766); Six Concertos for the Organ and Harpsicord; Also For Violins, Hautboys, and other Instruments in 7 Parts. Compos'd by Mʳ Handel. Opera Quarta. – ib., J. Walsh, No. 647 (1738, St. für Ob. I, II, V. I, II, V. I, II rip., Va., Basso/Vc.); —— – ib., J. Walsh, No. 647 (ca. 1739); —— – ib., J. Walsh (1753); —— – ib. William Randall (ca. 1770); —— – ib., Wright and Wilkinson (ca. 1783); —— – ib., H. Wright (ca. 1785); Six Concerts pour le Clavecin ou l'Orgue ... Quatrieme Livre. – Paris, Le Clerc le Cadet, Le Clerc, Boivin (ca. 1739, Unicum in *F* BO); A New Edition of Six

Concertos For the Harpsicord or Organ, Compos'd by Mʳ Handel. – London, William Randall (1776); —— – ib., Wright and Wilkinson (ca. 1784); —— – ib. H. Wright (ca. 1785); Six Concertos, for the Harpsicord, or Organ; Composed by Mʳ Handel. – Sold at the Music Shops, in England, Scotland, & Ireland (ca. 1782); Six Concertos For the Harpsichord or Organ, Composed by Mʳ Handel. – London, Harrison & Cᵒ (in: The Musical Magazine, No. 22/23, 1784); Six Concertos, for the Organ, Harpsichord or Piano Forte, Composed by G. F. Handel. 1ˢᵗ. Set. – London, Preston & Son (ca. 1790); Six Concertos, In Score, For the Organ or Harpsichord, With Accompanyments for Two Violins, Two Hautboys, Viola & Violoncello. Composed by G. F. Handel. – London, Arnold's edition, No. 121–122 (ca. 1793); A new Edition of Handel's Concertos for the Organ or Harpsichord. – ib., J. Dale (ca. 1800).

Bemerkungen

Die Veröffentlichung der 6 Orgelkonzerte op. 4 HWV 289–294 durch John Walsh d. J. erfolgte unter direkter Aufsicht Händels, wie die Bemerkung im Titelblatt der Erstausgabe beweist; in den verschiedenen Presseankündigungen des Druckes (vgl. Smith, Descriptive Catalogue, S. 224) wird nachdrücklich auf die Autorisierung der Ausgabe durch den Komponisten hingewiesen und vor einer „spurious and incorrect Edition ... publish'd without the Knowledge, or Consent of the Author" gewarnt. Walsh fügte dieser Ankündigung (in: *London Daily Post, and General Advertiser,* Sept. 27, 1738) hinzu: „This is to give Notice ... That these are now printed from Mr. Handel's original Manuscripts, and corrected by himself, the same six Concertos, the Copy of which I have purchased from Mr. Handel …" Der Druck der Ausgabe geschah in zwei Folgen: zunächst (Oktober 1738) wurde eine Ausgabe des Orgelparts (als Klavierauszug) vorgenommen, dem kurze Zeit später (Dezember 1738) die Orchesterstimmen als komplettes Aufführungsmaterial nachfolgten. Damit erhält dieser Erstdruck als vom Komponisten überwachte Erstausgabe eine besondere Authentizität im Hinblick auf die Überlieferung der Orgelkonzerte op. 4.

HWV 289 wurde als op. 4 Nr. 1 erstmals 1738 veröffentlicht. Da das Autograph des Konzerts nur unvollständig erhalten ist, kann seine genaue Entstehungszeit nur vermutet werden; durch die Bestimmung des Werkes als instrumentale Einfügung (nach Nr. 21) in HWV 75 Alexander's Feast (zusammen mit HWV 294 und HWV 318) kommt aber nur die Zeit Ende 1735 oder Anfang 1736 dafür in Betracht. Die enge zeitliche Verbindung mit „Alexander's Feast" ergibt sich durch die gleiche Papierbeschaffenheit der Autographe (WZ: C*d), die Bezeichnung der Lagenanordnung in HWV 289 (GB Lbm, R. M. 20. g. 12., f. 1^r: N. 22) für die Eingliederung in die Direktionspartitur von HWV 75 [D (brd) Hs, M $\frac{C}{263}$, vgl. Clausen, S. 103, Anm. 1] und die entsprechende Einordnung des Konzerts im Text der erhaltenen Cembalo- bzw. Orgel-Continuostimmen[1] für HWV 75 von Händels Aufführungen der Ode. Damit ist gleichzeitig der Zeitpunkt der Uraufführung von HWV 289 festgelegt (am 19. Februar 1736 zusammen mit „Alexander's Feast").

Im Verlaufe der Revisionen von HWV 75, die Händel vor der Uraufführung vornahm, wechselte das Konzert HWV 289 seinen Platz; ursprünglich für die Darstellung des Orgelspiels der Hl. Cäcilie vorgesehen – nachdem HWV 294 das Harfenspiel des antiken Kitharoden Timotheus repräsentiert hatte –, sollte es vor der Erwähnung der Schutz-

patronin der Musik (in HWV 75 vor Nr. 20) erklingen. Das Autograph von „Alexander's Feast" enthält an dieser Stelle (GB Lbm, R. M. 20. d. 4., f. 66^v) den später gestrichenen Vermerk Segue il Concerto per l'organo. Händel setzte HWV 289 bei der Revision der Partitur der Ode vor die neu komponierten Ergänzungen nach dem ursprünglichen Schlußchor (21. Let old Timotheus yield the prize) und vermerkte im Autograph (GB Lbm, R. M. 20. d. 4., f. 80^r) N. B. – Segue il concerto per l'organo/poi segue il coro your voices tune and raise als Hinweis für den Kopisten der Direktionspartitur John Christopher Smith senior[2].

HWV 289 war also nicht das erste vollständige Orgelkonzert, das Händel komponierte, wie aus der nachträglichen Veröffentlichung als op. 4 Nr. 1 geschlossen werden könnte[3]. Vielmehr stellen es die um 1735/40 angelegten handschriftlichen Sammlungen der Barret-Lennard-, Aylesford- und Granville-Collections, wie aus dem Quellenverzeichnis hervorgeht, an die 6. und 7. bzw. 4. Stelle. Daß die Autographe der Sätze 2–4 verschollen sind, bedeutet wohl, daß Händel den 1. Satz des Konzerts umarbeiten wollte; dies geschah aber sicher nicht vor 1738, wie aus dem Vermerk (f. 5^v des Autographs) über eine dem 1. Satz folgende Orgelimprovisation mit nachfolgender Kadenz nach B-Dur zu vermuten ist, die anschließend in das melodische Incipit einer nach Es-Dur transponierten Arie aus der 1738 komponierten Oper HWV 41 Imeneo (22. Se ricordar t'en vuoi) mündet.

Der 4. Satz (Andante) entspricht thematisch HWV 401 (Triosonate op. 5 Nr. 6 F-Dur, Satz 5^A–Andante im ⅜-Takt mit einer Variation, Autograph: GB Cfm, 30. H. 13., MS. 263, p. 43–45). Daß in HWV 401 dieser Satz durch das Menuet 5^B für den Druck (1739) ersetzt wurde, geht zweifellos auf die knapp 5 Monate zuvor erfolgte Veröffentlichung von HWV 289 mit substantiellen Teilen dieses Satzes zurück und dürfte eher auf Betreiben des Verlegers Walsh als auf Händels eigene Intentionen zurückzuführen sein. Der Triosona-

---

[1] Die Cembalo-Continuostimme (GB Lcm, MS. 900) und die beiden Orgel-Continuostimmen (GB Lbm, R. M. 19. a. 1., f. 90–110; R. M. 19. a. 10) verweisen an dieser Stelle nur auf das Orgelkonzert, geben aber keine Noten an. Vgl. dazu Cooper, B.: The Organ Parts to Handel's „Alexander's Feast". In: Music & Letters, vol. 59, 1978, S. 159ff.; Burrows, D.: The Composition and First Performances of Handel's „Alexander's Feast". In: Music & Letters, vol. 64, 1983, S. 206ff. Einen definitiven Hinweis auf die Identifizierung von HWV 289 mit dem Orgelkonzert in HWV 75 gibt die Aylesford-Collection (GB Mp, MS 130 Hd4, v. 84). Vgl. George Frideric Handel. The Newman Flower Collection in the Henry Watson Music Library. A Catalogue compiled by A. D. Walker, Manchester 1972, S. 17. In einem Exemplar von „Alexander's Feast" (1738) der Sammlung GB BENcoke ist ebenfalls eine Abschrift von HWV 289 eingebunden.

[2] Die von W. D. Gudger, a. a. O., vol. 1, S. 140 bzw. 143 geäußerte Vermutung, HWV 289 wäre bei der Uraufführung von „Alexander's Feast" 1736 nach Nr. 19 und erst 1737 nach Nr. 21 gespielt worden, entspricht nicht den von D. Burrows (a. a. O., S. 208) ermittelten Revisionsbefunden von HWV 75.

[3] Von N. K. Nielsen (Handel's Organ Concertos Reconsidered. In: Dansk Aarbog for Musikforskning, III, 1963, S. 3ff., bes. S. 10f.) wurde sogar vermutet, daß aufgrund des Fehlens autographer Quellen und abweichender Tonarten für die Sätze 2–4 HWV 289 vom Verleger Walsh junior für die Veröffentlichung aus anderen Quellen komplettiert worden wäre. Dafür gibt es jedoch keinerlei Hinweise, wie W. D. Gudger (a. a. O., S. 145f.) richtigstellte, der auf die harmonischen Zusammenhänge zwischen den Sätzen besonders eingeht und zu abweichenden Ergebnissen gelangt.

ten-Satz in HWV 401 entstand ca. 1737/38, also später als Satz 4 von HWV 289.

Literatur

Chrysander III, S. 157ff.; Drummond, S. 105ff.; Ehrlinger, F.: G. F. Händels Orgelkonzerte, Würzburg 1941, S. 51ff.; Farley, Ch. E.: The Organ Concertos of George Frideric Handel, Ph. Diss. Florida State University 1962 (maschinenschriftl.); Gudg-

er, vol. 1, S. 145ff.; Lam (Symposium), S. 226; Leichtentritt, S. 809ff.; Nielsen, N. K.: Handel's Organ Concertos Reconsidered. In: Dansk Aarbog for Musikforskning, III, 1963, S. 3ff.; Sadie, S. 24ff.; Serauky III, S. 532ff.

Beschreibung der Autographe: Lbm: Catalogue Squire, S. 42, Gudger, vol. 2, S. 38f. – Cfm: Catalogue Mann, MS. 263, S. 209.

290. Konzert Nr. 2 B-Dur (Orgelkonzert Nr. 2)

Besetzung: Solo: Org. – Orchester: Ob. I, II; V. I, II; Va.; Cont.

ChA 28. – HHA IV/2. – EZ: London, Anfang 1735. – UA: London, vermutlich am 5. März 1735, Theatre Royal, Coventgarden, anläßlich einer Aufführung von HWV 50ᵇ Esther (2. Fassung)

Quellen

Handschriften: Autograph: *GB* Lbm (King's Ms. 317, f. 1–10: *Sinfonia*, Orgelpart von Satz 1 geschrieben von J. Ch. Smith senior).

Abschriften: *GB* BENcoke *(Concerto by Handel Book 12)*, Cfm (Barrett-Lennard-Collection vol. 67, Mus. Ms 836, p. 11–26: *Concerto ... 2*[d]), Ckc (MS. 251, f. 14[v]–15[r]: Cembalotranskription von Satz 4 als *Minueto. Handell*), Lbm (Egerton 2945, f. 1–8[v]: *Concerto 1*[mo]), Mp [MS 130 Hd4, v. 84(1): *Concerto 1*), Shaftesbury Collection (v. 2/4).

Drucke: The Ladies Entertainment 5th Book. Being a Collection of the most favourite Airs from the last Operas ... To which is prefix'd the celebrated Organ Concerto, Composed by Mr. Handel. – London, John Walsh, No. 646 (1738; Ex. in *F* Pc, *GB* Ckc); Arnold's edition, No. 122–123. Weitere Drucke s. unter HWV 289.

Bemerkungen

HWV 290 entstand zusammen mit HWV 291 und HWV 292 Anfang des Jahres 1735; alle drei Konzerte, von denen nur HWV 292 genau datiert ist, sind im Autograph *GB* Lbm (King's Ms. 317) auf gleichem Papier überliefert und dürften daher für einen bestimmten Anlaß komponiert worden sein. Als solcher können die Oratorienaufführungen Händels im Frühjahr (März/April) 1735 in Betracht gezogen werden, die in den Londoner Zeitungen erstmals mit der Aufführung von neu komponierten Orgelkonzerten im Rahmen der betreffenden Oratorien angekündigt wurden[1]. Am 5. März 1735 wurde HWV 50[b] Esther aufgeführt „with several new additional songs, likewise two new Concerto's on the Organ", die mit HWV 290 und HWV 291 in Verbindung gebracht werden können. Da der letzte Satz von HWV 290 (Allegro ma non presto) als *Minuet in Esther* bekannt wurde[2], ist dieses Konzert auch aufgrund dieses Hinweises mit ziemlicher Sicherheit erstmals am 5. März 1735 von Händel öffentlich gespielt und vermutlich am 26. und 31. März (zusammen mit

HWV 51 Deborah) sowie am 1. April 1735 (zusammen mit HWV 52 Athalia) wiederholt worden.

Im Autograph trägt der kurze erste Satz die Bezeichnung *Sinfonia;* sein Orgelpart wurde von Smith senior geschrieben. Dies verweist auf eine musikalische Vorlage aus einem anderen Werk, die sich in der Sinfonia zur Solomotette HWV 242 Silete venti (EZ: ca. 1728) findet. Der zweite Satz (Allegro) stellt ebenfalls eine Umarbeitung dar; sein Urbild ist die Triosonate HWV 388 op. 2 Nr. 3 B-Dur[3]. In den vierten Satz[4] (Allegro ma non presto) fügte Händel nachträglich die Takte 89–96 ein; während das Konzert auf f. 9[v] des Autographs endet, befindet sich diese Einfügung auf f. 10[r].

Die Erstausgabe des Konzerts erfolgte separat (als Kl. A.) noch vor dem Erscheinen aller *Six Concertos* (Oktober 1738) in *The Ladies Entertainment 5*[th] *Book* (September 1738); ob dies ein Teil jener „spurious and incorrect Edition ... publish'd without the Knowledge or Consent of the Author" war, auf die Walshs Verlagsankündigung[5] vom 27. September gleichen Jahres über das Erscheinen von op. 4 Bezug nimmt, ist nicht mit Sicherheit zu sagen, da bisher keine früheren Ausgaben von op. 4 bekannt wurden[6].

Literatur

Chrysander III, S. 157 ff.; Drummond, S. 105 ff.; Gudger, vol. 1, S. 118 ff.; Lam (Symposium), S. 226 ff.; Leichtentritt, S. 811 ff.; Sadie, S. 25 f.; Serauky III, S. 550 ff.
Beschreibung des Autographs: Lbm: Gudger, vol. 2, S. 42 ff.

[1] Vgl. Deutsch, S. 383–385.
[2] Vgl. Burney, Ch.: Sketch of the Life of Handel. In: An Account of the Musical Performances in Westminster-Abbey ... In Commemoration of Handel, London 1785, p. 23, Anm. b: „The favourite movement, at the end of his second organ-concerto, was long called Minuet in the Oratorio of Esther, from the circumstance of its having been first heard in the concerto which he played between the parts of that Oratorio". / Dr. Karl Burney's Nachricht von Georg Friedrich Händel's Lebensumständen ... Aus dem Englischen übersetzt von Johann Joachim Eschenburg, Berlin und Stettin 1785 (Faksimile-Nachdruck Leipzig 1965), S. XXXIV, Anm. 52: „Der so beliebte Satz am Schluß seines zweyten Orgelconcerts hieß lange die Menuet im Oratorium Esther, weil man sie zuerst in dem Concerte gehört hatte, welches er zwischen den Theilen dieses Oratorium's spielte".

[3] Ein weiterer Hinweis auf die Verbindung von HWV 290 mit „Esther" liegt vielleicht auch darin, daß die übrigen Sätze der Triosonate HWV 388 in der Ouverture zu diesem Oratorium verarbeitet sind.
[4] Vgl. HWV 26 Lotario (4. Per salvarti) mit einigen Ritornellpassagen dieses Satzes.
[5] Vgl. Deutsch, S. 467.
[6] Chrysander III, S. 158 f., Anm. 13, bringt diesen Raubdruck mit der anonymen Ausgabe *Six Concertos for the Harpsicord, or Organ ... Sold at the Musick Shops* in Verbindung; dieser Druck ist jedoch laut Smith (Descriptive Catalogue, S. 228, Nr. 19) erst 1782 oder später von Longman & Broderip publiziert worden.

291. Konzert Nr. 3 g-Moll (Orgelkonzert Nr. 3)

Besetzung: Soli: Org.; V.; Vc. – Orchester: Ob. I, II; V. I, II; Va.; Cont.

ChA 28. – HHA IV/2. – EZ: London, Anfang 1735. – UA: London, vermutlich am 5. März 1735, Theatre Royal, Coventgarden, anläßlich einer Aufführung von HWV 50ᵇ Esther (2. Fassung)

1. Adagio — V. solo — Vc. solo

[vgl. HWV 48 (Sinfonia), HWV 252 (1.), HWV 314 (1.); T. 3 ff.: HWV 7a. Rinaldo (27.), HWV 390 (1.)]

30 Takte

2. Allegro — Tutti — Va. — Org. solo

[vgl. HWV 287 (4.), HWV 390 (4.), HWV 576 (2.)]

Takt 13

Takt 72

146 Takte

3. Adagio — V. solo — Str. — Vc. solo

12 Takte

4. A — Tutti — Vc. solo ed Org.

[vgl. HWV 360 (4.), HWV 379 (5.), HWV 310 (6.)]

33 Takte

4. B Allegro
Tutti   Org. solo

[vgl. HWV 150 (2.), HWV 6. Agrippina (17.)]

Takt 18   50 Takte

Quellen

Handschriften: Autograph: *GB* Lbm (King's Ms. 317,
f. 11–18: Satz 1–4^A, f. 19–20: Satz 4^B: *Allegro*).
Abschriften: *GB* Cfm (Barrett-Lennard-Collection
vol. 67, Mus. MS. 836, p. 27–43: *Concerto … 3^d*, mit
Satz 4^B), Lbm (Egerton 2945, f. 76^r–82^v: *Concerto 8.*,
mit Satz 4^B), Mp [MS 130 Hd4, v. 84(2): *Concerto 2.*,
mit Satz 4^B], Shaftesbury Collection (V. 2/9).
Drucke: Arnold's edition, No. 123. Weitere Drucke
s. unter HWV 289.

Bemerkungen

HWV 291 entstand zusammen mit HWV 290 und
HWV 292 zu Beginn des Jahres 1735 und wurde
vermutlich als eines der „two new Concerto's on
the Organ"[1] am 5. März 1735 anläßlich einer Aufführung von HWV 50^b Esther erstmals öffentlich
gespielt und am 31. März (Aufführung von HWV
51 Deborah) sowie am 1. April 1735 (Aufführung
von HWV 52 Athalia) wiederholt.
In seiner ursprünglichen Konzeption bestand das
Konzert (Autograph f. 11–18) aus vier Sätzen, in
denen nur im zweiten (Allegro) die Orgel als kon-
zertierendes Instrument vorgesehen war; die
Sätze 1, 3 und 4 verwendeten die Orgel zunächst
lediglich als Continuoinstrument, während die
Soli für Violine und Violoncello bestimmt waren.
Vermutlich unmittelbar nach Beendigung des
Konzerts[2] gestaltete Händel den 4. Satz (Fassung B, Autograph f. 19–20) dergestalt um, daß er
auch hier Soli für die Orgel einarbeitete und den
Satz von ursprünglich 33 Takten auf 50 Takte erweiterte (mit der Tempovorschrift *Allegro*). Satz 1
und Satz 3 bewahrten die Soli für Violine und

Violoncello, die beiden längeren Allegro-Sätze 2
und 4 jedoch stellen die Orgel als Soloinstrument
heraus. In dieser überarbeiteten Form ist das Konzert durch die übrigen handschriftlichen Quellen
überliefert und von Walsh 1738 gedruckt worden.
In einer späteren zweiten Revision, die mit 1740
in Verbindung gebracht werden kann[3], als ihm
eine Orgel mit Pedal zur Verfügung stand
(vgl. HWV 306), vermerkte Händel durch Bleistifteintragungen im Autograph unter Verwendung
von Großbuchstaben folgende Änderungen: *A.
Larghetto* ¢ (Satz 1, mit Hinweisen auf die Übertra-
gung der Streichersoli auf die Orgel unter Berück-
sichtigung der Continuostimme, wodurch sich ein
dreistimmiger obligater Satz ergibt, der eine Orgel
mit Pedal erfordert); *B. ad lib[itum]; C. Allegro*,
³/₄-Takt (Satz 2); *D. ad libitum* (Streichung von
Satz 3); *E. Allegro* ¢ (Satz 4, Fassung B).
Das musikalische Material für HWV 291 entnahm
Händel mehreren früher entstandenen Kompositionen, wobei Satz 1 und 2 eine direkte Umarbeitung der Triosonate HWV 390 op. 2 Nr. 5 g-Moll
(Satz 1 bzw. 4) darstellen, während Satz 4 auf ältere Werke zurückgreift, in der Fassung 4^B aber
sich an HWV 360 Sonate g-Moll (op. 1 Nr. 2),
Satz 4 (Presto) orientiert.
Im einzelnen lassen sich folgende thematische Beziehungen zu anderen Werken Händels nachweisen:
1. Satz, Adagio
T. 1–2:
    HWV 48 Brockespassion: Sinfonia (T. 1–4)
    HWV 252 My song shall be alway: 1. Sinfonia,
    Largo e staccato, T. 1–4

[1] Deutsch, S. 383.
[2] Im Autograph sind f. 19–20 mit der Fassung B des
4. Satzes auf gleichem Papier geschrieben wie f. 11–18
und gehören daher in die gleiche Zeit (1735) und nicht
erst „sometime before 1738", wie Gudger, vol. 1, S. 117,
vermutet. Fassung A des 4. Satzes wurde erstmals in
HHA IV/2, S. 116 f., gedruckt.

[3] Vgl. Sadie, S. 26, 56. D. Burrows, a. a. O., S. 97, äußert jedoch auch die Vermutung, daß diese Änderungen 1738
mit der Vorbereitung der Konzerte op. 4 für den Druck
bei Walsh zusammenhängen könnten, der aber davon
keinen Gebrauch machte.

HWV 314 Concerto grosso op. 3 Nr. 3 G-Dur:
1. Satz, Largo e staccato, T. 1–4
T. 3 ff.:
HWV 7ª Rinaldo (1. Fassung): 27. Ah! crudel, il
piano mio
HWV 8ª Il Pastor fido (1. Fassung): 23. Sinfo-
nia
HWV 390 Triosonate op. 2 Nr. 5 g-Moll: 1. Satz
(Larghetto)
HWV 360 Sonate g-Moll (op. 1 Nr. 2): 1. Satz
(Larghetto)
2. Satz, Allegro
HWV 287 Concerto g-Moll: 4. Satz (Allegro)
HWV 576 Allegro a-Moll
HWV 387 Triosonate op. 2 Nr. 2 g-Moll: 4. Satz
(Allegro)
HWV 362 Sonate a-Moll (op. 1 Nr. 4): 4. Satz
(Allegro)
HWV 390 Triosonate op. 2 Nr. 5 g-Moll: 4. Satz
(Allegro)
3. Satz, Adagio[4]
HWV 360 Sonate g-Moll (op. 1 Nr. 2): 3. Satz
(Adagio)
HWV 319 Concerto grosso op. 6 Nr. 1 G-Dur:
3. Satz (Adagio)
HWV 62 Occasional Oratorio: Ouverture,
3. Satz (Adagio)
4. Satz (Fassung 4ᴬ, 4ᴮ)[5]
HWV 150 „Qual ti riveggio": 2. Se la morte non
vorrà

[4] Zur Verwandtschaft des Themas mit der Arie der Eurinda „Sepellitevi" aus „Floridoro" von A. Stradella
(c. f. Hess, H.: Die Opern Alessandro Stradellas, Leipzig 1906, S. 75) vgl. Abraham, G.: Handel. A Symposium,
London ¹/1954, S. 268, Anm. 1.

HWV 6 Agrippina: 17. Non ho cor che per
amarti
HWV 16 Flavio: 7. Di quel bel che m'inna-
mora
HWV 29 Ezio: 32.–36. Stringo al fine etc.
HWV 360 Sonate g-Moll (op. 1 Nr. 2): 4. Satz
(Presto, vgl. auch 2. Satz, Andante)
HWV 379 Sonate e-Moll (op. 1 Nr. 1ª): 5. Satz
(Presto, vgl. auch 2. Satz, Andante)
HWV 310 Orgelkonzert op. 7 Nr. 5 g-Moll:
4. Satz (Gavotte)

Literatur
Burrows, D.: Walsh's edition of Handel's
Opera 1–5: the texts and their sources. In: Music
in Eighteenth-Century England, ed. C. Hogwood
and R. Luckett, Cambridge UP 1982, S. 79 ff.; Chrysander III, S. 157 ff.; Drummond, S. 105 ff.; Gudger,
vol. 1, S. 105 ff.; Lam (Symposium), S. 228; Leichtentritt, S. 811 ff.; Sadie, S. 26 ff.; Serauky III,
S. 534 ff.
Beschreibung des Autographs: Lbm: Gudger, vol. 2,
S. 48 f.

[5] Zum Ursprung des Themas (vgl. Gudger, vol. 1, S. 114)
s. Georg Muffat: *Auserlesener mit Ernst- und Lust-gemengter
Instrumental-Music Erste Versamblung*, Passau 1701: Con-
certo IV g-Moll, 4. Aria; *Armonico Tributo, cioè Sonate di Ca-
mera*, Salzburg 1682: Sonata II g-Moll, 4. Aria. Beides in:
DTÖ, XI, 2, hrsg. von E. Luntz, Wien 1904, S. 41 f., 127.
Auch in DTÖ, Bd. 89, hrsg. von E. Schenk, Wien 1953,
S. 22 f.

292. Konzert Nr. 4 F-Dur (Orgelkonzert Nr. 4)

Besetzung: Solo: Org. – Orchester: Ob. I, II; V. I, II;
Va.; Cont.
ChA 28. – HHA IV/2. – EZ: London, beendet am
25. März 1735. – UA: London vermutlich am
1. April 1735, Theatre Royal, Coventgarden, anläßlich einer Aufführung von HWV 52 Athalia

1. Allegro
Tutti

Org.
[vgl. HWV 34 (2b.)]

Org. solo

Takt 8

109 Takte

Quellen

Handschriften: Autograph: *GB* Lbm (King's Ms. 317, f. 21–33; f. 33–37: Alleluja-Chor T. 104–161).
Abschriften: *GB* Cfm (Barrett-Lennard-Collection vol. 67, Mus. MS. 836, p. 54–78: *Concerto … 5th,* Satz 4 ohne Alleluja-Chor), Lbm (Egerton 2945, f. 66ᵛ–75ᵛ: *Concerto 7., Satz 4 ohne Alleluja-Chor*), Mp [MS 130 Hd4, v. 84(4): *Concerto 4 per l'organo,* Satz 4 ohne Alleluja-Chor), Shaftesbury Collection (v. 2/8, Satz 4 ohne Alleluja-Chor).

Drucke: Arnold's edition, No. 123. Weitere Drucke s. unter HWV 289.

Bemerkungen

HWV 292 ist als einziges der unter op. 4 zusammengefaßten 6 Orgelkonzerte datiert (Autograph f. 37ʳ: *S. D. G. G. F. H. March 25, 1735*). Händel hat HWV 292 vermutlich für eine gleichzeitige Aufführung mit HWV 52 Athalia komponiert, die am 1. April 1735 stattfand.

Das Oratorium wurde in der Londoner Presse[1] angekündigt „with a new Concerto on the Organ; Also the first Concerto in the Oratorio of Esther, and the last in Deborah" (= HWV 290 und HWV 291). Auf diesen Verwendungszweck verweist auch der Alleluja-Chor, der – auf dem thematischen Material des 4. Satzes von HWV 292 aufbauend, aber zusätzlich 2 Hörner in das Orchester einfügend – sich im Autograph (f. 33–37) an diesen 4. Satz (T. 104–161) anschließt. HWV 292 samt Alleluja-Chor wurden von Händel durch einen eigenhändigen Vermerk[2] in die Direktionspartitur von HWV 52 Athalia (nach 36. Give glory to his awful name) eingegliedert *(Concerto ex F, Chorus ex F)*, der auf 1735 verweist[3]. Damit dürfte die Identität von HWV 292 mit dem „neuen" Orgelkonzert für die Aufführung von „Athalia" am 1. April 1735 erwiesen sein.

Orgelkonzert und Alleluja-Chor führte Händel nochmals im März 1737 anläßlich der Neufassung von HWV 46ᵇ (als „Il Trionfo del Tempo e della Verità") zusammen mit diesem Werk auf, denn am Ende des Autographs von HWV 46ᵇ (*GB* Lbm, R.M. 20. f. 10., f. 39ᵛ) und der Direktionspartitur [*D (brd)* Hs, M $\frac{A}{1060}$, f. 106ᵛ] steht vor dem Abschlußdatum für die Überarbeitung (14. März 1737) der Hinweis Händels *Segue il Concerto per l'organo e poi l'Alleluja*. Ob (und wann) später nur der Chor als Schlußnummer gesungen wurde (wie auch in HWV 71 The Triumph of Time and Truth), während das Orgelkonzert wegfiel, ist nicht mit Sicherheit zu klären[4].

[1] Deutsch, S. 385.
[2] Vgl. Burrows, D.: Walsh's edition of Handel's Opera 1–5, S. 96, und Clausen, S. 119. Letzterer bringt diese Eintragung mit 1735 oder 1743 zusammen, doch scheint 1735 das feststehende Jahr zu sein, da die Aufführung von „Athalia" 1743 nur geplant war, aber nicht zustandekam.
[3] Die Absicht Händels, „Athalia" 1735 mit einem Alleluja-Chor enden zu lassen, geht nach W. Dean (Handel's Dramatic Oratorios and Masques, London 1959, S. 263) auf das Libretto zu diesem Oratorium für die Aufführungen 1733 (in Oxford) zurück.
[4] Die Eliminierung des Orgelkonzerts vor dem Alleluja-Chor in der Direktionspartitur von HWV 46ᵇ [*D(brd)* Hs, M $\frac{A}{1060}$] ist nach Clausen (S. 244) zeitlich nicht zu datieren, obwohl die Aufführungen von HWV 46ᵇ 1737 und 1739 mit „Concerto's on the Organ, and other Instruments" angekündigt wurden (vgl. Deutsch, S. 431, 477).

Für die Publikation in Walshs Druck als op. 4 Nr. 4 sowie für spätere Aufführungen (ohne den Alleluja-Chor) fügte Händel einen neuen Adagio-Schluß (T. 103–105, Fassung B)[5] ans Ende des 4. Satzes von HWV 292, den auch die erhaltenen handschriftlichen Sekundärquellen überliefern; dabei weicht die Kopie aus der Granville-Collection (*GB* Lbm, Egerton 2945, f. 75ᵛ) insofern von den übrigen Quellen ab, als der Kopist (Smith senior) der Fassung des Autographs (ohne den neuen Adagio-Schluß) folgt und das Konzert mit Takt 104 (Fassung A) enden läßt.

HWV 292 scheint eines der ersten Orgelkonzerte zu sein, das Händel im wesentlichen ohne Übernahme thematischen Materials aus anderen Kompositionen schrieb. Während das Ritornell des 1. Satzes kurz zuvor in dem Chor „Questo è cielo di contenti" (2ᵇ.) in HWV 34 Alcina verwendet wurde, stellt nur der 3. Satz (Adagio) die Umarbeitung einer älteren Komposition (HWV 377 Sonate B-Dur für Blockflöte und B. c., Satz 2, Adagio) dar.

Literatur

Chrysander III, S. 157 ff.; Chrysander I, S. 221 f.; Drummond, S. 105 ff.; Ehrlinger, F.: G. F. Händels Orgelkonzerte, Würzburg 1941, S. 43 ff.; Gudger, vol. 1, S. 123 ff.; Lam (Symposium), S. 228 f.; Leichtentritt, S. 812; Nielsen, N. F.: Handel's Organ Concertos Reconsidered. In: Dansk Aarbog for Musikforskning, III, 1963, S. 9 ff.; Sadie, S. 27 ff.; Serauky III, S. 561 ff.; (Anonym): A Choral Concerto. In: The Musical Times, vol. 44, 1904, S. 163 f.
Beschreibung des Autographs: Gudger, vol. 2, S. 53 f.

[5] Faksimile von f. 33 des Autographs in: Composer's Autographs, ed. E. Roth, London 1968, vol. 1, plate 38.

293. Konzert Nr. 5 F-Dur (Orgelkonzert Nr. 5)

Besetzung: Solo: Org. – Orchester: Ob. I, II; V. I, II; Va.; Cont.

ChA 28. – HHA IV/2. – EZ: London, Anfang 1735. – UA: London, vermutlich am 26. März 1735, Theatre Royal, Coventgarden, anläßlich einer Aufführung von HWV 51 Deborah

[vgl. HWV 369 (1.)]   44 Takte

[vgl. HWV 369 (2.)]   Takt 6   33 Takte

[vgl. HWV 369 (3.)]

13 Takte

[vgl. HWV 369 (4.), HWV 378 (4.), HWV 405 (3.)]   34 Takte

HWV 293
Quellen
Handschriften: Autograph: nicht überliefert.
Abschriften: *GB* Cfm (30.H.14., MS.264, p.25–27: Satz 4, T. 9–34, Direktionspartitur mit autographen Zusätzen; Barrett-Lennard-Collection vol. 67, Mus. MS. 836, p. 1–10: *Concerto …1*[st]), Lbm (Egerton 2945, f. 9[r]–13[v]: *Concerto 2*[o].), Mp [MS 130 Hd4, v. 84(3): *Concerto 3*.], Shaftesbury Collection (v. 2/6).

Drucke: Arnold's edition, No. 123–124. Weitere Drucke s. unter HWV 289.

Bemerkungen
HWV 293 entstand vermutlich Anfang 1735 (zusammen mit HWV 290–292) für eine Aufführung mit dem Oratorium Deborah, die am 26. März 1735 „with a new Concerto on the Organ; Also the

first Concerto in the Oratorio of Esther"[1] stattfand. Das „neue" Konzert dürfte daher HWV 293 gewesen sein.

Das Fehlen eines Autographs für HWV 293 muß nicht unbedingt dessen Verlust bedeuten; möglicherweise schrieb Händel gar nicht selbst eine Partitur aus, sondern teilte sich diese Arbeit mit Smith senior, wie der erhaltene Teil der Quelle *GB* Cfm (MS. 264) vermuten läßt. Ein eigentlicher Kompositionsvorgang fand bei HWV 293 nicht statt, da alle vier Sätze eine Transkription der Blockflötensonate HWV 369 F-Dur (op. 1 Nr. 11) darstellen.

Aus dem erhaltenen Fragment der Direktionspartitur des 4. Satzes ist ersichtlich, in welcher Weise die Partitur angelegt wurde: Smith bereitete die Notenseiten mit Schlüssel und Vorzeichen vor und schrieb in den Orgelpart die Ober- und Baßstimme (zusammen mit der Continuobezifferung) der Sonate HWV 369 als Orgelsoli ein, während Händel den Orchesterpart hinzufügte und die Ritornelle (vermutlich auch der Sätze 2 und 3) ausschrieb[2] sowie die Pausenzählung in den Orche-

sterstimmen vornahm. Außerdem vermerkte er in Satz 4, T. 9 und T. 31, jeweils *ad libitum* mit Bleistift, vermutlich um eine spätere Änderung des Soloparts anzudeuten, der möglicherweise um Improvisationen erweitert oder umgestaltet werden sollte.

Entlehnungen:

1. Satz, Larghetto
   HWV 369 Sonate F-Dur (op. 1 Nr. 11): 1. Satz (Grave)
2. Satz, Allegro
   HWV 369: 2. Satz (Allegro)
3. Satz, Alla Siciliana
   HWV 369: 3. Satz (Alla Siciliana)
4. Satz, Presto
   HWV 378 Sonate D-Dur für Querflöte und B. c.: 4. Satz (Allegro)
   HWV 405 Sonate F-Dur für 2 Blockflöten und B. c.: 3. Satz
   HWV 369: 4. Satz (Allegro)

Literatur
Chrysander III, S. 158; Drummond, S. 105 ff.; Ehrlinger, F.: G. F. Händels Orgelkonzerte, Würzburg 1941, S. 36 f.; Engel, H.: Das Instrumentalkonzert (in: Führer durch den Konzertsaal, 3. Bd.), Leipzig 1932, S. 137 f.; Leichtentritt, S. 812 f.; Gudger, vol. 1, S. 99 ff.; Sadie, S. 29; Serauky III, S. 570 ff.

---

[1] Vgl. Deutsch, S. 384. Wiederholt am 31. März 1735 „with a new Concerto on the Organ. Also the two Concerto's in the Oratorio of Esther", ebenda, S. 385.
[2] Vgl. Gudger, vol. 1, S. 99 f.

294. Konzert Nr. 6 B-Dur (Orgelkonzert Nr. 6)

Besetzung: Solo: Harfe (oder Org.). – Orchester: Fl. I, II; V. I, II; Va.; Cont.
ChA 28. – HHA IV/2. – EZ: London, Anfang 1736. – UA: London, 19. Februar 1736, Theatre Royal, Coventgarden, anläßlich der UA von HWV 75 Alexander's Feast

3. Allegro moderato

Arpa

72 Takte

Quellen

Handschriften: Autograph: *GB* Lbm (R. M. 20. g. 12., f. 8ʳ–13ᵛ: *Concerto per la Harpa*).

Abschriften: *GB* BENcoke [Partitur des Kopisten S₄, eingebunden in Walsh-Druck (1738) von HWV 75 Alexander's Feast], Cfm (Barrett-Lennard-Collection vol. 67, Mus. MS. 836, p. 43–53: *Concerto ... 4ᵗʰ*), Lbm (Egerton 2945, f. 14ʳ–17ᵛ: *Concerto 3. per la Harpa*[1]; R. M. 20. g. 13., f. 24ᵛ–28ʳ: Kopie des Soloparts mit autographen Eintragungen; R. M. 19. a. 1., f. 92ᵛ–93ᵛ: Orgelcontinuo aus HWV 75 für *Concerto per il Liuto e l'Harpa*[2]), Mp [MS 130 Hd4, v. 84(5): *Concerto 5. per la Harpa*], Shaftesbury Collection (v. 1/1, Partitur des Kopisten S₁).

Drucke: Arnold's edition, No. 124. Weitere Drucke s. unter HWV 289.

Bemerkungen

HWV 294 schrieb Händel als Einlage für HWV 75 Alexander's Feast, um damit wohl das Harfenspiel des griechischen Sängers Timotheus zu veranschaulichen. Zusammen mit HWV 318 Concerto grosso C-Dur und HWV 289 op. 4 Nr. 1 wurde HWV 294 in Händels Aufführungen der Ode 1736/39 gespielt; es erklang nach dem Rezitativ „Timotheus plac'd on high" (nach Nr. 2) und war nach dem Wortlaut des Librettos der Erstaufführung 1736 „for the Harp, Lute, Lyricord, and other Instruments" bestimmt[3]. Für eine spätere Aufführung scheint das Konzert im 2. Satz um die Takte 8–66 gekürzt worden zu sein (Autograph, f. 10ᵛ), wie auch der Orgelcontinuopart (*GB* Lbm, R. M. 19. a. 1., f. 92ᵛ–93ᵛ) beweist, obwohl dieser nur sekundären Quellenwert – als Kopie des originalen Orgelcontinuo für Charles Jennens (Aylesford Collection) angefertigt – beanspruchen kann[4].

Interpret des Harfenkonzerts in HWV 75 soll Walter Powell junior, ein bekannter Harfenvirtuose dieser Zeit, gewesen sein[5]; möglicherweise spielte der Tenor und Lautenist Carlo Arrigoni dabei einen – nicht von Händel notierten – Lautenpart[6].

Für die Veröffentlichung von HWV 294 in Walshs Druck als op. 4 Nr. 6 bestimmte Händel den Solopart für Orgel; eine spätere Aufführung des 1. Satzes, transponiert nach A-Dur, innerhalb eines „Pasticcio"-Konzertes (vgl. unter HWV 296ᵇ) ist für 1743 anzunehmen.

Satz 2 (Larghetto) von HWV 294 basiert auf einigen motivischen Wendungen aus der Triosonate HWV 388 op. 2 Nr. 3 B-Dur (3. Satz, Larghetto, T. 15 ff.).

Literatur

Chrysander III, S. 158; Drummond, S. 105 ff.; Gudger, vol. 1, S. 150 ff.; Gudger, W. D.: Handel's harp concerto. In: American Harp Journal, vol. VI, Heft 3, 1978, S. 14 ff.; Lam (Symposium), S. 229; Leichtentritt, S. 812 f.; Sadie, S. 29 f.; Serauky III, S. 573 ff.

Beschreibung des Autographs: Lbm: Catalogue Squire, S. 42, Gudger, vol. 2, S. 62.

[1] In dieser Quelle fehlen in Satz 2 die Takte 13–58; ob diese Kürzung beabsichtigt oder nur ein Versehen des Kopisten Smith senior war, ist nicht geklärt.

[2] Satz 1 hat die Tempobezeichnung *Allegro ma non troppo*, Satz 2 ist wie im Autograph um die Takte 8–66 gekürzt.

[3] Im Autograph von HWV 75 (*GB* Lbm, R. M. 20. d. 4., f. 1ʳ) steht an dieser Stelle der Vermerk *Concerto per la Harpa ex B*; die Direktionspartitur [*D(brd)* Hs, M $\frac{C}{263}$] verweist mit der Lagenbezeichnung *N. 4* auf das Autograph von HWV 294 (f. 13), die Orgelcontinuo-Stimme (*GB* Lbm, R. M. 19. a. 1., f. 92ᵛ) nennt das Werk *Concerto per il Liuto e l'Harpa*, und die Partitur der Aylesford-Collection (*GB* Mp) von der Hand des Kopisten S₁ verweist durch einen Vermerk ihres Besitzers Charles Jennens ebenfalls auf diese Bestimmung. Die Walsh-Ausgabe (1738) von HWV 75 in *GB* Bencoke hat an der entsprechenden Stelle handschriftliche Kopien der Konzerte HWV 289 und HWV 294 des Kopisten S₄ eingebunden.

[4] Vgl. Burrows, D.: The Composition and first Performance of Handel's „Alexander's Feast". In: Music & Letters, vol. 64, 1983, S. 206 ff.

[5] Hawkins, J.: A History of the Science and Practice of Music, London 1776, vol. V, p. 356 f.

[6] Vgl. Dean, W.: Un unrecognized Handel singer: Carlo Arrigoni. In: The Musical Times, vol. 118, 1977, S. 556 ff.

Vgl. dazu Smith, W. C.: A Handelian's Notebook, London 1965, S. 69.

295.–300. 6 Konzerte für Orgel und Orchester (II. Serie)

295. Konzert Nr.1 F-Dur (Orgelkonzert Nr.13)

Besetzung: Solo: Org. – Orchester: Ob.I, II; V.I, II; Va.; Cont.
ChA 48. – HHA IV/7. – EZ: London, beendet am 2. April 1739. – UA: London, vermutlich am 4. April 1739, King's Theatre, Haymarket, anläßlich der UA von HWV 54 Israel in Egypt

1. A Largo
1. B Larghetto

[vgl. HWV 401 (1.)]   26 Takte

2. A/B Allegro

[vgl. HWV 327 (2.)]

Takt 8   Takt 28

A: 119 Takte; B: 100 Takte
B: Org.: ad libitum ex A C 3/4

3. Larghetto

[vgl. HWV 327 (3.)]   45 Takte

4. Allegro

[vgl. HWV 401 (4.)]

Takt 7   95 Takte

Quellen

Handschriften: Autographe: *GB* Lbm [R.M.20.g.12., f. 14ʳ–21ᵛ: *Concerto/Larghetto* bzw. *Largo* (gestrichen), Satz 4 endet mit T. 67; R. M. 20. g. 14., f. 10ʳ⁻ᵛ: Satz 4, T. 68ff. Beide Autographe gehören zusammen und ergänzen einander), Cfm (30. H. 14., MS. 264, p. 1, Zeile 7–9: Skizze für Satz 3, Larghetto).

Abschriften: *GB* Lbm (Egerton 2945, f. 43ʳ–52ʳ: *Concerto*, Fassung A), Mp [MS 130 Hd4, Part.: v. 80(2), Kopie von Smith señior, St.: v. 82(2), 83(2), 354(3), 355(3), 358(2)–363(2), Fassung A, Kopien des Schreibers S₂].

Drucke: A Second Set of Six Concertos For the Harpsicord or Organ Compos'd by Mͬ Handel. – London, J. Walsh, Nͦ 681 (1740), p. 1–10 (Kl. A)[1]; — – ib., Nͦ 681 (ca. 1755); — – ib., H. Wright, Nͦ 681 (ca. 1785); Two Concertos for the Organ and Harpsicord with the Instrumental Parts for Violins, Hoboys &c. in Seven Parts. Compos'd by Mͬ Handel 2ᵈ Set. – London, J. Walsh (ca. 1761), p. 1–9 (Kl. A. und St.)[2]; — – ib., Wright and Co. (ca. 1785); A New Edition of a Second Set of Six Concertos for the Harpsichord or Organ, Composed by Mͬ Handel. – ib., H. Wright (ca. 1787), p. 1–9 (Kl. A.); — – ib., Preston (ca. 1790ff.); Second Set. Six Concertos For the Harpsichord or Organ, Composed by Mͬ Handel. – ib., Harrison & Cͦ (= The New Musical Magazine, No. 23–25, 1784, Kl. A.); Handel's Second Concerto for the Piano-forte or Harpsichord. – ib., A. Bland & Weller (nach 1800).

Bemerkungen

HWV 295 gehört zu den 1739 entstandenen Konzerten; Händel vermerkte die Beendigung der Komposition am Ende des Autographs (f. 10ᵛ) mit der Eintragung *Fine G. F. H. London. April 2. 1739.* Das Autograph spiegelt zwei Fassungen des Konzerts wider: Fassung A bestand ursprünglich aus Satz 1 mit der Tempobezeichnung *Largo*, Satz 2 in der längeren Fassung von 119 Takten[3], Satz 3 (Larghetto) und Satz 4 (Allegro). Vermutlich nach 1740/45 oder wenig später[4] überarbeitete Händel das Werk zur Fassung B, indem er in Satz 1 die Tempobezeichnung in *Larghetto* änderte, Satz 2 durch Streichungen und Änderungen auf 100 Takte reduzierte, danach den Ver-

merk über einen *Ad-libitum*-Einschub der Orgel[5] einfügte, Satz 3 und 4 jedoch unverändert ließ. Demnach dürfte Fassung A von HWV 295 bei der Uraufführung anläßlich der Premiere von HWV 54 Israel in Egypt am 4. April 1739 angekündigt „with several Concerto's on the Organ, and particularly a new one"[6]) sowie bei der Wiederholung von HWV 53 am 7. April des gleichen Jahres[7] erklungen sein.

HWV 295 steht in thematischer Verbindung mit zwei anderen Werken Händels: Satz 1 und Satz 4 sind Transkriptionen zweier Sätze der Triosonate HWV 401 op.5 Nr.6 F-Dur (Satz 1 bzw. Satz 4)[8], Satz 2 und Satz 3 dienten Händel als Vorlagen für die Komposition von HWV 327 Concerto grosso op.6 Nr.9 F-Dur (Satz 2–3), das im Oktober 1739 vollendet wurde[9].

Für den 2. Satz von HWV 295 griff Händel auf Motive aus Werken von Giovanni Porta[10] und Johann Kaspar Kerll[11] zurück; Kerlls *Capriccio Cucu*[12]

---

[1] Enthält Satz 2 in der längeren Fassung A.

[2] Enthält Satz 2 in der kürzeren Fassung B.

[3] Rekonstruiert in Partitur von W. D. Gudger, vol. 2, Appendix IV, S. 137–149. Kl. A. in Walshs Ausgabe No. 681 (1740). Part. (Musica da Camera 104) ed. by T. Best, Oxford 1984.

[4] Die Granville-Collection, zu der die Quelle *GB* Lbm (Egerton 2945) gehört, wurde bekanntlich um 1740/45 kopiert (vgl. Larsen, S. 211, und Clausen, S. 55); *Egerton 2945* enthält noch die Fassung A von HWV 295, so

daß Händels Änderungen erst erfolgt sein müssen, nachdem Smith senior die Kopie für Bernard Granville angefertigt hatte. Die Kopien der Aylesford-Collection (*GB* Mp Part.: ca. 1743/47; St.: ca. 1747/48) sind dagegen zeitlich nicht so exakt einzugrenzen und geben daher keinen Hinweis auf eine Datierung der beiden Fassungen von HWV 295.

[5] Auf die Interpretation der Tempobezeichnung in Händels Autograph *Org. ad libitum ex A* 𝄴 $\frac{3}{4}$ als *tempus imperfectum cum prolatione majore et subsesquitertia* hat Gudger, vol. 1, S. 185, Anm. 39, aufmerksam gemacht.

[6] Vgl. Deutsch, S. 478.

[7] Angekündigt „With Alterations and Additions, and the two last new Concerto's on the Organ", vgl. Deutsch, S. 479.

[8] Vgl. auch die thematischen Parallelen dieses Werkes mit HWV 392.

[9] Die Annahme, HWV 295 und HWV 296 seien ebenfalls Bearbeitungen der Concerti grossi HWV 327 und HWV 329 wie die übrigen Nummern des „Second Set" HWV 297–300, ist aufgrund der Datierungen nicht haltbar. Die Orgelkonzerte HWV 295 und 296 entstanden eindeutig früher als die danach gearbeiteten Concerti grossi HWV 327 und 329. Daher ist u. a. auch W. Mohr, a. a. O., S. 86ff., zu korrigieren.

[10] Oper „Numitore", vgl. Dean, W.: Handel's Dramatic Oratorios and Masques, London 1959, S. 334ff., und Gudger, W. D.: Skizzen und Entwürfe für den Amen-Chor in Händels „Messias". In: Händel-Jb., 26.Jg., 1980, S. 83ff., besonders S. 99, Anm. 22.

[11] Vgl. Seiffert, M.: Händels Verhältnis zu Tonwerken älterer deutscher Meister. In: Jb. der Musikbibl. Peters, XIV, 1907, S. 41ff., und Mansfield, O. A.: The Cuckoo and the Nightingale in Music. In: Musical Quarterly, vol. VII, 1921, p. 261ff.

[12] Drei Fassungen dieses Stückes mit nahezu identischem Beginn sind abgedruckt in: Ausgewählte Werke des Kurfürstlich Bayerischen Hofkapellmeisters Johann Kaspar Kerll (1627–1693), Erster Teil, hrsg. von A. Sandberger, Denkmäler der Tonkunst in Bayern II/2, Leipzig 1901, S. 38–46. Diese Entlehnung aus Kerlls Orgelwerken steht vermutlich in engem Zusammenhang mit

bot ihm dabei die Idee für den Kontrapunkt zu den Kuckucksrufen, die dem Werk – zusammen mit den punktierten Motiven T. 50 ff. – den Beinamen „The Cuckoo and the Nightingale" einbrachten.

der Komposition von HWV 54 Israel in Egypt, in dem ebenfalls eine Orgelkanzone Kerlls für den Chor „Egypt was glad" (9) von Händel zitiert wird. Vgl. dazu Taylor, S.: The Indebtedness of Handel to Works by other Composers, Cambridge ¹/1906, New York ²/1979, S. 76 ff.

Literatur
Chrysander III, S. 159 ff.; Drummond, S. 113 f.; Gudger, vol. 1, S. 177 ff.; Lam (Symposium), S. 229; Mohr, W.: Händel als Bearbeiter eigener Werke. In: Händel-Jb., 13./14. Jg., 1967/68, S. 83 ff.; Sadie, S. 32 ff.; Serauky III, S. 577 f.
Beschreibung der Autographe: Lbm: Catalogue Squire, S. 43, 45, Gudger, vol. 2, S. 67 f. – Cfm: Catalogue Mann, MS. 264, S. 219.

296ª. Konzert Nr. 2 A-Dur (Orgelkonzert Nr. 14)

Besetzung: Solo: Org. – Orchester: Ob. I, II; V. I, II, III; Va.; Cont.
ChA 48. – HHA IV/7. – EZ: London, Frühjahr 1739. – UA: London, vermutlich am 20. März 1739, King's Theatre, Haymarket, anläßlich einer Aufführung von HWV 75 Alexander's Feast

3. Grave
Org. ad libitum

Str.

[vgl. HWV 329 (3.)]

4. Allegro
Tutti

con Org.

[vgl. HWV 329 (5.)]

Takt 17

Org. solo

95 Takte
D. c. (175 Takte)

296ᵇ. Konzert A-Dur ("Pasticcio-Konzert")

Besetzung: Solo: Org. – Orchester: Ob. I, II; V. I, II; Va.; Cont.
EZ: London, nach Februar 1743. – UA: Nicht nachweisbar

1. Andante

[= HWV 296a (2.)]

125 Takte

2. Adagio

Organo (ad libitum)

3. Grave

[= HWV 296a (3.)]

6 Takte

4. Andante allegro

[= HWV 294 (1.)]

66 Takte

5. A tempo ordinario

[= HWV 307 (2.)]

127 Takte

Quellen

Handschriften: HWV 296ᵃ, Autograph: *GB* Lbm (R. M. 20. g. 12., f. 23ʳ–31ᵛ: *Concerto*), Cfm (30. H. 14., MS. 264, p. 8, Zeile 1–4: Skizze für Satz 4). – HWV 296ᵇ, Autograph: *GB* Lbm (R. M. 20. g. 12., f. 25–28: *Concerto per l'Organo ed altri stromenti 5.*, Hinweise auf Kürzungen des *Andante* mit Angabe der Satzzusammenstellung aus HWV 294 und HWV 307).

Abschriften: HWV 296ᵃ: *GB* Cfm (30. H. 15., MS. 265, p. 41–47: *Organo. Concerto*, Orgelstimme für Satz 1, *Organo ad libitum*, Satz 4, Kopie des Schreibers S₁; p. 49–52: *Concerto. Basso.*, Continuostimme für Satz 1–4), Lbm (Egerton 2945, f. 33ʳ bis 42ᵛ: *Concerto. 5.*, Kopie von Smith senior), Mp [MS 130 Hd4, Part.: v. 80(1): *Concerto per l'Organo*, Kopie von Smith senior; St.: v. 82(2), 83(1), 354(3), 355(3), 358(3)–363(3), Kopien des Schreibers S₂].

Drucke: HWV 296ᵃ: A Second Set of Six Concertos For the Harpsicord or Organ Compos'd by Mr Handel. – London, J. Walsh, N? 681 (1740), p. 11–19 (Kl. A.); —— – ib., N? 681 (ca. 1755); —— – ib., H. Wright, N? 681 (ca. 1785); Two Concertos for the Organ and Harpsicord with the Instrumental Parts for Violins, Hoboys &c. in Seven Parts. Compos'd by Mr Handel 2ᵈ Set. – London, J. Walsh (ca. 1761), p. 10–18, (Kl. A. und St.); —— – ib., Wright and Co. (ca. 1785); A New Edition of a Second Set of Six Concertos for the Harpsichord or Organ, Composed by Mr Handel. – ib., H. Wright (ca. 1787), p. 10–19 (Kl. A.); —— – ib., Preston (ca. 1790); Second Set. Six Concertos For the Harpsichord or Organ, Composed by Mr Handel. – ib., Harrison & C? (= The New Musical Magazine, No. 23–25, 1784, Kl. A.).

Bemerkungen

Nach Schriftduktus und Papierbeschaffenheit des Autographs (WZ: Bk und Cx) entstand HWV 296 im Frühjahr 1739 (vermutlich Anfang März, noch vor HWV 295) und dürfte jenes Konzert gewesen sein, das Händel speziell für die Wiederholung von HWV 75 Alexander's Feast am 20. März 1739 komponiert hatte. Diese Aufführung wurde angekündigt „with several Concerto's on the Organ, and other Instruments. Particularly a new Concerto on the Organ by Mr. Handel, on purpose for this Occasion"[1].

Aus der Lagenanordnung des Autographs geht hervor, daß Händel die Komposition des Konzerts ursprünglich mit Satz 2 *(Concerto/Andante)* begonnen hat, der fortlaufend auf einer Binio (f. 25–28) notiert ist. Satz 1 *(Largo e staccato,* f. 23–24), auf einer Unio überliefert, wurde dagegen erst später dem Werk als Einleitung vorangestellt und erhielt (anstelle des gestrichenen Werktitels bei Satz 2) jetzt die Überschrift *Concerto.* HWV 296ᵃ diente Händel später als Vorlage für die Komposition von HWV 329 Concerto grosso op. 6 Nr. 11 A-Dur (mit Ausnahme von dessen Satz 2, *Allegro)*[2].

Für Satz 2 (Andante) von HWV 296ᵃ entlehnte Händel thematisches Material aus Johann Kuhnaus Sammlung „Frische Klavierfrüchte" (Leipzig 1693)[3].

In einem späteren Stadium entwickelte Händel aus der Partitur von HWV 296ᵃ zwei abweichende Fassungen für zwei Aufführungsvarianten. Die erste dieser Varianten spiegelt die Handschrift *GB*

Cfm (MS. 265, p. 41–47) wider, in der der Kopist S₁ Satz 1 und 4 – getrennt durch eine Ad-libitum-Improvisation der Orgel – zu einem neuen Konzert zusammenstellte[4]. Für die zweite Variante arrangierte Händel im Autograph[5] *(GB* Lbm, R. M. 20. g. 12., f. 25–28) mittels Bleistifteintragungen ein „neues" Konzert aus Sätzen verschiedener Orgelkonzerte, das hier als HWV 296ᵇ in der Art eines „Pasticcio"-Konzerts aufgenommen wurde. Er versah dabei Satz 2 *(Andante)* mit dem Bleistiftvermerk *Concerto per organo ed altri stromenti 5.,* fügte Kürzungen ein und trug einen zweitaktigen Adagio-Schluß nach; der (gestrichene) Satz 3 *(Grave)* erhielt die Vermerke *Segue* (mit Tinte) und *la Fuga* (mit Bleistift), darauf folgen – gleichfalls mit Bleistift skizzierte – Incipits für zwei weitere Sätze aus anderen Orgelkonzerten, die vermutlich den Abschluß des Werkes bilden sollten.

Das aus diesen Eintragungen zusammengestellte Konzert HWV 296ᵇ zeigt folgende Abhängigkeit zu den ausgewählten Kompositionen:

1. Satz, *Andante*
   HWV 296, Satz 2 *(Andante),* gekürzt auf 125 Takte durch die Streichung von T. 50–54 und T. 75–108
   Organo *Adagio* (ad libitum)
2. Satz, *Grave*
   HWV 296, Satz 3 *(Grave)*
3. Satz, *Andante allegro*
   HWV 294 op. 4 Nr. 6 B-Dur: 1. Satz *(Andante allegro),* transponiert nach A-Dur
4. Satz, *A tempo ordinario*
   HWV 307 op. 7 Nr. 2 A-Dur: 2. Satz *(A tempo ordinario).*

Als Terminus post quem für diese Zusammenstellung der Sätze als HWV 296ᵇ muß die Entstehungszeit von HWV 307 (beendet am 5. Februar 1743) gelten. Eine Aufführung von HWV 296ᵇ ist in dieser Form allerdings nicht nachweisbar.

Literatur

Chrysander III, S. 159 ff.; Drummond, S. 114 ff.; Gudger, vol. 1, S. 162 ff.; Mohr, W.: Händel als Bearbeiter eigener Werke. In: Händel-Jb., 13./14. Jg., 1967/68, S. 83 ff.; Sadie, S. 34 ff.; Serauky, S. 577.

Beschreibung der Autographe: Lbm: Catalogue Squire, S. 43, Gudger, vol. 2, S. 73 ff. – Cfm: Catalogue Mann, S. 219.

---

[1] Vgl. Deutsch, S. 477 f. Das Konzert war eine Wohltätigkeitsveranstaltung „for the Support of decay'd Musicians or their Families".

[2] Zur Priorität von HWV 296 vor HWV 329 vgl. unter HWV 295, Anm. 9.

[3] Vgl. Seiffert, M.: Händels Verhältnis zu Tonwerken älterer deutscher Meister. In: Jb. der Musikbibl. Peters, XIV, 1907, S. 41 ff., besonders S. 53. Der Satz stammt aus „Suonata Terza", veröffentlicht in: Johann Kuhnaus Kla-

vierwerke, hrsg. von K. Päsler, DDT, 1. Folge, Bd. 4, Leipzig 1901, S. 82 f. Vgl. auch den Hinweis auf die Generalbaßstudien in Händels sog. „Kompositionslehre" in *GB* Cfm (30. H. 10., MS. 260, p. 27 und 34) bei Gudger, vol. 1, S. 169. Das Beispiel ist abgedruckt von Mann, A.: Eine Kompositionslehre Händels. In: Händel-Jb., 10./11. Jg., 1964/65, S. 46–47 und in: HHA/Supplemente, Bd. 1, Aufzeichnungen zur Kompositionslehre, hrsg. von A. Mann, Kassel und Leipzig 1978, S. 32 f.

[4] Vgl. Gudger, vol. 1, S. 74 f., 176.

[5] Beschrieben bei Gudger, vol. 2, S. 73 f.

297. Konzert Nr. 3 d-Moll (nach HWV 328) für Org. solo

ChA 48. – EZ: London, 1739

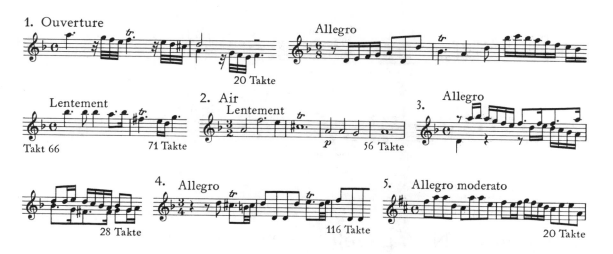

298. Konzert Nr. 4 G-Dur (nach HWV 319) für Org. solo

ChA 48. – EZ London, 1739

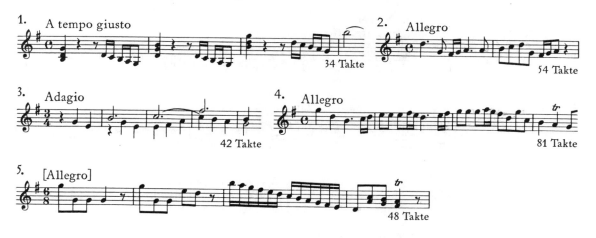

299. Konzert Nr. 5 D-Dur (nach HWV 323) für Org. solo

ChA 48. – EZ: London, 1739

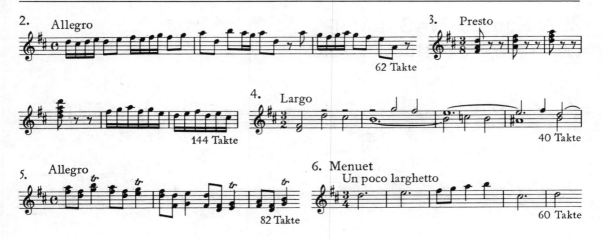

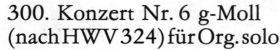

300. Konzert Nr. 6 g-Moll (nach HWV 324) für Org. solo

ChA 48. – EZ: London, 1739

Quellen
Drucke: S. unter HWV 295.

Bemerkungen
HWV 297–300 sind als Nr. 3–6 Bestandteil des „Second Set of Six Concertos for the Harpsicord or Organ", den Walsh 1740 zusammen mit HWV 295 und 296 im Klavierauszug veröffentlichte. Im Unterschied zu den beiden letzteren Werken, die real komponierte Orgelkonzerte darstellen, sind HWV 297–300 einfache Transkriptionen von Concerti grossi aus op. 6 für ein Tasteninstrument, und zwar in folgender Reihenfolge:
HWV 297, Second Set Nr. 3
  HWV 328 Concerto grosso op. 6 Nr. 10 d-Moll
HWV 298, Second Set Nr. 4
  HWV 319 Concerto grosso op. 6 Nr. 1 G-Dur

HWV 299, Second Set Nr. 5
  HWV 323 Concerto grosso op. 6 Nr. 5 D-Dur
HWV 300, Second Set Nr. 6
  HWV 324 Concerto grosso op. 6 Nr. 6 g-Moll

Diese Bearbeitungen stammen höchstwahrscheinlich nicht von Händel; jedenfalls haben sich keine Hinweise in seinen Handschriften über derartige Einrichtungen erhalten. Diese Klavierauszüge der Concerti grossi sind satztechnisch sehr primitiv und haben in dieser Hinsicht so wenig mit den im Autograph überlieferten Cembalotranskriptionen von Orchesterwerken Händels (vgl. HWV 456[1–5]) gemeinsam, daß sie als Produkt eines vom Verleger beauftragten Herausgebers anzusehen sind, der sie ohne Anleitung und Zustimmung des Komponisten angefertigt hat.

Immerhin muß diese Veröffentlichung zumindest Händels stillschweigende Billigung gehabt haben, da sie sonst nicht zusammen mit den vollgültigen Orgelkonzerten HWV 295 und 296 hätte erscheinen können. Diese Konzerte haben lange Zeit zu der Vermutung geführt, auch die letzteren beiden Werke seien Bearbeitungen von Concerti grossi, obwohl ihre thematische Bindung an op. 6 keinesfalls mit dem bloßen Arrangement von HWV 297–300 verglichen werden kann; außerdem liegt ihre Entstehungszeit eindeutig vor jener der Concerti grossi HWV 327 und HWV 329.

Es war auch nicht beabsichtigt, wie mehrfach vermutet wurde, HWV 297–300 zusammen mit den Streicherstimmen des kurz zuvor veröffentlichten op. 6 zu spielen, um dadurch echte Orgelkonzerte zu erhalten, denn nur zu den beiden neu komponierten Werken des „Second Set" HWV 295 und 296 wurden Stimmen von Walsh herausgegeben.

Diese Arrangements der Concerti HWV 297–300 bewahrten vielmehr den Status schlichter Klavierauszüge von Concerti grossi aus op. 6, die auf jedem Tasteninstrument solo gespielt werden konnten und auch in ihrer Struktur keine Teilung in *Solo* oder *Tutti* im Notenbild widerspiegeln; höchstens werden an derartigen Stellen dynamische Differenzierungen zwischen piano und forte vermerkt.

Literatur

Chrysander III, S. 160 f.; Gudger, S. 83 f.; Sadie, S. 32 f.

301. Konzert B-Dur für Oboe und Orchester (Oboenkonzert Nr. 1)

Besetzung: Solo: Oboe. – Orchester: V. I, II; Va.; Cont.
ChA 21. – HHA IV/12. – EZ: Vermutlich 1706/10

Quellen

Handschriften: Autograph: verschollen.
Abschrift: *GB* Lbm (Add. MSS. 31576, f. 79[r] bis 82[r]).
Drucke: Select Harmony Fourth Collection. Six Concertos in Seven Parts For Violins and other Instruments Compos'd by Mr Handel, Tartini and Veracini. – London, J. Walsh, N° 682 (1740, Concerto No. II); —— – ib., N° 682 (1741).

Bemerkungen

Die Entstehungszeit von HWV 301 ist ungewiß, da keine autographen Quellen überliefert sind und vor dem Druck von 1740 auch keine anderen Hinweise für die Existenz des Konzerts vorliegen. In stilistischer Hinsicht weist das Werk auf eine relativ frühe Entstehung, die seine Einordnung in die Schaffensperiode 1706/10 rechtfertigt. Für die Veröffentlichung in Walshs Sammlung „Select Harmony Fourth Collection" (1740) wurde es vermutlich von Händel überarbeitet.

In diesem Stimmendruck sind als Concerti I, II und III die Werke HWV 318, HWV 301 und HWV 302[a] mit drei anderen Konzerten von Veracini (No. IV) und Tartini (No. V und VI) vereinigt; obwohl nur bei Concerto I (HWV 318) der Name Händels als Autor angegeben ist, sind die beiden folgenden Konzerte eindeutig authentischen Ursprungs (vgl. auch unter HWV 302[a]), zumal erst Concerto IV wieder einen Autornamen (Veracini) trägt.

Literatur

Chrysander III, S. 155 f.; Drummond, S. 122 ff.; Hudson, F.: Vorwort (Zum vorliegenden Band) zu HHA IV/12, Kassel und Leipzig 1971, S. VII; Lam (Symposium), S. 209; Leichtentritt, S. 796; Sadie, S. 6 f.; Serauky III, S. 523 ff.

302[a]. Konzert B-Dur für Oboe und Orchester (Oboenkonzert Nr. 2)

Besetzung: Solo: Oboe. – Orchester: V. I, II; Va.; Cont.
ChA 21. – HHA IV/12. – EZ: London, nach 1718

1. Vivace

[vgl. HWV 253 (1.)]

Takt 9   41 Takte   2. Fuga Allegro   [vgl. HWV 253 (1.), HWV 389 (4.)]

61 Takte

3. Andante

[vgl. HWV 250a, b (1.), HWV 288 (1.), HWV 396 (1.), HWV 580]   23 Takte

4. Allegro

[vgl. HWV 250a (1.), HWV 396 (2.)]

57 Takte

Quellen
Handschriften: Autograph: verschollen.
Drucke: Select Harmony Fourth Collection. Six Concertos in Seven Parts For Violins and other Instruments Compos'd by Mr Handel, Tartini and Veracini. – London, J. Walsh, N° 682 (1740, Concerto No. III); —— – ib., N° 682 (1741).

Bemerkungen
HWV 302^a ist kein von Händel direkt für die Veröffentlichung bei Walsh komponiertes Werk; es wurde vielmehr aus Sätzen früher entstandener Werke zusammengestellt, die Händel für die Verwendung in HWV 302^a transponierte und überarbeitete. Da alle vier Sätze direkt auf instrumentale Einleitungen zu Chandos Anthems zurückgehen, dürften als Entstehungszeit die Jahre kurz nach 1718 in Betracht kommen, wenn man nicht annehmen will, daß die Zusammenstellung der vier Sätze zu einem Konzert erst kurz vor der Veröffentlichung in „Select Harmony Fourth Collection" 1739/40 erfolgte.
Die einzelnen Sätze gehen auf folgende Werke Händels zurück bzw. teilen thematisches Material mit später entstandenen Kompositionen:
1. Satz, Vivace
    HWV 253 O come let us sing (Chandos Anthem VIII): 1. Sonata (1. Satz) A-Dur
    HWV 302^b Largo F-Dur

2. Satz, Fuga
    HWV 253 O come let us sing: 1. Sonata (2. Satz) A-Dur
    HWV 389 Triosonate op. 2 Nr. 4 F-Dur: 4. Satz (Allegro)
3. Satz, Andante
    HWV 250^{a,b} I will magnify thee (Chandos Anthem V): 1. Symphony (Andante) A-Dur
    HWV 288 Sonata à 5 B-Dur: 1. Satz (Andante)
    HWV 580 Sonata (Larghetto) g-Moll für Cembalo
    HWV 396 Triosonate op. 5 Nr. 1 A-Dur: 1. Satz (Andante)
    HWV 61 Belshazzar: 50^{a,b}. I will magnify thee (A-Dur)
4. Satz, Allegro
    HWV 250^a I will magnify thee (Chandos Anthem V^A): 1. Symphony (Allegro) A-Dur
    HWV 396 Triosonate op. 5 Nr. 1 A-Dur: 2. Satz (Allegro)

Literatur Chrysander III, S. 155 f.; Drummond, S. 122 ff.; Hudson, F.: Vorwort (Zum vorliegenden Band) zu HHA IV/12, Kassel und Leipzig 1971, S. VIII; Lam (Symposium), S. 209 f.; Leichtentritt, S. 796; Sadie, S. 7 f.; Serauky III, S. 527 ff.

302^b. Suite de Pièces (Konzertsatz) F-Dur

Besetzung: Ob. I, II; Cor. I, II; V. I, II; Va. ad. lib.; Cont.
ChA 21. – HHA IV/12. – EZ: London, ca. 1737/38

Takt 7   43 Takte

Quellen
Handschriften: Autograph: *GB* Lbm (R. M. 20. g. 13., f. 22^r–23^v: *Suite de Pieces*).

Bemerkungen
Der als *Suite de Pieces* bezeichnete und mit der Vortragsanweisung *Largo* versehene Orchestersatz ent-

stand ca. 1737/38, wie das für das Autograph verwendete Papier (WZ: Clausens Cd) vermuten läßt. Für seinen Entstehungsanlaß gibt es keinerlei nähere Hinweise; die Ansicht, HWV 302^b sei ein von Händel ursprünglich für die „Wassermusik" oder ein anderes Gelegenheitswerk bestimmter und später ausgeschiedener Satz (Sadie, S. 7), läßt sich nicht belegen, da die „Wassermusik" wesentlich früher und die anderen konzertanten Suiten oder Orchesterkonzerte wesentlich später komponiert wurden als dieser einzelne Satz.

Thematisch ist HWV 302^b mit der *Sonata* zum Chandos Anthem VIII HWV 253 „O come let us sing unto the Lord" (1. Satz) sowie mit dem 1. Satz des danach bearbeiteten Oboenkonzerts B-Dur HWV 302^a verknüpft, wobei vermutlich HWV 302^b vor dem Oboenkonzert entstand und mit diesem in keiner direkten Verbindung steht.

Die unterschiedliche Tempobezeichnung *Largo* bzw. *Vivace* erklärt sich dabei aus der Verwendung verschiedener konzertierender Instrumente (Hörner bzw. Oboe) mit ungleichen technischen Möglichkeiten. Während HWV 302^a entsprechend seiner Vorlage (HWV 253) keine obligate Violastimme aufweist, notierte Händel im Autograph für HWV 302^b mit dem Vermerk *ad libitum* einen zusätzlichen Violapart.

Literatur

Sadie, S. 7; Serauky III, S. 530 ff.
Beschreibung des Autographs: Lbm: Catalogue Squire, S. 45

303. Concerto (Adagio) d-Moll für 2 Orgeln und Orchester

Besetzung: Solo: Org. I – Orchester: V. I, II; Va.; Vc. e Fag. I; Vc. e Fag. II; Cbb.; Org. II
ChA 48. – HHA IV/12. – EZ: London, ca. 1737/39

Quellen
Handschriften: Autograph: *GB* Cfm (30. H. 14., MS. 264, p. 29–36: *Concerto*).
Abschriften: *GB* Cfm (30. H. 14., MS. 264, p. 37–44, Direktionspartitur, Kopie von Smith senior mit autographem Vermerk p. 43, T. 55, über die Kürzung des Satzes und die Einfügung einer *Adagio*-Kadenz[1]; Barrett-Lennard-Collection vol. 67, Mus. MS. 836, p. 113–119: *Concerto ... 7th*), Lbm (R. M. 19. a. 1.,

[1] Vgl. ChA 48, S. 55, und ChA 28, S. 117, für die spätere Version dieser Kürzung in HWV 309.

f. 151^r–157^r, Kopie^2 von S$_1$; Egerton 2 945, f. 83^r–86^r), Shaftesbury Collection (V. 2/5).

Bemerkungen

Händel komponierte den Satz, der in seiner ursprünglichen Fassung (54 Takte) in sich vollständig ist, vermutlich um 1737/39^3 und änderte ihn später durch die Kürzung von 7 Takten und Einfügung eines *Adagio*-Halbschlusses als Eröffnung eines

^{2} Zur Aylesford-Collection gehörend. Der Band R. M. 19. a. 1. hat auf f. 1 ein Inhaltsverzeichnis, in dem Ch. Jennens für HWV 303 vermerkte: „17. Adagio, a new Introduction of ye 4th Organ Concerto" (vgl. HWV 309). S. auch Catalogue Squire, S. 127.
^{3} Da HWV 303 auch in der Granville-Collection (Egerton Mss.) enthalten ist, die zwischen 1740 und 1745 angelegt wurde, liegt das Entstehungsdatum auf jeden Fall vor 1740. Den Zeitraum um 1733 anzunehmen (vgl. Sadie, S. 59), als Händel zum einzigen Male bei seinen Oratorienaufführungen 2 Orgeln in HWV 51 Deborah verwendete, erscheint jedoch zu früh im Hinblick auf den diplomatischen Befund des Autographs (WZ: Cd).

mehrsätzigen Werkes. Ob dieses das nach Händels Tod aus vorliegenden Sätzen zusammengestellte Orgelkonzert HWV 309 (op. 7 Nr. 4) war, in dem dieser Satz unter Eliminierung des 2. Orgelparts die Einleitung bildet, wie Charles Jennens in seiner Kopie anmerkte, bleibt zweifelhaft, da der im Walsh-Druck von op. 7 Nr. 4 überlieferte Schluß (vgl. ChA 28, S. 117) eine von Händels autographer Version abweichende Fassung bietet und auch den *Adagio*-Vermerk ausläßt. In der Literatur wird HWV 303 oft als *Konzert für 2 Orgeln* bezeichnet, obwohl *Organo II* lediglich einen Continuopart auszuführen hat.

Literatur
Chrysander III, S. 161 f.; Drummond, S. 115 f.; Gudger, vol. 1, S. 227 ff.; Hudson, F.: Vorwort (Zum vorliegenden Band) zu HHA IV/12, Kassel und Leipzig 1971, S. IX f.; Sadie, S. 59; Schering, A.: Händels Orgelkonzert in d-moll. In: Zs. für Musikwiss., 17. Jg., 1935, S. 457 ff.
Beschreibung des Autographs: Cfm: Catalogue Mann, MS. 264, S. 221, Gudger, vol. 2, S. 95 f.

304. Konzert d-Moll für Orgel und Orchester (Orgelkonzert Nr. 15)

Besetzung: Solo: Org. – Orchester: V. I, II, III; Va.; Cont.
ChA 48. – HHA IV/12. – EZ: London, ca. 1746. – UA: London, vermutlich am 14. Februar 1746, Theatre Royal, Coventgarden, anläßlich der UA von HWV 62 Occasional Oratorio

Organo adagio ad libitum, e poi una Fuga allegro ad libitum, poi segue $\frac{9}{8}$.

Takt 13   171 Takte

Takt 9   88 Takte

Quellen

Handschriften: Autograph: *GB* Lbm (R. M. 20. g. 14., f. 56ʳ–59ᵛ: *Concerto,* 1. Satz, *Andante,* f. 53ʳ–55ᵛ: 2. Satz, *Allegro*).

Druck: Concertos &c. For the Organ In Score, now first Published 1797. Composed by G. F. Handel.– London, Arnold's edition, No. 179 (1797), p. 3–16.

Bemerkungen

HWV 304 entstand ca. 1746 und wurde vermutlich anläßlich der Uraufführung von HWV 62 Occasional Oratorio am 14. Februar 1746 erstmals von Händel öffentlich gespielt[1].

Da das Werk nur zwei Sätze umfaßt, ist Händels Vermerk über die Einschaltung einer umfangreichen Orgelimprovisation zwischen die beiden Sätze (Autograph, f. 59ᵛ: *Organo adagio ad libitum et poi una Fuga allegro ad libitum poi segue* ⁹⁄₈) durchaus wörtlich zu nehmen, um die gewohnte Viersätzigkeit seiner Orgelkonzerte zu wahren.

Für das Konzert entlehnte Händel thematisches Material aus einer Sonate für Blockflöte und B. c. in h-Moll von Georg Philipp Telemann (aus: *Musique de Table,* 1ᵉʳ Production, Hamburg 1733, Nr. 5, 1. Satz,

4. Satz)[2]. Händels *Andante* entspricht dabei thematisch dem *Cantabile* der Sonate Telemanns, von dem Händel allerdings nur die Baßlinie benutzte, die er zur Grundlage seiner motivischen Arbeit in Satz 1 nahm. Satz 2 von HWV 304 entspricht Telemanns *Allegro,* das diesmal auch in der Melodielinie von Händel übernommen wurde.

Die Erstausgabe des Konzerts von Samuel Arnold (1797) sowie die danach edierte Ausgabe in ChA 48 (S. 57–67) enthalten u. a. zwei Fehler, die erst von Frederick Hudson (in: HHA IV/12, S. 69–84) korrigiert wurden: Bei Arnold und Chrysander wird fälschlich T. 111 des 1. Satzes wiederholt, im 2. Satz, für den Händel im Autograph einen obligaten Violapart notierte, wird bei beiden die Viola als Verdoppelung der Continuostimme wiedergegeben.

Literatur

Drummond, S. 115 f.; Gudger, vol. 1, S. 234 ff.; Hudson, F.: Vorwort (Zum vorliegenden Band) zu HHA IV/12, Kassel und Leipzig 1971, S. VIII f.; Sadie, S. 61 f.

Beschreibung des Autographs: Lbm: Catalogue Squire, S. 47, Gudger, vol. 2, S. 116.

---

[1] Vgl. Deutsch, S. 630. Die Ankündigung lautete wiederum „With a new *Concerto* on the Organ".

[2] NA DDT, Erste Folge, Bd. 61/62, hrsg. von M. Seiffert, Leipzig 1927, S. 72–76; G. Ph. Telemann, Musikalische Werke, Bd. 12, Kassel 1959, S. 108–109, 115–117.

305ᵃ. Konzert F-Dur für Orgel und Orchester (Orgelkonzert Nr. 16)

Besetzung: Solo: Org. – Orchester: [Ob. I, II]; V. I, II; Va.; Cont.
ChA 48 (nach Arnold's Edition No. 179–180). – HHA IV/16. – EZ: London, ca. 1748

4. March

Allegro

Org. ad libitum

[= HWV 63. Judas Maccabaeus (32.)]   32 Takte

305^b. Konzert F-Dur für Orgel solo

ChA 48 (nur 1. Satz). – HHA IV/16 (Vorabdruck: Concerto in „Judas Maccabaeus" für Orgel solo. Erstausgabe. Hrsg. von F. Hudson, Kassel: Bärenreiter Verlag 1976). – EZ: London, nach 1747

1. Ouverture

[= HWV 334]   20 Takte   D. c.

2. Allegro

Org. ad libitum
3. Andante

pian. 2^d time

109 Takte

126 (135) Takte

4. March

Allegro

[= HWV 63. Judas Maccabaeus (32.)]   32 Takte

Quellen

Handschriften: HWV 305ᵃ, Autographe: Orgelstimme: *GB* Lbm (Add. MSS. 30310, f. 49ʳ–51ᵛ: *Concerto/Organo*, Sätze 1–4). Orchesterpart[1]: *GB* Cfm (30. H. 14., MS. 264, p. 45–46, 55: Satz 1, für HWV 334), Lbm (R. M. 20. g. 6., f. 76ʳ–81ᵛ: Satz 2, f. 66ʳ–71ʳ: Satz 3, für HWV 334).
Abschriften: *GB* Mp [MS 130 Hd4, Part.[1]: v. 300(2), Sätze 1–3 für HWV 334, v. 300(3), Satz 4, für HWV 63. St.[1]: v. 244(4), 354(5), 355(5), 358(4), 359(4), 360(3)–363(3), 364(2), 365(2), Sätze 1–3, für HWV 334, v. 354(6), 355(6), 359(5), 361(4)–363(4), 364(3), 365(3), Satz 4, für HWV 63].
HWV 305ᵇ, Autographe: *GB* Lbm (Add. MSS. 30310, f. 49ʳ–51ᵛ), Cfm (30. H. 14., MS. 264, p. 57: ausgesetzte Orgelstimme für Satz 1, p. 58: Einfügungen *NB. 1, 2, 3* zu den Sätzen 2–3).
Druck: Concerto &c. For the Organ In Score, now first Published 1797. Composed by G. F. Handel. – London, Arnold's edition, No. 179–180 (1797), p. 46–80: HWV 305ᵃ in einer nicht autorisierten Fassung von 7 Sätzen, vgl. ChA 48, S. 68–100. – HWV 305ᵇ: Concerto in „Judas Maccabaeus" für Orgel solo (Cembalo, Klavier). Erstausgabe, hrsg. von F. Hudson, Kassel etc. 1976.

Bemerkungen

Aus Sätzen des Orchesterkonzerts HWV 334 (*Concerto in the Oratorio of Judas Maccabaeus*, 1747) arrangierte Händel später ein Orgelkonzert in F-Dur (Nr. 16), für das in seinen Handschriften zwei musikalisch identische, in der Besetzung jedoch unterschiedliche Fassungen vorliegen: HWV 305ᵃ für Orgel und Orchester, HWV 305ᵇ für Orgel solo.
Die orchesterbegleitete Fassung HWV 305ᵃ besteht aus den Sätzen 1, 2 und 5 von HWV 334 sowie dem nach F-Dur transponierten Marsch aus HWV 63 Judas Maccabaeus, mit Einschub einer Orgelimprovisation *(Org. ad libitum)* zwischen 2. und 3. Satz der Neufassung HWV 305ᵃ. Wie Frederick Hudson (s. Lit.) nachweisen konnte, komponierte Händel dafür einen neuen Orgelpart (*GB* Lbm, Add. MSS. 30310, f. 49ʳ–51ᵛ) und verwendete die Orchesterstimmen der betreffenden Sätze aus HWV 334 für die Begleitung. Die zweite Version HWV 305ᵇ, als Konzert für Orgel solo, läßt sich aus dem autographen Quellenmaterial der Solofassungen rekonstruieren: In die Quelle *GB* Lbm (Add. MSS. 30310) schrieb Händel an verschiedenen Stellen von Satz 2 (T. 27/28, 37/38, 83/87) und

Satz 3 (T. 30/39, 75/78, 83/86, 108/111, 121/126) Ergänzungen in Form von zusätzlichen Notenfolgen, die z. T. direkt in die Orgelstimme eingetragen, z. T. wegen Platzmangel mit Hinweisen auf ein anderes Blatt als *NB. 1, 2, 3* (Satz 2: T. 83/87, Satz 3: T. 30/39, 121/126) versehen wurden und ursprüngliche Pausentakte der Orchesterfassung ausfüllen sollen. Diese Ergänzungen finden sich in der Quelle *GB* Cfm (MS. 264, p. 58) vollständig ausgeschrieben mit den entsprechenden Verweisen (ebenfalls als *NB. 1, 2, 3*) auf der Rückseite jenes Blattes, das den ausgesetzten Orgelpart des 1. Satzes enthält. Ob das Konzert jemals in diesen Fassungen von Händel öffentlich gespielt wurde, ist allerdings fraglich.
Die Ausgabe von HWV 305ᵃ durch Samuel Arnold (London 1797) in 7 Sätzen entspricht nicht der in Händels Autograph überlieferten Fassung; Arnolds Quelle ist nicht bekannt, und Friedrich Chrysanders erneuter Abdruck der Konzertfassung (ChA 48) bezieht sich zwar im wesentlichen auf Arnold, versucht aber in die Fassung HWV 305ᵃ die späteren Ergänzungen zu Satz 2 und 3 von HWV 305ᵇ einzuordnen, nicht immer in der richtigen Reihenfolge und mit fehlerhaften harmonischen Ergebnissen, die sich aus der falschen Zuordnung der Fassung HWV 305ᵇ zur orchesterbegleiteten Fassung HWV 305ᵃ ergeben.
Satz 1 besitzt thematische Verwandtschaft mit HWV 424 Ouverture für 2 Klarinetten und Corno da caccia D-Dur (1. Satz); der Marsch aus HWV 63 Judas Maccabaeus (32) hat eine Komposition von Gottlieb Muffat (Componimenti musicali, Suite VI G-Dur, 7. Air, T. 1–6)[2] zum Vorbild.

Literatur

Chrysander III, S. 163; Chrysander, F.: Vorwort zu ChA 48, S. I f.; Drummond, S. 117; Gudger, vol. 1, S. 249 ff., vol. 2, S. 209 ff. (Hypothetische Rekonstruktion von HWV 305ᵃ); Hudson, F.: Das „Concerto" in Judas Maccabaeus identifiziert. In: Händel-Jb., 20. Jg., 1974, S. 119 ff.; Mohr, W.: Händels 16. Orgelkonzert. In: Händel-Jb., 12. Jg., 1966, S. 77 ff.; Sadie, S. 62.
Beschreibung der Autographe: Lbm: Catalogue Squire, S. 96, Gudger, vol. 2, S. 118 ff. – Cfm: Catalogue Mann, MS. 264, S. 223 f., Gudger, vol. 2, S. 120 f.

---

[1] Jeweils aus den Streicherstimmen und den Bläserstimmen des Coro I von HWV 334 bestehend, obwohl darauf hinzuweisen ist, daß bei Verwendung von Bläsern falsche harmonische Fortschreitungen zwischen Orchester und Orgel entstehen können. S. Mohr und Gudger (Lit.).

[2] Vgl. ChA, Supplemente V, S. 139.

306.–311. 6 Konzerte für Orgel und Orchester op. 7 (III. Serie)

306. Konzert Nr. 1 B-Dur (Orgelkonzert Nr. 7)

Besetzung: Solo: Org. – Orchester: Ob. I, II; Fag. I, II; V. I, II, III; Va.; Cont.
ChA 28. – HHA IV/7. – EZ: London, beendet am 17. Februar 1740. – UA: London, vermutlich am 27. Februar 1740, Theatre Royal, Lincoln's Inn Fields, anläßlich der UA von HWV 55 L'Allegro, il Penseroso ed il Moderato

3. Fuga ex B. un mezzo tuono più alto
Allegro

53 Takte　[= HWV 329 (2.)]

Takt 33

56 Takte

4. Org. ad libit.
adag. ex g moll

5. Bourrée
Allegro

Takt 13　92 Takte

Quellen

Handschriften: Autograph: *GB* Lbm (R. M. 20. g. 12., f. 32ʳ–44ᵛ).

Abschriften: *GB* Lbm (Egerton 2945, f. 52ᵛ–66ʳ), Mp [MS 130 Hd4, Part.: v. 80(3), St.: v. 82(4), 83(3), 354(3), 355(3), 358(2)–363(2)].

Drucke: A Third Set of Six Concertos for the Harpsicord or Organ Compos'd by Mᵣ Handel. – London, J. Walsh (1761, Kl. A.); — – ib., (1765); — – ib., H. Wright (ca. 1785); A Third Set of Six Concertos for the Organ and Harpsicord with the Instrumental Parts for Violins, Hoboys, &c. in 7 Parts. Compos'd by Mᵣ Handel. Opera 7ᵐᵃ. – London, J. Walsh (1761); — ib., (ca. 1765); Third Set. Six Concertos For the Harpsichord or Organ, Composed by Mᵣ Handel. – ib., Harrison & Cᵒ (= The New Musical Magazine, No. 25–27, 1784); A Third Set of Six Concertos for the Harpsichord or Piano Forte. – ib., Preston (ca. 1790); A Second Set of Six Concertos In Score, For the Organ or

Harpsichord, with Accompanyments for Two Violins, Two Hautboys, Viola & Violoncello. Composed by G. F. Handel. – London, Arnold's edition, No. 124–125 (ca. 1793), p. 3–43.

Bemerkungen

HWV 306–311 bilden die dritte von Walsh veröffentlichte Sammlung der Orgelkonzerte Händels, die posthum (1761) erschien und möglicherweise von John Christopher Smith senior angeregt wurde. Das Konzert Nr. 1 HWV 306, veröffentlicht als op. 7 Nr. 1, wurde von Händel vermutlich bei der Uraufführung von HWV 55 L'Allegro, il Penseroso ed il Moderato am 27. Februar 1740 (als Vorspiel zu Part III „Il Moderato") erstmals öffentlich gespielt[1]. Die Beendigung der Komposition

[1] HWV 55 wurde in der Londoner Presse (vgl. Deutsch, S. 495 f.) angekündigt „with two new *Concerto's* for several Instruments, and a new *Concerto* on the Organ".

vermerkte Händel im Autograph (f. 44ᵛ): *Fine. G. F. Handel Fevr. 17. 1740 (Fre)ytag/* ⊙ (= Sonntag).

HWV 306 verlangt als einziges Orgelkonzert Händels ausdrücklich den Gebrauch des Pedals; zu Beginn der letzten 4 Variationen des 1. Satzes, die für Orgel allein auf 3 Systemen notiert sind, vermerkte Händel über Takt 163 *Organ a 2 Clav. e Pedale* im Autograph (f. 40ʳ)[2]. Am Ende des 1. Satzes sind im Autograph zwei Schlußvarianten notiert, deren zweite – später gestrichen – eine Orgelimprovisation (f. 41ʳ: *Org. ad libitum/ex D m.*) in einen Halbschluß führt, der zum 2. Satz *(Largo)* überleitet. Der 3. Satz ist im Autograph nicht ausgeschrieben; Händel schrieb (f. 42ᵛ) nach der Überschrift *Fuga ex B. un mezzo tono più alto* nur thematische Hinweise für Orgel und Orchester in die Notensysteme, die sich auf den 2. Satz *(Allegro)* des Concerto grosso HWV 329 op. 6 Nr. 11 A-Dur beziehen, der nicht wie die übrigen Sätze dieses Concerto grosso aus HWV 296 stammt und – nach B-Dur transponiert – für HWV 306 neu bearbeitet wurde. Diese Anweisung Händels wurde bei der posthumen Veröffentlichung des Orgel-

konzerts in op. 7 nicht beachtet; der Satz findet sich daher in keinem der Drucke (einschließlich ChA 28)[3], obwohl er in den beiden zeitgenössischen handschriftlichen Quellen enthalten ist.

Händel entlehnte für HWV 306 folgende Themen aus eigenen bzw. Werken anderer Komponisten:

1. Satz, Andante **C** , T. 43 ff.
   HWV 432 Suite VII g-Moll: 6. Passacaille (T. 1 ff.)
2. Satz, Largo, Baßthema
   HWV 1 Almira: 61. Was ist des Hofes Gunst
3. Satz, Fuga, Allegro
   HWV 329 Concerto grosso op. 6 Nr. 11 A-Dur: 2. Satz (Allegro)
5. Satz, Bourrée[4]
   Gottlieb Muffat: Componimenti musicali, Suite IV B-Dur: 6. Satz (La Hardiesse)[5]

Literatur

Chrysander III, S. 161 f.; Drummond, S. 108 ff.; Gudger, vol. 1, S. 199 ff.; Lam (Symposium), S. 229 f.; Leichtentritt, S. 813; Sadie, S. 56 f.; Serauky V, S. 459 ff.; Nielsen, N. K.: Handel's Organ Concertos Reconsidered. In: Dansk Aarbog for Musikforskning, III, 1963, S. 3 ff.
Beschreibung des Autographs: Lbm: Catalogue Squire, S. 43, Gudger, vol. 2, S. 80 f.

---

[2] Die in ChA 28, S. 75, T. 33 und T. 37 des 1. Satzes, über dem Orgelsystem gedruckte Bezeichnung *Bassons* weist nicht auf eine vermeintliche Registrierung der Orgel hin; der Vermerk gehört nicht zu der im Autograph, f. 39ᵛ, unter *NB.* eingefügten Orgelstelle, sondern er bezieht sich auf T. 42–47, wo die Oboen I, II durch Fagotte als Continuoinstrumente begleitet werden sollen. Vgl. dazu Williams, P.: Händel und die englische Orgelmusik. In: Händel-Jb., 12. Jg., 1966, S. 51 ff., besonders S. 57, Anm. 15, sowie Gudger, vol. 1, S. 202 ff.

[3] Nach Händels Vorschriften realisiert in Gudger, vol. 2, Appendix IV, S. 150 ff.
[4] Ursprünglich als *Gavotte* bezeichnet, später in *Bourre* geändert.
[5] Vgl. ChA, Supplemente V, S. 88.

---

307. Konzert Nr. 2 A-Dur (Orgelkonzert Nr. 8)

Besetzung: Solo: Org. – Orchester: Ob. I, II; V. I, II; Va.; Cont.

ChA 28. – HHA IV/7. – EZ: London, beendet am 5. Februar 1743. – UA: London, vermutlich am 18. Februar 1743, Theatre Royal, Coventgarden, anläßlich der UA von HWV 57 Samson

1. Ouverture

Takt 7

25 Takte

Quellen

Handschriften: GB Lbm (R. M. 20. g. 12., f. 45ʳ–52ᵛ: *Concerto / Ouverture*).

Abschriften: *GB* Lbm (R. M. 19. a. 2., f. 19ʳ–30ᵛ: *Concerto per Organo. / Ouverture*; Egerton 2945, f. 86ᵛ bis 93ᵛ: *Concerto 9.*), Mp [MS 130 Hd4, Part.: v. 82(5), St.: v. 354(4), 355(4), 356(2), 358(3), 359(3)].

Drucke: Arnold's edition, No. 125 (ca. 1793), p. 44–74. Weitere Drucke s. unter HWV 306.

Bemerkungen

HWV 307 (veröffentlicht 1761 als op. 7 Nr. 2) komponierte Händel im Februar 1743; das Abschlußdatum über die Beendigung der Komposition lautet im Autograph (f. 52ᵛ): *Fine London Feb. 5* ♄ (= Sonnabend) *1743*. Als Uraufführungsdatum gilt der 18. Februar 1743, als HWV 57 Samson erstmals „with a new *Concerto* on the Organ" aufgeführt wurde[1], denn der 3. Satz von HWV 307 *(Allegro)* ist die Bearbeitung des gestrichenen dritten Satzes der im Autograph viersätzigen „Samson"-Symfony (in G-Dur, mit zwei konzertierenden Hornpartien, vgl. unter HWV 57), für den Händel später das Menuet einfügte.

[1] Vgl. Deutsch, S. 559.

Für alle drei Sätze des Konzerts (der Vermerk *Org. ad libitum* zwischen 2. und 3. Satz erweitert das Konzert zur üblichen Viersätzigkeit) entlehnte Händel thematisches Material aus Kompositionen Gottlieb Muffats:

1. Satz, Ouverture[2]
   G. Muffat: Componimenti musicali, Suite I C-Dur: Ouverture[3]
2. Satz, A tempo ordinario
   G. Muffat: *Ricercar* in F[4]
3. Satz, Allegro[5]
   G. Muffat: Componimenti musicali, Suite VI G-Dur: 6. *La Coquette*[6]

[2] Ursprünglich trug dieser Satz die Tempobezeichnung *Vivace*, wie im Autograph aus einem gestrichenen Vermerk zwischen den Systemen von Violine und Viola hervorgeht (f. 45ʳ).

[3] ChA, Supplemente V, S. 1. Vgl. auch die Ausgabe des Werkes in: DTÖ, Bd. III, 3. Theil, hrsg. von G. Adler, Wien 1896, S. 1.

[4] Kopie in *A* Wm (MS. XIV. 712, Nr. 28). Vgl. Wollenberg, S.: Handel and Gottlieb Muffat: a newly discovered borrowing. In: The Musical Times, vol. 113, 1972, S. 448 f.

[5] Vgl. *Symfony* zu HWV 57 Samson, 3. Satz: *Allegro* (Autograph: *GB* Lbm, R. M. 20. f. 6., f. 4ʳ–5ᵛ).

[6] ChA, Supplemente V, S. 136; DTÖ III/3, S. 75.

Zur Übernahme des 2. Satzes (A tempo ordinario) in das „Pasticcio"-Konzert A-Dur vgl. HWV 296[b].

Literatur
Chrysander III, S. 161 ff.; Drummond, S. 108 ff.; Gudger, vol. 1, S. 213 ff.; Leichtentritt, S. 814; Sadie, S. 57 f.; Serauky V, S. 463 ff.
Beschreibung des Autographs: Lbm: Catalogue Squire, S. 43, Gudger, vol. 2, S. 86.

308. Konzert Nr. 3 B-Dur (Orgelkonzert Nr. 9)

Besetzung: Solo: Org. – Orchester: Ob. I, II; V. I, II, III; Va.; Cont.
ChA 28. – HHA IV/7. – EZ: London, 1.–4. Januar 1751. – UA: London, vermutlich am 1. März 1751, Theatre Royal, Coventgarden, anläßlich einer Aufführung von HWV 75 Alexander's Feast und HWV 69 The Choice of Hercules

2. Adagio e
fuga
ad libitum

93 Takte

3. Spiritoso
Ob. I
V. I
Org.

Org. solo

Takt 26

Adagio

Takt 170   segue Menuet

4. A Menuet

Org. solo

Tutti

52 Takte

4. B Menuet

Tutti

40 Takte

Quellen

Handschriften: Autographe: *GB* Lbm [R.M. 20.g.14., f. 46ʳ–48ᵛ: *Concerto per l'Organo ed altri stromenti – angefangen Jan:ᵘᵃʳʸ 1. 1751.* ♂ (= Dienstag), Satz 1 in der Fassung A, T. 1–68; R.M. 20. g. 12., f. 53ʳ–62ʳ: *Concerto per l'Organo ed altri stromenti: angefangen January 1. 1751.*, vollständiges Autograph von HWV 308 mit Satz 1, Fassung B, mit Menuet^A auf f. 62ʳ und Menuet^B auf f. 61ʳ], Cfm (30. H. 14., MS. 264, p. 15–16, Satz 1, Fassung A, T. 69–86; 30. H. 12., MS. 262, p. 51–53, Kopie Händels von F. J. Habermanns Messe III: Osanna, *Spiritoso*, aus: *Philomela pia*, Graslitz 1747, als Vorlage für Satz 3; 30. H. 13., MS. 263, p. 76, Zeile 1: Skizze für T. 4/5 f. des 1. Satzes[1]).

Abschrift: *GB* Cfm (30. H. 15., MS. 265, p. 83–88, fragm. Direktionspart. von Satz 1, Fassung B, und

Satz 2 in Kopie von Smith junior, ohne Orgelsoli, nur Tuttipassagen mit *ad libitum*-Hinweisen für die Soli).

Drucke: Arnold's edition, No. 125–126 (ca. 1793), p. 75–113. Weitere Drucke s. unter HWV 306.

Bemerkungen

HWV 308 (veröffentlicht 1761 mit Fassung B von Satz 1 und Menuett^B als op. 7 Nr. 3) entstand als letztes Instrumentalwerk vor Händels Erblindung zwischen dem 1. und 4. Januar 1751; als Schlußdatum notierte Händel im Autograph (f. 62ʳ): *Fine G. F. Handel January 4. 1751./geendiget.* Als Uraufführungstag gilt der 1. März 1751, anläßlich einer Aufführung von HWV 75 Alexander's Feast (zusammen mit HWV 69 The Choice of Hercules)[2]. In

[1] Abgedruckt bei Gudger, W. D.: Handel's last Compositions and his Borrowings from Habermann (Part 1). In: Current Musicology, vol. XXII, 1976, S. 64.

[2] „With a new Concerto on the Organ", vgl. Deutsch, S. 702. R. Fiske (in: Handel's Organ Concertos – Do they belong to particular Oratorios? In: Organ Yearbook, vol. III, 1972, p. 15) konstatiert, daß HWV 308 am 22. Fe-

dem für diese Aufführung gedruckten Libretto[3] ist das „neue" Konzert nach Part II von HWV 75 vermerkt.

Der 1. Satz *(Andante)* von HWV 308 liegt in zwei Fassungen vor. Satz 1 begann Händel zunächst ohne jenes an das *Halleluja* aus dem „Messias" erinnernde Motiv, das dem Konzert auch den Namen „Halleluja-Konzert" eintrug. Diese Erstfassung (A) wurde danach – vermutlich noch am gleichen Tage, wie der Vermerk über den erneuten Beginn der Komposition zeigt – umgestaltet und wesentlich erweitert. Das einleitende Ritornell der Fassung A basiert auf dem *Benedictus* der Messe V aus Franz Johann Habermanns op. 1 (*Philomela pia*, Graslitz 1747)[4] sowie auf dem in *GB* Cfm (MS. 263, p. 76, Zeile 1) von Händel skizzierten Motiv. Die überarbeitete Fassung B greift dieses thematische Material auf und verwendet außerdem Motive aus dem *Cum sancto spiritu*[5] der Messe II aus Habermanns op. 1.

bruar 1751 bei einer Wiederaufführung von HWV 61 Belshazzar gespielt worden sei, doch gibt es dafür keinen Beweis.
[3] Vgl. Händel-Hdb. Bd. 2, unter HWV 75. Dieser Librettodruck (London: J. & R. Tonson & S. Draper, 1751) vermerkt auf p. 13: *A new Concerto on the Organ.*
[4] Vgl. Gudger, vol. 1, S. 272 ff., vol. 2, S. 249 ff., wo die Sätze Habermanns wiedergegeben werden. Diese Messensammlung Habermanns (1706–1783) erschien in 9 Stimmbüchern (vgl. RISM, Einzeldrucke vor 1800, Bd. 4, Kassel etc. 1974, S. 2). Zu Händels Entlehnungen aus Werken Habermanns vgl. Seiffert, M.: Franz Johann Habermann (1706–1783). In: Kirchenmusikalisches Jb., XVIII, 1903, S. 81 ff.; Taylor, S.: The Indebtedness of Handel to Works by other Composers, Cambridge [1]/1906, New York [2]/1979, S. 15 ff.; Gudger, W. D.: Handel's last Compositions and his Borrowings from Habermann (Part 1/2). In: Current Musicology, vol. XXII, 1976, S. 61–72, und vol. XXIII, 1977, S. 29–45. Vgl. auch Dean, W.: Handel's Dramatic Oratorios and Masques, London 1959, S. 612.
[5] Vgl. Gudger, vol. 2, S. 91.

Mit dieser Fassung B des 1. Satzes wurde das Konzert HWV 308 in bisher sämtlichen Ausgaben als op. 7 Nr. 3 gedruckt, Händels originale Tempobezeichnung *Andante* jedoch fälschlich als *Allegro* (auch in ChA 28, S. 102) wiedergegeben. Händel sieht danach eine Orgelimprovisation vor (Autograph, f. 56[v]: *Adagio e fuga ad libitum*).

Satz 3 (Spiritoso) basiert thematisch auf dem mit gleicher Vortragsbezeichnung versehenen *Osanna* der Missa III G-Dur Habermanns, das sich Händel vollständig aus dem Stimmendruck der *Philomela pia* spartierte (*GB* Cfm, MS. 262, p. 51–53)[6], von dem er jedoch nur T. 1–13 in seiner Komposition verwendete.

Satz 4 (Menuet) liegt ebenfalls in zwei selbständigen autographen Fassungen vor; vermutlich gehört jedoch nur Menuet[A] zu HWV 308, denn es weist Orgelsoli auf und trägt am Ende Händels Vermerk über die Beendigung der Komposition (Autograph, f. 62[r]). Menuet[B] (Autograph, f. 61[r], die Verso-Seite ist unbeschrieben) scheint nachträglich in den Band R. M. 20. g. 12. eingefügt worden zu sein und hat vermutlich keine Beziehung zu HWV 308, denn es enthält keinen Solopart für die Orgel. Walsh druckte es in seiner Ausgabe von op. 7 (1761) als Schlußsatz, den alle späteren Ausgaben übernahmen.

Literatur
Chrysander III, S. 161 ff.; Drummond, S. 108 ff.; Gudger, vol. 1, S. 272 ff.; Gudger, W. D.: Handel's last Compositions and his Borrowings from Habermann (Part 1). In: Current Musicology, vol. XXII, 1976, S. 61 ff.; Lam (Symposium), S. 230; Leichtentritt, S. 814 f.; Sadie, S. 58 f.; Serauky V, S. 466 ff.
Beschreibung der Autographe: Lbm: Catalogue Squire, S. 43, 46, Gudger, vol. 2, S. 91 ff. – Cfm: Catalogue Mann, MS. 262, S. 204 f., MS. 263, S. 215, MS. 264, S. 220, Gudger, vol. 2, S. 92 f.

[6] Wiedergegeben bei Gudger, vol. 2, S. 252 ff.

309. Konzert Nr. 4 d-Moll (Orgelkonzert Nr. 10)

Besetzung: Solo: Org. – Orchester: Ob. I, II; Fag. I, II; V. I, II, III; Va.; Vc. I, II; Cont.
ChA 28. – HHA IV/7 – EZ: London, ca. 1740/46. – UA: In dieser Form nicht nachweisbar (posthum zusammengestellt)

[vgl. HWV 303]

Quellen

Handschriften: Autographe: *GB* Cfm (30. H. 14., MS. 264, p. 29–36, Satz 1 in der Fassung HWV 303), Lbm (R.M.20.g.12., f.63ʳ–66ʳ: *Allegro così così*, Satz 2, T. 1–77).
Abschriften: *GB* Cfm (30.H.14., MS.264, p.37–44, Direktionspartitur von Satz 1 in der Fassung HWV 303 mit einem von Händel geänderten Schluß; Barrett-Lennard-Collection vol. 67, Mus. MS. 836, p. 113–119, Satz 1 in der Fassung HWV 303; 30. H. 15., MS. 265, p. 9, Orgelstimme zu Satz 3), Lbm (R.M. 19.ʼa. 1., f. 151–157ʳ, Satz 1 in der Fassung[1] HWV 303; Egerton 2945, f. 83ʳ bis

86ʳ, Satz 1 in der Fassung HWV 303), Shaftesbury Collection (v. 2/5, Satz 1 in der Fassung HWV 303).
Drucke: Arnold's edition, No. 126–127 (ca. 1793), p.114–142. Weitere Drucke s. unter HWV 306.

Bemerkungen

HWV 309 wurde in der vorliegenden Form erst 1761 als Orgelkonzert op. 7 Nr. 4 veröffentlicht und ohne Händels Autorisierung aus vorliegenden bzw. arrangierten Einzelsätzen durch den anonymen Editor des „Third Set" posthum zusammengestellt. Für Satz 1 wurde HWV 303 als Grundlage verwendet, wobei die im wesentlichen als Continuo-Instrument fungierende 2. Orgel weggelassen und der Satz in einer durch Händel selbst (vgl. *GB* Cfm, MS. 264, p. 43) auf 47 Takte verkürzten und mit Halbschluß versehenen Form

[1] Im Inhaltsverzeichnis dieses Bandes der Aylesford-Collection vermerkte ihr Besitzer Ch.Jennes: „17. Adagio, a new Introduction of yᵉ 4ᵗʰ Organ Concerto", was vermutlich erst nach 1761, dem Erscheinungsjahr von op.7, geschrieben wurde. Vgl. Catalogue Squire, S. 127.

gedruckt wurde, bei der die Schlußkadenz für die Veröffentlichung im Walsh-Druck eine Oktave tiefer transponiert ist (vgl. Händels eigene Schlußkadenz in ChA 48, S. 55, mit der von op. 7 Nr. 4 in ChA 28, S. 117).

Als Satz 2 erscheint in op. 7 Nr. 4 jener nur fragmentarisch überlieferte Konzertsatz (ca. 1744/46), den Händel im Autograph (*GB Lbm*, R. M. 20. g. 12., f. 63–66) als *Allegro così così* bezeichnete, obwohl keinerlei Zusammenhang mit dem d-Moll-Adagio erkennbar ist. Das *Allegro* selbst bricht nach T. 77 ohne Hinweise auf die in op. 7 Nr. 4 folgende Wiederholung der Takte 3–18 ab, lediglich ein Vermerk Händels (Autograph, f. 66ʳ: *Org. ad libitum*) über eine Orgelimprovisation ist im Autograph erkennbar.

Händel entlehnte das thematische Material für das Ritornell und die Soli dieses Satzes Georg Philipp Telemanns *Musique de Table* (Hamburg 1733, 2. Production D-Dur: Ouverture, 1. Air, Tempo giusto)[2]. Als Schlußsatz erscheint in op. 7 Nr. 4 eine Version des d-Moll-Konzertsatzes aus HWV 317 (op. 3 Nr. 6, 2. Satz, *Allegro*), für den keine handschriftlichen Quellen vorliegen. Dennoch ist die Fassung in op. 7 Nr. 4 verläßlicher als jene des in op. 3 Nr. 6 gedruckten Satzes[3], so daß man daraus schließen kann, der unbekannte Herausgeber von op. 7 habe eine authentischere Quelle für seine Fassung benutzen können als dies bei dem Stecher von op. 3 offensichtlich der Fall war. Ob der 2. Satz von HWV 317 oder der Schlußsatz von HWV 309 diejenige Fassung darstellt, die Händel selbst (vermutlich 1733 in Oxford anläßlich der Uraufführung von HWV 52 Athalia[4]) gespielt hat, ist zweifelhaft.

Der Satz ist mit folgenden anderen Werken Händels thematisch verbunden: HWV 495 Lesson d-Moll, HWV 428 Suite III d-Moll (6. *Presto*) und HWV 8ᵃ Il Pastor fido (1. Fassung), Ouverture (6. Satz).

Literatur
Chrysander III, S. 161 ff.; Drummond, S. 108 ff.; Gudger, vol. 1, S. 227 ff.; Lam (Symposium), S. 230 f.; Leichtentritt, S. 815; Sadie, S. 59 f.; Schering, A.: Händels Orgelkonzert in d-Moll. In: Zs. für Musikwiss., 17. Jg., 1935, S. 457 ff.; Serauky V, S. 471 ff.
Beschreibung der Autographe: Cfm: Catalogue Mann, MS. 264, S. 221, Gudger, vol. 2, S. 95. – Lbm: Catalogue Squire, S. 44, Gudger, vol. 2, S. 99 f.

---

[2] Vgl. die NA in DDT, Bd. 61/62, hrsg. von M. Seiffert, Leipzig 1927, S. 94 ff., bzw. G. Ph. Telemann, Musikalische Werke, Bd. 13, hrsg. von J. Ph. Hinnenthal, Kassel 1962, S. 17 ff.

[3] Vgl. Burrows, D.: Walsh's editions of Handel's Opera 1–5: the texts and their sources. In: Music in Eighteenth-Century England, ed. C. Hogwood and R. Luckett, Cambridge UP 1982, S. 91 ff.

[4] Vgl. Burney, Ch.: Sketch of the Life of Handel. In: An Account of the Musical Performances in Westminster-Abbey … In Commemoration of Handel, London 1785, p. 23 / Dr. Karl Burney's Nachricht von Georg Friedrich Händel's Lebensumständen … Aus dem Englischen übersetzt von Johann Joachim Eschenburg, Berlin und Stettin 1785 (Faksimile-Nachdruck Leipzig 1965), S. XXXIV.

310. Konzert Nr. 5 g-Moll (Orgelkonzert Nr. 11)

Besetzung: Solo: Org. – Orchester: Ob. I, II; V. I, II, III; Va.; Cont.
ChA 28. – HHA IV/7. – EZ: London, beendet am 31. Januar 1750. – UA: London, vermutlich am 16. März 1750, Theatre Royal, Coventgarden, anläßlich der UA von HWV 68 Theodora

Quellen

Handschriften: Autographe: *GB* Lbm (R. M. 20. g. 12., f. 67ʳ–70ʳ: *Concerto,* Sätze 1–5; R. M. 20. e. 9., f. 4ʳ⁻ᵛ: Kompositionsautograph von Satz 5).
Abschrift: *GB* Cfm (30. H. 15., MS. 265, p. 97–102, Satz 6).
Drucke: Arnold's edition, No. 127 (ca. 1793), p. 143–166. Weitere Drucke s. unter HWV 306.

Bemerkungen

HWV 310 – veröffentlicht 1761 als op. 7 Nr. 5 – entstand im Januar 1750. Im Autograph (f. 70ʳ) notierte Händel folgendes Datum für die Beendigung der Komposition der Sätze 1–5: *Fine. Jan. 31. 1750.* Das Konzert wurde vermutlich am 16. März 1750 (anläßlich der Uraufführung von HWV 68 *Theodora*) erstmals öffentlich gespielt[1].
HWV 310 komponierte Händel in drei Sätzen; Satz 5 (Menuet) wurde dabei aus der nicht aufgeführten Schauspielmusik HWV 45 *Alceste* (Ouverture, Erstfassung, 3. Satz) herausgelöst, deren ursprüngliche Ouverture (mit anderem Menuet) später für HWV 70 *Jephtha* verwendet wurde. Händel kopierte das Menuet dabei aus dem Origi-

nalautograph[2] (*GB* Lbm, R. M. 20. e. 9.) in das Autograph des Orgelkonzerts HWV 310 (*GB* Lbm, R. M. 20. g. 12., f. 70ʳ).
Der 6. Satz von HWV 310, der nur im Druck von op. 7 erscheint, stellt eine Adaptation des 4. Satzes (Fassung A) aus HWV 291 (op. 4 Nr. 3) dar, die von Smith junior (vgl. die Transkription in *GB* Cfm, MS. 265, p. 97–102) für den Druck von op. 7 vorbereitet wurde, wie seine Überschrift in dieser Quelle *(This after the Menuet)* vermuten läßt. Bei Smith hat der Satz keinen Titel, im Walsh-Druck erhält er dann die Bezeichnung *Gavotte*.
Zu den thematischen Beziehungen mit anderen Werken vgl. unter HWV 291, 4. Satz.

Literatur

Drummond, S. 108 ff., Gudger, vol. 1, S. 265 ff.; Lam (Symposium), S. 231; Leichentritt, S. 815; Sadie, S. 60 f.; Serauky V, S. 476 ff.
Beschreibung der Autographe: Lbm: Catalogue Squire, S. 44, Gudger, vol. 2, S. 105 ff.

[1] Das Oratorium wurde „with a New Concerto on the Organ" angekündigt. Vgl. Deutsch, S. 683.

[2] Vgl. die Erstfassung als Kompositionsniederschrift mit entsprechenden Änderungen in: Das Autograph des Oratoriums „Jephtha" von G. F. Händel. Für die deutsche Händelgesellschaft hrsg. von F. Chrysander, Hamburg 1885, S. 7 f.

311. Konzert Nr. 6 B-Dur (Orgelkonzert Nr. 12)

Besetzung: Solo: Org. – Orchester: Ob. I, II; V. I, II, III; Va.; Cont.
ChA 28. – HHA IV/7. – EZ: London, ca. 1748. – UA: London, vermutlich während der Oratorienaufführungen im Frühjahr 1749

[vgl. HWV 347 (1.)]

Takt 117

2. Air. A tempo ordinario

[vgl. HWV 347 (3.); HWV 469]

Takt 25   50 Takte

Quellen

Handschriften: Autographe: *GB* Lbm (R. M. 20. g. 14., f. 43ʳ–45ᵛ: *Concerto*, Satz 1), Cfm (30. H. 14., MS. 264, p. 7, Cembalostimme zu Satz 2 in der Fassung HWV 469).
Abschriften: GB Lbm (R. M. 19. a. 2., f. 31ʳ–38ᵛ: *Concerto*), Mp [MS 130 Hd4, 4 Streicher-St.: v. 354(7), 355(7), 358(5), 359(6)].
Drucke: Arnold's edition, No. 127–128 (ca. 1793), p. 167–184. Weitere Drucke s. unter HWV 306.

Bemerkungen

HWV 311 wurde 1761 als op. 7 Nr. 6 veröffentlicht und stellt eine Bearbeitung der um 1747 entstandenen dreisätzigen Sinfonia HWV 347 dar. Dabei löste Händel den 2. Satz *(Air lentement)*[1] aus der

Sinfonia heraus und arbeitete ihn um als *Introduzione a tempo di Ouverture* zu HWV 64 Joshua (1747)[2], während Satz 1 und Satz 3 zum Orgelkonzert HWV 311 umgeformt wurden.

Da nur Satz 1 im Autograph erhalten ist, erhebt sich die Frage, ob Händel HWV 311 jemals in der vorliegenden Form aufgeführt hat; wenngleich im unvollständigen Autograph des 3. Satzes der Sinfonia HWV 347 (*GB* Lbm, R. M. 20. g. 12., f. 74), dessen Viola-Stimme nicht ausgeschrieben ist[3], Vermerke über Orgelmitwirkung (T. 8 bzw. T. 16: *Organo ad libitum*) erscheinen, ist doch diese Fassung gegenüber der endgültigen im 2. Satz von HWV 311 anders gegliedert und hätte vermutlich

---

[1] In seiner ursprünglichen Form (18 Takte) kopierte Händel diesen Satz außerdem ins Autograph von HWV 67 Solomon (*GB* Lbm, R. M. 20. h. 4., f. 91ᵛ) als 3. Teil der Sinfonia zu Act III. Vgl. unter HWV 67.

[2] Daß die gesamte Sinfonia HWV 347 ursprünglich als Einleitung zu HWV 64 Joshua komponiert worden sein soll, wie Gudger, vol. 1, S. 243, vol. 2, S. 108, vermutet, erscheint fraglich, da ihre Entstehung zweifellos früher anzusetzen ist als Sommer 1747.

[3] Händel fügte sie erst in der Überarbeitung als Orgelkonzert HWV 311 hinzu.

als Anhaltspunkt für einen Kopisten zur Anlage einer Direktionspartitur nicht ausgereicht, ganz abgesehen vom fehlenden Violapart, der von Händel selbst hinzugefügt werden mußte. Da jedoch in den beiden Abschriften[4], die von dem verläßlichen Kopisten S_2 angefertigt wurden, das Konzert in der Form überliefert ist, in der es dann im Druck als op. 7 Nr. 6 erschien, dürften an seiner Autorisierung durch Händel (mindestens in überarbeiteter Fassung) keine Zweifel bestehen.

Infolge der nachträglich in die autographe Partitur von Satz 1 eingefügten Vermerke Händels über die Mitwirkung einer zusätzlichen Streichergruppe, die das normale Orchester verstärkte (T. 1: *senza ripieni*, T. 89: *qui entra li Ripieni*) und nur in der Frühjahrssaison 1749 zu seiner Verfügung[5]

[4] Die Abschrift *GB* Lbm (R. M. 19. a. 2.) entstand vermutlich vor 1749, da die Ripieno-Vermerke des Autographs darin fehlen.

[5] Vgl. die Autographe von HWV 66 Susanna (*GB* Lbm, R. M. 20. f. 8.), HWV 67 Solomon (*GB* Lbm, R. M. 20. h. 4.) sowie die Direktionspartituren von HWV 56 Messiah (*GB* T, MS. 346–347), HWV 57 Samson [*D(brd)*Hs, M $\frac{A}{1048}$], HWV 60 Hercules [*D(brd)* Hs, M $\frac{A}{1021}$] und Teile des Autographs des Foundling Hospital Anthem HWV 268 (*GB* Lbm, R. M. 20. f. 12.). Diese Werke kamen sämtlich zwischen Februar und März (bzw. Mai) 1749 zur Aufführung.

stand, bieten sich als Aufführungsdaten die Monate Februar/März 1749 an. Möglicherweise erklang HWV 311 anläßlich der Uraufführung von HWV 66 Susanna am 10. Februar dieses Jahres, da das Oratorium „with a *Concerto*"[6] angekündigt wurde, dessen Identifizierung bisher nicht eindeutig gelang. Das thematische Material für den 1. Satz *(Pomposo)* entnahm Händel der *Musique de Table* (Hamburg 1733) von Georg Philipp Telemann (III. Production: Concerto Es-Dur, *Maestoso*)[7].

Literatur

Chrysander III, S. 161 f.; Drummond, S. 108 ff.; Gudger, vol. 1, S. 243 ff.; Leichtentritt, S. 815; Sadie, S. 61; Seiffert, M.: G. Ph. Telemann's „Musique de Table" als Quelle für Händel. In: Bulletin de la Société „Union Musicologique", 4. Jg., 1924, S. 1 ff., besonders S. 25, 27; Serauky V, S. 480 ff.
Beschreibung der Autographe: Lbm: Catalogue Squire, S. 46, Gudger, vol. 2, S. 112. – Cfm: Catalogue Mann, MS. 264, S. 219.

[6] Vgl. Deutsch, S. 656.

[7] Vgl. DDT, Bd. 61/62, hrsg. von M. Seiffert, Leipzig 1927, S. 204 ff., und G. Ph. Telemann, Musikalische Werke, Bd. 14, hrsg. von J. Ph. Hinnenthal, Kassel 1962, S. 63 ff.

Concerti grossi und Orchesterkonzerte

312.–317.6 Concerti grossi op. 3

312. Concerto Nr. 1 B-Dur

Besetzung: Concertino: Fl. I, II; Ob. I, II; Fag. I, II; V. – Ripieno: V. I, II; Va. I, II; Cont.
ChA 21. – HHA IV/11. – EZ: London, ca. 1716/20. – UA: London, vermutlich am 13. März 1734, King's Theatre, Haymarket, anläßlich der UA von HWV 73 Il Parnasso in festa

1.
Allegro
Str. (unis.)

(col Basso all' ottava bassa)   Takt 5   Ob. I, II   71 Takte

2. Largo

Fl. I

Fl. II
Fag.

83 Takte

3. Allegro

Ob. e V. I, II

Va. I, II

B. e Fag.

36 Takte

Quellen

Handschriften: Autograph: verschollen.

Abschriften: *D (brd)* Hs (M $\frac{C}{53}$) – *GB* Cfm (Barrett-Lennard-Collection vol. 10 *Miscellanys,* Mus. MS. 798, f. 20ʳ–30ᵛ), Lbm (R. M. 19. g. 7., p. 1–25), Lcm (MS. 907, St. für Fl. I, II, Ob. I, Va., Fag. I, II, B. c.), Malmesbury Collection (*Sonatas and Concerto's compos'd by George Frederick Handel Esqʳ.,* datiert *London 1727,* No. 8), Mp [MS 130 Hd4, v. 81(3)].

Drucke: Concerti Grossi Con Due Violini e Violoncello di Concertino Obligati e Due Altri Violini, Viola e Basso di Concerto Grosso Ad Arbitrio Da G. F. Handel. Opera Terza./N. B. Several of these Concertos were perform'd on the Marriage of the Prince of Orange with the Princess Royal of Great Britain in the Royal Chappel of St. James's[1]. – London, J. Walsh, Nᵒ. 507 (ca. 1734, 9 St.)[2]; —— – ib., Nᵒ. 507 (ca. 1735, 7 St.)[3]; —— – ib., Nᵒ. 507 (ca. 1740/41, 9 St.); —— – ib. (ca. 1752, 9 St.); —— – ib., H. Wright (ca. 1785, 9 St.); Handel's Celebrated Oboe Concertos as Performed in Westminster Abbey at the Commemoration adapted for the Organ Harpsichord or Piano Forte. – ib., H. Wright (ca. 1785); Concertos (commonly called The Hautboy Concertos) For Two Violins, Two Hautboys, Two German Flutes, Two Tenors, Two Bassoons, Two Violoncellos, And a Basso Continuo, Chiefly Composed at Cannons, in the Year, 1720, and Published about the Year, 1729. By G. F. Handel. –

London, Arnold's edition, No. 172–174 (ca. 1796); Six Concertos commonly called the Hautboy Concertos Composed about the Year 1720 ... adapted for the Organ or Piano Forte by Wᵐ Crotch. – ib., Robert Birchall, No. 1073.

Bemerkungen

Händels 6 Concerti grossi HWV 312–317 wurden als op. 3 erstmals 1734 veröffentlicht, obwohl vermutlich nur HWV 312 und 315 eigenständige Werke darstellen; sämtliche anderen Konzerte von op. 3 greifen auf musikalisches Material früher geschriebener Orchesterstücke und Klavierkompositionen zurück. Die Sammlung verdankt ihren Beinamen „Oboen-Konzerte"[4] der Mitwirkung von Holzbläsern in der Concertino-Gruppe, obwohl keines der Werke als echtes Oboen-Konzert anzusehen, sondern vielmehr zur Gattung der „Concerti con molti stromenti"[5] zu rechnen ist.
Die Entstehungszeit der 6 Concerti op. 3 ist nicht genau festzulegen; vermutlich schrieb Händel sie zwischen 1715 und 1723. Samuel Arnold's Bemerkung im Titel seiner Edition[6] von op. 3 „chiefly composed at Cannons in the year 1720" geht wohl auf die von ihm bemerkte Entlehnung mehrerer Sätze aus den instrumentalen Einleitungen zu Chandos Anthems (vgl. HWV 314 und 316) zurück, während Friedrich Chrysander (in ChA 21, Vorwort) sogar die Zeit in Hannover 1710/12 berücksichtigen möchte, während der Händel seiner Meinung nach schon einige der Sätze komponiert haben soll.
Die von John Hawkins[7] überlieferte Nachricht, die

---

[1] *N. B.*-Vermerk nur in der Stimme von Violino I.
[2] In diesem Erstdruck (Unicum in *GB* En, Balfour 145) befindet sich das (in HHA IV/11, S. 105 ff., als op. 3 Nr. 4[b] gedruckte) wenig später in Walshs Sammlung „Select Harmony, Third Collection" (1735, No. 5) wieder veröffentlichte anonyme F-Dur-Konzert, das in allen späteren Ausgaben von op. 3 stillschweigend durch HWV 315 ersetzt wurde. Außerdem ist in der Erstausgabe von HWV 316 nur Satz 1 und 2 enthalten. Vgl. Smith, Descriptive Catalogue, S. 218 f.
[3] Von dieser zweiten Auflage ab ließ Walsh den *N. B.*-Vermerk auf den Titelseiten wegfallen.

[4] Bereits der in Anm. 2 genannte Erstdruck (*GB* En, Balfour 145) trägt auf dem Titelblatt die handschriftliche Ergänzung *Generally called his OBOE CONCERTOS.*
[5] Im Sinne von Vivaldis bzw. J. S. Bachs Formulierungen (vgl. BWV 1046–1051).
[6] Die Jahresangabe 1729 als Erscheinungsdatum des Erstdruckes von op. 3 ist jedoch unrichtig und in 1734 zu korrigieren.
[7] In: A General History of the Science and Practice of Music, London 1776, vol. V, S. 358.

Konzerte op. 3 wären anläßlich der Hochzeit des Prinzen Willem IV. von Oranien mit Princess Anne von Händel komponiert worden, bezieht sich augenscheinlich auf den N. B.-Vermerk der Violino I – Stimme des Erstdruckes, nach dem verschiedene dieser Konzerte bei den genannten Hochzeitsfeierlichkeiten gespielt worden seien[8], die am 14. März 1734 stattfanden.

Woher Walsh die Stichvorlagen für den Druck von op. 3 erhielt, ist noch ungeklärt; nach Donald Burrows (s. S. 66) dürfte Händel selbst kaum etwas mit dem Druck zu tun gehabt haben, wie aus zahlreichen Stichfehlern (z. B. in HWV 314, 2. und 3. Satz, HWV 317, 2. Satz) und ungeschickt vorgenommenen Transkriptionen (vor allem in HWV 314, 3. Satz) von Klavierwerken hervorzugehen scheint. Lediglich beim Ersatz des anonymen F-Dur-Konzerts Nr. 4[a] durch HWV 315 in der 2. Auflage des Erstdruckes mag Händels Einspruch zu dieser Änderung geführt haben.

[8] Daß sie während der Trauung in der French Chapel des St. James's Palace erklungen sein sollen, dürfte jedoch mehr als zweifelhaft sein; eher ist an eine Aufführung innerhalb der Hochzeitsserenade HWV 73 Il Parnasso in festa zu denken, deren Direktionspartitur [*D(brd)* Hs, M $\frac{A}{1038}$ bzw. Cembalopart. M $\frac{A}{1038^a}$] die Einfügung von Konzerten für verschiedene Instrumente (Flöte, Oboe, Fagott, Violine und Violoncello) vermerkt, also genau jene Instrumente, die auch in den Concertini von op. 3 auftreten.

HWV 312 ist eines jener Konzerte, das allem Anschein nach originären Ursprungs ist, denn es lassen sich für keinen der 3 Sätze Entlehnungen aus früher komponierten Werken nachweisen. Da nur der 1. Satz die Tonart B-Dur benutzt, während der 2. und 3. Satz in g-Moll stehen und somit das Konzert auch in g-Moll schließt, ist bezweifelt worden, ob dies den Intentionen Händels wirklich entspricht (vgl. Sadie, S. 11), oder ob nicht ein abschließender Tanzsatz in B-Dur[9] das Werk ursprünglich abgerundet haben könnte. Die für dieses Konzert charakteristische Instrumentierung der Mittelstimmen mit Va. I, II, die in keinem der anderen Konzerte wieder aufgegriffen wird, weist jedoch auf die Authentizität der überlieferten Form hin, der sich auch die vor dem Erscheinen des Erstdruckes (1734) kopierten Quellen (Malmesbury Collection, entstanden zwischen 1718 und 1727) anschließen.

Literatur
Chrysander I, S. 359, 374, 386, III, S. 153 ff., 200 f.; Drummond, S. 92 ff.; Hudson, F.: Krit. Bericht zu HHA IV/11, Kassel und Leipzig 1963; Lam (Symposium), S. 213 f.; Leichtentritt, S. 792 f.; Sadie, S. 11 ff.

[9] Da HWV 313 deren zwei enthält, wurde vermutet, daß der Stecher des Werkes irrtümlich in HWV 312 den Tanzsatz ausgelassen habe.

313. Concerto Nr. 2 B-Dur

Besetzung: Concertino: Ob. I, II; V. I, II; Vc. I, II. – Ripieno: V. I, II; Va.; Cont.
ChA 21. – HHA IV/11. – EZ: London, ca. 1715/16. – UA: London, vermutlich am 13. März 1734, King's Theatre, Haymarket, anläßlich der UA von HWV 73 Il Parnasso in festa

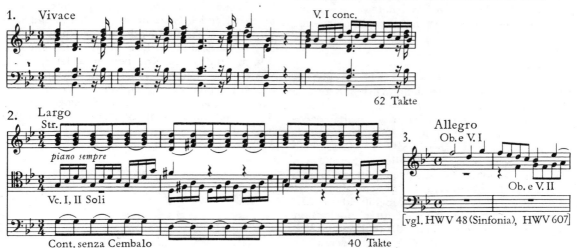

1. Vivace   V. I conc.
62 Takte

2. Largo   3. Allegro
Str.   Ob. e V. I
piano sempre
Vc. I, II Soli   Ob. e V. II
Cont. senza Cembalo   40 Takte   [vgl. HWV 48 (Sinfonia), HWV 607]

4. (Menuet)

[vgl. HWV 523, HWV 557]

48 Takte

68 Takte

5. (Gavotte)

55 Takte   D. s.

Quellen

Handschriften: Autograph: *GB* Lbm (R. M. 20. g. 13., f. 18ᵛ–21ᵛ: *Sinfonia* zu HWV 48, *Fuga* identisch mit HWV 313, Satz 3).

Abschriften: *D (brd)* Hs (M $\frac{C}{53}$) – *GB* BENcoke (Ms. *Overtures & Lessons for the Harpsicord*, ca. 1721, aus dem Besitz von Elizabeth Legh, p. 47–61, Cembalofassung in der Kopie von Smith senior), Cfm (Barrett-Lennard-Collection, vol. 10 *Miscellanys*, Mus. MS. 798, f. 3ʳ–9ᵛ), Lbm (R. M. 19. g. 7, p. 26–50; Add. MSS. 31 576, f. 21ᵛ–23ʳ, Satz 3), Lcm (MS. 907, St. für Ob. I, Va., Fag. I, II, B. c.), Malmesbury Collection (*Sonatas and Concerto's Compos'd by George Frederick Handel Esqʳ.*, datiert *London 1727,* No. 9; Ms. mit Ouverturen aus dem Besitz von Elizabeth Legh, datiert *August yᵉ 30, 1722,* p. 69–80, Cembalofassung, Kopie von D. Linike, ca. 1718), Mp [MS 130 Hd4, v. 81(1)].
Drucke: Vgl. sämtliche Drucke unter HWV 312. – Handel's celebrated Oboe Concerto, as performed at the Commemoration in Westminster Abbey, adapted for the Organ, Harpsichord, or Piano Forte. – London, Birchall & Andrews; —— – ib., J. Bland; —— – ib., Longman & Broderip; —— – ib., W. Hodsoll.

Bemerkungen

HWV 313, veröffentlicht als op. 3 Nr. 2, entstand sicherlich schon 1715/16, denn Mattheson zitierte bereits 1717 (in: Das Beschützte Orchestre, Hamburg 1717, X. Exemplum Septimae Quartae et Secundae extra Organum) den Anfang des *Vivace* als Komposition von *Hendel.* Satz 1 *(Vivace)* und Satz 3 *(Allegro)* wurden vermutlich als Sinfonia zur Brockes-Passion HWV 48 komponiert, denn zwei englische Handschriften zu diesem Werk (*GB* Lbm, R. M. 19. d. 3. und Mp, MS 130 Hd4, v. 233) enthalten auch Satz 1 als Einleitung zur Passion. Der dritte Satz stellt die um 10 Takte kürzere Vorlage für die Fuge B-Dur HWV 607 dar, deren Ent-

stehungszeit etwas später liegt. Das ergibt sich aus der Lesart der Autographe; das Autograph der Fuge HWV 607 (GB Lbm, R. M. 20. g. 14., f. 33ʳ–34ʳ) zeigt eine Reihe von Änderungen und Korrekturen, die den unmittelbaren Transkriptionsvorgang widerspiegeln. Demgegenüber macht das Autograph der Sinfonia zu HWV 48, die als Satz 3 für HWV 313 *(Allegro)* diente, den Eindruck einer im wesentlichen zügig niedergeschriebenen Reinschrift, die nach einer unbekannten Vorlage angefertigt wurde. Satz 4 *(Menuet)* verwendet das Thema der Menuette G-Dur HWV 523 bzw. B-Dur HWV 557, deren Kopfthema auch in HWV 21 Alessandro (18. Placa l'alma) und HWV 365 Sonate C-Dur (op. 1 Nr. 7), 5. Satz *(Allegro)* erscheint.

Literatur

Burney, Ch.: An Account of the Musical Performances in Westminster-Abbey, and the Pantheon … In Commemoration of Handel, London 1785 / Dr. Karl Burney's Nachricht von Georg Friedrich Händel's Lebensumständen … Aus dem Englischen übersetzt von Johann Joachim Eschenburg, II. Händels Gedächtnisfeier, Berlin und Stettin 1785 (Faksimile-Nachdruck Leipzig 1965), S. 39; Chrysander III, S. 153 ff.; Drummond, S. 92 ff.; Hudson, F.: Krit. Bericht zu HHA IV/11, Kassel und Leipzig 1963; Lam (Symposium), S. 214; Leichtentritt, S. 793; Sadie, S. 13 ff.
Beschreibung des Autographs: Lbm: Catalogue Squire, S. 45, Hudson, F.: Krit. Bericht zu HHA IV/11, S. 25 f.

314. Concerto Nr. 3 G-Dur

Besetzung: Concertino: Fl. trav. (bzw. Oboe); V. – Ripieno: V. I, II; Va.; Cont.
ChA 21. – HHA IV/11. – EZ: London, ca. 1716/18. – UA: London, vermutlich am 13. März 1734, King's Theatre, Haymarket, anläßlich der UA von HWV 73 Il Parnasso in festa

1. Largo e staccato   Allegro / Fl. trav. e V. I

[vgl. HWV 48 (Sinfonia), HWV 252 (1.), HWV 291 (1.)]

V. II   70 Takte

2. Adagio / Ob. / Fl. trav.

[vgl. HWV 281 (5, T. 253 ff.)]   8 Takte

3 Allegro   Fl. trav. e V. II / V. I

[vgl. HWV 606]   123 Takte

Quellen

Handschriften: Autograph: verschollen.
Abschriften: *GB* Lbm (R. M. 19. g. 7., p. 51–67; R. M. 19. g. 6., f. 60ᵛ–62ᵛ: *Sonata 15*, Satz 1–2 in der Fassung für HWV 252), Lcm (MS. 907, St. für Ob. I, Va., B c.), Mp [MS 130 Hd4, v. 81(2)].
Drucke: S. sämtliche Drucke unter HWV 312. – Handel's celebrated Oboe Concerto … adapted for the Organ, Harpsichord or Piano Forte. – London, J. Bland; —— – ib., H. Wright.

Bemerkungen

HWV 314, veröffentlicht 1734 als op. 3 Nr. 3, setzt sich vollständig aus Entlehnungen zusammen. Als ersten Satz *(Largo e staccato*[1] */ Allegro)* übernahm Händel die Sinfonia zum Chandos Anthem HWV 252 My song shall be alway; beide Fassungen sind bis auf die in HWV 314 hinzugefügten Stimmen für V. I concertino und für die den Baß verdoppelnde Va. identisch in der musikalischen Struktur. Subjekt und Kontrasubjekt der Allegro-Fuge (1. Satz) gehören zu den um 1713 erfundenen musikalischen Themen, auf die Händel später mehrfach zurückgriff: vor der Verwendung in HWV 252 und HWV 314 erscheint es erstmals in HWV 74 Ode for the Birthday of Queen Anne (2. The day that gave great Anna birth), danach in HWV 48 Brockes-Passion (38. Ein jeder sei ihm untertänig) und schließlich (1733) in HWV 51 Deborah (1. O grant a leader). Der kurze 2. Satz *(Adagio)* von HWV 314 ist eine direkte Übernahme aus HWV 281 Te Deum B-Dur (Chandos Te Deum)[2].

[1] Vgl. auch die Moll-Variante in der Einleitung zu HWV 291 *(Adagio*, T. 1–2).

[2] Auch in HWV 282 Te Deum A-Dur (6. We believe that thou shalt come) wird der Satz etwas reicher instrumentiert notengetreu und in gleicher Tonart übernommen.

Der Stecher der Bläser-Stimme für den Erstdruck von op. 3 Nr. 3 beging bei seiner Arbeit einen gravierenden Fehler[3] (vgl. Takt 2), wodurch der gesamte achttaktige Satz 2 in Unordnung geriet und sich falsche Harmonien zwischen Bläser- und Streicherstimmen ergaben. Die korrekte Lesart bietet die instrumentale Einleitung zu dem Satz „We believe that thou shalt come" (5) von HWV 281, die jedoch in noch keiner der modernen Ausgaben (einschließlich HHA IV/11) publiziert wurde, da die jeweiligen Herausgeber offensichtlich diese Quelle übersehen haben.

Satz 3 *(Allegro)* stellt wiederum eine Orchestertranskription einer Cembalofuge (HWV 606 Fuge G-Dur) dar, deren Subjekt und Kontrasubjekt noch einmal in den Einleitungschören zum Chandos Anthem IX HWV 254 O praise the Lord with one consent (Nr. 1, T. 81 ff., „Let all the servants of the Lord") und zum Oratorium HWV 51 Deborah (Nr. 1, T. 77 ff., „To swift perdition dooms thy

[3] Vgl. D. Burrows, a. a. O., S. 86–88, mit Notenbeispielen.

foes") sowie (in verkürzter Form) im Coronation Anthem HWV 259 Let thy hands be strengthened (T. 163 ff.: Alleluja) von Händel verwendet wurde. Bei diesem Satz ist in HWV 314 – wiederum durch Irrtum des Stechers – T. 81 ausgelassen worden (in HHA IV/11 als Takt 80ª eingeschoben); dies und mehrere andere Fehler (T. 53, 83, 85, 92), durch die z. T. fehlerhafte Parallelbewegungen innerhalb verschiedener Stimmen entstehen, sowie Ungeschicklichkeiten in der Transkriptionstechnik deuten darauf hin, daß Händel vermutlich nicht selbst die Bearbeitung des Satzes vorgenommen hat (vgl. D. Burrows, Lit.).

Literatur

Burrows, D.: Walsh's editions of Handel's Opera 1–5: the texts and their sources. In: Music in Eighteenth-Century England, ed. C. Hogwood and R. Luckett, Cambridge UP 1982, S. 79 ff; Chrysander III, S. 153 ff.; Drummond, S. 92 ff.; Lam (Symposium), S. 215; Leichtentritt, S. 793 f.; Sadie, S. 15 f.

315. Concerto Nr. 4 F-Dur (Orchestra Concerto)

Besetzung: Concertino: Ob. I, II; V. – Ripieno: Ob. I, II; Fag.; V. I, II; Va.; Cont.
ChA 21. – HHA IV/11. – EZ: London, Mai/Juni 1716. – UA: London, vermutlich am 13. oder 20. Juni 1716, King's Theatre, Haymarket, anläßlich einer Aufführung von HWV 11 Amadigi di Gaula

Takt 14

Takt 68   80 Takte *(D. s.)*   [vgl. HWV 487 (2.)]   59 Takte

3. Allegro

42 Takte

4. Minuetto Alternativo

[vgl. HWV 363 (5.); HWV 516]

senza Ob. I, II
un poco p

Takt 25
[vgl. HWV 517]

40 Takte
Da capo il primo Minuetto

Quellen

Handschriften: Autograph: verschollen.
Abschriften: *GB* BENcoke (Ms. *Overtures & Lessons for the Harpsicord*, ca. 1721, aus dem Besitz von Elizabeth Legh, p. 36–46, Cembalofassung in der Kopie von Smith senior), Cfm (Barrett-Lennard-Collection vol. 10, Mus. MS. 798, f. 10ʳ–19ᵛ), Lbm (R. M. 19. g. 7., p. 68–82; R. M. 19. e. 1., f. 1ʳ–10ᵛ, als Einleitung zu HWV 74; R. M. 18. c. 1., f. 4ʳ–5ᵛ: Satz 1 als *Symphony in Amadigi*, Cembalofassung; R. M. 18. b. 4., f. 21–22: Satz 4, Menuet, Cembalofassung; Add. MSS. 31576, f. 25ᵛ–28ʳ: Satz 1, Allegro, und Satz 4, Menuet), Lcm (MS. 907, St. für Ob. I, Va., B. c.), Malmesbury Collection (*Sonata's and Concerto's Compos'd by George Frederick Handel Esqʳ.*, datiert *London 1727*, No. 10: *Overture*; Ms. mit Ouverturen aus dem Besitz von Elizabeth Legh, datiert *August yᵉ 30. 1722*, p. 61–68, Cembalofassung), Mp [MS 130 Hd4, v. 268(3), p. 221–231: Satz 3, Allegro; v. 268(5), p. 247–248: Satz 4, Menuet], Shaftesbury Collection (v. 13, als Einleitung zu HWV 74) – *US* Wc (M2. 1. H2 case, v. 2–8, St., als Einleitung zu HWV 74).
Drucke: S. sämtliche Drucke unter HWV 312. – Handel's celebrated Oboe Concerto … adapted for the Organ, Harpsichord or Piano Forte. – London, Birchall; —— - ib., J. Bland; Six Overtures fitted to the Harpsichord or Spinet viz Ptolomy Síroe Richard yᵉ 1ˢᵗ Admetus 1. Admetus 2. Amadis Being proper Pieces for the Improvement of the Hand on the Harpsichord or Spinnet The Third Collection. – London, J. Walsh, Joseph Hare (1728, p. 18–19, *Second Overture in Amadis*, Satz 1–2); XXIV Overtures fitted to the Harpsichord or Spinnet viz … Amadis [p.] 42 …Compos'd by Mr. Handel. – ib., J. Walsh, N̲o̲ 203 (1730, *Second Overture in Amadis*).

Bemerkungen

HWV 315 wurde als op. 3 Nr. 4 aus mehreren bereits vorliegenden Sätzen für den Druck zusammengestellt. Die Ouverture (Satz 1) entstand schon im Frühjahr 1716, und Händel führte sie als „Second Ouverture in Amadis" bzw. als „The Orchestra Concerto" während einer Benefiz-Vorstellung von HWV 11 Amadigi vermutlich am 20. Juni 1716 erstmals auf[1]; als „Second Overture in Amadis" wurde sie auch von Walsh in Klavierfassung gedruckt[2].
Während Satz 3 *(Allegro)* die Vorform für den später entstandenen 4. Satz *(Allegro)* der Triosonate HWV 402 op. 5 Nr. 7 B-Dur (1739) darzustellen scheint, sind die Sätze 2 und 4 Orchesterbearbeitungen folgender früherer Kompositionen:

2. Satz, Andante

HWV 487 Concerto G-Dur für Cembalo: 2. Satz *(Andante)*[3]

4. Satz, Menuet, 1. Teil

HWV 516ᵃ⁻ᶜ Menuet F-Dur

---

[1] Vgl. Deutsch, S. 71. Im *Daily Courant* wurde diese Aufführung als „for the Benefit of the Instrumental Musick" angekündigt und vermerkt: „… this present Wednesday, being 20ᵗʰ of June, will be perform'd an Opera call'd Amadis … To which will be added, Two New Symphonies". Vgl. auch Burney, Ch.: A General History of Music, vol. IV, 1789, S. 257, 291; Schoelcher, V.: The Life of Handel, London 1857, S. 42, 44, 365; Hudson, F.: Krit. Bericht zu HHA IV/11, S. 29, Anm. 25.
[2] In „Six Overtures fitted to the Harpsichord or Spinet viz. Ptolomy … Amadis" (1728) und „XXIV Overtures fitted to the Harpsichord or Spinet viz. Parthenope … Amadis 42" (1730).
[3] Vgl. auch die Ouverture zu HWV 10 Silla (3. Satz, *Andante*). Das Kopfthema der Ouverture scheint ebenfalls mit dem 1. Satz von HWV 315 thematisch in Verbindung zu stehen.

HWV 363[a,b] Sonate F-Dur bzw. G-Dur (op. 1
Nr. 5): 5. Satz (Menuet)
4. Satz, Menuet, 2. Teil
HWV 517 Menuet F-Dur

HWV 315 diente mehrfach als instrumentale Einleitung zu HWV 74 Ode for the Birthday of
Queen Anne, wie einige handschriftliche Kopien
der Ode (vgl. unter HWV 74) erkennen lassen; ob
dies auf Händel selbst zurückgeht, ist ungeklärt.
HWV 315 wurde bekanntlich erst in der 2. Auflage
von op. 3 als Nr. 4 veröffentlicht. Im Erstdruck von
op. 3 (GB En, Balfour 145) war ursprünglich ein
anderes F-Dur-Konzert[4] abgedruckt, das kurze
Zeit später (1735) in Walshs „Select Harmony
Third Collection … Composed by Sig.[r] Geminiani
and other Eminent Italian Authors" (als No. 5)

[4] Veröffentlicht als Konzert Nr. 4[a] in HHA IV/11,
S. 105 ff. Vermutlich stammt es von Geminiani.

anonym herausgegeben wurde, und das vermutlich irrtümlich in den Druck von op. 3 gelangt
war.

Literatur
Burney, Ch.: An Account of the Musical Perfor-
mances in Westminster-Abbey, and the Pan-
theon … In Commemoration of Handel, London
1785 / Dr. Karl Burney's Nachricht von Georg
Friedrich Händel's Lebensumständen … Aus dem
Englischen übersetzt von Johann Joachim Eschen-
burg, IV. Händel's Gedächtnisfeyer, Berlin und
Stettin 1785 (Faksimile-Nachdruck Leipzig 1965),
S. 82 ff.; Chrysander III, S. 153 f.; Drummond,
S. 92 ff.; Lam (Symposium), S. 216; Leichtentritt,
S. 794; Redlich, H. F.: A new „Oboe Concerto" by
Handel. In: The Musical Times, vol. 97, 1956,
S. 409 f. (deutsch: Ein neues „Oboen-Konzert" von
Händel. In: Musica, 10. Jg., 1956, S. 611 f.); Sadie,
S. 16 ff.

316. Concerto Nr. 5 d-Moll

Besetzung: Ob. I, II; V. I, II; Va.; Cont.
ChA 21. – HHA IV/11. – EZ: London,
ca. 1718/20. – UA: London, vermutlich am
13. März 1734, King's Theatre, Haymarket, anläßlich der UA von HWV 73 Il Parnasso in festa

1.

[vgl. HWV 247 (1.)]   39 Takte

2. Allegro
V. I

[vgl. HWV 247 (1.), HWV 431 (3.)] Ob.   76 Takte

3. Adagio

15 Takte

4. Allegro ma non troppo
V. I ed Ob. I
V. II ed Ob. II

(Va. col Basso all' ottava)
[vgl. HWV 251[b] (1., Allegro), HWV 398 (2 A.)]

42 Takte

5. Allegro
Ob. e V. I, II
Va.
e B.

99 Takte   D. c.

Quellen

Handschriften: Autograph: verschollen.
Abschriften: *GB* Lbm (R. M. 19. g. 7., p. 83–98;
R. M. 19. g. 6., f. 57ᵛ–60ʳ: *Sonata 14*, Sätze 1–2 in der
Fassung für HWV 247; Add. MSS. 31576, f. 23ᵛ–
25ʳ: Satz 2, f. 31ʳ–32ᵛ: Satz 5), Lcm (MS. 907, St. für
Ob. I, Va., B. c.), Malmesbury Collection (*Sonata's
and Concerto's compos'd by George Frederick Handel
Esq*ʳ., datiert *London 1727*, No. 6), Mp [MS 130
Hd4, v. 268(3), p. 232–246: Sätze 3–5].
Drucke: S. sämtliche Drucke unter HWV 312. –
Handel's celebrated Oboe Concerto … adapted
for the Organ, Harpsichord, or Piano Forte. –
London, Birchall & Andrews.

Bemerkungen

HWV 316 erschien als op. 3 Nr. 5 im Erstdruck
(*GB* En, Balfour 145) nur in zweisätziger Form;
die Sätze 3–5 ließ Walsh erst in der 2. Auflage des
Werkes erscheinen.
Auch dieses Konzert wurde aus bereits vorliegenden Sätzen zusammengestellt, wobei die Sätze 1
und 2 direkt aus der zweisätzigen *Symphony* des
Chandos Anthems II HWV 247 In the Lord put I
my trust übernommen wurden und die in HWV
316 hinzugefügte Viola-Stimme nur den Continuo

verdoppelt. Satz 2 *(Allegro)* stellt dabei eine um
8 Takte verkürzte Orchestertranskription der
Fuge fis-Moll aus HWV 431 Suite VI (3. Satz) dar,
deren Autograph nicht erhalten ist[1]. Der 4. Satz
von HWV 316 *(Allegro ma non troppo)* geht auf den
2. Satz *(Allegro)* der Sonata[2] zum Chandos Anthem VIᴬ HWV 251ᵇ As pants the hart zurück, der
wiederum später den zweiten Satz (*Allegro*, Fassung B) der Triosonate HWV 398 op. 5 Nr. 3 e-
Moll bildete.

Literatur

Chrysander III, S. 153 ff.; Drummond, S. 92 ff.;
Hudson, F.: Krit. Bericht zu HHA IV/11, Kassel
und Leipzig 1963; Lam (Symposium), S. 216 f.;
Leichtentritt, S. 794; Sadie, S. 18 f.

[1] Das erhaltene Teilautograph von HWV 431 (*GB* Lbm,
R. M 20. g. 14., f. 61ʳ–62ʳ) mit den Sätzen 2 und 4 enthält
nach dem langsamen Satz 2 (*Largo*) nur den Vermerk *Segue la Fuga.*
[2] Der Verweis von F. Hudson (Krit. Bericht zu HHA IV/
11, S. 31) auf die angeblich zweisätzige Sonata von
HWV 251ᶜ (Chapel Royal Anthem VIᵇ, d-Moll) entspricht nicht dem Quellenbefund; die *Symphony* zu
HWV 251ᶜ (Autograph: *GB* Lbm R. M. 20. g. 1., f. 1–3) besteht nur aus dem auf 52 Takte verkürzten Larghetto.

317. Concerto Nr. 6
D-Dur/d-Moll

Besetzung: Concertino: Ob. I, II; Fag.; Org. (bzw.
Cemb.). – Ripieno: V. I, II; Va.; Vc. e Fag.;
Cont.
ChA 21. – HHA IV/11. – EZ: London, ca. 1722. –
UA: London, 1. Satz (als „Concerto in Ottone")
vermutlich am 12. Januar 1723, King's Theatre,
Haymarket, anläßlich der UA von HWV 15 Ot-
tone, Re di Germania

78 Takte

104 Takte

Quellen

Handschriften: Autograph: *GB* Lbm (R. M. 20. g. 13.,
f. 1ʳ–4ᵛ: *Concerto/Vivace*, Satz 1).
Abschriften: *GB* Cfm (Barrett-Lennard-Collection
vol. 53, p. 18–22: *Concerto in Ottone*, Satz 1), DRc
[MS. D 16, f. 19ᵛ–24ʳ: Concerto in Ottone, Satz 1;
MS. E 34(I), St. für V. I conc., V. I, II rip., 1. Satz;
MS. E 34(II): *Parts of yᵉ Concerto in yᵉ Opera of Otho*,
7 St. für Ob. I, II, V. I, II, Va., Vc., B. c., 1. Satz),
Lbm (R. M. 19. g. 7.., p. 99–110; Egerton 2918,

f. 15ʳ–18ʳ: *Concerto in Ottone*, 1. Satz;
Add. MSS. 33238, f. 7ᵛ–8ʳ: *Concerto in Ottone*, 1. Satz;
R. M. 18. c. 6., f. 5ʳ–8ᵛ: Satz 2, Kopie des Schreibers
S₃), Lcm (MS. 907, St. für Ob. I, Va., B. c.).
Drucke: S. sämtliche Drucke unter HWV 312. –
Satz 1 auch in: Otho an Opera as it was Perform'd
at the King's Theatre for the Royal Accademy
Compos'd by Mʳ Handel. Publish'd by the Au-
thor. – London, J. Walsh, Jn. & Joseph Hare
(1723).

Bemerkungen

Satz 1 von HWV 317 wurde – vermutlich zusammen mit zwei anderen Sätzen (vgl. HWV 338)[1] – als *Concerto in Ottone* für die Aufführung dieser Oper ca. 1722 komponiert und leitete dort die 4. Szene des I. Aktes ein. Für die Veröffentlichung als op. 3 Nr. 6 wurde dieser Satz mit einem Orgelkonzertsatz[2] verbunden, der später (1761) von Walsh in HWV 309 op. 7 Nr. 4 d-Moll (3. Satz, *Allegro*) nochmals gedruckt wurde.

Wie schon bei mehreren anderen Sätzen von op. 3 ist auch der Druck des 2. Satzes von HWV 317 nicht frei von Stichfehlern; besonders deutlich offenbart sich dies in T. 50/51, wo in HWV 317 durch den Stecher fälschlich ein zusätzlicher Takt

eingefügt wurde. Während die Fassungen des Satzes in der einzigen verläßlichen handschriftlichen Quelle (*GB* Lbm, R. M. 18. c. 6., f. 5–8)[3] und in HWV 309 jeweils 103 Takte umfassen, zählt daher die in op. 3 veröffentlichte Version 104 Takte.

Das Thema des 2. Satzes findet sich außer in HWV 317 auch in folgenden anderen Werken:

HWV 495 Lesson d-Moll
HWV 428 Suite III d-Moll (6. Satz, *Presto*)
HWV 8[a] Il Pastor fido (1. Fassung): Ouverture (6. Satz)
HWV 309 Orgelkonzert op. 7 Nr. 4 d-Moll (3. Satz, *Allegro*)

Literatur

Burrows, D.: Walsh's edition of Handel's Opera 1–5: the texts and their sources. In: Music in Eighteenth-Century England, ed. C. Hogwood and R. Luckett, Cambridge UP 1982, S. 79 ff., besonders S. 91 ff.; Chrysander III, S. 155 ff.; Drummond, S. 92 ff.; Lam (Symposium), S. 217; Leichtentritt, S. 795; Sadie, S. 19 f.

Beschreibung des Autographs: Lbm: Catalogue Squire, S. 44, Hudson, F.: Krit. Bericht zu HHA IV/11, Kassel und Leipzig 1963, S. 7.

[1] Autograph: *GB* Lbm (R. M. 20. g. 13., f. 30ʳ–32ᵛ). Beide Autographe zeigen große Ähnlichkeit in Schriftbild und Papierbeschaffenheit (WZ: Bb) und dürften als dreisätziges Konzert zusammen um 1722 entstanden sein.

[2] Möglicherweise war dies ein Satz, den Händel 1733 bei seinen Oratorienaufführungen in Oxford gespielt hat. Vgl. dazu Burney, Ch.: Sketch of the Life of Handel. In: An Account of the Musical Performances in Westminster Abbey, London 1785, S. 23 (deutsch: Dr. Karl Burney's Nachricht von Georg Friedrich Händel's Lebensumständen … Aus dem Englischen übersetzt von Johann Joachim Eschenburg, Berlin und Stettin 1785, Faksimile-Nachdruck Leipzig 1965, S. XXXIV).

[3] Aylesford Collection, Abschrift des Kopisten S₃.

318. Concerto grosso C-Dur
(Concerto in Alexander's Feast)

Besetzung: Concertino: V. I, II; Vc. – Ripieno: Ob. I, II; V. I, II; Va.; Cont.
ChA 21. – HHA IV/15. – EZ: London, beendet am 25. Januar 1736. – UA: London, 19. Februar 1736, Theatre Royal, Coventgarden, anläßlich der UA von HWV 75 Alexander's Feast

Takt 19   100 Takte

Anhang.
B

Solo

Takt 31   [T. 30 - 56]

Quellen

Handschriften: Autograph: *GB* Lbm (R. M. 20. g. 11., f. 1ʳ–16ᵛ: *Concerto per due Violini concertini e Violoncello, e Stromenti di Ripieno 2 Hautb., 2 Violini ripieno, Viola e basso*).
Abschriften: *GB* BENcoke (Aylesford Collection, 7 St. in der Handschrift des Kopisten S₂ für Ob. I, II, V. I conc., Vc. conc., V. I, II rip., Basso rip.; Partitur in der Handschrift des Kopisten S₄ in einem Ex. des Walsh-Druckes, 1738, von HWV 75 Alexander's Feast), Cfm (Barrett-Lennard-Collection, vol. 67, Mus. MS. 836, p. 121–151; 32. G. 18., MS. 161, f. 46ʳ–55ᵛ: *Concerto per il Gravicembalo*, Cembalofassung), DRc [MS. E 20(III), 15 St.], Lbm (Egerton 2946, f. 34ʳ–45ᵛ; Add. MSS. 31576, f. 58ʳ–59ʳ: Satz 4, f. 73ʳ–78ᵛ: Satz 1–3; R. M. 19. a. 1., f. 99ᵛ–101ᵛ, Orgelst. für HWV 75 mit Einbeziehung von HWV 318), Mp [MS 130 Hd4, v. 84(6), f. 91–122: *Concerto 6.*, Handschrift des Kopisten S₂]¹, Shaftesbury Collection (V. 1/2, Abschrift des Kopisten S₄, ca. 1738).

¹ Diese Partitur und der Stimmensatz in *GB* BENcoke,

Drucke: Select Harmony Fourth Collection. Six Concertos in Seven Parts For Violins and other Instruments Compos'd by Mʳ Handel Tartini and Veracini ... – London, J. Walsh, Nᵒ 682 (1740, 9 St., HWV 318 als No. 1)²; —— – ib., Nᵒ 682 (ca. 1741)³; Celebrated Concerto call'd Select Harmony, adapted for the Harpsichord or Piano Forte. – ib., H. Wright (ca. 1790); Concertante in nine parts For two Violins and a Violoncello Obligati, Composed in the Year 1738. By G. F. Handel. – ib., Arnold's edition, No. 98–99 (ca. 1791); Handel's celebrated Concertante for 4 Violins, Te-

beides aus der Aylesford Collection stammend, gehörten vermutlich ursprünglich zusammen.
² Die Ankündigung des Druckes in der *London Daily Post* vom 11. Dezember 1740 lautete: „In this is the celebrated Concerto in Alexander's Feast, never before printed ..." Vgl. Smith, Descriptive Catalogue, S. 240.
³ Ankündigung in *London Daily Post and General Advertiser* (11. November 1741): „Select Harmony, 4ᵗʰ Collection, to which is prefix'd that celebrated Concerto in Alexander's Feast ..." Vgl. Deutsch, S. 524, Chrysander III, S. 156.

nor & Violoncello (from Select Harmony) performed at the Concert of Antient Music. Adapted for the Harpsichord or Piano Forte. – ib., R.' Birchall (ca. 1811).

Bemerkungen

Händel komponierte HWV 318 als Zwischenaktmusik für HWV 75 Alexander's Feast or The Power of Music, und daraus leitet sich sein Beiname „Alexanderfest-Konzert" ab. Als Datum über die Beendigung der Komposition notierte Händel im Autograph (f. 16^v): *January 25. 1736.*

Die erste Aufführung erfolgte anläßlich der Uraufführung von HWV 75 am 19. Februar 1736; das Konzert erklang als Einleitung zum II. Teil der Ode (vor der gleichfalls nachträglich eingefügten Kantate HWV 89 Cecilia volgi un sguardo)[4]. Dabei ist HWV 318 mit Orgelcontinuo gespielt worden, wie aus der erhaltenen Orgelstimme (*GB* Lbm, R.M. 19. a. 1.) ersichtlich ist.

Entgegen den Vermutungen von Basil Lam (Symposium, S. 200 ff.), daß HWV 318 keine Originalkomposition Händels, sondern nur ein von ihm arrangiertes bzw. kopiertes Werk eines italienischen Komponisten sei, erweist sich auch aufgrund der Quellenüberlieferung das Konzert als echt. Neben der bereits von Max Seiffert (Lit.) angemerkten thematischen Substanzgemeinschaft des 4. Satzes mit dem Concerto A-Dur aus Georg Philipp Telemanns *Musique de Table* (Hamburg 1733, Première Production[5]) und der von Arnold Schering (Lit.) erwähnten Ähnlichkeit des Kopfthemas mit Antonio Vivaldis Concerto op. 8 Nr. 6 *Il Piacere* (Ryom-Verz. 180) hat neuerdings Pippa Drummond (Lit., S. 178 ff.) ein Werk von William Boyce (Ouverture C-Dur, Handschrift in *GB* Ob, Mus. MS. Don. d. 146, um 1735/40 entstanden) mit Händels „Alexanderfest-Konzert" in Verbindung gebracht. Ihre Annahme, daß die Cembalofassung von HWV 318 in *GB* Cfm (MS. 161, f. 46^r–55^v) schon 1730 vorgelegen und Boyce demnach von Händel das Thema für seine Ouverture entlehnt habe, trifft allerdings nicht zu, da HWV 318 eindeutig erst 1736 entstand und die Cembalofassung, die nichts mit Händel zu tun hat, erst nach 1760 zu datieren ist.[6]

Das Thema des 4. Satzes *(Andante non presto)* ver-

wendete Händel später nochmals in HWV 578 (3. Satz, *Gavotta*), einer Komposition für eine mechanische Uhr. Für die Takte 30–56 und 68–78 steht im Autograph von HWV 318 eine unverzierte Fassung mit dem Vermerk *V. solo ad libitum*[7]. Alle anderen Quellen, mit Ausnahme der von Smith senior angefertigten Kopie (*GB* Lbm, Egerton 2946), enthalten die in den späteren Quellen (Handschriften und Drucke) wiedergegebene verzierte Version dieser Stellen.

Literatur

Chrysander III, S. 155 f.; Drummond, S. 103 ff., 178 f.; Lam (Symposium), S. 211 ff.; Leichtentritt, S. 795 f.; Sadie, S. 31 f.; Schering, A.: Geschichte des Instrumentalkonzerts bis auf die Gegenwart, Leipzig^2/1927, S. 68 ff.; Seiffert, M.; G. Ph. Telemanns „Musique de Table" als Quelle für Händel. In: Bulletin de la Société „Union Musicologique", 4. Jg., 1924, S. 19 ff. (auch in: Beihefte zu den Denkmälern deutscher Tonkunst, Bd. 2, Leipzig 1927); Serauky III, S. 515 ff.

Beschreibung des Autographs: Lbm: Catalogue Squire, S. 40, Hudson, F.: Vorwort und Abschnitt „Quellen und Lesarten" zu HHA IV/15, Kassel und Leipzig 1979, S. 98.

Mr Handel's und ist nach F. Hudson (HHA IV/15, Sechs einzeln überlieferte Instrumentalwerke, Leipzig und Kassel 1979, Abschnitt Quellen und Lesarten, S. 98) um 1760/67 niedergeschrieben worden.
[7] Die in *Catalogue Squire*, S. 40, wiedergegebene Entzifferung von Händels Bleistifteintragungen im Autograph entspricht nicht dem tatsächlichen Wortlaut. Auf f. 15^v heißt es über der Tempobezeichnung *Andante non presto*: „dieses in fünff die letzte seyte in N. 14", auf f. 16^r steht über der Solostelle für V. I: „N 15 im Buche war variert das andere mahl … das andere mahl".

[4] Vgl. die autographen Hinweise *N 12, N 13, N 14, N 15* (f. 1^v, 6^r, 11^r, 16^r) als Lagenbezeichnung für die Eingliederung in die Direktionspartitur von HWV 75 (vgl. Clausen, S.103). Das für 1736 gedruckte Libretto hat den Vermerk: *ACT THE SECOND / Concerto for two Violins, violoncello, etc.*
[5] Vgl. DDT Erste Folge, Bd. 61–62, hrsg. von M. Seiffert, Leipzig 1927, S. 55 ff. bzw. G. Ph. Telemann, Musikalische Werke, Bd. 12, hrsg. von J. Ph. Hinnenthal, Kassel 1959, S. 80 ff.
[6] Die Quelle *GB* Cfm (32. G. 18., MS. 161) trägt den Kopftitel (f. 47^r, erste Notenseite): *Concerto / R. Fitzwilliam / 1767 /*

319.–330. Twelve Grand Concertos op. 6 (12 Concerti grossi op. 6)

319. Concerto Nr. 1 G-Dur

Besetzung: Concertino: V. I, II; Vc. – Ripieno: [Ob. I, II]; V. I, II; Va.; Cont.
ChA 30. – HHA IV/14. – EZ: London, beendet am 29. September 1739

4.

81 Takte

5.

48 Takte

Quellen

Handschriften: Autograph: *GB* Lbm (R.M.20.g.11., f.17ʳ–28ᵛ: *Concerto Grosso N.1,* mit zwei nachträglich hinzugefügten Oboenstimmen auf den beiden untersten Systemen), Cfm (30.H.14., MS.264, p.3–6, Solostimmen zu Satz 4).

Abschriften: *GB* Cfm (Barrett-Lennard-Collection vol. 12, Mus. MS. 799, p. 1–13) DRc [MS. E 25(1), fragm.], Lbm (R.M. 19.g.5., vol. I, f. 1ʳ–14ʳ; Egerton 2944, f. 1ʳ–12ʳ, mit zwei Oboenstimmen; Add. MSS. 31576, f. 3ᵛ–6ʳ, Satz 4), Mp (MS 130 Hd4, v.85, mit zwei Oboenstimmen, Abschrift des Kopisten S₁ mit Datierungen der Konzerte durch Ch.Jennens) – *I* Bc (2 Bde.).

Drucke: Twelve Grand Concertos in Seven Parts for Four Violins, a Tenor Violin, a Violoncello with a Through Bass for the Harpsichord. Compos'd By George Frederick Handel. Publish'd by the Author. – London, John Walsh, Nᵒ.670 (1740); —— – ib., Nᵒ.670 (ca. 1740/41); Twelve Grand Concertos For Violins &c. in Seven Parts Compos'd By Mʳ. Handel. Opera Sexta. 2d. Edition. – ib., J. Walsh (1741); Twelve Grand Concertos … Opera Sexta. 3d. Edition. – ib., J. Walsh (1746); Six Grands Concerto Pour les Violons &c. En sept parties separeés Par Mʳ. Handel. Parte prima Del Opera Sexta. – Paris, Vincent, Boivin, Le Clerc (senior) [1744, enthält HWV 323 op.6 Nr.5, HWV 324, op.6 Nr.6, HWV 319 op.1 Nr.1, HWV 325 op.6 Nr.7, HWV 329 op.6 Nr.11, HWV 330 op.6 Nr.12]; XII Concerti A Quattro Violini, Alto Viola, Violoncello, e Basso del Signor Hendel. Opera Sexta. – Paris, Le Clerc (Le cadet), Le Clerc (senior), Boivin [1751]; Twelve Grand Concertos in Seven Parts for Four Violins, a Tenor Violin, a Violoncello with a Through Bass for the Harpsicord. Compos'd By George Frederick Handel. – London, H.Wright, No.670 (1786); Twelve Grand Concertos, In Score; Composed in the Year, 1737. By G.F.Handel. – ib., Arnold's edition, No.60–64 (1789).

Bemerkungen

Kurz nach Beendigung von HWV 76 Ode for St.Cecilia's Day (24.September 1739) schrieb Händel innerhalb von vier Wochen (vom 29. September bis 30.Oktober) zwölf Concerti grossi, die von John Walsh im April des folgenden Jahres in Subskription veröffentlicht wurden. Händel überwachte dabei selbst den Druck[1], wie der Zusatz im Erstdruck („Publish'd by the Author") erkennen läßt.

Bei der Veröffentlichung übertrug Händel den Werktitel *Concerti grossi* ins Englische. Die Opus-Zahl 6 wurde vom Verleger erst bei der 2.Auflage (1741) hinzugefügt.

Händels Autographe aller Konzerte sind erhalten, auch die des 5. und 9.Konzerts lassen sich durch autographe Quellen komplettieren. Abgesehen von Nr.5 (HWV 323) trägt jedes Konzert im Autograph die Überschrift *Concerto grosso*; die in der Reihenfolge der Veröffentlichung hinzugefügte Nummernfolge *(N. 1–4, 6–12)* ist späteren Datums und bezieht sich offensichtlich auf die Einordnung in die Druckvorlage für Walsh, denn nach den jeweils am Schluß jedes Autographs vermerkten Daten über die Beendigung der einzelnen Konzerte entstanden diese in der Reihenfolge Nr. 1–5, 7, 6, 8, 12, 10 und 11[2]. In der Zeit zwischen der Beendigung der Komposition der Concerti grossi und ihrem Erscheinen im Druck von Walsh nahm Händel zahlreiche Änderungen in den einzelnen Werken vor, so daß sich vor allem hinsichtlich des Austausches von Sätzen und Streichungen bzw. Umarbeitungen beträchtliche Unterschiede zwischen Autographen und Erstdruck ergeben.

[1] Händel hatte ein vom 31.Oktober 1739 datiertes neues königliches Privileg für den urheberrechtlichen Schutz seiner Werke erhalten, das erstmals für die 12 Concerti grossi op.6 in Kraft trat. Zum Wortlaut vgl. Deutsch, S.488f. Der Subskriptionsaufruf durch Walsh für op.6 erfolgte am 29.Oktober 1739 (Deutsch, S.488).

[2] Zum Entstehungsdatum für Nr. 9 vgl. unter HWV 327.

Noch vor dem Erscheinen des Druckes erprobte Händel die Mehrzahl der Konzerte in seinen Oratorienaufführungen der Saison 1739/40; den Presseankündigungen zufolge wurden mindestens 10 Konzerte bei mehreren Gelegenheiten aufgeführt[3], obwohl nicht zu ermitteln ist, um welche konkreten Werke es sich dabei gehandelt hat. Mehrere Konzerte sind mit HWV 55 L'Allegro, il Penseroso ed il Moderato verbunden; die Uraufführung dieses Werkes am 27. Februar 1740 schloß 2 Concerti grossi (als Ouverture und als Einleitung zum 2. Teil) sowie ein Orgelkonzert ein, doch wiederum ohne Angabe, welche der Konzerte dies waren. Auch später wurden Sätze aus op. 6 in Oratorienaufführungen verwendet (vgl. unter HWV 62), die als entsprechende musikalische Einleitungen dienten[4].

HWV 319, veröffentlicht als op. 6 Nr. 1, entstand als erstes Werk der Reihe. Im Autograph (f. 28[v]) findet sich folgender Vermerk über den Abschluß der Komposition: *Fine. G. F. Handel. Sept. 29. 1739.* ♄ (= Sonnabend). Satz 1 *(A tempo giusto)* wurde aus der verworfenen Erstfassung der Ouverture zu HWV 41 Imeneo entwickelt, die das thematische Material bereits in wesentlichen Grundzügen vorwegnimmt (Autograph der Vorlage: *GB* Lbm, R. M. 20. g. 11., f. 122–125, mit dem Datierungsvermerk *Ouverture. den 9. Sept. 1738. Soñabend.*). Händel fügte dem Konzert nachträglich zwei Oboenstimmen hinzu, die in den beiden untersten (freien) Systeme der zehnzeilig rastrierten Partitur geschrieben wurden. Ihr akzidentieller Charakter wird somit deutlich: sie dienten vermutlich für die Aufführungen des Konzerts (wie auch der gleichfalls mit Oboenstimmen verstärkten Konzerte HWV 320, 323 und 324) im Rahmen von Händels Oratorienaufführungen.

U. a. erklang dabei Satz 1 von HWV 319 als Sinfonie zu Part III (Nr. 26) von HWV 62 Occasional Oratorio.

---

[3] Vermutlich sind die Konzerte HWV 327 (Nr. 9) und HWV 328 (Nr. 11) davon ausgenommen gewesen, da sie Bearbeitungen von Sätzen aus HWV 295, HWV 41 und HWV 296 darstellen, die sämtlich erst kurz zuvor (1739/40) uraufgeführt worden waren.

[4] Zu den einzelnen Aufführungen, bei denen in der Spielzeit 1739/40 Concerti grossi gespielt wurden, vgl. Deutsch, S. 489 ff. Die erste Aufführung von Concerti aus op. 6 fand am 22. November 1739 in Verbindung mit der Uraufführung von HWV 76 Ode for St. Cecilia's Day statt („… with two new Concerto's for Instruments …"). Walsh, der in der *London Daily Post* vom gleichen Tage den Druck der Concerti op. 6 ankündigte, fügte seinem Subskriptionsaufruf hinzu: „N. B. Two of the above Concerto's will be perform'd this Evening …" Vgl. Schoelcher, S. 227.

Entlehnungen:
2. Satz, *Allegro*
   Gottlieb Muffat: Componimenti musicali: Suite VI G-Dur, 1. Fantasie[5]
3. Satz, *Adagio*[6]
   Gottlieb Muffat: Componimenti musicali: Suite I C-Dur, 5. Air[7]
5. Satz, *Allegro*[8]
   Gottlieb Muffat: Componimenti musicali: Suite III D-Dur, 8. Finale[9].

Literatur
Burney, Ch.: An Account of the Musical Performances in Westminster Abbey and the Pantheon … in Commemoration of Handel, London 1785, p. 54 ff.; Dr. Karl Burney's Nachricht von Georg Friedrich Händel's Lebensumständen … Aus dem Englischen übersetzt von Johann Joachim Eschenburg, Berlin und Stettin 1785, II. Händels Gedächtnisfeyer (Faksimile-Nachdruck Leipzig 1965), S. 80 f.; Chrysander III, S. 168 ff.; Chrysander, F.: Händels zwölf Concerti grossi für Streichinstrumente. In: Allgemeine Musikalische Zeitung, 16. Jg., 1881, S. 81 ff.; Drummond, S. 89 ff.; Lam (Symposium), S. 201 ff.; Leichtentritt, S. 797 ff.; Rönnau, K.: Besprechung von HHA IV/14. In: Die Musikforschung, XX. Jg., 1967, S. 475 ff.; Redlich, H. F.: Die Oboenstimmen im Autograph von Händels op. 6. Eine Klarstellung (mit 3 Faksimiles). In: Die Musikforschung, XXI. Jg., 1968, S. 221 ff.; Redlich, H. F.: The Oboes in Handel's Op. 6. In: The Musical Times, vol. 109, 1968, S. 530 f.; Sadie, S. 36 ff.; Seifas, N.: Die Concerti grossi op. 6 und ihre Stellung in Händels Gesamtwerk. In: Händel-Jb., 26. Jg., 1980, S. 9 ff.; Serauky III, S. 426 ff.

Beschreibung der Autographe: Lbm: Catalogue Squire, S. 40, Redlich, H. F.: Krit. Bericht zu HHA IV/14, Kassel und Leipzig 1964, S. 7, 17 ff. – Cfm: Catalogue Mann, MS. 264, S. 219.

---

[5] Vgl. ChA Supplemente V, S. 122 ff., DTÖ, Bd. III, S. 68 f.

[6] Nach G. Abraham (Symposium, S. 268, Anm.) stammt das Thema aus „Floridoro" (Arie der Eurinda: „Sepellitevi") von A. Stradella (vgl. Hess, H. Die Opern Alessandro Stradellas, Leipzig 1906, S. 75).

[7] Vgl. ChA Supplemente V, S. 12 f., DTÖ, Bd. III, S. 17.

[8] Vgl. D. Scarlatti, Sonata K. 2 (Kirkpatrick, R.: Domenico Scarlatti, 2. Bd., München 1972, S. 134, Sonatenverzeichnis).

[9] Vgl. ChA Supplemente V, S. 70 ff., DTÖ, Bd. III, S. 42 f.

320. Concerto Nr. 2 F-Dur

Besetzung: Concertino: V. I, II; Vc. – Ripieno:
[Ob. I, II]; V. I, II; Va.; Cont.
ChA 30. – HHA IV/14. – EZ: London, beendet
am 4. Oktober 1739

Anhang

(3.)   Larghetto

[vgl. HWV 321 (2.)]   37 Takte

(4.)   Allegro ma non troppo e staccato per tutto

tutti Vc. e Bassi

(103) 96 Takte

Quellen

Handschriften: Autograph: *GB* Lbm (R. M. 20. g. 11., f. 29ʳ–47ᵛ: *Concerto Grosso. N. 2.*, mit zwei nachträglich hinzugefügten Oboenstimmen).
Abschriften: *GB* Cfm (Barrett-Lennard-Collection, vol. 12, Mus. MS. 799, p. 14–26), DRc [MS. E 25(2), fragm.], Lbm (R. M. 19. g. 5., vol. I, f. 14ᵛ–26ᵛ; Egerton 2944, f. 12ᵛ–23ʳ, mit zwei Oboenstimmen; Add. MSS. 31576, f. 9ᵛ–11ᵛ: Satz 4, f. 17ʳ–18ʳ: Satz 3), Mp (MS 130 Hd4, v. 85, mit 2 Oboenstimmen) – *I* Bc (2 Bde.).
Drucke: S. unter HWV 319.

Bemerkungen

HWV 320, veröffentlicht als op. 6 Nr. 2, entstand als zweites der Konzerte. Händel beendete es mit folgendem Vermerk (Autograph, f. 47ᵛ): *Fine. G. F. Handel. Octobʳ 4. 1739.* ♃ (= Donnerstag). Auch hier wurden nachträglich zwei Oboenstimmen hinzugefügt. Im ersten Entwurf hatte Händel das Konzert in sechs Sätzen geplant, die im Autograph in folgender Reihenfolge verzeichnet sind: 1. *Andante larghetto* – 2. *Larghetto*[1] (f. 32ᵛ, vgl. Anhang zu HWV 320, später umgearbeitet zu HWV 321 op. 6 Nr. 3 e-Moll, 2. Satz, Andante) – 3. *Allegro* – 4. *Largo* – 5. Fassung A, *Allegro ma non troppo e staccato per tutto* (f. 41ᵛ, vgl. Anhang zu HWV 320, später gestrichen); Fassung B, *Allegro ma non troppo* (f. 43ᵛ, endgültiger Satz 4) – 6. *Allegro* (f. 46ᵛ, herausgelöst aus dem Kontext von HWV 320 und in HWV 327 op. 6 Nr. 9 F-Dur als Schlußsatz verwendet).

Die Überarbeitung von HWV 320 und seine endgültige Zusammenstellung in vier Sätzen erfolgte vermutlich für die Walsh-Ausgabe, in der das Werk dann in dieser Fassung veröffentlicht wurde; auch die übrigen handschriftlichen Quellen überliefern diese Satzfolge.

Das Thema des 4. Satzes *(Allegro ma non troppo)* arbeitete Händel später um zum Fugenthema des Chores (37) „Let us break their bonds asunder" (T. 10 ff.: „and cast away …") in HWV 56 Messiah.

Literatur

Chrysander III, S. 168 ff.; Chrysander, F.: Händels zwölf Concerti grossi für Streichinstrumente. In: Allgemeine musikalische Zeitung, 16. Jg., 1881/82, S. 81 ff.; Drummond, S. 98 ff.; Lam (Symposium), S. 202 ff.; Leichtentritt, S. 798 ff.; Sadie, S. 42 f.; Serauky III, S. 437 ff.
Beschreibung des Autographs: Lbm: Catalogue Squire, S. 40, Redlich, H. F.: Krit. Bericht zu HHA IV/14, Kassel und Leipzig 1964, S. 7, 21 ff.

---

[1] Vgl. HHA IV/14, Anhang, S. 269 ff. Auf f. 32ʳ des Autographs, am Ende von Satz 1, fügte Händel einen Verweis auf Satz 3 in Form eines Notenincipits dieses jetzt zum 2. Satz erklärten *Allegro* ein.

321. Concerto Nr. 3 e-Moll

Besetzung: Concertino: V. I, II; Vc. – Ripieno: V. I, II; Va.; Cont.
ChA 30. – HHA IV/14. – EZ: London, beendet am 6. Oktober 1739

Anhang
(5.)

30 Takte

Quellen

Handschriften: Autograph: *GB* Lbm (R. M. 20. g. 11., f. 48ʳ–58ᵛ: *Concerto Grosso. N. 3.*).
Abschriften: *GB* Cfm (Barrett-Lennard-Collection vol. 12, Mus. MS. 799, p. 26–39), DRc [MS. E 25(III), p. 1–14, fragm.], Lbm (R. M. 19. g. 5., vol. I, f. 27ʳ–39ᵛ; Egerton 2944, f. 23ᵛ–33ᵛ), Mp (MS 130 Hd4, v. 85) – *I* Bc (2 Bde.).
Drucke: S. unter HWV 319.

Bemerkungen

HWV 321 wurde als drittes Konzert der Reihe komponiert [Autograph, f. 58ᵛ: *Fine. G. F. Handel. Oct. 6. 1739.* ♄ (= Sonnabend)] und als op. 6 Nr. 3 veröffentlicht.
Satz 2 *(Andante)* ist eine Umarbeitung des ursprünglichen 2. Satzes *(Larghetto,* vgl. Anhang zu HWV 320) aus dem Concerto Nr. 2. Auch Satz 5 *(Allegro man non troppo)* stellt die Überarbeitung eines bereits in anderer Form vorliegenden Satzes dar: das Urbild findet sich in der drei Wochen zuvor begonnenen Ouverture zu HWV 76 Ode for St. Cecilia's Day als *Minuet* in d-Moll (Autograph: *GB* Lbm, R. M. 20. f. 4., f. 3ᵛ; dort gestrichen und durch das bekannte D-Dur-Menuett ersetzt. Vgl. unter HWV 76).

Literatur

Chrysander III, S. 168 ff.; Chrysander, F.: Händels zwölf Concerti grossi für Streichinstrumente. In: Allgemeine musikalische Zeitung, 16. Jg., 1881/82, S. 81 ff.; Drummond, S. 98 ff.; Leichtentritt, S. 800; Sadie, S. 43 f.; Serauky III, S. 444 ff.
Beschreibung des Autographs: Lbm: Catalogue Squire, S. 40, Redlich, H. F.: Krit. Bericht zu HHA IV/14, Kassel und Leipzig 1964, S. 7 ff., 26 ff.

322. Concerto Nr. 4 a-Moll

Besetzung: Concertino: V. I, II; Vc. – Ripieno: V. I, II; Va.; Cont.
ChA 30. – HHA IV/14. – EZ: London, beendet am 8. Oktober 1739

25 Takte

Quellen

Handschriften: Autograph: *GB* Lbm (R. M. 20. g. 11., f. 59ʳ–70ᵛ: *Concerto Grosso. N. 4*)
Abschriften: *GB* Cfm (Barrett-Lennard-Collection vol. 12, Mus. MS. 799, p. 40–52), DRc [MS. E 25(III), f. 15–46, fragm.], Lbm (R. M. 19. g. 5., vol. I, f. 40ʳ–53ʳ; Egerton 2944, f. 34ʳ–42ᵛ), Mp (MS 130 Hd4, v. 85) – *I* Bc (2 Bde.)
Drucke: S. unter HWV 319.

Bemerkungen

HWV 322 entstand als viertes Konzert der Reihe [Autograph, f. 66ʳ: *Fine. G. F. Handel. Octobr 8. 1739.* ☽ (= Montag)] und wurde als op. 6 Nr. 4 veröffentlicht[1].
Der 4. Satz (Allegro) stellt die Bearbeitung eines Vokalsatzes aus HWV 41 Imeneo (15ᵃ. È si vaga del tuo bene) dar, dessen A-Teil für die Gestaltung des Konzertsatzes die wesentlichsten thematischen und strukturellen Elemente bot.

Literatur

Chrysander III, S. 168 ff.; Chrysander F.: Händels zwölf Concerti grossi für Streichinstrumente. In: Allgemeine Musikalische Zeitung, 16. Jg., 1881, S. 147f.; Drummond, S. 98ff.; Lam (Symposium), S. 205; Leichtentritt, S. 800f.; Sadie, S. 44f.; Serauky III, S. 448 ff.
Beschreibung des Autographs: Lbm: Catalogue Squire, S. 40, Redlich, H. F.: Krit. Bericht zu HHA IV/14, Kassel und Leipzig 1964, S. 7, 29 ff.

---

[1] Die Vortragsbezeichnung für Satz 1 (f. 59ʳ) lautete ursprünglich *Andante larghetto*, von Händel später in *affettuoso* und im Walsh-Druck dann zu *Larghetto affettuso* geändert. Der Vermerk über die Beendigung der Komposition im Autograph befindet sich auf einem Nachtragsblatt zu Satz 4 auf f. 66ʳ des Bandes R. M. 20. g. 11.

323. Concerto Nr. 5 D-Dur

Besetzung: Concertino: V. I, II; Vc. – Ripieno: [Ob. I, II]; V. I, II; Va.; Cont.
ChA 30. – HHA IV/14. – EZ: London, beendet am 10. Oktober 1739

1. (Ouverture: Larghetto e staccato)
[vgl. HWV 76 (Ouverture)]

2. Allegro
24 Takte   [vgl. HWV 76 (Ouverture, 2. Satz)]

3. Presto
62 Takte   144 Takte

4. Largo
40 Takte

5. Allegro
82 Takte

6. Menuet

Un poco larghetto

[vgl. HWV 76 (Ouverture, 3. Satz)]

60 Takte

Quellen

Handschriften: Autographe: *GB* Lbm (R. M. 20. f. 4., f. 1ʳ–3ᵛ: Satz 1–2 in der Fassung als Ouverture zu HWV 76; R.M.20.g.11., f.72ᵛ–75ᵛ: Satz 3–4, mit 2 nachträglich hinzugefügten Oboenstimmen), Cfm (30.H.14., MS.264, p.9–13: Satz 5 mit 2 nachträglich hinzugefügten Oboenstimmen, nur T. 30–82, mit Änderungen der Takte 1–4 und 15–16 auf p. 12; p.13–14: Satz 6, mit Vermerk über die Mitwirkung von Ob.).

Abschriften: *GB* Cfm (Barrett-Lennard-Collection vol. 12, Mus. MS. 799, p.53–72), Lbm (R. M. 19. g. 5., vol. I, f. 53ᵛ–71ᵛ; Egerton 2944, f.43ʳ–55ᵛ; Add.MSS.31576, f.6ᵛ–9ʳ: Satz 2, f.33ʳ–36ʳ: Satz 5), Mp (MS 130 Hd4, v.85, mit 2 Oboenstimmen) – *I* Bc (2 Bde.).

Drucke: S. unter HWV 319.

Bemerkungen

HWV 323 entstand als fünftes Konzert der Reihe und wurde auch als op. 6 Nr. 5 veröffentlicht. Als Abschlußdatum der Komposition vermerkte Händel im Teilautograph *GB* Cfm (MS.264, p.12, nach Satz 5): *Fine. G. F. Handel. Octo*ᵇʳ. *10. 1739.* ☿ (= Mittwoch).

Von HWV 323 gibt es kein komplettes Autograph, nur die Sätze 3–6 sind in zwei getrennt aufbewahrten Teilen (*GB* Lbm, Cfm) überliefert, während von den Sätzen 1 und 2 das Autograph verschollen ist. Diese beiden Sätze bilden die Überarbeitung der am 15. September 1739 begonnenen Ouverture zu HWV 76 Ode for St. Cecila's Day (Autograph: *GB* Lbm, R. M. 20. f. 4., f. 1ʳ–3ᵛ); die Fassung für HWV 323 ist vollständig nur aus den zeitgenössischen Abschriften und dem Walsh-Druck von op.6 Nr.5 ersichtlich, was auch für den im Autograph unvollständig überlieferten Satz 5 gilt. Vermutlich plante Händel, HWV 323 als Konzert in 5 Sätzen anzulegen, wie der Schlußvermerk nach Satz 5 vermuten läßt. Später entschloß er sich, als Satz 6 das Menuet hinzuzufügen, als dessen Vorlage ebenfalls die Einleitung zur „Cäcilienode" (Ouverture, Satz 3, Menuet) anzusehen ist.

Für die Sätze 3–6 notierte Händel nachträglich Oboenstimmen ins Autograph. Satz 5 enthält im Autograph mehrere gestrichene und verbesserte Stellen, die Händel in einem Zusatz (*GB* Cfm, MS. 264, p. 12–13) mit besonderen Verweiszeichen (*A* = T. 1–4, *B* = T. 15–16, *C* = T. 41–46,

D = T.79–80) zur Einordnung in die Partiturreinschrift versah.

Das melodisch überarbeitete *Menuet*, als Satz 6 im Anschluß an diese Korrekturen niedergeschrieben, scheint bereits in der „Cäcilienode" als Schlußsatz der Ouverture das ursprünglich im Autograph der Ode skizzierte Menuet in zwei Teilen[1] ersetzt zu haben, denn der erste vollständige Druck der Ode von W. Randall (1771) gibt als Schlußsatz der Ouverture ebenfalls das Menuet aus op. 6 Nr. 5 mit den beiden Variationen wieder[2].

Für Satz 1 und 6 entlehnte Händel thematisches Material aus Gottlieb Muffats Suitensammlung „Componimenti musicali"; Satz 1 bezieht sich dabei auf Muffats Suite I C-Dur (4. Courante)[3], Satz 6 auf Suite III D-Dur (5.Menuet)[4].

Literatur

Burney, Ch.: An Account of the Musical Performances in Westminster-Abbey, and the Pantheon … In Commemoration of Handel, London 1785/Dr. Karl Burney's Nachricht von Georg Friedrich Händel's Lebensumständen … Aus dem Englischen übersetzt von Johann Joachim Eschenburg, II. Händel's Gedächtnisfeyer, Berlin und Stettin 1785 (Faksimile-Nachdruck Leipzig 1965), S. 45f.; Chrysander III, S. 168ff.; Drummond, S. 98f.; Leichtentritt, S. 801; Sadie, S. 45f.; Serauky III, S. 453ff.

Beschreibung der Autographe: Lbm: Catalogue Squire, S. 41, 55; Redlich, H.F.: Krit. Bericht zu HHA IV/14, Kassel und Leipzig 1964, S.7, 33ff. – Cfm: Catalogue Mann, MS.264, S.219.

---

[1] Veröffentlicht in HHA IV/14, Anhang, S. 272.

[2] Die Direktionspartitur von HWV 76 in *D(brd)* Hs (M $\frac{A}{1031}$) ist ohne Ouverture überliefert.

[3] ChA, Supplemente V, S. 8ff., DTÖ, Bd. III, S. 15f.

[4] ChA, Supplemente V, S. 60f., DTÖ, Bd. III, S. 39.

324. Concerto Nr. 6 g-Moll

Besetzung: Concertino: V. I, II; Vc. – Ripieno: [Ob. I, II]; V. I, II; Va.; Cont.
ChA 30. – HHA IV/14. – EZ: London, beendet am 15. Oktober 1739

Quellen

Handschriften: Autograph: *GB* Lbm (R.M. 20. g. 11., f. 80ʳ–93ᵛ: *Concerto Grosso. N. 6*, mit 2 nachträglich hinzugefügten Oboenstimmen).
Abschriften: *GB* Cfm (Barrett-Lennard-Collection vol. 12, Mus. MS. 799, p. 72–90), DRc [MS. E 25(IV); Ms. E 34(I), St. für V. I conc., V. I, II rip.], Lbm (R. M. 19. g. 5., vol. I, f. 72ʳ–88ᵛ; Egerton 2944, f. 55ᵛ–67ʳ, mit 2 Oboenstimmen für Satz 1–3; Add. MSS. 31576, f. 36ᵛ–43ʳ: Sätze 1–3), Mp (MS 130 Hd4, v. 85, mit 2 Oboenstimmen) – *I* Bc (2 Bde.).
Drucke: S. unter HWV 319.

Bemerkungen

HWV 324 entstand als siebentes Konzert der Reihe [Abschlußdatum im Autograph, f. 90ᵛ: *Fine. G. F. Handel. Octoᵇʳ 15. 1739.* ☽ (= Montag)] und wurde als op. 6 Nr. 6 veröffentlicht. Auch bei diesem Werk fügte Händel im Autograph zwei zusätzliche Oboenstimmen ein, die teilweise in die vom Druck unabhängigen zeitgenössischen Kopien übernommen wurden.

In der ursprünglichen Konzeption bestand das Konzert nur aus 4 Sätzen; als Schlußsatz skizzierte Händel eine *Gavotte* (Autograph, f. 89[v]–90[v])[1], die nur in den Außenstimmen vollständig niedergeschrieben wurde. An ihrem Ende steht der Vermerk über die Beendigung der Komposition. Diese als 4. Satz geplante Gavotte ersetzte Händel durch die beiden neuen Sätze 4 und 5, die als nachträgliche Ergänzung im Autograph (f. 90[v]–93[r], f. 93[v]) erscheinen und ebenfalls die Mitwirkung von 2 Oboen vorsahen. Satz 5 ist für T. 1–18 in vierstimmigem Satz mit einem obligaten Part für V. I conc. entworfen, der später zugunsten der gültigen Fassung verworfen wurde[2].

Satz 1 trug ursprünglich die Vortragsbezeichnung *Largo e Cantabile*, die Händel in *Largo (e) affettuoso* änderte; Satz 2 hatte zunächst die Vorschrift *Allegro ma non troppo* (wie im Walsh-Druck), die durch *A tempo giusto* ersetzt wurde. Satz 3 *(Musette/Larghetto)* zeigt im autographen Entwurf sieben nachträglich gestrichene Stellen, die zugunsten einer konzentrierteren musikalischen Abfolge ausgelassen wurden.[3]

[1] Veröffentlicht in HHA IV/14, Anhang, S. 273.
[2] Vgl. Notenbsp. in HHA IV/14, Krit. Bericht, S. 49.
[3] Vgl. die Notenbsp. in HHA IV/14, Krit. Bericht, S. 43–46.

Der Themenkopf von Satz 2 *(A tempo giusto)*[4] ähnelt in seiner charakteristischen Chromatik folgenden Werken Händels:

HWV 583 Sonata g-Moll *(A tempo giusto)*
HWV 145 „Oh Numi eterni": 3. Alla salma infedel)
HWV 255 The Lord is my light: 7. They are brought down.

Vermutlich diente dieser Satz 2 auch dem Chor „He trusted in God"(25) in HWV 56 Messiah als thematischer Ausgangspunkt.

Literatur

Burney, Ch.: An Account of the Musical Performances in Westminster-Abbey, and the Pantheon … In Commemoration of Handel, London 1785/Dr. Karl Burney's Nachricht von Georg Friedrich Händel's Lebensumständen … Aus dem Englischen übersetzt von Johann Joachim Eschenburg, II. Händel's Gedächtnisfeyer, Berlin und Stettin 1785 (Faksimile-Nachdruck Leipzig 1965), S. 44; Chrysander III, S. 168ff.; Drummond, S. 98ff.; Lam (Symposium), S. 206f.; Leichtentritt, S. 801f.; Sadie, S. 46ff.; Serauky III, S. 460ff. *Beschreibung des Autographs:* Lbm: Catalogue Squire, S. 41; Redlich, H. F.: Krit. Bericht zu HHA IV/14, Kassel und Leipzig 1964, S. 40ff.

[4] Vgl. A. Poglietti, *Ricercar Secundi Toni.* In: Die Orgel. Reihe II, H. 5, hrsg. von F. W. Riedel, S. 1ff.

325. Concerto Nr. 7 B-Dur

Besetzung: Concertino: V. I, II; Vc. – Ripieno: V. I, II; Va.; Cont.
ChA 30. – HHA IV/14. – EZ: London, beendet am 12. Oktober 1739

4. Andante

5. Hornpipe

60 Takte

56 Takte

Quellen

Handschriften: Autograph: *GB* Lbm (R.M. 20. g. 11., f. 94ʳ–101ᵛ: *Concerto Grosso. N. 7*).

Abschriften: *GB* Cfm (Barrett-Lennard-Collection vol. 12, Mus. MS. 799, p. 91–104), DRc [MS. E 25(V), fragm.], Lbm (R. M. 19. g. 5., vol. II, f. 1ʳ–13ᵛ; Egerton 2944, f. 67ᵛ–74ᵛ), Mp (MS 130 Hd4, v. 85) – *I* Bc (2 Bde.).

Drucke: S. unter HWV 319.

Bemerkungen

HWV 325 entstand als sechstes Konzert der Reihe und wurde als op. 6 Nr. 7 veröffentlicht. Als Abschlußdatum der Komposition vermerkte Händel im Autograph (f. 101ᵛ): *Fine. G. F. Handel. Octobʳ 12. 1739. ♀* (= Freitag).

Das Konzert enthält als einziges Werk der Reihe keine Soli; den Versuch, in den Sätzen 3 und 4 mit sechs Systemen (statt der sonst verwendeten 4) für V. I, II conc. und 4 Ripienstimmen zu arbeiten, hat Händel nach wenigen Takten abgebrochen.

Entlehnungen können für HWV 325 nicht nachgewiesen werden; lediglich Satz 5 (im Autograph ursprünglich als *Alla Hornpipe* bezeichnet) weist eine entfernte Ähnlichkeit in der thematischen Struktur mit der *Hornepippe* (10)[1] aus Gottlieb Muffats „Componimenti musicali" (Suite IV B-Dur) auf.

[1] ChA, Supplemente V, S. 98 ff., DTÖ, Bd. III, S. 55 ff.

Literatur

Chrysander III, S. 168 ff.; Drummond, S. 98 ff.; Leichtentritt, S. 802 f.; Sadie, S. 48 f.; Serauky III, S. 471 ff.

Beschreibung des Autographs: Lbm: Catalogue Squire, S. 41, Redlich, H. F.: Krit. Bericht zu HHA IV/14, Kassel und Leipzig 1964, S. 50 ff.

326. Concerto Nr. 8 c-Moll

Besetzung: Concertino: V. I, II; Vc. – Ripieno: V. I, II; Va.; Cont.
ChA 30. – HHA IV/14. – EZ: London, beendet am 18. Oktober 1739

1. Allemande

[vgl. HWV 452 (1.)]

51 Takte

2. Grave

22 Takte

3. Andante allegro

42 Takte

4. Adagio

20 Takte

5. Siciliana
Andante

48 Takte

6. Allegro

24 Takte

Quellen

Handschriften: Autograph: *GB* Lbm (R.M.20.g.11., f.102ʳ–112ʳ: *Concerto Grosso. N.8).*
Abschriften: *GB* Cfm (Barrett-Lennard-Collection vol.12, Mus. MS.799, p.105–118), Lbm (R.M.19.g.5., vol. II, f. 14ʳ–26ʳ; Egerton 2944, f. 75ʳ–84ʳ; Add.MSS.31576, f.59ᵛ–61ᵛ: Satz 5), Mp (MS 130 Hd4, v.85) – *I* Bc (2 Bde.).
Drucke: S. unter HWV 319.

Bemerkungen

HWV 326 entstand als achtes Konzert der Reihe und wurde als op.6 Nr.8 veröffentlicht. Es folgte dem Concerto HWV 324 (op.6 Nr.6) im Abstand von drei Tagen; als Abschlußdatum vermerkte Händel im Autograph (f.112ʳ): *[Fine] G.F.Handel. Octobʳ 18. 1739.* ♃ (= Donnerstag).
Satz 1 trug ursprünglich die Tempoangabe *Andante,* die von Händel in *Allemande* geändert wurde.
In einigen Sätzen ließ Händel sich thematisch von früher entstandenen Werken anregen:
1. Satz, *Allemande*
   HWV 452 Suite g-Moll für Cembalo: 1. Allemande
3. Satz, *Andante allegro*
   HWV 6 Agrippina: 6. Il tuo figlio
   HWV 243 Te decus virgineum

4. Satz, *Adagio*
   HWV 17 Giulio Cesare in Egitto: 35. Piangerò la sorte mia
5. Satz, Siciliana *(Andante)*
   HWV 53 Saul: Anhang (37.): Capricious man bzw. Anhang: Love from such a parent sprung
   HWV 41 Imeneo: ʳAnhang (5): Se d'amore amanti siete
   HWV 67 Solomon (Fassung 1759): 16. Sad solemn sounds

Satz 6 *(Allegro)* zeigt eine leichte motivische Ähnlichkeit mit dem Air c-Moll (5) aus der Suite I C-Dur von Gottlieb Muffats „Componimenti musicali"[1].

Literatur

Chrysander III, S. 168 ff.; Drummond, S. 98 ff.; Leichtentritt, S. 803 f.; Sadie, S. 49 f.; Serauky III, S. 476 ff.
Beschreibung des Autographs: Lbm: Catalogue Squire, S. 41, Redlich, H.F.: Krit. Bericht zu HHA IV/14, Kassel und Leipzig 1964, S. 54 ff.

[1] Vgl. ChA, Supplemente V, S. 12 f., DTÖ, Bd. III, S. 17.

327. Concerto Nr. 9 F-Dur

Besetzung: Concertino: V.I, II; Vc. – Ripieno: V.I, II; Va.; Cont.
ChA 30. – HHA IV/14. – EZ: London, beendet vermutlich am 26. Oktober 1739

28 Takte

[vgl. HWV 295 (2.)]

Quellen

Handschriften: Autograph: *GB* Lbm (R. M. 20. g. 11., f. 113ʳ–121ᵛ: *Concerto Grosso. N. 9,* Satz 1–3 mit Verweis *Segue la Fuga ex F;* auf f. 122ᵛ–124ʳ: Satz 4 in G-Dur mit dem Vermerk *ex F. un tono più basso,* aus HWV 41 Imeneo, Ouverture, *Allegro;* f. 125ʳ: Satz 5, *Menuet,* in g-Moll für HWV 41 Imeneo; f. 46ᵛ–47ᵛ: Satz 6, *Allegro*).
Abschriften: GB Cfm (Barrett-Lennard-Collection vol. 12, Mus. MS. 799, p. 118–135), Lbm (R. M. 19. g. 5., vol. II, f. 26ᵛ–41ᵛ; Egerton 2944, f. 84ᵛ–96ᵛ; Add. MSS. 31576, f. 12ʳ–16ᵛ: Sätze 1–2), Mp (MS 130 Hd4, v. 85) – *I* Bc (2 Bde.).
Drucke: S. unter HWV 319.

Bemerkungen

Als einziges Konzert aus op. 6 weist HWV 327 (veröffentlicht als op. 6 Nr. 9) kein Kompositionsdatum auf. Dies hängt zweifellos mit der unvollständig überlieferten Fassung des Werkes zusammen, von der eigentlich nur Satz 1 eine Neukomposition darstellt; die Sätze 2 und 3 wurden umkomponiert aus HWV 295 (Sätze 2 und 3), ohne daß Händel dieser Vorgang einen großen zeitlichen Aufwand verursacht hätte, während er die drei übrigen Sätze aus bereits vorliegenden Kompositionen übernahm und geringfügig bearbeitete.
Vermutlich gehört HWV 327 hinsichtlich seines Entstehungsdatums in die zeitliche Lücke zwischen den Concerti HWV 328 (Nr. 10) und HWV 329 (Nr. 11), die am 22. bzw. 30. Oktober 1739 beendet wurden. Händel scheint zunächst nur die Sätze 1–3 von HWV 327 fertiggestellt und danach die Arbeit an diesem Werk unterbrochen zu haben, bevor er es (sicherlich für den Druck bei Walsh) mit den Sätzen 4–6 komplettierte, wobei er für Satz 4 auf das *Allegro* der Ouverture zu HWV 41 Imeneo (begonnen am 9. September 1738) zurückgriff und dieses lediglich nach F-Dur transponierte[1].
Satz 5 ist eine gleichfalls transponierte, aber überarbeitete Fassung des g-Moll-Menuets, das als Schlußsatz für die Ouverture zu „Imeneo" entstand; Satz 6 wiederum stellt die notengetreue Übernahme des verworfenen 6. Satzes aus HWV 320 (op. 6 Nr. 2) dar, der dort ursprünglich als Schlußsatz vorgesehen war, von Händel aber dann gestrichen wurde.

Literatur

Chrysander III, S. 168 ff.; Drummond, S. 98 ff.; Gudger, vol. 1, S. 184 ff.; Leichtentritt, S. 804; Sadie, S. 50 ff.; Serauky III, S. 484 ff.
Beschreibung der Autographe: Lbm: Catalogue Squire, S. 41 f.; Redlich, H. F.: Krit. Bericht zu HHA IV/14, Kassel und Leipzig 1965, S. 54 ff.

[1] Der später verworfene ursprüngliche Einleitungssatz der Ouverture zu „Imeneo" bildet die Urform für den 1. Satz von HWV 319.

328. Concerto Nr. 10 d-Moll

Besetzung: Concertino: V. I, II; Vc. – Ripieno: V. I, II; Va.; Cont.
ChA 30. – HHA IV/14. – EZ: London, beendet am 22. Oktober 1739

1. Ouverture

Quellen

Handschriften: Autograph: *GB* Lbm (R. M. 20. g. 11.,
f. 126ʳ–135ʳ: *Concerto Grosso N. 10*, Satz 1–4, f. 162ʳ⁻ᵛ:
Satz 5 in H-Dur).
Abschriften: *GB* Cfm [Barrett-Lennard-Collection
vol. 12, Mus. MS. 799, p. 135–151; 30. H. 15.,
MS. 265, p. 67–77: Satz 1 (Ouverture/Allegro/Len-
tement), Satz 6 mit Variation in d-Moll], Lbm
(R. M. 19. g. 5., vol. II, f. 42ʳ–57ᵛ; Egerton 2941,
f. 1ʳ–10ᵛ, als Einleitung in HWV 55 L'Allegro;
Egerton 2944, f. 96ᵛ–106ʳ; Add. MSS. 31 576, f. 45ᵛ–
46ᵛ: Satz 2, *Air lentement*), Mp (MS 130 Hd4,
v. 85) – *I* Bc (2 Bde.).
Drucke: S. unter HWV 319.

Bemerkungen

HWV 328 entstand als zehntes Konzert der Reihe
und wurde als op. 6 Nr. 10 veröffentlicht. Als Abschlußdatum der Komposition vermerkte Händel
im Autograph (f. 135ʳ): [Fine] *G. F. Handel. Octobᵣ 22. 1739.* ☽ (= Montag).
Während die Sätze 1–4 fortlaufend komponiert
wurden, fehlt von Satz 5 das entsprechende Autograph. Am Ende von Satz 4 (f. 135ʳ) findet sich nur
ein eintaktiges Incipit von Satz 5 mit dem Vermerk *Segue*. Er verweist auf den letzten Satz der
Erstfassung von HWV 330 (f. 162ʳ⁻ᵛ im Autograph
von Concerto Nr. 12), der für HWV 328 von H-
Dur nach D-Dur transponiert werden sollte. In
der Quelle *GB* Cfm (MS. 265, p. 67–77) schrieb
Smith senior den Satz in d-Moll nieder, um die
Haupttonart des Konzerts beibehalten zu können.
Händel entschied sich später jedoch für die
Schlußvariante in D-Dur.[1]
Die Fuge der Ouverture zeigt leichte thematische
Anklänge an die Courante (3) der Suite II g-Moll
aus Gottlieb Muffats „Componimenti musi-
cali"[2].

Literatur

Chrysander III, S. 168 ff.; Drummond, S. 98 ff.;
Leichtentritt, S. 804 f.; Sadie, S. 52 ff.; Serauky III,
S. 493 ff.; Siegmund-Schultze, W.: Händels Con-
certi grossi (am Beispiel des d-Moll Konzerts). In:
Georg Friedrich Händel. Thema mit 20 Variatio-
nen, Halle (Saale) 1965, S. 136 ff.
Beschreibung des Autographs: Lbm: Catalogue Squire,
S. 42, Redlich, H. F.: Krit. Bericht zu HHA IV/14,
Kassel und Leipzig 1964, S. 64 ff.

[1] Das Thema entstammt der Arie „L'aura non sempre
spira" (17) aus HWV 24 Siroe.
[2] Vgl. ChA, Supplemente V, S. 30 ff., DTÖ, Bd. III,
S. 25 ff. Dieser Satz Muffats wurde ziemlich notengetreu
später von Händel in der Courante der Ouverture zu
HWV 68 Theodora zitiert. Von besonderem Interesse ist
jedoch, daß bei Händel in Takt 3–5 der Fuge (im Part
von V. I) – bis auf den Mollcharakter seiner Musik ton-
getreu – eine Passage aus J. S. Bachs 3. Brandenburgi-
schem Konzert G-Dur BWV 1048 (3. Satz, Allegro,
T. 3–4, V. I) wiederkehrt.

329. Concerto Nr. 11 A-Dur

Besetzung: Concertino: V. I, II; Vc. – Ripieno: V. I,
II; Va.; Cont.
ChA 30. – HHA IV/14. – EZ: London, beendet
am 30. Oktober 1739

3. Largo e staccato

[vgl. HWV 296a (3.)]   6 Takte   [vgl. HWV 296a (2.)]

4. Andante

5. Allegro

168 Takte   [vgl. HWV 296a (4.)]   95 Takte

Da capo (175 Takte)

50 Takte

Quellen

Handschriften: Autograph: *GB* Lbm (R.M. 20.g. 11., f. 136ʳ–151ᵛ: *Concerto Grosso. N. 11*).
Abschriften: *GB* Cfm (Barrett-Lennard-Collection vol. 12, Mus. MS. 799, p. 152–173), DRc [MS. E 25(VI), fragm.], Lbm (R.M. 19.g. 5., vol. II, f. 58ʳ–76ᵛ; Egerton 2944, f. 106ᵛ–122ᵛ; Add. MSS. 31576, f. 43ᵛ–45ʳ: Satz 2, f. 62ʳ–72ʳ: Sätze 4–5), Mp (MS 130 Hd4, v. 85) – *I* Bc (2 Bde.).
Drucke: S. unter HWV 319.

Bemerkungen

HWV 329 entstand als letztes Konzert der Reihe und wurde als op. 6 Nr. 11 veröffentlicht. Als Abschlußdatum der Komposition vermerkte Händel im Autograph (f. 151ᵛ): *[Fine] G. F. Händel. Octobᵣ 30. 1739.* ♂ (= Dienstag).
Auch dieses Konzert ist bis auf Satz 2 keine Neukomposition, sondern Händel arbeitete für HWV 329 die vier Sätze des Orgelkonzerts HWV 296 A-Dur (vermutlich im März 1739 entstanden) um und schob lediglich als 2. Satz eine neukomponierte Fuge ein, die später in HWV 306 Orgelkonzert op. 7 Nr. 1 B-Dur (3. Satz), nach B-Dur transponiert, noch einmal Verwendung fand.
Das Verhältnis von HWV 296 als Vorlage für HWV 329 weist folgende Änderung der Satzfolge und ihrer Vortragsbezeichnungen auf:

HWV 296	HWV 329
1. Satz, Largo e staccato	1. Satz, Andante larghetto e staccato
2. Satz, Andante[1]	4. Satz, Andante[1]
3. Satz, Grave	3. Satz, Largo e staccato
4. Satz, Allegro	5. Satz, Allegro

Literatur

Burney, Ch.: An Account of the Musical Performances in Westminster-Abbey, and the Pantheon … In Commemoration of Handel, London 1785/Dr. Karl Burney's Nachricht von Georg Friedrich Händel's Lebensumständen … Aus dem Englischen übersetzt von Johann Joachim Eschenburg, II. Händel's Gedächtnisfeyer, Berlin und Stettin 1785 (Faksimile-Nachdruck Leipzig 1965), S. 53; Chrysander III, S. 168ff.; Drummond, S. 98ff.; Gudger, vol. 1, S. 162ff.; Lam (Symposium), S. 207f.; Leichtentritt, S. 805; Sadie, S. 53f.; Serauky III, S. 498ff.
Beschreibung des Autographs: Lbm: Catalogue Squire, S. 43; Redlich, H. F.: Krit. Bericht zu HHA IV/14, Kassel und Leipzig 1964, S. 70ff.

[1] Ritornellthema entlehnt aus: Johann Kuhnau, Frische Klavierfrüchte, *Suonata terza* F-Dur, Leipzig 1696. Neuausgabe in: DDT, Erste Folge, Bd. IV, hrsg. von K. Päsler, Leipzig 1901, S. 82f. Vgl. dazu auch Seiffert, M.: Händels Verhältnis zu Tonwerken älterer deutscher Meister. In: Jahrbuch der Musikbibliothek Peters, XIV. Jg., 1907, S. 41ff., besonders S. 53.

330. Concerto Nr. 12 h-Moll

Besetzung: Concertino: V. I, II; Vc. – Ripieno: V. I, II; Va.; Cont.
ChA 30. – HHA IV/14. – EZ: London, beendet am 20. Oktober 1739

1. Largo — Soli V. I conc. — V. II conc. — Tutti — Vc. conc. — 20 Takte

2. Allegro — V. I conc. — V. II conc. — Vc. conc. — Tutti — Soli — 85 Takte

3. Aria — Larghetto e piano — V. I, II — Va. — Variatio — Takt 29 — 84 Takte

4. Largo — V. I conc. — V. II conc. — Vc. conc. — Str. — 6 Takte

5. Allegro

67 Takte

Anhang

Allegro moderato

20 Takte

Quellen

Handschriften: Autograph: *GB* Lbm (R. M. 20. g. 11.,
f. 152ʳ–162ᵛ: *Concerto Grosso. N. 12*)[1].
Abschriften: *GB* Cfm (Barrett-Lennard-Collection
vol. 12, Mus. MS. 799, p. 173–187), DRc
[MS. E 25(VII)], Lbm (R. M. 19. g. 5., vol. II, f. 77ʳ–
89ᵛ; Egerton 2944, f. 123ʳ–133ʳ; Add. MSS. 31576,
f. 18ʳ–20ʳ: Satz 3), Mp (MS 130 Hd4, v. 85) – *I* Bc
(2 Bde.).
Drucke: S. unter HWV 319.

Bemerkungen

HWV 330 entstand als neuntes Konzert der Reihe
und wurde als op. 6 Nr. 12 veröffentlicht. Händel
komponierte es zwischen dem 18. und 20. Oktober; als Abschlußvermerk steht im Autograph
(f. 162ᵛ): *Fine. G. F. Handel. Octobᵉʳ 20. 1739.* ♄
(= Sonnabend). Die Uraufführung könnte möglicherweise am 22. November 1739 anläßlich einer
Aufführung von HWV 75 Alexander's Feast zusammen mit HWV 76 Ode for St. Cecilia's Day im
Theatre Lincoln's-Inn-Fields erfolgt sein, die
„with two new Concertos for Instruments"[2] angekündigt wurde.
Im Autograph (f. 162ʳ⁻ᵛ) folgt der Schlußfuge noch
ein sechster Satz in H-Dur mit einer Variation *(Allegro moderato)*[3], der von Händel bei der Veröffentlichung des Konzerts innerhalb des op. 6 nicht
mehr berücksichtigt wurde, sondern – nach D-
Dur transponiert – als Schlußsatz für HWV 328
(op. 6 Nr. 10) diente.
In Satz 2 *(Allegro)* verarbeitete Händel thematisches Material, das er bereits in folgenden früheren Werken verwendet hatte:
HWV 170 „Tra le fiamme": 3. Voli per l'aria
    (1707/08)
HWV 23 Riccardo I.: 32. Nel mondo e nell'abisso
    (1727)

[1] Die Numerierung des 12. Konzerts ist erst nach einer
Korrektur erfolgt; vermutlich setzte Händel HWV 330
entsprechend seinem Entstehungsdatum ursprünglich
noch vor HWV 328 (Nr. 10).
[2] Vgl. Deutsch, S. 489 f.
[3] Veröffentlicht in HHA IV/14, Anhang, S. 275 f.

HWV 18 Tamerlano: Anhang (31ᵃ). Nel mondo e
    nell'abisso (1731)
Für Satz 3 (Aria. *Larghetto e piano*) ließ Händel sich
von Gottlieb Muffats „Componimenti musicali"
(Suite VI G-Dur, 9. Air)[4] anregen, und in Satz 5
(Allegro) griff Händel auf die im Stil einer Gigue
gehaltene *Fuga finalis* (4) aus einer Suite für Cem-
balo h-Moll seines hallischen Lehrers Friedrich
Wilhelm Zachow zurück[5].

Literatur

Chrysander III, S. 168 ff.; Drummond, S. 98 ff.; Lam
(Symposium), S. 208 f.; Leichtentritt, S. 806; Sadie,
S. 54 f.; Serauky III, S. 508 ff.
Beschreibung des Autographs: Lbm: Catalogue Squire,
S. 42, Redlich, H. F.: Krit. Bericht zu HHA IV/14,
Kassel und Leipzig 1964, S. 75 ff.

[4] ChA, Supplemente V, S. 124, DTÖ, Bd. III, S. 69.
[5] Vgl. Serauky, W.: Musikgeschichte der Stadt Halle, Mu-
sikbeilagen und Abhandlungen zum 2. Bd., 1. Halbbd.,
Halle und Berlin 1940, S. 68 (Anm.). Zachows Suite [Ab-
schrift: *D(brd)* B, Mus. ms. 40644, f. 80 ff.; vgl. dazu Wolff-
heim, W.: Die Möllersche Handschrift. Ein unbekanntes
Gegenstück zum Andreas-Bach-Buche. In: Bach-Jb.,
9. Jg., 1912, S. 42 ff., besonders S. 56] ist im Neudruck erschienen in: a) Hallisches Klavierbüchlein, hrsg. von
W. Serauky, Halle 1948, S. 5 ff.; b) F. W. Zachow. Gesam-
melte Werke für Tasteninstrumente, hrsg. von W. Loh-
mann, Wiesbaden 1966, Nr. 66.

331. Concerto F-Dur

Besetzung: Ob. I, II; Fag.; Cor. I, II; V. I, II; Va.; Cont.

ChA 47. – HHA IV/13 (Anhang). – EZ: London, ca. 1722

Quellen

Handschriften: Autograph: *GB* Lbm (Add. MSS. 30310, f. 52^r–57^v: Satz 1, f. 58^r–62^r: *Alla Hornpipe*).

Bemerkungen

Die beiden Sätze HWV 331 wurden um 1722 niedergeschrieben, wie der Befund des Autographs in Schriftbild und Papierqualität zeigt (WZ: Cb). Bei dem ohne Tempoangabe überlieferten ersten Satz handelt es sich um die Variante[1] eines in der „Wassermusik" (HWV 349 Suite II D-Dur, Nr. 11) enthaltenen *Allegro*-Satzes, der in HWV 349 insbesondere um den Moll-Mittelteil verkürzt ist und daher dort nicht die Da-capo-Anlage aufweist. Der 2. Satz *(Alla Hornpipe)* ist die transponierte

[1] Zu einer weiteren Variante des Satzes vgl. unter HWV 341 *(Handel's Water Piece)*.

Reinschrift einer im A-Teil um 9 Takte längeren und in der kompositorischen Struktur teilweise anders angelegten Version der *Hornpipe* (12) aus der gleichen Suite II (HWV 349) der „Wassermusik".

Die beiden Sätze HWV 331 wurden von Friedrich Chrysander erstmals in ChA 47 (1886, S. 2–15) als „Teil eines imaginären Concertos in F-Dur" (H. F. Redlich, Vorwort zu HHA IV/13, S. IX) veröffentlicht.

Literatur

Chrysander, F.: Händel's Instrumentalkompositionen für großes Orchester. In: Vierteljahresschrift für Musikwissenschaft, 3. Jg., 1887, S. 1 ff.; Lam (Symposium), S. 218 f.; Rockstro, W. S.: The Life of G. F. Handel, London 1883, S. 99 f.

332. Concerto [a due Cori] B-Dur für 2 Bläserchöre und Streicher

(Concerto made from Choruses)

Besetzung: Coro I: Ob. I, II; Fag. – *Coro II:* Ob. I, II; Fag. – V. I, II; Va.; Cont.
ChA 47. – HHA IV/12/HHA IV/16. – EZ: London, ca. 1746/47. – UA: London, vermutlich am 9. März 1748, Theatre Royal, Coventgarden, anläß-lich der UA von HWV 64 Joshua

1. Ouverture

6.

Alla breve moderato

V. II
e Va.
Fag.

Cont.   62 Takte

7. Menuet
[Allegro]

68 Takte

Quellen

Handschriften: Autograph: GB Lbm [Add. MSS. 30310, f. 39ʳ–48ʳ: *Score of Concerto made from Choruses,* Sätze 1–3, 6 (T. 29 ff.), Satz 7; R. M. 20. g. 11., f. 76ʳ–79ᵛ: Sätze 4, 5, 6 (T. 1–28)].
Druck: Concertos &c. for the Organ in Score, now first published 1797. Composed by G.F. Handel. – London, Arnold's edition, No. 179–180 (1797), p. 17–45 *(Full Concerto II).*

Bemerkungen

Händels drei mehrchörige Konzerte HWV 332–334 wurden bisher in der Regel als Freiluftmusik, als „eine Gartenmusik großen Stils" (Leichtentritt, S. 806) angesehen, obwohl über Datierung, Entstehungsanlaß und Verwendungszweck bis vor kurzem nichts Genaues bekannt war. Selbst ihr üblicher Titel *Concerti a due Cori* geht nicht auf Händel zurück, sondern wurde den Werken aufgrund ihrer Satzstruktur mit zwei Bläserchören und Streicherbegleitung von Friedrich Chrysander beigelegt, als er sie 1886–1894 erstmals in Deutschland (in ChA 47) veröffentlichte. Inzwischen sind einige Fakten bekanntgeworden, die mehr über die Stellung dieser Kompositionen in Händels Gesamtschaffen aussagen, als bisher vermutet wurde (vgl. HHA IV/12).
Entgegen früheren Ansichten stellen sie keine Freiluftmusik dar, wie etwa die „Wassermusik" oder die „Feuerwerksmusik", sondern gingen aus Händels Oratorienpraxis hervor und bildeten Zwischenaktmusiken in bestimmten Oratorien, ähnlich den meisten Orgelkonzerten und Concerti grossi, die Händel in den Aktpausen spielen ließ. Dieser Tatbestand trifft auch für die „Concerti a due Cori" zu, die Händel selbst nur als *Concertos* bezeichnete; in der Tat handelt es sich bei ihnen auch nicht nur um einen doppelten, sondern eigentlich um einen dreifachen „Chor", bestehend aus zwei Bläsergruppen und dem Streichorchester mit Continuo, das die Tuttiwirkung verstärkt.
Wie aus der Entstehungszeit der für ihre Sätze verwendeten Vorlagen hervorgeht, wurden diese Konzerte sämtlich um 1746/47 komponiert. HWV 334 wurde als *Concerto in Judas Maccabaeus,* d. h. als Vorspiel zum III. Akt dieses Oratoriums am 1. April 1747 uraufgeführt, HWV 332 und HWV 333 erklangen vermutlich in den beiden folgenden Oratorien HWV 64 Joshua und HWV 65 Alexan-

der Balus im März 1748. Als Indiz dafür gilt, daß HWV 332 mit der Erstfassung des Einleitungssatzes der späteren Ouverture zu „Alexander Balus" beginnt, während HWV 333 als letzten Satz einen Chor aus HWV 62 Occasional Oratorio verarbeitet. Die genannten Oratorien entstanden Anfang 1746 bzw. im Sommer 1747, so daß die Konzerte etwa zur gleichen Zeit oder kurz danach komponiert worden sein müssen, um im März 1748 zur Verfügung zu stehen.
HWV 332 ist das erste der von Friedrich Chrysander herausgegebenen drei mehrchörigen Konzerte, dessen drei Chöre sich aus je einem Holzbläserchor (Ob. I, II, Fag. für Coro I und II) und dem Streichorchester zusammensetzen.
Das Autograph (WZ: Bl, belegt für 1746/47) des gesamten Konzerts ist erhalten und besteht aus den zwei in getrennten Abteilungen in *GB* Lbm aufbewahrten Teilen. Der von John Christopher Smith senior dem Werk als Überschrift hinzugefügte Titel *Concerto made from Choruses,* der zweifellos auf Händels Anweisung beim Archivieren der Partitur erfolgte, um das Werk genauer charakterisieren zu können, deutet von vornherein auf eine der üblichen Entlehnungstechniken hin, die Händel mitunter bei der Arbeit an seinen Instrumentalkompositionen anwandte. Nur drei der sieben Sätze dürften als Originalkompositionen entstanden sein, die übrigen vier stellen jeweils mehr oder weniger eng an das Original angelehnte Orchestertranskriptionen von Chorsätzen aus drei Oratorien dar. HWV 332 ist vermutlich jenes Werk, das am 9. März 1748 zusammen mit HWV 64 Joshua erstmals aufgeführt wurde; dieses Oratorium wurde in den Londoner Pressemitteilungen über die bevorstehende Premiere ausdrücklich mit „And a New Concerto" angekündigt[1].
Als Entstehungszeit von HWV 332 ist daher auch hinsichtlich der diplomatischen Befunde in der quellenmäßigen Überlieferung der Zeitraum von Mitte 1746 bis Anfang 1747 anzunehmen, vor allem aufgrund der Datierung jener das thematische Material bietenden Oratorienchöre, deren Kompositions- bzw. Aufführungsdaten (1741/45) als termini post quem für die Niederschrift der Konzertfassungen gelten müssen[2].

---

[1] Vgl. Deutsch, S. 647.
[2] Als *Terminus ante quem* für HWV 332 muß Anfang 1748

Im einzelnen beziehen sich die 7 Sätze von HWV 332 auf folgende anderen Werke Händels:

1. Satz, *Ouverture* (vermutlich Neukomposition für HWV 332)

   HWV 65 Alexander Balus: Ouverture, 1. Satz (überarbeitete und nach D-Dur transponierte Fassung)

2. Satz, *Allegro ma non troppo*[3]

   HWV 56 Messiah: 4. And the glory of the Lord (*Allegro*, A-Dur). In der Fassung für HWV 332 wurde der Satz um die Takte 73–87 gekürzt.

3. Satz, *Allegro*

   HWV 61 Belshazzar: 21. See from his post Euphrates flies (*Allegro*, B-Dur)

4. Satz, *Largo* (Neukomposition für HWV 332)

   HWV 15 Ottone: 21[b]. S'io dir potessi (*Largo*, 3/8-Takt, Einleitungsritornell, T. 1–8) bzw. 31[a]. Dir li potessi (*Largo*, a-Moll, 3/8-Takt)

5. Satz, *A tempo ordinario*

   HWV 58 Semele: 2. Lucky omens, bless our rites (*A tempo ordinario*, B-Dur). In der Fassung für HWV 332 werden T. 1–37 verwendet, die letzten 10 Takte aber durch eine dreitaktige Kadenz nach F-Dur als Überleitung zu Satz 6 ersetzt.

6. Satz, *Alla breve moderato*

   HWV 58 Semele: 2. Attend the pair (T. 48–109 von „Lucky omens", *Alla breve moderato*, B-Dur)

7. Satz, Minuet: *Allegro*[4] (Neukomposition für HWV 332)

   HWV 26 Lotario: 17. Non t'inganni (*Allegro*, F-Dur, 3/8-Takt, Einleitungsritornell T. 1–3 und T. 9–11 bzw. T. 30–32 im Vokalpart).

In dem von Samuel Arnold (Arnold's edition, No. 179–180) 1797 veröffentlichten Erstdruck des Konzerts sind in den Sätzen 4–6 die Partien für Fag. in Coro I und für Ob. I, II in Coro II nicht enthalten; in der Ausgabe Friedrich Chrysanders (ChA 47, Satz 4–6, S. 144–152), dem das Teilautograph *GB Lbm* (R. M. 20. g. 11.) nicht zur Verfügung stand, fehlen diese Stimmen gleichfalls und setzen erst im 6. Satz (T. 29) wieder ein. In HHA (Serie IV, Bd. 12, Bd. 16, hrsg. von F. Hudson) ist das Konzert erstmals vollständig ediert.

Literatur
Chrysander, F.: Händel's Instrumentalkompositionen für großes Orchester. In: Vierteljahresschrift für Musikwissenschaft, 3. Jg., 1887, S. 1 ff., 157 ff.; Drummond, S. 124 ff.; Gudger, vol. 1, S. 249 ff.; Hudson, F.: Vorwort (Zum vorliegenden Band) zu HHA IV/12, Kassel und Leipzig 1971, S. X f.; Lam (Symposium), S. 223; Leichtentritt, S. 806 ff.; Sadie, S. 63 f.; Schering, A.: Geschichte des Instrumentalkonzerts bis auf die Gegenwart, Leipzig ²/1927, S. 69 f.; Serauky V, S. 341 ff.
Beschreibung des Autographs: Lbm: Catalogue Squire, S. 41.

gelten, als Händel HWV 65 Alexander Balus für die Uraufführung (23. März 1748) vorbereitete, denn der erste Teil der Ouverture zu diesem Oratorium stellt eine nach D-Dur transponierte, überarbeitete Fassung der Ouverture zu HWV 332 dar und ist eindeutig später komponiert worden als der übrige Teil des Oratoriums (vgl. unter HWV 65). Die Oratorienouverture setzt also bereits das Vorhandensein des betr. Satzes in HWV 332 voraus.

[3] Im Autograph (*GB* Lbm, Add. MSS. 30310) steht dieser Satz zwischen dem Teilautograph des 6. und dem 7. Satz, soll aber aufgrund zweier Verweiszeichen von Händel (*Segue N. B.*) im Anschluß an den 1. Satz gespielt werden.

[4] Die Tempovorschrift *Allegro* für Satz 7 ist im Autograph gestrichen.

333. Concerto [a due Cori] F-Dur für 2 Bläserchöre und Streicher

Besetzung: Coro I: Ob. I, II; Fag.; Cor. I, II – *Coro II:* Ob. I, II; Fag.; Cor. I, II – V. I, II; Va.; Cont.
ChA 47. – HHA IV/16. – EZ: London, ca. 1746/47. – UA: London, vermutlich am 23. März 1748, Theatre Royal, Coventgarden, anläßlich der UA von HWV 65 Alexander Balus

Takt 11   30 Takte

84 Takte

73 Takte

17 Takte

123 Takte

90 (94) Takte

Quellen

Handschriften: Autograph: *GB* Lbm (R. M. 20. g. 6., f. 40ʳ–65ᵛ).

Bemerkungen

HWV 333 ist das zweite der erstmals von Friedrich Chrysander (in: ChA 47, S. 159–202) veröffentlichten mehrchörigen Konzerte, das aus zwei Bläserchören (Chorus I: Cor. I, II, Ob. I, II, Fag.; Chorus II: Cor. I, II, Ob. I, II, Fag.) und dem wie üblich besetzten Streicherchor (V. I, II, Va., *Violoncelli, Contra Bassi et tutti*) aufgebaut ist. Alle sechs Sätze stellen Orchestertranskriptionen von Soli und Chören aus drei zwischen 1720 und 1746 komponierten Oratorien dar, die für HWV 333 teilweise erweitert und umgearbeitet wurden.

Den diplomatischen Befunden nach scheint das Autograph um 1746/47 niedergeschrieben worden zu sein, da es in unmittelbarer Nachbarschaft zum dritten (datierbaren) mehrchörigen Konzert HWV 334 überliefert ist und mit dessen Sätzen 5, 6 und 2 das gleiche Papier (WZ: Cl) teilt. Terminus post quem für die Entstehung von HWV 333 ist Februar 1746 (Uraufführung von HWV 62 Occasional Oratorio), terminus ante quem ist März 1748, da das Konzert vermutlich mit jenem Werk identisch ist, das erstmals am 23. März 1748 anläßlich der Uraufführung von HWV 65 Alexander Balus erklang, die mit „a new Concerto" angekündigt wurde[1].

Während die Reihenfolge der Seiten für die Sätze 1–5 im Autograph[2] eindeutig erkennbar ist (1. Satz: f. 40^r–42^r, 2. Satz[3]: f. 42^v–46^r, 3. Satz: f. 46^v–50^v, 4. Satz: f. 51^r–52^v, 5. Satz: f. 53^r–58^v), scheint für den 6. Satz infolge von dessen im Laufe des Kompositionsvorganges erfolgten Umarbeitung die Reihenfolge der Seiten weniger klar. Ursprünglich bestand der Satz aus 69 Takten, die (vgl. ChA 47, S. 190–202) unter Ausschluß sämtlicher Oboensoli und unter Einbeziehung zweier nach Takt 10 (Autograph f. 59^r) gestrichener Takte sowie der in ChA 47, S. 196–199 und S. 202 im Kleinstich unter *)A. wiedergegebenen 18 bzw. 9 Takte rekonstruierbar sind. In dieser Erstfassung lehnte sich Satz 6 also stärker an seine Vorlage (HWV 62 Occasional Oratorio: 15^a. God found them guilty, 63 Takte) an; Händel erweiterte die endgültige Fassung für HWV 333 um die verschiedenen Oboensoli, die sich auf f. 59, 60 (später eingefügtes einzelnes Blatt), 61–64^r des Autographs befinden (f. 64^v–65^v gehören zur gestrichenen Erstfassung und enthalten keine Musik der späteren Umarbeitung).

In ChA 47 (1886) sind die 6 Sätze von HWV 333 noch um die Sätze 5, 6, 2 und den Beginn von Satz 3 (T. 1–2) von HWV 334 erweitert, die sich im Autograph (f. 66 ff.) an HWV 333 ohne Zäsur anschließen. Erst als im Jahre 1893 der *Catalogue* der Händel-Handschriften im Fitzwilliam Museum Cambridge (hrsg. von A. Mann) erschien, gelang es Chrysander, das Konzert HWV 334 zu identifizieren und um die Quellen der fehlenden drei Sätze zu ergänzen. Er veröffentlichte daraufhin 1894 eine revidierte Neuausgabe von HWV 334 (Supplement: Concert III. Berichtigender Nachtrag zu dem 47sten Bande von Händel's Werken), deren Seitenzählung 203–241 die 6 Sätze von HWV 334 in der richtigen Reihenfolge für Bd. 47 ergänzt.

HWV 333 stellt die Bearbeitung folgender Vorlagen aus Oratorien Händels dar:

1. Satz, *Pomposo*

HWV 50^a Esther (1. Fassung): 17. Jehovah crown'd with glory bright (*Maestoso*, F-Dur). In der Fassung für HWV 333 um 2 Takte gekürzt; das Solo des 3. Israelite (T. 11 ff.) wird dabei dem 1. Horn in Chorus I übertragen.

2. Satz, *Allegro*

HWV 50^a Esther (1. Fassung): 18. He comes to end our woes (ohne Tempoangabe, F-Dur)[4]. In der Fassung für HWV 333 wird nur der 1. Teil des Chores (T. 1–87) verwendet, wobei die instrumentale Konzertfassung auf 84 Takte reduziert ist.

3. Satz, *A tempo giusto*

HWV 56 Messiah: 30. Lift up your heads (*A tempo ordinario*, F-Dur). In der Fassung für HWV 333 wird der Satz um 4 Takte auf 73 Takte reduziert.

4. Satz, *Largo*

HWV 50^a Esther (1. Fassung): 8. Ye sons of Israel, mourn (*Adagio*, c-Moll)

5. Satz, *Allegro ma non troppo*

HWV 50^b Esther (2. Fassung): 30. Through the nations he shall be[5]

In der Fassung HWV 333 wird der Vokalsatz von 8 auf 12 Einleitungstakte erweitert, denen sich in T. 13–56 ein dem Solo des Ahasverus entsprechender Konzertsatz anschließt. T. 57–96 erfolgt eine Durchführung mit aus dem Ostinato stammenden thematischen Elementen, das in T. 97 mit thematischem Material aus dem Chorsatz wiederkehrt. T. 113–120 entsprechen dem Schlußritornell des Chores, denen in der Konzertfassung eine nach C-Dur modulierende Adagio-Kadenz (T. 121–123) angeschlossen ist.

6. Satz, *A tempo ordinario*

HWV 62 Occasional Oratorio: 15^a. God found them guilty (*Andante*, F-Dur). Für die Fassung HWV 333 entlehnte Händel zunächst die wesentlichen Elemente des Chores, erweiterte die Fassung jedoch später von 69 auf 90 Takte durch drei konzertierende Abschnitte der Oboen (T. 11 ff., T. 30 ff., T. 57 ff.).

Literatur

Chrysander, F.: Händel's Instrumentalkompositionen für großes Orchester. In: Vierteljahresschrift für Musikwissenschaft, 3. Jg., 1887, S. 157 ff., Nachtrag S. 451 ff.; Drummond, S. 124 ff.; Gudger, vol. 1., S. 252 ff.; Sadie, S. 64 f.; Serauky V, S. 345 ff.

Beschreibung des Autographs: Lbm: Catalogue Squire, S. 96, Gudger, vol. 2, S. 118 ff.

---

[1] Vgl. Deutsch, S. 648.

[2] Das Autograph besteht aus 5 Lagen zu je 2 Binionen (f. 40–59), einem einzelnen Blatt (f. 60) und einer 6. Lage, die mit einer Unio (f. 61–65^A; nach f. 65 folgt ein leeres, ungezähltes Blatt, hier mit f. 65^A bezeichnet) zusammengeklebt ist. Alle Lagen sind in der rechten oberen Ecke von Händel numeriert worden.

[3] Die Passagen auf f. 43^{r-v} wurden von Smith senior geschrieben. Das dürfte jener Teil des Manuskripts gewesen sein, von dem F. Chrysander im Vorwort zu ChA 47 (S. III) spricht. Das von W. B. Squire (Catalogue Lbm, S. 96) behauptete Fehlen dieser Seiten trifft daher nicht zu.

[4] F. Chrysander (in: Nachtrag zu dem Aufsatze Händel's Instrumentalkompositionen für großes Orchester, S. 457 ff.) sieht das Vorbild dieses Satzes in Arcangelo Corellis Concerto grosso op. 6 Nr. 7 D-Dur, 2. Satz, Allegro (1712).

[5] Entlehnung aus HWV 74 Ode for the Birthday of Queen Anne (5. Let rolling streams).

334. Concerto [a due Cori] F-Dur für 2 Bläserchöre und Streicher

(Concerto in the Oratorio of Judas Maccabaeus)

Besetzung: Coro I: Ob. I, II; Fag.; Cor. I, II – *Coro II:* Ob. I, II; Fag.; Cor. I, II – V. I, II; Va.; Cont. ChA 47 (Supplement, S. 203–241). – HHA IV/16. – EZ: London, Anfang 1747. – UA: London, vermutlich am 1. April 1747, Theatre Royal, Coventgarden, anläßlich der UA von HWV 63 Judas Maccabaeus

1. Ouverture

[vgl. HWV 424 (1.)]   20 Takte D.c.

2. Allegro

109 (106) Takte

3. Allegro ma non troppo

86 Takte

4. Adagio   5. Andante larghetto

18 Takte

Takt 59   135 Takte

6.   Allegro   Coro I
                 Cor. I

                 Cor. II

68 Takte   *D. c.*

Quellen

Handschriften: Autographe: *GB* Cfm (30. H. 14., MS. 264, p. 45–56: Satz 1, Satz 3, T. 3 ff., Satz 4, in folgender Anordnung: p. 45–46: Satz 1, Chorus 1/2 für Cor. I, II, Ob. I, II, Fag.; p. 47–54: Satz 3, Bläserstimmen wie vorher; p. 54: Satz 4, *Adagio senza Corno di Caccia*, ohne Va.-St.; p. 55: *Li Violini per l'Ouverture*, Streicher-St. für Satz 1; p. 56: Streicher-St. für Satz 3, Va.-St. für Satz 3, T. 83–86, und Satz 4), Lbm (R. M. 20. g. 6., f. 66ʳ–81ᵛ: Sätze 5–6, 2, Satz 3, T. 1–2, in folgender Blattfolge: f. 66ʳ–71ʳ: Satz 5, f. 71ᵛ–75ᵛ: Satz 6, f. 76ʳ–81ᵛ: Satz 2 und Satz 3, T. 1–2).

Abschriften: GB Mp [MS 130 Hd4, Part.: v. 300(2), f. 13–62: *Concerto in the Oratorio of Judas Maccabaeus;* St.: v. 83(4), 244(4), 354(5), 355(5), 356(3), 357(2), 358(4), 359(4), 360(3)–363(3), 364(2)–367(2), Abschriften des Kopisten S₂][1].

Bemerkungen

HWV 334, das dritte der von Friedrich Chrysander (in: ChA 47, S. 203–231, fragm., und Supplement: *Concert III. Berichtigender Nachtrag zu dem 47sten Bande von Händel's Werken,* 1894, S. 203–241) veröffentlichten mehrchörigen Konzerte, ist wie HWV 333 mit zwei Bläserchören (Chorus 1/2: jeweils Cor. I, II, Ob. I, II, Fag.) und Streichorchester besetzt (vgl. die Bemerkungen zur Veröffentlichung in ChA 47 unter HWV 333).

Das Werk entstand vermutlich Anfang 1747 und wurde anläßlich der Uraufführung von HWV 63 Judas Maccabaeus erstmals am 1. April 1747 als jenes „neue Konzert" gespielt, auf das in den Presseankündigungen zu dieser Premiere verwiesen ist[2].

Im Unterschied zu den übrigen mehrchörigen Konzerten besteht HWV 334 nicht aus Parodiesätzen; Satz 1 (Ouverture) lehnt sich thematisch an den 1. Satz von HWV 424 Ouverture D-Dur für 2 Clarinetti und Corno da caccia an, Satz 6 *(Allegro)* verwendet melodisches Material aus dem The-

menkopf der Arie „Io seguo sol fiero" (15) aus HWV 27 Partenope, die ihrerseits wiederum auf ein melodisches Modell aus Georg Philipp Telemanns Kantatensammlung „Harmonischer Gottesdienst" (Hamburg 1725/26) zurückgeht[3]. Zur Fassung als Orgelkonzert vgl. unter HWV 305.

Literatur

Chrysander, F.: Händel's Instrumentalkompositionen für großes Orchester. In: Vierteljahresschrift für Musikwissenschaft, 3. Jg., 1887, S. 1 ff., 157 ff.; Drummond, S. 124 ff.; Gudger, vol. 1, S. 249 ff.; Hudson, F.: Das „Concerto" in Judas Maccabaeus identifiziert. In: Händel-Jb., 20. Jg., 1974, S. 119 ff.; Sadie, S. 65; Serauky V, S. 348 f.

Beschreibung der Autographe: Lbm: Catalogue Squire, S. 96, Gudger, vol. 2, S. 120. – Cfm: Catalogue Mann, S. 221 ff., Gudger, vol. 2, S. 120 ff.

---

[3] Kantate Nr. 34 *Unbegreiflich ist dein Wesen:* 2. Arie: „Ermuntert die Herzen, geheiligte Seelen." Vgl. G. Ph. Telemann, Musikalische Werke, Bd. IV (Der Harmonische Gottesdienst, Teil III), hrsg. von G. Fock, Kassel und Basel 1957, S. 293 ff.

---

[1] Beschreibung dieser Quelle bei Hudson, F.: Das „Concerto" in Judas Maccabaeus identifiziert, S. 128–30.

[2] Die Identifizierung erfolgt durch die Titelformulierung in der Quelle *GB* Mp. Siehe *General Advertiser,* 1. April 1747: „At the Theatre Royal ... this Day ... will be perform'd a New Oratorio, call'd JUDAS MACCHABAEUS. With a New CONCERTO ..." Vgl. Deutsch, S. 638. HWV 334 erklang vermutlich als Einleitung zum III. Akt des Oratoriums.

335ª. Concerto D-Dur
(Concerto for Trumpets & French Horns)

Besetzung: Ob. I, II; Fag.; Cor. I, II, III, IV; Trba. I, II; Timp.; V. I, II; Va.; Vc.; Cbb.; Org.
ChA 47. – HHA IV/16. – EZ: London, ca. 1746/47

Quellen

Handschriften: Autograph: *GB* Lbm (R. M. 20. g. 7., f. 2ʳ–10ʳ).

Abschriften: *GB* BENcoke (Aylesford Collection, St. für Ob. I, II, Org.), Lbm (R. M. 19. a. 2., f. 1ʳ–18ᵛ: *Concerto for Trumpets & French Horns &c.,* Aylesford Collection; R. M. 18. b. 9., f. 1ʳ–6ʳ, St. für Trba. I, II, Timp.), Shaftesbury Collection.

Bemerkungen

Entstehungsanlaß und Kompositionsdaten für HWV 335ª,ᵇ sind unbekannt; aus den diplomatischen Befunden der Primärquellen (WZ der Autographe: Bl) läßt sich nur ermitteln, daß beide Varianten mit dem später zur Ouverture der „Feuerwerksmusik" HWV 351 ausgearbeiteten 1. Satz *(Largo)* um 1746/47 entstanden sein müssen. HWV 335ª bildet somit die Vorstudie[1] für die

Ouverture zur „Feuerwerksmusik", zumal auch der 2. Satz *(Allegro)* motivisches Material enthält, das später in dem Allegro-Teil (besonders T. 99 ff.) der Ouverture von HWV 351 wieder verarbeitet wird. Händels Partituranordnung *(Trba. 1 et 2/Cor. 1 et 2/Cor. 3 et 4/Tymp./Ob. 1/Ob. 2/Bassons/V. 1/V. 2/Va./Violon./Org.)* zeigt wiederum eine chorische Aufgliederung des Instrumentariums und rückt das Werk damit in die Nähe der mehrchörigen Konzerte.

Durch die Einfügung einer Orgelimprovisation ist jedoch erwiesen, daß das Werk ebenfalls nicht als Freiluftmusik trotz seiner starken Bläserbesetzung gedacht war; die in der Kopie des Schreibers S₁

[1] Daß die thematische Grundidee des Satzes jedoch bereits 1737 vorlag, beweist die Sinfonia (23) in HWV 38 Berenice. Zu einer anderen Variante vgl. HWV 67 Solomon *(Sinfony* zur Fassung 1759). Händel entlehnte das Kopfmotiv einer *Aria* mit (24 Var.) B-Dur von J. Ph. Krieger (vgl. HWV 351, Anm. 9)

überlieferte Werkbezeichnung als *Concerto for Trumpets & French Horns &c.* ergibt jedoch keine Anhaltspunkte für den eigentlichen Verwendungszweck.

Im Gegensatz zu HWV 335[b] dürfte das Autograph von HWV 335[a] Händels Kompositionshandschrift darstellen, denn einerseits gibt es im 1. Satz Stellen, an denen Händel mehrfach Korrekturen und Einfügungen vornahm, andererseits findet sich im 2. Satz nach Takt 76 eine nachträglich vorgenommene Einfügung der Takte 13–29 im Sinne einer Korrektur, die diese Handschrift eindeutig als Arbeitsexemplar kennzeichnet. Die zuletzt genannte Stelle des 2. Satzes ist von Friedrich Chrysander (in: ChA 47, S. 91 f.) nicht korrekt interpretiert worden, so daß in seinem Text des Werkes die Taktanschlüsse falsch verbunden sind und sich

dadurch zwei Takte weniger ergeben, als Händel mit seiner Einfügung erreichen wollte. In der Neuausgabe in HHA IV/16 (hrsg. von F. Hudson), ist dieser Fehler korrigiert.

Der 3. Satz *(Allegro ma non troppo)* zeigt eine oberflächliche thematische Ähnlichkeit mit dem Coronation Anthem HWV 261 „My heart is inditing" (Textstelle: *Upon thy right hand,* T. 147 ff.)

Literatur

Chrysander, F.: Händel's Instrumentalkompositionen für großes Orchester. In: Vierteljahresschrift für Musikwissenschaft, 3. Jg., 1887, S. 157 ff.; Lam (Symposium), S. 222; Serauky V, S. 250 f.
Beschreibung des Autographs: Lbm: Catalogue Squire, S. 44.

335[b]. Concerto F-Dur

Besetzung: Ob. I, II; Fag.; Cor. I, II, III, IV; V. I, II; Va.; Vc.; Cbb.; Org. [Coro I: Cor. I, II; V. I, II; Va. – Coro II: Ob. I, II; Fag.; Cor. III, IV – Cont.: Vc.; Cbb.; Org.]
ChA 47. – HHA IV/16. – EZ: London, ca. 1746/47

Quellen
Handschriften: Autograph: *GB* Lbm (R. M. 20. g. 7., f. 11[r]–15[v]).

Bemerkungen
HWV 335[b] stellt eine vermutlich kurze Zeit später vorgenommene Umarbeitung (unter Eliminierung der Trompeten und Pauken) von HWV 335[a] dar und stammt aus der gleichen Zeit (1746/48). Das Autograph ist eine Reinschrift-Transposition der Sätze 1 und 3 nach HWV 335[a] mit nur geringen Änderungen und ohne größere Korrekturen oder Einfügungen, wie sie im Autograph der Vorlage zu erkennen sind.

Das Verhältnis von HWV 335[b] zu seiner Vorlage HWV 335[a] besteht vor allem darin, daß Satz 1 der F-Dur-Fassung eine um einen Takt erweiterte Adagio-Kadenz erhielt, während Satz 2 auf 83 Takte (gegenüber 87 Takten in HWV 335[a]) verkürzt wurde (Änderung des harmonischen Verlaufs in Takt 17, Aussparung der Takte 20–23 der D-Dur Fassung HWV 335[a]).

Die Partitur-Anordnung in Händels Handschrift zeigt wiederum die Aufteilung der Instrumente in chorischer Aufgliederung; die Reihenfolge der Stimmen im Partiturbild ist folgende: *Cor. 1 / Cor. 2 / V. 1 / V. 2 / Va. / Cor. 3 / Cor. 4 / Ob. 1 / Ob. 2 / Bassons / Vc. et Violoni / Org.* Danach bilden Cor. I, II sowie V.I, II, Va. den Coro I, Cor.III, IV, Ob.I, II, Fag. den Coro II, während die Baßinstrumente des Streichorchesters zusammen mit der Orgel das Continuofundament repräsentieren.

Satz 1 wurde später zur Ouverture der „Feuerwerksmusik" HWV 351 umgebildet; ob beide Sätze von HWV 335ᵇ noch durch andere Sätze zu einem selbständigen Konzert ergänzt werden sollten, ist ungewiß.

Literatur

Chrysander, F.: Händel's Instrumentalkompositionen für großes Orchester. In: Vierteljahresschrift für Musikwissenschaft, 3.Jg., 1887, S. 157 ff.
Beschreibung des Autographs: Lbm: Catalogue Squire, S. 44.

Ouverturen, Sinfonien, Suiten und Suitensätze

336. Ouverture B-Dur

Besetzung: Ob. I, II; Fag.; V. I, II; Va.; Cont.
ChA 48. – HHA IV/15. – EZ: Hamburg, ca. 1705/06

[vgl. HWV 455]

Takt 14
[vgl. HWV 46, HWV 47 (Sonata)]

Takt 80

88 Takte *D.c.*

Quellen

Handschriften: Autograph: verschollen.
Abschriften: *GB* Lbm (R.M.19.a.4., f.1ʳ–6ᵛ: *Ouverture del Sʳ.Hendel*, Abschrift des Kopisten S₂, Aylesford Collection; R. M. 18. b. 8., f. 1–4, Cembalotranskription in einer Zusammenstellung mit Suitensätzen aus HWV 354).
Drucke: Handel's Overtures XI Collection for Violins &c. in 8 Parts ... – London, J. Walsh (1758, 7 St., No. LXV); Handel's Overtures 11ᵗʰ Collection Set for the Harpsicord or Organ ... – London, J. Walsh (1758, No. LXIV, p. 267–269).

Bemerkungen

HWV 336 entstand vermutlich bereits in Hamburg 1705/06. Obwohl keine autographen Quellen

zu dem Werk erhalten sind (die einzige Abschrift des Kopisten S₂ stammt von ca. 1732 nach einer heute verschollenen Vorlage), ergeben sich aus verschiedenen werkgeschichtlichen Umständen Anhaltspunkte für eine frühe Datierung.
Über HWV 336 war bisher nur bekannt, daß ihr fugiertes Allegro-Thema das gleiche motivische Material benutzt wie die *Sonata dell'Overtura* D-Dur zu HWV 46ᵃ Il Trionfo del Tempo e del Disinganno (Autograph: *GB* Lbm, R. M. 19. d. 9., f.69–78) und die Sonata zu HWV 47 La Resurrezione (Autograph: *GB* Cfm, Ms. 251, p. 1–8, fragm., nur T. 1–48), deren Fassungen 1707 bzw. 1708 in Rom entstanden, und daß sie eine charakteristische Sequenzpassage enthält, die in zwei weiteren Frühwerken Händels – dem Psalm HWV

232 Dixit Dominus (vollendet in Rom, April 1707)[1] und HWV 288 *Sonata à 5* B-Dur (ebenfalls 1706/07 in Italien entstanden)[2] – nachweisbar ist. Aus diesen Gründen halten Anthony Hicks und David R. B. Kimbell (s. Lit.) sowie Terence Best (vgl. Vorwort in HHA IV/15, S. VII) die B-Dur-Ouverture HWV 336 für die Erstfassung der Instrumentaleinleitung zu HWV 46ᵃ Il Trionfo, mit deren ursprünglich französischer Stilhaltung Arcangelo Corelli als Leiter der Aufführung des Oratoriums, wie Mainwaring und Mattheson (p. 56 f./S. 48 f.) berichten, so große Schwierigkeiten infolge seiner Unkenntnis der französischen Aufführungspraxis hatte, daß Händel sich bewogen fühlte, sie auf Corellis Verlangen umzuarbeiten in „eine Symphonie, die mehr nach dem italienischen Stil schmeckte" (Mattheson, Georg Friderich Händels Lebensbeschreibung, Hamburg 1761, S. 49). Bei dem auffällig reichen Gebrauch, den Händel in dieser Zeit vom Parodieverfahren machte, ist es denkbar und sogar wahrscheinlich, daß er eine frühere Komposition, die in Italien noch nicht bekannt war, als Modell für die Ouverture zum ersten größeren zyklischen Werk benutzte, das er in Italien zur Aufführung brachte. Dieses Indiz kommt in der Funktion der Ouverture HWV 336 in Cembalotranskription (*GB* Lbm, R.M.18.b.8., f.1–4) als Eröffnungssatz einer Suite zum Ausdruck, dem die gleichfalls für Cembalo arrangierten Sätze Sarabande, Gavotte und Minuet der für die Oper HWV 3 Der beglückte Florindo

(Hamburg 1706) in Anspruch zu nehmenden Suite HWV 354 B-Dur sich anschließen.[3] Durch die in der erwähnten Quelle der Aylesford Collection belegte Verbindung von HWV 336 mit den Ballettsätzen aus der Hamburger Oper ergibt sich ein Hinweis darauf, daß die B-Dur-Ouverture HWV 336 ursprünglich als Ouverture zu „Der beglückte Florindo" entstanden sein könnte und erst in Italien als Parodieouverture wiederverwendet worden ist.

In Friedrich Chrysanders Ausgabe (nach dem Walsh-Druck 1758) in ChA 48 (S.108–111) ist ein sinnentstellender Fehler zu korrigieren: T. 1–13 des Viola-Parts ist z.T. in falscher Tonlage wiedergegeben und daher korrekturbedürftig. In HHA IV/15 (S.3–10), hrsg. von T.Best, liegt erstmals eine korrekte Fassung des Werkes vor.

Literatur
Baselt, B.: Wiederentdeckung von Fragmenten aus Händels verschollenen Hamburger Opern. In: Händel-Jb., 29.Jg., 1983, S.7 ff.; Best, T.: Vorwort zu HHA IV/15 (Sechs einzeln überlieferte Instrumentalwerke), Kassel und Leipzig 1979, S. VII, Quellen und Lesarten S.95 f.; Mainwaring/Mattheson, p.56 f./S.48 f.; Hicks, A.: Handel's Early Musical Development. In: Proceedings of the Royal Musical Association, vol. 103, 1976/77, S. 80 ff.; Kimbell, D. R. B: Aspekte von Händels Umarbeitungen und Revisionen eigener Werke. In: Händel-Jb., 23.Jg., 1977, S.45 ff.

[1] Vgl. ChA 38, S.95, T. 6–7; HHA III/1, S. 53, T. 171 bis 172.
[2] Vgl. ChA 21, S. 113, T. 2–4; HHA IV/12, S. 38, T. 31 bis 33.

[3] Neudruck in: Stücke für Clavicembalo/Pieces for Harpsichord/von/by/G. F. Händel hrsg. von/ed. by W. Barclay Squire/J. A. Fuller-Maitland, Mainz und Leipzig 1928, vol. I, S. 47–52.

337. Ouverture D-Dur

Besetzung: Ob. I, II; Fag.; V. I, II, III; Va.; Cont.
HHA IV/15. – EZ: London, ca. 1722

[vgl. HWV 17. Giulio Cesare (Ouverture)]

12 Takte

Quellen
Handschriften: Autograph: *GB* Lbm (R. M. 20. g. 13., f. 29ʳ⁻ᵛ).

Bemerkungen
Die Ouverture HWV 337 ist in einem Sammelband mit Instrumentalwerken Händels überliefert, die unterschiedlichen Perioden von Händels

Schaffen angehören. HWV 337 ist mit zwei anderen Sätzen (vgl. unter HWV 338) zusammengebunden, die sich jedoch hinsichtlich Händels Schrift, des verwendeten Notenpapiers und durch unterschiedliche Rastrierung voneinander deutlich abgrenzen. Die Ouverture (WZ des Autographs: Cb) gehört daher nicht zu HWV 338 *(Adagio-Allegro)* und dürfte etwas später (ca. 1722) als diese entstanden sein. Demzufolge erhält sie hier eine eigene HWV-Nummer.

Es wäre möglich, daß HWV 337 den ersten Entwurf zur Ouverture von HWV 17 Giulio Cesare in Egitto (1723/24) darstellt, wie aus der motivisch-thematischen Substanzgemeinschaft zwischen beiden Werken hervorzugehen scheint. Da das Allegro der Ouverture zu „Giulio Cesare" wiederum mit der Ouverture zu HWV 15 Ottone in Zusammenhang steht (vgl. Händel-Hb., Bd. 1, S. 201 f.), deren ursprünglicher Mittelteil in transponierter Form in „Giulio Cesare" verwendet wurde, während für „Ottone" das *Allegro* aus HWV 338 umge-

arbeitet ist, liegt es nahe, in diesen thematischen Gemeinsamkeiten auch den Anlaß für die Entstehung der Sätze zu suchen.

Literatur
Baselt, B.: Konzert mit unveröffentlichten Werken G. F. Händels. In: 27. Händelfestspiele der DDR, Halle 1978, Programmheft, S. 70 ff.; Best, T.: Vorwort zu HHA IV/15, Kassel und Leipzig 1979, S. VIII
Beschreibung des Autographs: Lbm: Catalogue Squire, S. 45, Best, T., in: HHA IV/15, Quellen und Lesarten, S. 97.

338$^{1-2}$. Adagio h-Moll/ Allegro D-Dur

Besetzung: Adagio: Fl. trav.; V. solo; Arciliuto; Vc.; Cbb. – Orchester: V. I, II; Va.; Cont. – Allegro: Ob. I, II; V. I, II; Va.; Cont.
HHA IV/15. – EZ: London, ca. 1722 (vermutlich zusammen mit HWV 317, 1. Satz)

Quellen
Handschriften: Autograph: *GB* Lbm (R. M. 20. g. 13., f. 30^r–30^v: *Adagio*, f. 30^v–32^v: *Allegro*).

Bemerkungen
Die beiden unter HWV 338 zusammengefaßten Sätze sind unmittelbar nacheinander komponiert worden, wie das Autograph (vgl. f. 30^v) beweist. Nach Schriftbild und Papierbeschaffenheit (WZ: Bb, sinister, 10zeilig rastriert) gehören sie mit HWV 317, 1. Satz, zusammen und entstanden um 1722, vermutlich als zunächst geplantes dreisätziges *Concerto in Ottone* (Vivace – Adagio – Allegro) für die Aufführung von HWV 15 Ottone (1723), von dem dann nur das *Vivace* in die *Ottone*-Partitur gelangte, während das *Allegro* zum neuen fugierten Satz der Ouverture zu dieser Oper umkomponiert wurde.
Weshalb Händel die beiden Sätze HWV 338$^{1-2}$ nicht bei der Veröffentlichung der Konzerte op. 3 berücksichtigte, obwohl sie gewiß schon längere Zeit vorlagen und mit HWV 317, 1. Satz, ein voll-

ständiges Konzert ergeben hätten, bleibt ungewiß.
Das *Adagio*, dessen Continuostimme Händel äußerst farbig mit *Arciliuto, Violoncello, Contrabasso piano senza Cembalo* besetzt wissen wollte, ist eine spätere Bearbeitung des 3. Satzes (*Adagio*, B-Dur) von HWV 390^a Triosonate op. 2 Nr. 5 g-Moll (um 1718).

Literatur
Baselt, B.: Konzert mit unveröffentlichten Werken G. F. Händels. In: 27. Händelfestspiele der DDR, Halle 1978, Programmheft, S. 70 ff.; Best, T.: Vorwort zu HHA IV/15, Kassel und Leipzig 1979, S. VIII; Burrows, D.: Walsh's editions of Handel's Opera 1–5: the texts and their sources. In: Music in Eighteenth-Century England, ed. C. Hogwood and R. Luckett, Cambridge UP 1982, S. 79 ff., bes. S. 91.
Beschreibung der Autographe: Lbm: Catalogue Squire, S. 45, Best, T., in: HHA IV/15, Quellen und Lesarten S. 97.

339. Sinfonia B-Dur

Besetzung: V. I, II; Cont.
HHA IV/15. – EZ: Hamburg/Italien, ca. 1706/07

[vgl. HWV 434 (2.)]

118 Takte

65 Takte

38 Takte

Quellen

Handschriften: Autograph: verschollen.
Abschriften: *D (brd)* DS (Mus. ms. 500/1ᵃ, f. 1–4: *N⁰. 13. Sinfonia del Sign. Hendel*, Abschrift von Johann Samuel Endler[1]; Mus. ms. 500/1ᵇ. f 1–3: *N⁰. 12. Sinfonia del Sign. Hendel*, Abschrift von Christoph Graupner[2]).

Bemerkungen

Die Sinfonia HWV 339 scheint aus Händels früher Schaffenszeit zu stammen, da Stil und motivisch-thematische Substanzgemeinschaft des 1. Satzes mit einigen der um 1705/07 entstandenen Werke diese Annahme rechtfertigen. Die ca. 1724 entstandene Abschrift von Christoph Graupner, der als Cembalist 1706 an die Hamburger Gänsemarkt-Oper engagiert wurde, nachdem Händel gerade die Hansestadt verlassen hatte, dürfte als authentisch zu werten sein; wie Terence Best (HHA IV/15, Vorwort, S. VII) vermerkt, scheinen beide Abschriften aus einem verschollenen Stimmensatz spartiert worden zu sein, der zu einem unbekannten Zeitpunkt nach Darmstadt gelangte.

---

[1] J. S. Endler (1694–1762), seit 1723 als Sänger und Violinist in Darmstadt, wurde dort 1740 Konzertmeister und 1744 Vizekapellmeister.
[2] Graupner war seit 1709 Vizekapellmeister in Darmstadt und wurde dort 1712 Hofkapellmeister.

Der 1. Satz der Sinfonia hat folgende thematische Beziehungen zu anderen Werken Händels:
HWV 1 Almira (Hamburg 1704/05): 58. Blinder Schütz
HWV 434 Suite I B-Dur: 2. Satz *(Sonata da Cembalo[3])*

Literatur

Best, T.: Vorwort zu HHA IV/15, Kassel und Leipzig 1979, S. VII. [NB. In HHA IV/15 ist die Sinfonia unter HWV 338 verzeichnet].

---

[3] Autograph in *GB* BENcoke (Frühfassung des Satzes, fragm.)

340. Allegro G-Dur

Besetzung: V. I, II; Cont.
ChA 48. – HHA IV/19. – EZ: London, ca. 1715

36 Takte

Quellen

Handschriften: Autograph: verschollen.
Abschrift: *GB* Cfm (Barrett-Lennard-Collection vol. 10 *Miscellanys,* Mus. MS. 798: *Sinfonie diverse,* p. 237, No. 1).

Bemerkungen

HWV 340 befindet sich in einem Band der Barrett-Lennard-Collection, der u. a. acht Werke unter dem gemeinsamen Titel *Sinfonie diverse* enthält (vgl. ChA 48, S. 140–143). Nr. 3–8 der Stücke sind Kopien von Smith senior (vgl. unter HWV 345–346), der Kopist des vorliegenden *Allegro,* das die Reihenfolge dieser Sinfonien eröffnet, ist unbekannt.

Obwohl die Abschriften der Barrett-Lennard-Collection relativ späten Datums sind, zeigen Stil und motivische Ausprägung von HWV 340 starke Ähnlichkeiten mit Werken Händels, die um 1713/15 entstanden (vgl. u. a. HWV 74 Birthday Ode: 3. Let all the winged race[1], oder HWV 315 op. 3 Nr. 4, 2. Satz, *Andante*), so daß die Entstehungszeit von HWV 340 ebenfalls um 1715 anzusetzen ist.

Die Handschrift, die den Satz überliefert, enthält keine Angaben zur Instrumentation.

[1] Entwickelt nach HWV 46ᵃ Il Trionfo del Tempo e del Disinganno (26. Ricco pino, Ritornello).

341. Ouverture D-Dur
(Handel's Water Piece)

Besetzung: Trba.; V. I, II; Va.; Cont.
HHA IV/13 (Anhang). – EZ: London, ca. 1723/33
Authentizität fraglich

1. Ouverture

47 Takte

2.

29 Takte

3. Air

64 Takte

26 Takte

5. March

[vgl. HWV 27. Partenope (17.)]

16 Takte

Quellen
Handschriften: Autograph: verschollen.
Abschrift: *GB* Lbm (Add. MSS. 34126, f. 71–72:
Sätze 4–5 in dreistimmigem Satz).
Drucke: The Famous Water Peice Compos'd by
M. Handel. – [London, Daniel Wright, ca. 1733,
5 St.]; —– – ib., Jn. Johnson (ca. 1740/45).

Bemerkungen
Obwohl von HWV 341 keine zeitgenössischen als
authentisch zu wertenden handschriftlichen Quellen erhalten sind, muß dem Werk trotz seiner apokryphen Überlieferung durch den nicht autorisierten Druck von Daniel Wright bzw. John Johnson
mindestens eine gewisse Authentizität aufgrund
seiner Außensätze zugestanden werden. Wenn
auch Händel selbst als Bearbeiter dieser Suite
kaum in Betracht kommt, so ist der 1. Satz doch als
genaues und fehlerfreies Arrangement des 11. Satzes der „Wassermusik" (HWV 349 Suite II D-Dur)
zu werten. Auch der 5. Satz *(March)* ist unter Händels Werken überliefert: er stellt eine Bearbeitung
des *Marche* (17) B-Dur aus HWV 27 Partenope
dar. Für die Sätze 2–4 können keine anderen
Quellen namhaft gemacht werden; immerhin besteht die Möglichkeit, daß Händel dem Verleger
Wright diese Stücke zur Veröffentlichung überlas-
sen hat, der sie in der vorliegenden Form bearbeiten ließ.
Eine weitere Ausgabe dieses Titel (Handel's Water Piece. – London, Charles Thompson, Samuel
Thompson, ca. 1755) bietet außer der Nr. 1 (als
Mittelsatz) zwei weitere Händel zugeschriebene

Sätze in Cembalofassung, deren Authentizität
allerdings fragwürdiger ist (vgl. HHA IV/13, Anhang, S. 115 ff.).

Literatur
Smith, W. C.: The Earliest Editions of Handel's
„Water Music". In: Musical Quarterly, vol. XXV,
1939, S. 60 ff.; Smith, W. C.: Concerning Handel,
his Life and Works, London 1948, S. 280 ff.

342. Ouverture F-Dur

Besetzung: Ob. I, II; Cor. I, II; V. I, II; Va.; Cont.
ChA 48 (in G-Dur), 84. – EZ: London, ca. 1733/34

27 Takte

83 Takte

Quellen

Handschriften: Autographe: *GB* Lbm (R.M.20. g.13., f. 33ʳ–36ᵛ: *Ouverture*, zusammen mit Allegro und Bourrée für HWV 8ᶜ Il Pastor fido), Cfm (30. H. 7., MS. 257, p. 63–64, ohne Hörner, in G-Dur für HWV 73 Il Parnasso in festa).
Abschriften: GB Cfm (Barrett-Lennard-Collection vol. 10, *Miscellanys,* Mus. MS. 798: *Sinfonie diverse,* No. 4, p. 240, *Largo,* T. 1–27 in G-Dur[1]), Lbm (R. M. 18. c. 8., f. 125ʳ⁻ᵛ: *Overture of Parnasso in festa, alter'd from Athalia, Un poco allegro,* ohne Hörner, in G-Dur).

Bemerkungen

Die Ouverture HWV 342 ist im Autograph (WZ: Cc) zusammen mit einem *Allegro* und einer *Bourrée*

[1] Vgl. ChA 48, S. 141–142.

überliefert, die Händel in HWV 8ᶜ Il Pastor fido (2. Fassung, 1734) als Ouverturen-Sätze aufnahm. HWV 342 entstand 1733/34 vermutlich als Einleitung zur Neufassung dieser Oper, wurde dann aber gegen die andere F-Dur-Ouverture (Autograph: *GB* Cfm, 30. H. 6., MS. 256, p. 33–34) ausgetauscht. Damit blieb HWV 342 ungenutzt, und Händel arbeitete das Werk um zur G-Dur-Ouverture von HWV 52 Athalia bzw. HWV 73 Il Parnasso in festa[2].
HWV 342 verarbeitete Händel später nochmals in der Triosonate HWV 399 op. 5 Nr. 4 G-Dur (2. Satz, *A tempo ordinario/Allegro*).

[2] Vgl. die Quellen *GB* Cfm (MS. 257) bzw. Lbm (R. M. 18. c. 8.).

343. Ritornello für HWV 435 Chaconne G-Dur

Besetzung: Ob. I, II; V. I, II; Va.; Cont.
HHA IV/19. – EZ: London, März/April 1739

Concerto tacet / adagio tacet / allegro tacet

[Allegro]

repetatur ad libitum

(8 Takte)

Quellen
Handschriften: Autograph: HWV 343[b]: *GB* Cfm
(30. H. 14., MS. 264, p. 1, Zeile 1–6).
Abschrift: HWV 343[a]: *D (brd)* B (Mus. Ms. 9161,
H. 2, p. 80–85).

Bemerkungen
Im Autograph des Ritornells HWV 343[b] befindet
sich auf den letzten beiden Zeilen (Zeile 7–8)
eine Skizze zum 3. Satz *(Larghetto)* des Orgelkonzerts HWV 295 F-Dur (beendet am 2. April 1739),
so daß für HWV 343[b] etwa die gleiche Entstehungszeit (1738/39) angenommen werden kann,
zumal das Papier des Autographs (WZ: Cc) dem
für HWV 53 Saul (Entstehungszeit: Juli–September 1738) verwendeten Papier entspricht.
Nielsen und Gudger (s. Lit.) beziehen das Ritornell auf ein hypothetisches Orgelkonzert (als sog.

„Chaconne Concerto" in G-Dur), während Terence Best (vgl. Editorial Note zur Neuausgabe
der Chaconne in G) aufgrund einer frühen Quelle
für die Version HWV 343[a] [*D (brd)* B,
Mus. Ms. 9161, H. 2., p. 80], in der eine Frühfassung der Chaconne HWV 435 von je einem Or-
chestertutti eingeleitet und abgeschlossen wird,
diese Chaconne mit dem Ritornell verbindet.

Literatur
Best, T. (Hrsg.): G. F. Handel, Chaconne in G for
keyboard, London 1979; Gudger, vol. 2, S. 124 ff.;
Nielsen, K. H.: Handel's Organ Concertos Recon-
sidered. In: Dansk Aarbog for Musikforskning,
3. Jg., 1963, S. 3 ff., besonders S. 11.
Beschreibung des Autographs: Cfm: Catalogue Mann,
S. 218 f., Gudger, vol. 2, S. 124 ff.

344[1–2]. Chorus und Menuet D-Dur (aus HWV 3 Der beglückte Florindo)

Besetzung: V. I, II; Va.; Cont.
HHA IV/19. – EZ: Hamburg, 1705/06

1. Chorus

[vgl. HWV 3. Florindo, HWV 502]   26 Takte

2. Menuet

26 Takte

Quellen
Handschriften: Autograph: verschollen.
Abschriften: *GB* Mp (MS 130 Hd4, v. 11), Lbm
(R. M. 18. b. 8., f. 79[v]: Menuet für Cembalo[1]).

Bemerkungen
Die beiden Sätze, von denen der erste ohne Text
überliefert ist, sind zusammen mit drei anderen
Instrumentalbegleitungen zu Arien, von denen
der Vokalpart ohne Noten blieb (vgl. HWV 3 und

4), in der Aylesford Collection (*GB* Mp) am Ende
einer Kopie der Oper HWV 6 Agrippina[2] überliefert. Die Stücke tragen die Überschrift *Chorus* bzw.
Aria. Florindo del Sigr. G. F. Handel und wurden um
1730 kopiert (vgl. auch unter HWV 353 und
354).

Literatur
Händel-Handbuch, Bd. 1, S. 63 ff.; Baselt, B.: Wiederentdeckung von Fragmenten aus Händels verschollenen Hamburger Opern. In: Händel-Jb.,
29. Jg., 1983, S. 7 ff.

[1] Vgl. auch unter HWV 505. Veröffentlicht in: Stücke für
Clavicembalo von / Pieces for Harpsichord by /
G. F. Händel. Herausgegeben von / Edited by W. Barclay
Squire – J. A. Fuller-Maitland, Mainz und Leipzig 1928,
vol. II, Nr. 57, S. 53.

[2] Kopie des Schreibers S₂. Der Schreiber von HWV 344
war J. Ch. Smith junior.

345. Marche D-Dur

Besetzung: Trba.; V. I, II (bzw. Ob. I, II); Cont. (bzw. Fag.)
ChA 48. – HHA IV/19. – EZ: London, ca. 1738/39 (nach HWV 397[5])

[vgl. HWV 397 (5.)]   28 Takte

Quellen

Handschriften: Autograph: verschollen.
Abschriften: *GB* Cfm (Barrett-Lennard-Collection vol. 10 *Miscellanys*, Mus. MS. 798: *Sinfonie diverse*, No. 7, p. 243: *Marche*[1], Kopie von Smith senior), Lbm (R. M. 19. a 1., f. 158^v–159^r: *March* für *Tromb.*, *V. 1°*, *V. 2*, B. c.[2], Kopie von S$_1$ für Aylesford Collection), Mp [MS 130 Hd4, v. 354(2), 355(2), 82(1), St. für V. I, II, Org.], Shaftesbury Collection (Kopie des Schreibers S$_4$, eingebunden in *Amadigi*-Part.) – *US* Ws.

[1] Oberstimme mit *Tromba* bezeichnet; die übrigen Stimmen ohne Instrumentenangabe.
[2] Mit Continuo-Bezifferung von Ch. Jennens.

Druck: Warlike Music, Book IV, Being a Choice Collection of Marches & Trumpet Tunes for a German Flute, Violin or Harpsicord. By Mr Handel, St Martini and the most eminent Masters. – London, J. Walsh (1758, p. 74: *March by Mr Handel* für eine Oberstimme und Baß in G-Dur).

Bemerkungen

HWV 345 stellt eine um 1738/39 kopierte Version des *Marche* (5. Satz) aus der Triosonate HWV 397 op. 5 Nr. 2 D-Dur dar, der in den handschriftlichen Quellen *GB* Cfm und Lbm jeweils um einen Trompetenpart erweitert ist.

346. Marche F-Dur
(March in Ptolomy)

Besetzung: Ob. I, II; Cor. I, II; Cont. (Fag.)
ChA 48. – HHA IV/19. – EZ: London, ca. 1728/29

[vgl. HWV 419¹]   24 Takte

Quellen

Handschriften: Autograph: verschollen.
Abschrift: *GB* Cfm (Barrett-Lennard-Collection vol. 10, *Miscellanys*, Mus. MS. 798: *Sinfonie diverse*, No. 8, p. 244: *Marche*, Kopie von Smith senior).
Drucke: A General Collection of Minuets made for the Balls at Court The Operas and Masquerades Consisting of Sixty in Number Compos'd by Mr Handel. To which are added Twelve celebrated Marches made on several occasions by the same Author. All curiously fitted for the German Flute or Violin ... – London, J. Walsh, J. Hare, J. Young (1729, p. 32, No. 3, in G-Dur für eine Oberstimme und Baß); Six Overtures For Violins, French Horns &c. in Eight Parts as they were Perform'd at the King's Theatre in the Operas of Flavius Richard ye 1st Ptolomy Ariadne Pastor Fido 2^d Atalanta Compos'd by Mr Handel Sixth Collection. – London, J. Walsh (ca. 1740, als Anhang zur Ouverture von Ptolomy, HWV 25 Tolomeo); —— – ib. (ca. 1750); —— – ib. (ca. 1760); Handel's Overtures from all his Operas & Oratorios for Violins &c. in 8 Parts Alexander Balus N° LVII ... Xerxes ...XXXI ... – ib., J. Walsh (1760); Warlike Music, Book II, Being a Choice Collection of Marches & Trumpet Tunes for a German Flute, Violin or

Harpsicord. By Mr. Handel, Sr. Martini and the most eminent Masters. – ib., J. Walsh (1758, p. 26, für eine Oberstimme und Baß); Thirty Favourite Marches Which are now in Vogue Set for the Violin, German Flute or Hautboy; by the most Eminent Masters. – London, Chs. & Ann Thompson (ca. 1759, p. 13: March in Ptolomy für eine instrumentale Oberstimme in F-Dur); —— – ib., Thompson and Son (ca. 1760).

Bemerkungen

HWV 346 erscheint als No. 8 der *Sinfonie diverse* in der Quelle *GB* Cfm ohne nähere Angabe über Herkunft oder Verwendungszweck. Der Marsch muß jedoch schon vor 1729 entstanden sein, wie der Erstdruck in „A General Collection of Minuets" beweist. 1740 bildete der Satz in Walshs Veröffentlichung von „Six Overtures … Sixth Collection" mit einem vorangehenden fünftaktigen *Largo* den Schlußsatz zu der dort abgedruckten Ouverture zur Oper HWV 25 Tolomeo *(Ptolomy)*,

hier instrumentiert für Ob./V. I, Ob./V. II, Cor. I, II, Va. und Basso, obwohl er weder in der früheren Ausgabe der Ouverture[1] noch in dem anderen handschriftlichen und gedruckten Quellenmaterial zu HWV 25 Tolomeo nachweisbar ist. Da die Bezugnahme auf die Oper (als „March in Ptolomy") erst um 1740 ff. in den vorliegenden Drucken erfolgte, könnte der Marsch bei den Wiederaufnahmen von „Tolomeo" in den Spielplan Händels 1730 bzw. 1733 als Anhang zur Ouverture gespielt worden sein.

Eine Variante in G-Dur für eine instrumentale Oberstimme mit dem ausdrücklichen Vermerk „March in Ptolomy" erschien 1759/60 in den Ausgaben der Sammlung „Thirty favourite Marches" (vgl. HWV 419[1]).

[1] In: XXIV Overtures for Violins & c. in Eight Parts … Compos'd by Mr. Handel. – London, John Walsh (1730).

347. Sinfonia B-Dur

Besetzung: Ob. I, II; V. I, II, III; Va.; Cont.
HHA IV/19. – EZ: London, ca. 1747

1. Pomposo
V. I, II
V. III e Va.
[vgl. HWV 311 (1.)]   (124) 111 Takte

2. Air lentement
Ob. I, II
V. I, II
V. III e Va.
[vgl. HWV 64. Joshua (Introduzione)]   18 Takte

3. Air
A tempo ordinario
(V. III e Va.)
[vgl. HWV 311 (3.); HWV 469]   24 Takte

Quellen

Handschriften: Autographe: *GB* Lbm (R. M. 20. g. 12., f. 71ʳ–74ᵛ: *Sinfonia*; R. M. 20. h. 4., f. 91ᵛ: *Air Lentement* in HWV 67 Solomon), Cfm (30. H. 14., MS. 264, p. 7, Cembalofassung von Satz 3, vgl. auch unter HWV 469).

Bemerkungen

Die Sinfonia HWV 347 entstand vermutlich als unabhängige Komposition um 1747; Händel verwendete sie später (Satz 1 und 3) als Vorlage für das Orgelkonzert HWV 311 op. 7 Nr. 6. Der darin nicht aufgenommene 2. Satz *(Air lentement)* bildete jedoch die Vorlage für mehrere andere Werke: Händel formte ihn um zur *Introduzione* des Oratoriums HWV 64 Joshua und übertrug ihn notengetreu in das Autograph des Oratoriums HWV 67 Solomon, wo er ursprünglich als 3. Satz der Sinfonia zu Act III dienen sollte, bei der endgültigen Aufführungsfassung dann jedoch nicht berücksichtigt wurde. Schon vorher hatte Händel eine skizzenhafte Variante in C-Dur als *March for the Fife* (HWV 414) verfaßt.

Daß die gesamte Sinfonia HWV 347 ursprünglich als Einleitung zu „Joshua" komponiert worden sei. wie Gudger (Lit.) vermutet, ist wenig wahrscheinlich, da die Komposition schon geraume Zeit vor der Arbeit an diesem Oratorium (Juli–August 1747) vorgelegen haben muß. Im Autograph hat Händel im 3. Satz (Air a tempo ordinario) das System für V. III/Va. nicht ausgefüllt, später aber bei der Arbeit am Orgelkonzert HWV 311 (vgl. die Kopie der Aylesford Collection GB Lbm, R. M. 19. a. 2., f. 31–38, kopiert vom Schreiber S₂)

diese Stimme ergänzt, so daß die Sinfonia HWV 347 auch in ihrem 3. Satz daraus komplettiert werden kann.

Für Satz 1 und 2 von HWV 347 entlehnte Händel thematisches Material aus folgenden Werken anderer Komponisten:

1. Satz, *Pomposo*
   Georg Philipp Telemann: *Musique de Table* (Hamburg 1733): III. Production, Concerto Es-Dur *(Maestoso)*[1]
2. Satz, *Air lentement*
   Gottlieb Muffat: Componimenti musicali: Suite I C-Dur, *Adagio*[2]

Für Satz 3 von HWV 347 liegt eine von Händel selbst vorgenommene Cembalofassung vor, die unter HWV 469 erfaßt ist.

Literatur

Gudger, vol. 1, S. 243 f.; Seiffert, M.: G. Ph. Telemanns „Musique de table" als Quelle für Händel. In: Bulletin de la Société „Union Musicologique", 4. Jg., 1924, S. 1 f., besonders S. 25, 27; Serauky V, S. 479 ff.

Beschreibung der Autographe: Lbm: Catalogue Squire, S. 44, Gudger, vol. 2, S. 110. – Cfm: Catalogue Mann, S. 219, Gudger, vol. 2, S. 207.

---

[1] Vgl. DDT, Bd. 61/62, hrsg. von M. Seiffert, Leipzig 1927, S. 204 ff.; G. Ph. Telemann, Musikalische Werke, Bd. 14, hrsg. von J. Ph. Hinnenthal, Kassel 1962, S. 63 ff.

[2] ChA Supplemente V, S. 20; DTÖ, Bd. III, 3. Theil, hrsg. von G. Adler, (Bd. 7), Wien 1896, S. 20.

348.–350. Water Music
348. Suite I F-Dur

Besetzung: Ob. I, II; Fag.; Cor. I, II; V. I, II; Va.; Cont.

ChA 47. – HHA IV/13 (Nr. 1–10). – EZ: London, ca. 1715. – UA: London, vermutlich 1715, anläßlich einer Wasserfahrt König Georgs I. am 22. August auf der Themse zwischen Whitehall und Limehouse

[Suite I]
1. Ouverture

Takt 13

349. Suite II D-Dur

Besetzung: Ob. I, II; Fag.; Cor. I, II; Trba. I, II; V. I, II; Va.; Cont.
ChA 47. – HHA IV/13 (Nr. 11–15). – EZ: London, ca. 1717. – UA: London, vermutlich 1717, anläßlich einer Wasserfahrt König Georgs I. am 17. Juli auf der Themse zwischen Whitehall und Chelsea

[Suite II]

12. Alla Hornpipe

Ob., Str.

74 Takte

D. c. (113 Takte)

13. Minuet

Tutti

24 Takte

14. Lentement

Trbe., Ob., Str.

Trba. I, II

col Cor.

Cor. I, II

7 Tutti

34 Takte

D. c. (52 Takte)

15. Bourrée

This Air to be played 3 times over

Tutti

12 Takte

350. Suite III G-Dur

Besetzung: Fl. (piccolo); Fl. trav.; V. I, II; Va.; Cont.
ChA 47. – HHA IV/13 (Nr. 16–22). – EZ: London, ca. 1736 (?). – UA: London, vermutlich 1736, anläßlich einer Wasserfahrt am 26. April zur bevorstehenden Vermählung von Frederick Prince of Wales mit Prinzessin Augusta von Sachsen-Gotha

[Suite III]

16. Fl. trav. e V. I

V. II

44 Takte

17. Rigaudon
Presto
Ob., Str.

37 Takte

18. Ob., Str.

26 Takte

19. Menuet
V. I, II
Va.

20 Takte

20. Flauto piccolo
e V. I, II
Va.

32 Takte
D. c. (48 Takte)

21. Flauto piccolo
e V. I
V. II
Va.
Vc., Cbb., Cemb.

8 Takte

22.
V. I
V. II, Va.
e Fag.
B.

8 Takte

Quellen

Handschriften: Autograph: *GB* Cfm (30. H. 10., MS. 260, p. 11: *Air* HWV 464 als Cembalofassung von HWV 348, 6. Satz)[1]. Alle anderen Autographe sind verschollen.

Abschriften: *GB* Cfm (Barrett-Lennard-Collection vol. 67, Mus. MS. 836, p. 153–208, Abschrift des Kopisten S_1, ohne HWV 348, Satz 10), Lbm (Egerton 2946, f. 1–33), Lsm (Collection Hermann Lauterbach), Malmesbury Collection (Ms. mit Ouver-

turen aus dem Besitz von Elizabeth Legh, datiert *August y^e 30. 1722*, p. 139–170, Cembalofassung), Mp [MS 130 Hd4, Part.: v. 368, St.: v. 354(1) bis 367(1), Kopien von S_2], Shaftesbury Collection (Abschrift des Kopisten S_2).

Drucke[2]: *Ouverture:* Six Overtures for Violins in all their Parts as they were perform'd at the King's Theatre in the Operas of Thesus … The Water

[1] Faksimiles in HHA IV/13, S. XVII, und HHA/Supplemente, Bd. 1 (Aufzeichnungen zur Kompositionslehre), hrsg. von A. Mann, Kassel und Leipzig 1978, S. 73.

[2] Hier werden nur die Originaldrucke der „Wassermusik" aufgenommen. Zu den zahlreichen Bearbeitungen von einzelnen Sätzen sowie von Vokalparodien und Teildrucken vgl. Smith, Descriptive Catalogue, S. 258 ff.

Musick ... the 3⁴ Collection ... – London, J. Walsh, Jnᵒ & Joseph Hare (ca. 1725, St.); —— – ib. (ca. 1727); —— – ib. (ca. 1730); —— – ib. (ca. 1732/34); XXIV Overtures for Violins &c. in Eight Parts ... Compos'd by Mr. Handel. – London, John Walsh, Jos. Hare (1730, 4 verschiedene Ausgaben 1732–1739); XXIV Overtures for Violins &c. in Eight Parts from the Operas and Oratorios of Esther ... Water Musick 21 ... Compos'd by Mʳ Handel. 3⁴ Edition. – ib., J. Walsh (1760, 2 verschiedene Ausgaben); Handel's Sixty Overtures From all his Operas & Oratorios for Violins in 8 Parts. Alexander Balus Nᵒ LVII ... Water Musick XVIII. – ib., J. Walsh (ca. 1758); XXIV Overtures for Violins &c. in Four Parts as they were Perform'd ... in the Operas of Esther Page 2 ... Water Musick 21 ... Compos'd by Mʳ Handel. – ib., J. Walsh (1760); Handel's Overtures from all his Operas & Oratorios in four Parts ... – ib., J. Walsh (1760); XXIV Overtures fitted to the Harpsicord or Spinnet viz. Parthenope Page 1 ... The Water Musick 64 ... Compos'd by Mr. Handel. – ib., J. Walsh, No. 203 (1730); —— – ib. (ca. 1750). – *Suitensätze*: The Celebrated Water Musick in Seven Parts viz. Two French Horns Two Violins or Hoboys a Tenor and a Thorough Bass for the Harpsicord or Bass Violin Compos'd by Mʳ Handel. – London, J. Walsh, Nᵒ 489 (ca. 1733, 4 verschiedene Ausgaben 1740–1760); The Celebrated Water Musick In Score Composed in the Year 1716 By G. F. Handel. – London, Arnold's edition, No. 23–24 (1788); Handel's Celebrated Water Musick Compleat. Set for the Harpsicord. To which is added, Two favourite Minuets, with Variations for the Harpsicord, By Geminiani. – London, J. Walsh (1743); —— – ib. (1750/60); —— – ib. (1770); Handel's Water Musick. – [London, Harrison & Co., No. 113 des *The New Musical Magazine*, ca. 1786]; Fire and Water Music ... for the German Flute. – ib., Harrison & Co., No. 38–39.

Bemerkungen

Anlaß und Entstehungszeit der „Water Music" sind unbekannt. Es wird jedoch angenommen, daß die verschiedenen Sätze zu unterschiedlichen Zeiten[3] komponiert wurden, bevor die erste annähernd vollständige Fassung im Druck erschien (ca. 1733/34).

In der Händel-Literatur werden drei sogenannte

„königliche Wasserfahrten" genannt, bei denen Musik von Händel gespielt worden sein soll; davon ist nur die Fahrt vom 17. Juli 1717, die zwischen Whitehall und Chelsea stattfand, dokumentarisch belegt[4]. Von einer ersten Wasserfahrt, die von Whitehall nach Limehouse am 22. August 1715 geführt haben soll, wobei es (nach Mainwaring)[5] zu der legendären Versöhnung Händels mit König Georg I. kam, ist kein Bericht überliefert, der Händels Mitwirkung an der Musik erwähnt. Ein dritter derartiger Ausflug der königlichen Familie fand am 26. April 1736 statt; dabei bot Kronprinz Frederick seiner zukünftigen Gattin Prinzessin Augusta von Sachsen-Coburg-Gotha diese Unterhaltung, und „they passed the evening on the water with music"[6]. Jedoch wird auch bei dieser Gelegenheit nicht erwähnt, ob Musik Händels dabei gespielt wurde.

Von diesen drei Berichten hat nur derjenige über die königliche Wasserfahrt 1717 einen realen Bezug zur „Water Music"; in einem Bericht des preußischen Gesandten in London, Frédéric Bonet, wird als Veranstalter Baron Kielmannsegg[7] erwähnt, das Orchester setzte sich aus 50 Musikern zusammen und bestand aus Trompeten, Hörnern, Oboen, Fagotten, Quer- und Blockflöten, Violinen und Bässen. Händel wird ausdrücklich als Komponist der Musik genannt, wobei auf seine

---

[3] Die Minuets Nr. 7 und 13 erschienen bereits ca. 1720 in: The Lady's Banquet. – London, J. Walsh, J. Hare (Lessons 1 und 2); Nachdruck in: The Lady's Banquet 3⁴ Book ... – London, J. Walsh, No. 172 (1732). Die beiden Minuets tragen den Titel „A Minuet for the French Horn by Mʳ Hendell" (Nr. 7) und „A Trumpet Minuet" (Nr. 13). Nr. 5, 11 und 15 wurden noch vor Walshs Stimmenausgabe für 2 Hörner gedruckt in: Forrest Harmony, Book the Second ... – London, John Walsh, No. 460 (1733).

[4] Vgl. die drei im wesentlichen übereinstimmenden Schilderungen in: *The Political State of Great Britain*, London 1717, vol. XIV, p. 83 (Chrysander III, S. 146, Deutsch, S. 76), in: *Daily Courant* vom 19. Juli 1717 (zitiert in: Malcolm, J. P.: Anecdotes of the Manners and Customs of London, during the Eighteenth Century, London ¹/1808, p. 145), und im Bericht des Preußischen Gesandten Bonet vom gleichen Datum (zitiert erstmals bei Michael, W.: Die Entstehung der Wassermusik von Händel. In: Zeitschrift für Musikwissenschaft, 4. Jg., 1922, S. 581 ff.). Zu den einzelnen Dokumenten vgl. Deutsch, S. 76 ff.

[5] Vgl. Mainwaring/Mattheson, S. 71 f., ohne Angabe eines Datums; Chrysander I, S. 425. Die Datumsangabe bezieht sich auf Malcolm, J. P.: Anecdotes of the Manners (vgl. Anm. 3), S. 145.

[6] Aus dem Tagebuch des Earl of Egmont. Vgl. Deutsch, S. 405.

[7] Johann Adolf Baron Kielmannsegg (gest. 15. November 1717) stand mit Händel seit dessen Italienreise (vgl. Mainwaring/Matthesen, S. 58) in enger freundschaftlicher Verbindung und betätigte sich auch de facto als Vermittler während des Zerwürfnisses von Händel mit dem Hannoverschen Hof infolge seiner Annäherung an den politisch gegen Hannover gerichteten Hofstaat der Königin Anna. Vgl. dazu den Brief des Hannoverschen Gesandten Kreyenberg (London, 5./16. Juni 1713) an den Hof in Hannover, in dem über Händels Entlassung aus dem Hofdienst beim Kurfürsten Georg Ludwig (als englischer König Georg I.) berichtet wird (s. Burrows, D.: Handel and the English Chapel Royal during the reigns of Queen Anne and King George I., Ph. D. Diss. Open University 1981, maschinenschriftl., vol. 1, S. 99 f.).

preußische Herkunft (aus Halle) angespielt und er als des Königs erster Hofkomponist bezeichnet wird. Die Musik wurde auf Wunsch König Georgs I. insgesamt dreimal gespielt; sie soll jedesmal eine Stunde gedauert haben.

Das gesamte musikalische Material der „Water Music" läßt sich tonartlich und von der Besetzung her deutlich in drei Suitenkomplexe gliedern, die Hans Ferdinand Redlich, der Herausgeber des Werkes in HHA IV/13, mit den drei genannten Wasserfahrten in Zusammenhang bringt. Die drei Suiten setzen sich folgendermaßen zusammen: HWV 348 Suite I F-Dur (Sätze 1–10) für 2 Oboen, 2 Hörner, Fagott und Streicher, HWV 349 Suite II D-Dur (Sätze 11–15) für 2 Trompeten, 2 Hörner, 2 Oboen, Fagott und Streicher, HWV 350 Suite III G-Dur (Sätze 16–22) für Querflöte, Flauto piccolo, Oboen und Streicher. Ob die drei Suiten in derartiger Weise zu den einzelnen Gelegenheiten entstanden und aufgeführt wurden, wie Redlich vermutet, ist höchst zweifelhaft, da wesentliche Teile aller drei Folgen bereits vor 1736 gedruckt vorlagen.

Infolge des Fehlens autographer Vorlagen kommt den zeitgenössischen Abschriften und Drucken ein erhöhter Quellenwert zu, obwohl diese nicht alle Sätze vollständig und in gleicher Reihenfolge mit den gleichen Tempoangaben bzw. Vortragsbezeichnungen überliefern. Die vollständigste Quelle stellt die Abschrift der Aylesford Collection (*GB* Mp) dar; ihr folgt an zweiter Stelle die Kopie der Barrett-Lennard-Collection (*GB* Cfm), bei der allerdings der 10. Satz fehlt. Die zeitgenössischen Drucke von Walsh überliefern die Ouverture[8] außerhalb der Suitensammlungen (abgesehen von der Bearbeitung für Cembalo 1743), wobei der Stimmendruck (1733/34) eine ebenfalls nicht vollständige Satzfolge (9 Nummern mit insgesamt 12 Sätzen: Nr. 3–5, 9–12, 14–18) bietet. Erst in der Cembalofassung der „Water Music" (1743) wird (außer Nr. 10) eine annähernd vollständige Satzzusammenstellung geboten, obwohl auch hier die Folge der Sätze von der einzigen Partiturausgabe des Werkes im 18. Jahrhundert in Arnold's edition abweicht.

Zu den Varianten der Sätze HWV 349 Nr. 11 und 12 vgl. unter HWV 331 bzw. HWV 341. Den Themenkopf von HWV 348 Nr. 4 *(Andante)* verwendete Händel außerdem in HWV 364ᵃ Sonate g-Moll (op. 1 Nr. 6), 1. Satz *(Andante larghetto)*.

Zu den Minuets HWV 348 Nr. 7 vgl. unter HWV 511, HWV 349 Nr. 13 vgl. unter HWV 503 bzw. HWV 546, HWV 350 Nr. 19–20 vgl. unter HWV 538–539.

---

[8] Nach ihrer anders lautenden Instrumentation wurde sie vermutlich später komponiert als HWV 348 und dem Werk nachträglich für Konzertzwecke vorangestellt. Vgl. dazu auch F. Chrysander, Händels Instrumentalkompositionen für großes Orchester, S. 20 ff.

Literatur

Chrysander I, S. 425, III, S. 146; Chrysander, F.: Händel's Instrumentalkompositionen für großes Orchester. In: Vierteljahresschrift für Musikwissenschaft, 3. Jg., 1887, S. 1 ff., 14 ff.; Hill, C.: Die Abschrift von Händels „Wassermusik" in der Sammlung Newman Flower. In: Händel-Jb., 17. Jg., 1971, S. 75 ff.; Lam (Symposium), S. 218; Leichtentritt, S. 102 ff.; Michael, W.: Die Anfänge des Hauses Hannover (Englische Geschichte im 18. Jahrhundert, Bd. 1), Berlin ²/1921; Michael, W.: Die Entstehung der Wassermusik von Händel. Nach einer neuentdeckten Urkunde. In: Zeitschrift für Musikwissenschaft, 4. Jg., 1922, S. 581 ff.; Redlich, H. F.: Vorwort (Zum vorliegenden Band) zu HHA IV/13, Kassel und Leipzig 1962, S. VII ff.; Rolland, R.: Händel, Berlin ²/1955, S. 229 ff.; Sadie, S. 66 ff.; Smith, W. C.: The Earliest Editions of Handel's „Water Music". In: Musical Quarterly, vol. XXV, 1939, S. 60 ff.; Smith, W. C.: Concerning Handel. His Life and Works, London 1948, S. 269 ff. (mit Thematischem Index der Erstausgaben).

Beschreibung des Autographs: Cfm: Catalogue Mann, MS. 260, S. 191.

351. Music for the Royal Fireworks

Besetzung: [12] Ob. I, [8] Ob. II, [4] Ob. III; [8] Fag. I, [4] Fag. II; [3] Cor. I, [3] Cor. II, [3] Cor. III; [3] Trba. I, [3] Trba. II, [3] Trba. III; [3] Timp.; V. I, II; Va.; Cont.

ChA 47 – HHA IV/13. – EZ: London, März/April 1749. – UA: London, 27. April 1749, Green Park, anläßlich der Feiern des Aachener Friedens

1. [Ouverture]
(Adagio)

2. Bourrée

3. La paix

4. La Rejouissance

5. Menuet I
2 fois
Ob., V.

18 Takte

Va.

B.

16 Takte

6. Menuet II

16 Takte

Quellen

Handschriften: Autograph: *GB* Lbm (R. M. 20. g. 7., f. 16ʳ–29ᵛ: *Ouverture*[1])

Abschriften: *GB* Cfm (Barrett-Lennard-Collection, heute verschollen).

Drucke: The Musick for the Royal Fireworks in all its Parts viz. French Horns, Trumpets, Kettle Drums, Violins, Hoboys, Violoncello, & Bassoons. With a Thorough Bass for the Harpsicord or Organ. Compos'd by Mr. Handel. – London, J. Walsh (1749, 11 St., 2 verschiedene Ausgaben); —— – ib. (1750); The Musick for the Royal Fireworks Set for the German Flute Violin or Harpsicord Compos'd by Mr. Handel. – ib, J. Walsh (1749, p. 1–7, 4 verschiedene Ausgaben 1750–1770); The Music for the Royal Fire-Works; Composed by Mr. Handel, for the Voice, Harpsichord, and Violin. – London, Harrison & Co. (= The New Musical Magazine, No. 129, 1786); Fire and Water Music … for the German Flute. – ib., Harrison & Co., No. 38–39; The Musick for the Royal Fireworks, Performed in the Year 1749, Composed by G. F. Handel. – London, Arnold's edition, No. 24 (1788).

Bemerkungen

Anläßlich der Feiern zu Ehren des Aachener Friedens, der – am 7. Oktober 1748 paraphiert – den Österreichischen Erbfolgekrieg beendet hatte, sollte im April 1749 im Londoner Green Park (St. James's Upper Park) ein großer öffentlicher Festakt mit Feuerwerk stattfinden, mit dessen Veranstaltung die Bologneser Feuerwerksexperten Gaetano Ruggieri und Giuseppe Sarti beauftragt wurden. Händel wurde verpflichtet, eine Festmusik zu komponieren, die auf Wunsch König Georgs II. nur von „kriegerischen" Instrumenten, d. h. von Bläsern ohne Streicher, gespielt werden sollte, und der Theaterarchitekt G. N. Servandoni baute für die geplante Aufführung eine spezielle Bühne.

Händel hatte jedoch eine durchaus eigene Vorstellung von einer dafür geeigneten Instrumentation der Musik und weigerte sich zunächst, nur Bläser einzusetzen und zudem eine öffentliche Probe in Spring Gardens, Vauxhall, abzuhalten. Aus der Korrespondenz zwischen den mit der Vorbereitung beauftragten königlichen Beamten[2] geht hervor, daß Händel sich erst im letzten Moment dazu überreden ließ, die königlichen Wünsche zu respektieren. Dementsprechend richtete er seine Partitur in der 1. Fassung der „Fireworks Music" nur für Bläser und Pauken ein (mindestens in der Ouverture) und vermerkte die Zahl der benötigten Instrumente jeweils „per parte" im Autograph: Ouverture: *Tromba 1/3 per parte, Tromba 2/3 per parte, Principal/3 per parte, Tymp./3 per parte, Corno 1/3 per parte, Corno 2/3 per parte, Corno 3/3 per parte, Hautb. 1/12 per parte, Hautb. 2/8 per parte, Hautb. 3/4 per parte, Basson 1/8 per parte, Basson 2/4 per parte/Contra Bassone.* In der Ouverture dürften also mindestens 58 Musiker gespielt haben, obwohl die Londoner Presse von insgesamt 100 Mitwirkenden berichtete.

Händel war jedoch darauf bedacht, für Konzertzwecke Streicher einzusetzen und fügte daher auch in der Ouverture Streicherstimmen hinzu, während die bereits vorgesehenen Streicher in den übrigen Sätzen teilweise gestrichen sind. Im Autograph ist in der Ouverture diese Besetzung folgendermaßen spezifiziert: Ob. I e V. I, Ob. II e V. II, Ob. III e Va., Fag. I *e tutti li Violoncelli e Contra*

---

[1] Der Vermerk *Concerto/Adagio* ist gestrichen, ebenso im Baßsystem der Zusatz *et Serpent,* so daß nur *Contra Bassone* stehenblieb.

[2] Zur Korrespondenz zwischen John Second Duke of Montague, und Charles Frederick vgl. Deutsch, S. 661 ff.

Bassi, Fag. II *e Contra Bassone.* Die anderen Sätze sehen folgende Besetzung vor: 2. Bourrée: *V. 1 et H. 1 for 12, V. 2 et H. 2 for 12, Viola colla Bassi tutti;* 3. Largo alla Siciliana (La paix): *C. 1 for 3 per parte, C. 2 for 3 per parte, C. 3 for 3 per parte, H. T. et V. 1 for 12 per parte, H. T. et V. 2 for 12 per parte, Violonc. et Contrab: Viola e Basso/Bassons tutti.* 4. Allegro (La Rejouissance): *T. 1 for 3 e Violino 1, T. 2 per 3 e Violino 2, Princ. for 3 e Viola, Tymp. for 3, Violonc. e Contra Bassi with the Side Drum.* 5. Menuet I: *H. 1/V. 1, H. 2/V. 2, Viola colla Bassi/et Bassons.* 6. Menuet II: *T. 1, T. 2, Princ., Tymp., H. 1, H. 2, Viola, Violoncello, Bassons* (= prima volta; la seconda volta: *colli Corni di caccia, Hautbois et Bassons et Tympani, senza Violini, Viola* ...; la terza volta: *tutti insieme, and the Side Drums*)[3].

In dieser überarbeiteten Form mit Bläsern und Streichern wurde das Werk auch bald darauf von Walsh veröffentlicht. Bei einer konzertanten Aufführung am 25. (bzw. 27.) Mai 1749 in der Kapelle des Foundling Hospital[4] dürfte diese Fassung, in der die „Fireworks Music" heute allgemein bekannt ist, erstmals erklungen sein; sie repräsentiert daher Händels endgültige Entscheidung über die Aufführungsform dieses Werkes.

Die für die Friedensfeier im Green Park bestimmte Erstfassung für Bläser wurde am 21. April 1749 vor 12000 Zuhörern in Spring Gardens, Vauxhall, öffentlich geprobt[5], bevor am 27. April abends im Green Park das große Ereignis stattfand. Das Feuerwerk erwies sich als Fehlschlag; trotz leichten Nieselregens setzten herabfallende Raketen einen Teil von Servandonis Bühne in Brand, der deswegen mit Charles Frederick, „Comptroller of the Ordnance and Fireworks", in Streit geriet und diesen mit dem Degen verwundete, wofür er in Haft genommen wurde. Händels Musik jedoch schien großen Eindruck gemacht zu haben; wie aus einigen mit Abbildungen versehenen Veröffentlichungen des Jahres 1749 hervorgeht[6], war das Ganze so geplant, daß „After a grand Overture of Warlike Instruments, composed by Mr. *Handel,* a Signal is given for the Commencement of the Firework, which opens by a Royal Sa-

lute of 101 Brass Ordnance"[7]. Ob während des Feuerwerks die übrigen Sätze von Händels Komposition erklangen, geht aus den verschiedenen Berichten über die Veranstaltung[8] nicht hervor. Die vielfach in der Literatur vermutete Abfolge, nach der vor Beginn des Feuerwerks die Ouverture und danach die Sätze 2–4 (Bourrée, La paix, La rejouissance) als musikalische Ausgestaltung allegorischer Feuerwerksfiguren gespielt wurden, während die beiden Menuette den Ausklang bildeten, ist nicht verbürgt. Das Thema der Ouverture[9] (vgl. auch unter HWV 335[a,b]) erscheint bereits 1737 in HWV 38 Berenice (23. Sinfonia); eine Variante der Ouverture verwendete Händel als *Sinfony* zur Einleitung von HWV 67 Solomon in der Fassung 1759. Das *Menuet II* (6) komponierte Händel bereits 1745/46 für HWV 62 Occasional Oratorio (Ouverture, 3. Satz A.).

Literatur

Chrysander, F.: Händel's Instrumentalkompositionen für großes Orchester. In: Vierteljahresschrift für Musikwissenschaft, 3. Jg., 1887, S. 1 ff., besonders S. 157 ff.; Lam (Symposium), S. 221 f. Sadie, S. 69 ff.; Serauky V, S. 248 ff.

Beschreibung des Autographs: Lbm: Catalogue Squire, S. 44.

Night View of the Royal Fireworks as Exhibited in the Green Park, St. James's, with the Right Wing on Fire, and the cutting away the two Middle Arches to prevent the whole Fabrick from being Destroy'd. 27 April 1749" (nach: Dean, W.: The New Grove. Handel. – London: Papermac 1982, S. 64). Farbdruck in *GB* BENcoke.
[7] Nach „A Description of the Machine for the Fire Works", vgl. Deutsch, S. 667.
[8] Vgl. Deutsch, S. 667–669.
[9] Händel entlehnte das Kopfmotiv einer Aria für Cembalo (mit 24 Var.) B-Dur von J. Ph. Krieger (abgedruckt in: DTB, 18. Jg., Bd. XXX, hrsg. von M. Seiffert, Leipzig 1917, S. 183 ff.). Vgl. auch HWV 335[a].

---

[3] Die Abkürzungen Händels stehen für *T.* = Tromba, *C.* = Corno, *H.* = Hautbois, *V.* = Violino.
[4] Vgl. Deutsch, S. 670 f.; vgl. auch unter HWV 266 *Peace Anthem.*
[5] Deutsch, S. 666.
[6] Vgl. die Abbildung bei Deutsch, S. 640, aus „A Description of the Machine for the Fire Works, With all its Ornaments, and A Detail of the Manner in which they are to be exhibited in St. James's Park, Thursday, April 27, 1749, on account of the General Peace, Signed at Aix La Chapelle, October 7, 1748." – London, W. Bowyer (Ms. und Ex. des Druckes in *GB* BENcoke sowie in *US* PRu, Hall Handel Collection). Das mißglückte Feuerwerk, bei dem die Bühne teilweise abbrannte, zeigt eine Abbildung in einem satirischen Pamphlet unter dem Titel „The Grand Whim for Posterity to Laugh at: Being the

352¹⁻⁴. Suite B-Dur (aus HWV 4 Die verwandelte Daphne)

Besetzung: Ob. I, II; Fag.; V. I, II; Va.; Cont.
HHA IV/19. – EZ: Hamburg, 1705/06

1. Coro

(A-mor, A-mor, dei-ne Tük - ke stif-ten die-ses Un - ge-lük - ke)

2. [Bourrée]

(Dis - pen-sa il Dio d'a -

12 Takte *D. c.*

mor le gio-ie ad o-gni cor che sof-fre, che sof-fre spe - ra)

3. Allemande

25 Takte

26 Takte   [vgl. HWV 1 Almira (50.)]

4. Rigaudon à deux Hautbois

Ob. I

Ob. II

24 Takte

Quellen

Handschriften: Autograph: verschollen.
Abschriften: *D (brd)* B (Mus. ms. 9050, p. 89: *Rigaudon*, in HWV 1 Almira, Nr. 50) – *GB* Lbm [R. M. 18. b. 8., f. 62ᵛ–63ʳ: *Coro*, f. 63ʳ⁻ᵛ: *(Bourrée)*, f. 64ʳ⁻ᵛ: *Allemande*, f. 65ʳ⁻ᵛ: *Rigadon à deux Hautbois*].
Ausgabe: G. F. Handel. Rigaudon, Bourrée and March, ed. K. Haas, London 1958 (Rigaudon).

Bemerkungen

In der Aylesford Collection, die Charles Jennens von Händels Hauptkopisten zusammenstellen ließ, befindet sich als Kopie von Smith junior (ca. 1730) und Schreiber S₁ in einem Sammelband (*GB* Lbm, R. M. 18. b. 8., f. 62ᵛ–69ᵛ, 75ʳ–76ᵛ) eine Anzahl von Instrumentalsätzen, die vermutlich Fragmente der verschollenen Hamburger Opern HWV 3 Der beglückte Florindo und HWV 4 Die verwandelte Daphne sind (vgl. auch unter HWV 353, 354 und 344). Diese Tanzsätze bilden einfache Suitenfolgen (HWV 352¹⁻⁴, HWV 353¹⁻⁴ sowie HWV 354¹⁻⁴). Zwei dieser Suiten enthalten einen *Coro*; diese beiden *Cori* erwiesen sich als instrumentale Versionen zweier Chorsätze auf den Text

(HWV 352¹) „Amor! Amor! deine Tücke/Stiften dieses Ungelücke" (HWV 4 Die verwandelte Daphne, Dritte Handlung, Siebenter Auftritt) bzw. (HWV 354²) „Ihr muthigen Hörner/verdoppelt den Schall" (HWV 3 Der beglückte Florindo, Erste Handlung, Erster Auftritt). Auch der (im Stil einer Bourrée gehaltene) Satz ohne Bezeichnung HWV 352² geht auf einen dieser Chortexte (HWV 4 Die verwandelte Daphne, Dritte Handlung, Achter Auftritt: „Dispensa il Dio d'amor/Le gioie ad ogni cor") zurück. Da aus den gedruckten Libretti[1] ersichtlich ist, daß der Anteil an Ballettsätzen in beiden Opern relativ groß war (vgl. auch HWV 1 Almira, Bd. 1, S. 46 ff.), handelt es sich bei den Suiten HWV 352–354 infolge der stilistischen Einheitlichkeit aller Sätze, ihrer offensichtlichen thematischen Substanzgemeinschaft untereinander sowie mit anderen frühen Werken Händels und ihrer Überlieferung in Quellen gemeinsamer Provenienz mit hoher Wahrscheinlichkeit um

[1] Exemplare in *D(brd)* B, *D(ddr)* WRtl (in WRz), *GB* Mp (nur HWV 3). Faksimile-Nachdruck in: Händel-Jb., 30. Jg., 1984 (HWV 3) und 31. Jg., 1985 (HWV 4).

eine Zusammenstellung von Chor- und Ballettsätzen aus den beiden verschollenen Hamburger Opern HWV 3 und HWV 4.
Entlehnungen:
1. *Coro* (T. 1–4)
   HWV 149 „Qual sento io non conosciuto": 2. Ardo ben ma non ardisco
1. *Coro* (T. 5–8)
   HWV 82 Amarilli vezzosa: *Sonata*, 2. Satz (T. 17–24)
2. (Bourrée), T. 21–25
   HWV 392 Triosonate F-Dur: 1. Satz, *Andante* (T. 28–30)

HWV 5 Rodrigo: 7. In mano al mio sposo (T. 30 ff.); 13. Per dar pregio (T 16 ff., 68 ff.)
4. Rigaudon
   HWV 1 Almira: 50. Rigaudon

Literatur
Baselt, B.: Händel auf dem Wege nach Italien. In: G. F. Händel und seine italienischen Zeitgenossen. Bericht über die wiss. Konferenz zu den 27. Händelfestspielen der DDR in Halle (Saale) am 5. und 6. Juni 1978, Halle 1979, S. 10 ff.; Baselt, B.: Wiederentdeckung von Fragmenten aus Händels verschollenen Hamburger Opern. In: Händel-Jb., 29. Jg., 1983, S. 7 ff.

353¹⁻⁴. Suite G-Dur (aus HWV 4 Die verwandelte Daphne)

Besetzung: Ob. I, II; Fag.; V. I, II; Va.; Cont.
HHA IV/19. – EZ: Hamburg, 1705/06

1. Allemande

2. Bourrée à deux Hautbois

22 Takte

3. [Menuet]

24 Takte

Takt 9

4. Allemande

20 Takte *D. c.*

32 Takte

Quellen
Handschriften: Autograph: verschollen.
Abschriften: *GB* Lbm (R. M. 18. b. 8., f. 65ᵛ–66ᵛ: *Allemande tutti*, f. 66ᵛ–67ʳ: *Bourre à deux Hautbois*, f. 67ᵛ–68ʳ: *Tutti*, f. 68ʳ–69ᵛ: *Allemande tutti Oboei e Violini*).
Ausgabe: G. F. Handel. Rigaudon, Bourrée and March, ed. K. Haas, London 1958 (Bourrée).

Bemerkungen
Zur Provenienz und zum Überlieferungsbefund der unter HWV 353¹⁻⁴ zusammengefaßten Sätze vgl. HWV 353.

Entlehnungen:
1. *Allemande* (T. 1–4)
   HWV 12ª Radamisto (1. Fassung): *Rigaudon I* (Ende Act I, T. 1–4)[1]
   HWV 42 Deidamia: 36. Non trascurate amante
4. *Allemande* (T. 1–2)
   HWV 12ª Radamisto (1. Fassung): *Rigaudon I* (Ende Act I, T. 5–6)[1]

Literatur s. unter HWV 352.

[1] Part. in *GB* Malmesbury Collection (datiert 1720). Vgl. Händel-Jb., 29. Jg., 1983, S. 17, mit Notenbsp.

354¹⁻⁴. Suite B-Dur (aus HWV 3 Der beglückte Florindo)

Besetzung: V. I, II; Va.; Cont.
HHA IV/19. – EZ: Hamburg, 1705/06

1. Menuet

[vgl. HWV 455 (4.)]   28 Takte *D. c.*

2. Coro

(Ihr   mu-thi-gen Hör-ner, ver-dop-pelt den Schall,)

40 Takte
1. Menuet *da capo*

3. Sarabande

[vgl. HWV 455 (2.)]   24 Takte

4. Gavotte

[vgl. HWV 455 (3.)]   12 Takte

Quellen

Handschriften: Autograph: verschollen.
Abschriften: *GB* Lbm (R. M. 18. b. 8., f. 75ʳ: *Menuet*, f. 75ᵛ–76ʳ: *Coro*, f. 76ʳ⁻ᵛ: *Sarabande*, f. 76ᵛ: *Gavotte*, sämtliche Sätze in der Kopie des Schreibers S₁; R. M. 18. b. 8., f. 2–4: *Sarabande, Gavotte, Menuet*, T. 1–16, in Cembalofassung, f. 96ʳ: *Menuet*, T. 1–16, in Cembalofassung für HWV 550).

Bemerkungen

Zur Provenienz und zum Überlieferungsbefund der unter HWV 354¹⁻⁴ zusammengefaßten Sätze vgl. HWV 352.
Der Coro (2) ist eine instrumentale Version des Chores „Ihr muthigen Hörner, verdoppelt den Schall" aus HWV 3 Der beglückte Florindo (Erster Handlung Erster Auftritt). In der Cembalofassung von HWV 354 (*GB* Lbm, R. M. 18. b. 8., f. 1–4) ist

den Sätzen noch die Ouverture B-Dur HWV 336 in Cembalotranskription[1] vorangestellt, die allgemein als Erstfassung der thematisch identischen Sinfonia zu HWV 46ᵃ Il Trionfo del Tempo e del Disinganno (Rom 1707) gilt. Vermutlich hat Händel HWV 336 jedoch bereits als Ouverture zu HWV 3 Der beglückte Florindo (Hamburg 1706/08) komponiert, wie aus dieser Zusammenstellung mit den Tanzsätzen hervorzugehen scheint, und sie für das römische Oratorium lediglich überarbeitet und wiederverwendet.

Literatur s. unter HWV 352.

[1] Veröffentlicht in: Stücke für Clavicembalo von / Pieces for Harpsichord by / G. F. Händel. Hrsg. von / Edited by / W. Barclay Squire – J. A. Fuller-Maitland, Mainz und Leipzig 1928, vol. I, Nr. 22–24, S. 47–52 [Suite in B-Dur].

355. Aria (Hornpipe) c-Moll

Besetzung: V. I, II; Va.; Cont.
HHA IV/19. – EZ: London, ca. 1710/12

38 Takte
D. c. (54 Takte)

Quellen

Handschriften: Autograph: verschollen.
Abschriften: *GB* Lbm (R. M. 19. a. 4., f. 21^{r–v}: *Aria*, Kopie des Schreibers S_2 aus der Aylesford Collection; R.M.18.b.8., f.70^v–71^r, Cembalofassung[1]).

Bemerkungen

Die einzeln überlieferte *Aria* HWV 355, im Charakter einer englischen Hornpipe gehalten, entstand in der vorliegenden Form vermutlich um 1710/12; das darin verwendete thematische Mate-

rial geht jedoch teilweise auf Werke zurück, die bereits um 1707/08 in Italien entstanden sind.
Im einzelnen lassen sich folgende motivisch-thematische Beziehungen zu anderen Werken Händels nachweisen:
HWV 232 Dixit Dominus: 4. Et non poenitebit (T. 6ff.)
HWV 233 Donna che in ciel: 5. Maria, salute e speme
HWV 74 Ode for the Birthday of Queen Anne: 7. The day that gave great Anna birth
HWV 49^b Acis and Galatea (2. Fassung): 12. Contento sol promette Amor
HWV 367^{a,b} Sonate d-Moll bzw. h-Moll (op. 1 Nr. 9): 2. Satz, *Vivace*.

[1] Veröffentlicht in: Stücke für Clavicembalo von / Pieces for Harpsichord by / G. F. Händel. Hrsg. von / Edited by / W. Barclay Squire – J. A. Fuller-Maitland, Mainz und Leipzig 1928, vol. II, Nr. 52, S. 47–48.

356. Hornpipe D-Dur
(compos'd for the Concert at Vauxhall 1740)

Besetzung: V. I, II; Va.; Cont.
ChA 48. – HHA IV/19. – EZ: London, ca. 1740

28 Takte

Quellen

Handschriften: Autograph: verschollen.
Abschriften: *GB* BENcoke (in: Part. von HWV 55 L'Allegro, il Penseroso ed il Moderato, Kopie des Schreibers S_5), Lbm (R. M. 19. d. 11., f. 153–154: *Hornpipe compos'd for the Concert at Vauxhall 1740*, Kopie des Schreibers S_{13}).

Bemerkungen

HWV 356 entstand für eines jener Freiluftkonzerte in Vauxhall Gardens, einer beliebten Vergnügungsstätte zu Händels Zeit, die deren Besitzer Jonathan Tyers regelmäßig in den 30er Jahren veranstaltete und bei denen oft Musik von Händel erklang. Tyers stellte 1738 in seinem Etablissement die bekannte Marmorstatue Händels von Louis François Roubiliac[1] auf, der auch das Grab-

mal Händels in der Westminster Abbey (1762) gestaltete.
Während die Kopie von HWV 356 in *GB* Lbm (R. M. 19. d. 11.) vermutlich erst nach Händels Tod entstand (ca. 1760) und daher keine unmittelbare Beziehung mehr zu Händel und dem Kopistenkreis um Smith senior besitzt, kommt der Kopie in *GB* BENcoke durch die Abschrift des Kopisten S_5 eine authentischere Bedeutung zu, da dieser eng mit Smith zusammenarbeitete[2].
Der Datierung der Hornpipe auf 1740 dürfte ein authentischer Hinweis Händels zugrunde liegen; sie entspricht dem Stil der Musik und nimmt auf die Aufführungsgelegenheiten der Londoner Unterhaltungskonzerte jener Zeit Bezug.

[1] Vgl. Schoelcher, S. 197f., Deutsch, S. 455f. Die Statue befindet sich seit 1964 im Victoria and Albert Museum, London, Vgl. dazu: Handel and the Fitzwilliam, Cambridge 1974, S. 29. Eine Abbildung der in Vauxhall Gardens aufgestellten Statue gab George Bickham, in: Musical Entertainer, vol. II, No. 2 (1738) unter dem Liede „Come, Mira, Idol of ye Swains". S. Faksimile des Stiches bei Deutsch, S. 481.

[2] Vgl. Larsen, S. 268 ff.

Kammermusik

Sonaten für 1 Soloinstrument und Basso continuo
Triosonaten
Einzeln überlieferte Stücke verschiedener Besetzung

Sonaten für 1 Soloinstrument und Basso continuo

357. Sonate B-Dur für Oboe und B. c.
(Sonata pour l'Hautbois solo)

HHA IV/18 (Nr. 6). – EZ: Italien, ca. 1707/09

1. (Allegro)

21 Takte

2. Grave

24 Takte

3. Allegro

31 Takte

Quellen

Handschriften: Autograph: *GB* Cfm (30. H. 11., MS. 261, p. 65–68: *Sonata pour l'Hautbois Solo*).

Ausgaben: Ed. by A. H. Mann (für Querflöte und Klavier), London: Rudall Carte and Co. (ca. 1892); Ed. by Th. Dart and W. Bergmann (für Oboe und B. c.), London: Schott 1948; The Three Authentic Sonatas for Oboe and Basso Continuo, ed. D. Lasocki (zusammen mit HWV 363ᵃ und HWV 366), London: Nova Musica 1979 (Nr. 2).

Bemerkungen

HWV 357 entstand (zusammen mit HWV 358 und HWV 405, für deren Autographe das gleiche Papier italienischer Herkunft verwendet wurde) um 1707/09 während Händels Italienreise.
Die Sonate wurde erst Ende vorigen Jahrhunderts aus den autographen Manuskripten Händels im Fitzwilliam Museum, Cambridge, von A. H. Mann erstmals ediert (ca. 1892).

Literatur

Best, T.: Handel's Solo Sonatas. In: Music & Letters, vol. 58, 1977, S. 430 ff. (deutsch als: Händels Solosonaten. In: Händel-Jb., 23. Jg., 1977, S. 21 ff.; s. auch Nachtrag, in: Händel-Jb., 26. Jg., 1980, S. 115 ff. und 121 f.)

Beschreibung des Autographs: Cfm: Catalogue Mann, MS. 261, S. 200.

358. Sonate G-Dur für Violine und B.c.

HHA IV/18 (Nr. 1). – EZ: Italien, ca. 1707/09

25 Takte

6 Takte

34 Takte

Quellen

Handschriften: Autograph: *GB* Cfm (30. H. 11., MS. 261, p. 61–64).
Ausgabe: Hrsg. von K. Hofmann (für Blockflöte und B.c.), Neuhausen-Stuttgart: Hänssler 1974.

Bemerkungen

HWV 358 gehört zu einer Gruppe von Kammermusikwerken (vgl. HWV 357 und HWV 405), die um 1707/09 während Händels Italienreise entstanden und erst in jüngster Zeit aus den autographen Manuskripten im Fitzwilliam Museum, Cambridge, veröffentlicht wurden. Das Autograph weist keine Besetzungsangaben auf, doch ist die Oberstimme spieltechnisch zweifellos für die Violine bestimmt, keinesfalls für Cembalo, wie A. H. Mann (Catalogue Cfm) vermutet.

Literatur

Best, T.: Handel's Solo Sonatas. In: Music & Letters, vol. 58, 1977, S. 430 ff. (deutsch als: Händels Solosonaten. In: Händel-Jb., 23. Jg., 1977, S. 21 ff.)
Beschreibung des Autographs: Cfm: Catalogue Mann, MS. 261, S. 200.

359ᵃ. Sonate d-Moll für Violine und B.c.

HHA IV/18 (Nr. 3). – EZ: London, ca. 1724

[vgl. HWV 379 (1.)]

20 Takte

43 Takte

3. Adagio

13 Takte

4. Allegro

80 Takte

Quellen

Handschriften: Autograph: *GB* Cfm (30. H. 11., MS. 261, p. 25–29: *Sonata 2*).
Abschrift: *GB* Mp (MS 130 Hd4, v. 312, p. 1–5: *Sonata 1*, Kopie des Schreibers S2 um 1730).

Bemerkungen

HWV 359a entstand in der Originalfassung für Violine vermutlich um 1724 (WZ des Autographs: Cb) und bildet die Vorlage der späteren Veröffentlichung als HWV 359b in e-Moll für Querflöte, deren Bestimmung für dieses Instrument nicht authentisch sein kann, da im 2. Satz (T. 34) der Umfang der damaligen Querflöte unterschritten wird; ebenso reicht der Ambitus des Soloparts über die sonst in Händels Querflötensonaten übliche Tonhöhe hinaus.
Die Bestimmung von HWV 359a für Violine ergibt sich trotz der im Autograph fehlenden Besetzungsangabe aus der engen räumlichen und zeitlichen Nähe zur Sonate HWV 364a; HWV 359a beginnt im Autograph auf p. 25 der Quelle *GB* Cfm (MS. 261), unmittelbar nach dem Finalsatz von HWV 364a, der auf dieser Seite endet. Da HWV 364a als Soloinstrument eindeutig „Violino Solo" fordert und HWV 359a im Anschluß daran als „Sonata 2" bezeichnet ist sowie bei ihrer Tonart d-Moll im 2. Satz (T. 34) den Ton *a* verlangt, dürfte an ihrer Besetzung mit Violine als Soloinstrument nicht zu zweifeln sein.

Literatur

Best, T.: Handel's Solo Sonatas. In: Music & Letters, vol. 58, 1977, S. 430 ff. (deutsch als: Händels Solosonaten. In: Händel-Jb., 23. Jg., 1977, S. 21 ff.);
Lasocki, D./Best, T.: A new flute sonata by Handel. In: Early Music, vol. IX, 1981, S. 307 ff.
Beschreibung des Autographs: Cfm: Catalogue Mann, MS. 261, S. 200.

359b. Sonate e-Moll für Querflöte und B. c.

ChA 27 (op. 1 Nr. 1b). – HHA IV/3 (Nr. 2). – EZ: London, ca. 1726/32

1. Grave

[vgl. HWV 379 (1.)]

2. Allegro

20 Takte

3. Adagio

43 Takte

13 Takte

4.

Allegro

80 Takte

Quellen

Handschriften: Autograph: s. HWV 359ᵃ.
Abschrift: *GB* Lbm (Add. MSS. 31467, f. 45ʳ: Satz 4).

Drucke: a) Sonates pour un Traversiere un Violon ou Hautbois Con Basso Continuo Composées par G. F. Handel. – Amsterdam, Jeanne Roger, N° 534 (ca. 1730), Nr. 1. – b) Solos For a German Flute a Hoboy or Violin With a Thorough Bass for the Harpsicord or Bass Violin Compos'd by Mr. Handel. – [London], John Walsh ... Note: This is more Corect than the former Edition (ca. 1732), Nr. 1. – c) Solos For a German Flute a Hoboy or Violin With a Thorough Bass for the Harpsicord or Bass Violin Compos'd by Mr. Handel. – [London], John Walsh, N°. 407 (ca. 1733), Nr. 1. – d) XII Solos For a German Flute a Hoboy or Violin With a Thorough Bass for the Harpsicord or Bass Violin Composé Par Mʳ. Handel. Prix 7ᵗʲ. – Paris, Boivin, Le Sʳ. Le Clerc, Le Sʳ. Guersant (ca. 1737), Nr. 1. – e) XII Solos For a German Flute ... Composé Par Mʳ. Handel. Prix 9ᵗʲ. – Paris, Boivin, Le Sʳ. Le Clerc, Le Sʳ. Duval (ca. 1740), Nr. 1. – f) Twelve Sonatas or Solos for the German Flute, Hautboy and Violin. Published about the Year 1724. Composed by G. F. Handel. – [London], Arnold's edition, No. 139–140 (ca. 1794), Nr. 1.

Bemerkungen

Händels Kammermusik wurde zu seinen Lebzeiten im wesentlichen in vier Sammlungen veröffentlicht, die sämtlich zwischen ca. 1730 und 1739 erstmals publiziert wurden, jedoch stets mehrere Nachdrucke und Titelneuauflagen während des 18. Jahrhunderts erlebten. Dazu gehören die Sonaten für ein Soloinstrument und Basso continuo[1] sowie die 6 Triosonaten op. 2 (ca. 1732) und die 7 Triosonaten op. 5 (1739). Hinzu kommt eine Reihe von nur handschriftlich überlieferten Solo- und Triosonaten, deren Authentizität teils durch autographe oder eindeutig bestimmbare abschriftliche Quellen gesichert, teils aber auch infolge ihres zweifelhaften Überlieferungsbefundes stark in Frage gestellt ist.

Hinsichtlich der Sonaten für ein Soloinstrument und Basso continuo herrscht in der Praxis eine gewisse Unsicherheit darüber, welche der Werke eigentlich zum sogenannten *opus 1* gehören, eine

Werkbezeichnung, die nicht authentisch ist und erst auf Friedrich Chrysander zurückgeht, der in seiner Ausgabe dieser Werke für die deutsche Händelgesellschaft (ChA 27, 1879, S. 1–56) einen Titel im Stil der zeitgenössischen Veröffentlichungen erfand und die dort abgedruckten insgesamt 15 Sonaten mit der Opuszahl 1 versah („XV Solos for a German Flute, Hoboy, or Violin with a Thorough Bass ... Opera Prima"). Tatsächlich wurde jedoch niemals die Sammlung der Solosonaten unter dieser Opus-Zahl während Händels Lebzeit veröffentlicht[2], und die beiden zeitgenössischen Erstausgaben dieser Kompositionen umfaßten lediglich je 12 Sonaten.

Der erste zeitgenössische Druck (erschienen zwischen 1726 und 1732, vermutlich jedoch 1730) trägt einen französischen Titel und im Impressum die Angabe „A Amsterdam chez Jeanne Roger" mit der Plattennummer 534. Wie sich jedoch kürzlich herausstellte (vgl. Best, Lit.), ist dieser Druck eine Falsifikation des Londoner Verlegers John Walsh (d. J.), der zwei Jahre darauf eine englische Ausgabe unter Verwendung der zum Teil gleichen Stichplatten wie die des Roger-Druckes herausbrachte und auf dem Titelblatt vermerken ließ: „This is more Corect than the former Edition".

Diese Bemerkung leitet ihre Berechtigung von folgenden Änderungen her: Allgemeine Revision der Continuobezifferung, Änderung der Vortragsbezeichnung von Satz 1 in HWV 362 (Sonata IV) dem Autograph entsprechend von *Grave* in *Larghetto*, Korrektur der Satzfolge in HWV 363ᵇ (Sonata V), die im Roger-Druck anstelle des im Autograph überlieferten 3. Satzes den 6. Satz von HWV 367ᵇ enthielt und ohne Menuet mit der Bourrée schloß, Einfügung von Satz 4 (A tempo di Gavotta) in HWV 365 (Sonata VII), der im Roger-Druck fehlt, Korrektur der Satzfolge in HWV 367ᵇ (Sonata IX), bei der im Roger-Druck der 6. Satz (Andante) fehlt und stattdessen als Satz 3 in der Sonate V fungiert.

Abgesehen von diesen Einzelkorrekturen wurden

---

[1] Vgl. die Drucke oben unter a)–f) im Quellenverzeichnis sowie unter HWV 374–376 die „Six Solos Four for a German Flute ..." (1730).

[2] J. Walsh benutzte lediglich in einer Ankündigung der von ihm verlegten Instrumentalwerke Händels (in: *Country Journal, or The Craftsman,* 7. Dezember 1734, vgl. Deutsch, S. 376) die Bezeichnung *Opera Prima* für die *Twelve Solo's for a Violin, German Flute or Harpsicord.* Ebenso findet sich noch einmal der Hinweis auf die Opuszahl *Opera Prima* in Verbindung mit einer Anzeige der Sonaten auf dem Titelblatt der Ausgabe der 7 Triosonaten op. 5 (1739), jedoch niemals in einem der Drucke der 12 Solosonaten selbst.

in der Ausgabe mit dem Impressum von Walsh – und das ist ihr wesentlicher Unterschied gegenüber dem Roger-Druck – die Violinsonaten Nr. 10 in A-Dur (HWV 372) und Nr. 12 in E-Dur (HWV 373) durch zwei neue Violinsonaten in g-Moll (HWV 368) und F-Dur (HWV 370) ersetzt. Im Gegensatz zu allen anderen der in die beiden Drucke aufgenommenen Solosonaten, die zum überwiegenden Teil sogar durch Autographe überliefert sind, existieren für diese vier Violinsonaten jedoch keinerlei handschriftliche Quellen; durch diesen Umstand sowie infolge stilkritischer Bedenken muß die Authentizität dieser vier Violinsonaten angezweifelt werden.

Chrysander, der den Roger-Druck bei den Editionsarbeiten für den Kammermusikband (ChA 27) offensichtlich noch nicht kannte, druckte in seiner Ausgabe die 12 von Walsh veröffentlichten Werke ab und fügte die beiden ungesicherten Violinsonaten A-Dur HWV 372 und E-Dur HWV 373 aus dem Roger-Druck hinzu, die er Samuel Arnolds um 1794 erschienener Händel-Ausgabe entnahm. Außerdem ergänzte er die Reihe noch um eine weitere Sonate für Querflöte und Basso continuo in e-Moll (HWV 379) – seine sogenannte Nr. 1ª –, die nur im Autograph überliefert ist und die Sätze 1 und 4 mit der bei Roger und Walsh veröffentlichten e-Moll Sonate Nr. 1 (HWV 359b) teilt, sowie um die Violinsonate HWV 371 D-Dur (ChA 27, Nr. 13), die ebenfalls nur im Autograph vorliegt und erst um 1750 – also wesentlich später als alle übrige Kammermusik Händels – entstanden ist. Chrysanders Zählung von 15 Sonaten op. 1 (eigentlich 16, denn seine Nr. 1ª und Nr. 1b stellen zwei völlig verschiedene Werke dar, die beide im Autograph überliefert sind) verfälscht daher den eigentlichen Sachverhalt und muß trotz der noch heute üblichen Zählung in der Praxis korrigiert werden.

Eine weitere Frage der Authentizität betrifft die Tonart der Sonaten und deren Bestimmung für das jeweilige Soloinstrument. Die Drucke weisen die verschiedenen Sonaten einzelnen Instrumenten[3] zu, für die es in mehreren Fällen jedoch keine Belege bei Händel selbst gibt.

Tatsächlich erweist eine Überprüfung der Sonaten des sogenannten „op. 1" anhand der verfügbaren authentischen handschriftlichen Quellen, daß Händel keineswegs eine Freizügigkeit der Besetzung den Interpreten seiner Kammermusikwerke anheimstellte, sondern sehr genau die instrumentale Klangfarbe und die Spieltechnik des jeweiligen Soloinstruments berücksichtigt, für das er die Sonaten komponierte. In dieser Hinsicht weisen

die 14 in Händels Autograph erhaltenen Sonaten für ein Soloinstrument und Basso continuo in den meisten Fällen ganz eindeutige Bezeichnungen im Titel auf wie etwa „Sonata a Violino solo e Cembalo", „Sonata pour l'Hautbois solo", „Sonata a Flauto e Cembalo" oder „Sonata a Traversa e Basso"[4].

HVW 359b stellt in Satz 1 *(Grave)* und Satz 4 *(Allegro)* die Vorlagen für die Sätze 1 *(Larghetto)* und 4 *(Allegro)* von HWV 379 dar, die Händel als Querflötensonate nicht für die Sammlung seiner im Druck erschienenen Kammermusik komponierte. Aufgrund der Ähnlichkeit dieser Sätze druckte sie Chrysander als Nr. 1ª in seiner Sammlung der „15 Sonaten op. 1" (ChA 27, S. 2ff.) erstmals ab; er vermied jedoch, den Benutzer seiner Ausgabe darüber aufzuklären, daß HWV 379 nicht zum Bestand der von Roger bzw. Walsh veröffentlichten Sonaten gehört und erst im Anschluß an die Drucke um 1727/28 komponiert wurde.

HWV 359b wurde im Druck als *Sonata I (Traversa Solo)* nach e-Moll transponiert und für Querflöte bestimmt, obwohl der Ambitus dieses Instruments sowohl in der Tiefe (2. Satz) als auch in der Höhe mehrfach überschritten wird. Die Originalfassung ist im Autograph als Sonate in d-Moll unter HWV 359ª überliefert.

Alle drei im Druck von Roger bzw. Walsh für Querflöte bestimmten Sonaten (Nr. 1 HWV 359b, Nr. 5 HWV 363b und Nr. 9 HWV 367b) stehen in den handschriftlichen Quellen in anderen Tonarten und waren nicht für Querflöte bestimmt. Da bei HWV 359ª und HWV 367ª im Autograph keine Besetzungsangaben vermerkt sind, fühlte sich der Verleger offensichtlich an keine vom Komponisten festgelegte Besetzung gebunden und druckte die betreffenden Sonaten in einer gut geeigneten Tonart „for the German Flute", wie der Flauto traverso damals in England bezeichnet wurde, um die im Titel des Druckes angegebene Vielfalt der Besetzung zu gewährleisten.

Literatur

Best, T.: Handel's Solo Sonatas. In: Music & Letters, vol. 58, 1977, S. 430ff. (deutsch als: Händels Solosonaten. In: Händel-Jb., 23. Jg., 1977, S. 21ff.; s. auch Nachtrag zu dem Artikel „Händels Solosonaten". In: Händel-Jb., 26. Jg., 1980, S. 121f.); Best, T.: Further Studies on Handel's Solo Sonatas. In: Händel-Jb., 30. Jg., 1984, S. 75ff.; Burrows, D.: Walsh's editions of Handel's Opera 1–5: the texts and their sources. In: Music in Eighteenth-Century England. Ed. by C. Hogwood and R. Luckett, Cambridge UP 1982, S. 79ff.; Chrysander III, S. 147ff.; Gottlieb, R.: Französischer, italienischer

---

[3] Die jeweilige Instrumentenangabe in den zeitgenössischen Drucken (*Violino solo, Flauto solo, Traversa solo* oder *Hautbois solo*) ist stets am unteren Rand der Seiten zu Beginn der betr. Sonate vermerkt.

[4] Bei Händel steht jeweils *Flauto* für Blockflöte und *Traversa* für Querflöte.

und vermischter Stil in den Solosonaten Georg Friedrich Händels. In: Händel-Jb., 12. Jg., 1966, S. 93 ff.; Horton (Symposium), S. 251 ff.; Lasocki, D./Best, T.: A new flute sonata by Handel. In: Early Music, vol. IX, 1981, S. 307 ff.; Lasocki, D.: A New Look at Handel's Recorder Sonatas. II. The Autograph Manuscripts. In: Recorder & Music, vol. 6, Nr. 3, 1978, S. 71 ff.; Lasocki, D.: A New Look at Handel's Recorder Sonatas. III. The Roger and Walsh Prints: A New View. In: Recorder & Music, vol. 6, Nr. 5, 1979, S. 130 ff.; Leichtentritt, S. 816 ff.

360. Sonate g-Moll für Blockflöte und B. c.
(Sonata a Flauto e Cembalo)

ChA 27 (op. 1 Nr. 2). – HHA IV/3 (Nr. 3). – EZ: London, ca. 1725/26

1. Larghetto   20 Takte

2. Andante   60 Takte
   [vgl. HWV 375 (3.)]

3. Adagio   12 Takte

4. Presto   Walsh: 33 Takte
   [vgl. HWV 379 (5.); HWV 291 (4.); HWV 310 (4.)]

Quellen
Handschriften: Autograph: *GB* Cfm (30. H. 11., MS. 261, p. 1–5: *Sonata a Flauto e Cembalo*).
Abschrift: *GB* Mp (MS 130 Hd4, v. 312, p. 11–14: *Sonata 3*, Kopie des Schreibers S₂ um 1730, mit Continuobezifferung von Charles Jennens)
Drucke: S. unter HWV 359ᵇ, a)–f): Nr. 2
Ausgabe: G. F. Handel: The Complete Sonatas for Treble Recorder and Basso Continuo, ed. D. Lasocki and W. Bergmann, London: Faber Music 1979 (Nr. 1).
Faksimile: 1. Satz *(Larghetto)* in: HHA/Supplemente, Bd. 1 (Aufzeichnungen zur Kompositionslehre), S. 80.

Bemerkungen
HWV 360, in den zeitgenössischen Drucken der 12 Solosonaten als *Sonata II (Flauto solo)* veröffentlicht, entstand ca. 1725/26. Das erhaltene Autograph in *GB* Cfm (MS. 261, p. 1–5) stellt jedoch nicht das Kompositionsautograph dar, sondern ist eine Reinschrift, die Händel vermutlich erst nach der Fertigstellung der Fassung für Walshs Druck herstellte. Das äußere Schriftbild und das Papier (WZ: Cb) dieser autographen Reinschrift entsprechen in vieler Hinsicht den autographen Partituren der Opern HWV 20 Scipione und HWV 21 Alessandro (komponiert zwischen Januar und April 1726), so daß für HWV 360 eine Nieder-

schrift gleichfalls am Anfang des Jahres 1726 angenommen werden kann.

Vermutlich verwendete Händel die Sonate als Beispiel für seinen Unterricht im Generalbaßspiel, den er um diese Zeit Princess Anne und John Christopher Smith junior erteilte (vgl. A. Mann, Aufzeichnungen zur Kompositionslehre, HHA/ Supplemente, Bd. 1).

Entlehnungen:

2. Satz *(Andante)*

    HWV 379 Sonate e-Moll für Querflöte: 2. Satz *(Andante)*

    HWV 375 Sonate e-Moll für Querflöte: 3. Satz *(Grave)*

4. Satz *(Presto)*[1]

    HWV 150 „Qual ti riveggio": 2. Se la morte non vorrà

    HWV 6 Agrippina: 17. Non ho cor che per amarti

[1] Entlehnt aus Georg Muffats Sammlungen „Armonico Tributo" (1682) bzw. „Auserlesene mit Ernst und Lust gemengte Instrumentalmusik", DTÖ XI/2, Bd. 22, hrsg. von E. Luntz, Wien 1904, S. 41 f., 127, und DTÖ Bd. 89, hrsg. von E. Schenk, Wien 1953, S. 22 f.

HWV 16 Flavio: 7. Di quel bel che m'innamora

HWV 29 Ezio: 32.–36. Stringo al fine (etc.)

HWV 379 Sonate e-Moll für Querflöte: 5. Satz *(Presto)*

HWV 291 Orgelkonzert op. 4 Nr. 3 g-Moll: 4. Satz *(Allegro)*

HWV 310 Orgelkonzert op. 7 Nr. 5 g-Moll: 5. Satz *(Gavotte)*

Literatur

Best, T.: Handel's Solo Sonatas. In: Music and Letters, vol. 58, 1977, S. 430 ff. (deutsch als: Händels Solosonaten. In: Händel-Jb., 23. Jg., 1977, S. 21 ff.); Chrysander III, S. 147 ff; Lasocki, D.: A New Look at Handel's Recorder Sonatas (II. The Autograph Manuscripts; III. The Roger and Walsh Prints – A New View). In: Recorder & Music, vol. 6, 1978, Nr. 3, S. 71 ff., 1979, Nr. 5, S. 130 ff.; Lasocki, D./ Bergmann, W.: Vorwort zu: G. F. Handel. The Complete Sonatas for Treble Recorder and Basso Continuo, London 1979.

Beschreibung des Autographs: Cfm: Catalogue Mann, MS. 261, S. 198.

361. Sonate A-Dur für Violine und B. c.

ChA 27 (op. 1 Nr. 3). – HHA IV/4 (Nr. 1). – EZ: London, ca. 1725/26

1. Larghetto (Andante)   22 Takte

2. Allegro

3. Adagio   52 Takte   5 Takte

4. Allegro

[vgl. HWV 377 (3.)]   36 Takte

Quellen

Handschriften: Autograph: *GB* Cfm (30. H. 11., MS. 261, p. 13–19: *Violino Solo. Larghetto).*

Abschrift: *D (ddr)* Dlb (Mus. 2410-R-3) – *GB* Mp (MS 130 Hd4, v. 312, p. 15–19: *Sonata 4,* Kopie des Schreibers S₂ um 1730).

Drucke: S. unter HWV 359ᵇ, a)–f): Nr. 3.

Bemerkungen

HWV 361, in den zeitgenössischen Drucken der 12 Solosonaten als *Sonata III (Violino solo)* veröffentlicht, ist im Autograph erhalten, das um 1725/26 (WZ des Autographs: Cb) geschrieben wurde. Gegenüber den Erstdrucken, in denen der erste Satz als *Andante* erscheint, hat er im Autograph die Bezeichnung *Larghetto.*

In Tonart und Besetzung entsprechen sich jedoch Autograph und Erstdrucke.

Satz 4 *(Allegro)* teilt das thematische Material mit dem 3. Satz *(Allegro)* der Sonate HWV 377 B-Dur.

Literatur

Best, T.: Handel's Solo Sonatas. In: Music & Letters, vol. 58, 1977, S. 430ff. (deutsch als: Händels Solosonaten. In: Händel-Jb., 23. Jg., 1977, S. 21ff.); Chrysander III, S. 147ff.

Beschreibung des Autographs: Cfm: Catalogue Mann, MS. 261, S. 199.

362. Sonate a-Moll für Blockflöte und B.c.
(Sonata a Flauto e Cembalo)

ChA 27 (op. 1 Nr. 4). – HHA IV/3 (Nr. 4). – EZ: London, ca. 1725/26

Quellen

Handschriften: Autographe: *GB* Cfm (30. H. 13., MS. 263, p. 21: *Sonata a Flauto e Cembalo. Larghetto.* Nur T. 1–3 der Oberstimme und T. 1–2 des B. c. von Satz 1 ausgeschrieben), Lbm (R. M. 20. g. 13., f. 12ᵛ–15ᵛ: *Sonata a Flauto e Cembalo. Larghetto*).
Abschriften: *D (ddr)* Dlb (Mus. 2410-S-5) – *GB* Mp (MS 130 Hd4, v. 312, p. 20–26: *Sonata 5*, Kopie des Schreibers S₂ um 1730).
Drucke: S. unter HWV 359ᵇ, a)–f): Nr. 4.
Ausgabe: G. F. Handel: The complete Sonatas for Treble Recorder and Basso Continuo, ed. by D. Lasocki and W. Bergmann, London: Faber Music 1979 (Nr. 2)

Bemerkungen

HWV 362, in den zeitgenössischen Drucken der 12 Solosonaten als *Sonata IV (Flauto Solo)* veröffentlicht, ist in einem Autograph erhalten, das Händel als Reinschrift vermutlich nach der Fertigstellung der Vorlage für den Druck Anfang 1726 (WZ des Autographs: Cb) für seinen Unterricht im Generalbaßspiel niederschrieb (vgl. unter HWV 360). Händel begann die Reinschrift mit T. 1–3 des 1. Satzes[1], ließ jedoch das Blatt liegen und schrieb die ganze Sonate später neu. Gegenüber der Vorlage für den Druck änderte er jedoch die Bezeichnung für Satz 1 in *Larghetto*; sämtliche Frühdrucke

[1] Das Baßthema des 1. Satzes entspricht den jeweiligen Baßthemen in HWV 114 Filli adorata e cara (1. Se non giunge quel momento) und HWV 6 Agrippina (14. Pur ritorno a rimirarvi).

sowie die Abschrift *GB* Mp überliefern den Satz mit der Bezeichnung *Grave.* In Tonart und Besetzung entsprechen sich jedoch beide Quellen. Für Satz 4 existiert in HWV 408 Allegro c-Moll ein Entwurf, der – um 1724/25 entstanden – für den Finalsatz von HWV 362 umgearbeitet wurde. Dieser Satz teilt das motivische Material mit folgenden anderen Werken: HWV 387 Triosonate op. 2 Nr. 2 g-Moll (4. Satz, *Allegro*), HWV 46ᵇ Il Trionfo del Tempo e del Disinganno (7. Un pensiero nemico di pace, Ritornello), HWV 576 *(Preludio ed) Allegro* a-Moll für Cembalo, HWV 287 Oboenkonzert g-Moll (4. Satz, *Allegro*), HWV 390 Triosonate op. 2 Nr. 5 g-Moll (4. Satz, *Allegro*), HWV 291 Orgelkonzert op. 4 Nr. 3 g-Moll (2. Satz, *Allegro*).

Literatur

Best, T.: Handel's Solo Sonatas. In: Music & Letters, vol. 58, 1977, S. 430 ff. (deutsch als: Händels Solosonaten. In: Händel-Jb., 23. Jg., 1977, S. 21 ff.); Best, T.: Further Studies on Handel's Solo Sonatas. In: Händel-Jb., 30. Jg., 1984, S. 75 ff.; Chrysander III, S. 147 ff.; Lasocki, D.: A New Look at Handel's Recorder Sonatas (II. The Autograph Manuscripts; III. The Roger and Walsh Prints – A New View). In: Recorder & Music, vol. 6, 1978, Nr. 3, S. 71 ff., 1979, Nr. 5, S. 130 ff.; Lasocki, D./Bergmann, W.: Vorwort zu: G. F. Handel: The complete Sonatas for Treble Recorder and Basso Continuo, London: Faber Music 1979.
Beschreibung der Autographe: Cfm: Catalogue Mann, MS. 261, S. 208. – Lbm: Catalogue Squire, S. 45.

363ᵃ. Sonate F-Dur für Oboe und B. c.

HHA IV/18 (Nr. 8). – EZ: London, ca. 1712/16

1. Adagio

16 Takte

2. Allegro

53 Takte

3. Adagio

43 Takte

4. Bourrée anglaise

22 Takte

5. Menuet

[vgl. HWV 315 (4.); HWV 516]

24 Takte

Quellen

Handschriften: Autograph: verschollen.
Abschriften: *B* Bc (Lit. XY.15.115., p.209–212: *Sonata XLVI/Hautb. Solo del Sr. Hendel*)[1] – *GB* Mp (MS 130 Hd4, v.312, p.55–59: *Sonata 10*, Kopie des Schreibers S₂, um 1730, mit Continuobezifferung von Charles Jennens), T (MS.1131, f.120 bis 121).
Drucke: Ausgabe: The Three Authentic Sonatas for Oboe and Basso Continuo, ed. by D.Lasocki, London: Nova Musica 1979 (Nr.3).

Bemerkungen

Obwohl von HWV 363ª das Autograph nicht erhalten ist, bieten die zeitgenössischen Abschriften eine einwandfreie Lesart dieser Sonate, die in allen Quellen in F-Dur überliefert wird. Die Veröffentlichung für Querflöte in G-Dur (vgl. unter HWV 363ᵇ) dürfte eine eigenmächtig vorgenommene Transposition des Verlegers darstellen, um die modische „German Flute" in der Sammlung zu berücksichtigen. Die Originalfassung Händels ist zweifellos die in F-Dur für Oboe, die den Ambitus dieses Instruments (c′–c‴) genau einhält. HWV 363ª überliefert außerdem eine korrekte Satzfolge, die in dem Roger-Druck korrumpiert wiedergegeben und erst in der unter Walshs Namen veröffentlichten Ausgabe korrigiert wurde. Auch das abschließende Menuett, das in vier anderen Fassungen (vgl. HWV 516ᵃ⁻ᶜ sowie HWV

315 Concerto grosso op.3 Nr.4, 4.Satz) ebenfalls in F-Dur steht, verweist auf die Originaltonart. Satz 3 *(Adagio)* entspricht thematisch dem 3.Satz *(Larghetto)* in HWV 365.

Literatur

Best, T.: Handel's Solo Sonatas, In: Music & Letters, vol.58, 1977, S.430ff. (deutsch als: Händels Solosonaten. In: Händel-Jb., 23.Jg., 1977, S.21ff.); Best, T.: Nachtrag zu dem Artikel „Händels Solosonaten". In: Händel-Jb., 26.Jg., 1980, S.121f.; Best, T.: Further Studies on Handel's Solo Sonatas, In: Händel-Jb., 30.Jg., 1984, S.75ff.; Kubik, R.: Händels Solosonaten. Addenda zu einem Aufsatz von Terence Best. In: Händel-Jb., 26.Jg., 1980, S.115ff.; Lasocki, D./Best, T.: A new flute sonata by Handel. In: Early Music, vol.IX, 1981, S.307ff.

[1] Faksimile-Wiedergabe in: Thesaurus musicus, Nova Series, Serie A, vol.7, Bruxelles: Editions Culture et Civilisation, 1979, No.46.

363ᵇ. Sonate G-Dur für Querflöte und B.c.

ChA 27 (op. 1 Nr. 5). – HHA IV/3 (Nr. 5). – EZ: London, ca. 1726/32

1. Adagio

16 Takte

2. Allegro

53 Takte

3. [Adagio]

43 Takte

4. Bourrée

22 Takte

5. Menuet

24 Takte

[vgl. HWV 315 (4.); HWV 516]

Quellen

Handschriften: Autograph: verschollen.
Abschrift: GB Lbm (Add. MSS. 31 467, f. 49ʳ: *Boree. Allegro,* Satz 4, f. 49ᵛ: *Menuet. Vivace,* Satz 5).
Drucke: S. unter HWV 359ᵇ. a) Nr. 5, Satzfolge: *Adagio – Allegro – Andante* (aus HWV 367, Satz 6) *– Boure;* b) Nr. 5, mit korrigierter Satzfolge; c)–f): Nr. 5.

Bemerkungen

HWV 363ᵇ wurde in allen zeitgenössischen Drucken als *Sonata V (Traversa Solo)* in G-Dur veröffentlicht, ungeachtet dessen, daß in HWV 363ᵃ Händels Originalfassung in F-Dur für Oboe vorliegt. Vermutlich verfolgte Walsh als Verleger der Erstdrucke den Zweck, die im Titel seiner Drucke der 12 Sonaten genannte Vielfalt der Besetzung dadurch zu garantieren. Im Roger-Druck ist die Satz-folge (wie oben unter den Drucken vermerkt) fehlerhaft wiedergegeben; in der zweiten Ausgabe von Walsh (*Solos for a German Flute ...,* London ca. 1732) sowie allen weiteren Nachdrucken bis hin zu ChA 27 wurde diese falsche Satzzusammenstellung korrigiert, der aus HWV 367ᵇ entnommene Satz 3 durch den richtigen dritten Satz ersetzt, der ebenfalls in HWV 365 (Satz 3, *Larghetto*) verwendet wurde, und das *Menuet* als Schlußsatz hinzugefügt.

Literatur

Best, T.: Handel's Solo Sonatas. In: Music & Letters, vol. 58, 1977, S. 430ff. (deutsch als: Händels Solosonaten. In: Händel-Jb., 23.Jg., 1977, S. 21ff.); Chrysander III, S. 147ff; Lasocki, D./Best, T.: A new flute sonata by Handel. In: Early Music, vol. IX, 1981, S. 307ff.

364ᵃ. Sonate g-Moll für Violine (oder Oboe) und B.c.

ChA 27 (op. 1 Nr. 6). – HHA IV/18 (Nr. 2). – EZ: London, ca. 1724

1. Andante larghetto

17 Takte

2. Allegro

45 Takte

3. Adagio

11 Takte

4. Allegro

[vgl. HWV 24 (Ouverture, Gigue)]

30 Takte

Quellen

Handschriften: Autograph: *GB* Cfm (30. H. 11., MS. 261, p. 21–25: *Violino Solo. Andante larghetto*).
Abschriften: *GB* BENcoke (für Oboe und B. c.), Mp (MS 130 Hd4, v. 312, p. 6–10: *Sonata 2*, Kopie des Schreibers S₂, um 1730, mit Continuobezifferung von Charles Jennens).
Drucke: S. unter HWV 359ᵇ, a)–f): Nr. 6 (für Oboe).

Bemerkungen

HWV 364ᵃ entstand um 1724 (WZ des Autographs: Cb), zusammen mit HWV 359ᵃ.
Das Werk ist im Autograph eindeutig für Violine bestimmt, in den zeitgenössischen Drucken jedoch fälschlich als *Sonata VI (Hoboy Solo)* bezeichnet. Für Oboe ist die Sonate in der vorliegenden Form jedenfalls nicht spielbar, da der Tonumfang der zeitgenössischen Oboe mehrfach unterschritten wird. Händel ersetzte im Autograph im Solopart des vierten Satzes *(Allegro)* durch drei Bleistifteintragungen später selbst alle unterhalb von *d'* vorkommenden Noten durch höhere, was in den zeitgenössischen Drucken nicht berücksichtigt ist[1]. In ChA 27 (S. 24) sind zwei dieser Alter-

[1] T. Best (s. Lit.) vermutet, daß diese Änderungen Hän-

nativfassungen im Kleinstich wiedergegeben, obwohl auch Chrysander die Sonate nicht in ihrer originalen Form als Violinsonate edierte, sondern sich nach dem falschen Vorbild der zeitgenössischen Drucke für die Oboe als Soloinstrument entschied.
Im Autograph gab Händel ursprünglich dem 1. Satz die Bezeichnung *Adagio* und änderte dies nachträglich in *Andante larghetto*; sämtliche anderen Quellen bezeichnen den 1. Satz nur als *Larghetto*.
Der Themenkopf des 1. Satzes erscheint auch in einem der Sätze der „Wassermusik" (HWV 348, Suite I F-Dur, Nr. 4 *Andante*); Satz 4 *(Allegro)* von HWV 364ᵃ wurde später von Händel als 3. Satz (Gigue) der Ouverture zu HWV 24 Siroe umgearbeitet.

Literatur

Best, T.: Handel's Solo Sonatas. In: Music & Letters, vol. 58, 1977, S. 430 ff. (deutsch als: Händels Solosonaten. In: Händel-Jb., 23. Jg., 1977, S. 21 ff.); Chrysander III, S. 147 ff.
Beschreibung des Autographs: Cfm: Catalogue Mann, MS. 261, S. 199.

dels mit der Umarbeitung des Satzes für die Ouverture zu HWV 24 Siroe in Zusammenhang stehen.

364ᵇ. Sonate g-Moll für Viola da gamba und B.c.

EZ: London, ca. 1724 (von Händel autorisierte Bearbeitung von HWV 364ᵃ)

Per la Viola da gamba

17 Takte

Quellen

Handschriften: Autograph: *GB* Cfm (30. H. 11., MS. 261, p. 21: Thema des 1. Satzes im Altschlüssel mit dem autographen Vermerk *Per la Viola da Gamba*).
Drucke: Ausgabe: Ed. by Th. Dart, Mainz und London: Schott & Co. Ltd. 1950.

Bemerkungen

HWV 364ᵇ stellt eine Adaptation der Sonate HWV 364ᵃ g-Moll für Viola da Gamba und Basso continuo dar. Auf der ersten Seite des Autographs von Satz 1 notierte Händel am unteren Rand das Thema im Altschlüssel in Oktavtransposition und gab als Besetzungshinweis an: *Per la Viola da Gamba.*
Diesem Hinweis entsprechend realisierte Thurston Dart diese Fassung und veröffentlichte sie 1950.

Literatur

Best, T.: Handel's Solo Sonatas. In: Music & Letters, vol. 58, 1977, S. 430ff. (deutsch als: Händels-Solosonaten. In: Händel-Jb., 23. Jg., 1977, S. 21ff.).
Beschreibung des Autographs: Cfm: Catalogue Mann, MS. 261, S. 199.

365. Sonate C-Dur für Blockflöte und B.c.

ChA 27 (op. 1 Nr. 7). – HHA IV/3 (Nr. 6). – EZ: London, ca. 1725/26

1. [Larghetto]

Takt 5

24 Takte

2. Allegro

132 Takte

3. Larghetto

43 Takte

4. A tempo di Gavotta

46 Takte

5. Allegro

64 Takte

Quellen

Handschriften: Autograph: *GB* Cfm (30. H. 13., MS. 263, p. 13–17, fragm. Der erhaltene Teil des Autographs beginnt mit T. 67 von Satz 2; Bl. 1 der Sonate mit dem vollständigen Satz 1 und T. 1–66 von Satz 2 ist verschollen).

Abschriften: *D (ddr)* Dlb (Mus. 2410-S-7) – *GB* Lbm (Add. MSS. 31 467, f. 34^r: *Tempo di Gavotta, Allegro,* in B-Dur), Mp (MS 130 Hd4, v. 312, p. 32–39: *Sonata 7,* Kopie des Schreibers S₂, um 1730, mit Continuobezifferung von Charles Jennens).

Drucke: S. unter HWV 359^b. a) Nr. 7, ohne Satz 4; b)–f) Nr. 7, mit ergänztem Satz 4.

Faksimile: HHA / Supplemente, Bd. 1 (Aufzeichnungen zur Kompositionslehre, hrsg. von A. Mann), S. 82: Satz 5 (Menuet, *Allegro*), T. 35 ff.

Ausgabe: G. F. Handel: The Complete Sonatas for Treble Recorder and Basso Continuo, ed. by D. Lasocki and W. Bergmann, London: Faber Music 1979, Nr. 3.

Bemerkungen

HWV 365 wurde in den zeitgenössischen Drucken als *Sonata VII (Flauto Solo)* veröffentlicht. Das nur fragmentarisch erhaltene Autograph gibt über die von Händel vorgesehene Besetzung des Soloparts sowie über die Vortragsbezeichnungen der Sätze 1 und 2 keine Auskunft. Es ist nicht als Kompositionsautograph, sondern als Reinschrift zu betrachten, die Händel vermutlich für den Unterricht im Generalbaßspiel verwendet hat (vgl. A. Mann, Aufzeichnungen zur Kompositionslehre). Das Autograph (WZ: Cb) wurde zusammen mit den Autographen der anderen Blockflötensonaten HWV 360, 362 und 369 um 1725/26 niedergeschrieben, als die Vorlagen für die Drucke bei Walsh bereits abgeschlossen waren. Die Lesartenunterschiede zwischen den Drucken und den Autographen dieser Sonaten stellen demnach vermutlich nachträgliche Verbesserungen Händels dar und besitzen in diesem Falle textkritische Bedeutung als „Fassung letzter Hand".

Im Roger-Druck fehlt Satz 4 der Sonate; Walsh korrigierte diesen Fehler später in den unter seinem Namen erscheinenden Ausgaben.

Satz 5 *(Allegro)* stellt eine Menuettfassung dar, die außer in HWV 365 noch in HWV 313 Concerto grosso op. 3 Nr. 2 B-Dur (Satz 3) und HWV 523 (Menuet G-Dur) erscheint. Satz 3 *(Larghetto)* entspricht thematisch dem 3. Satz *(Adagio)* in HWV 363^{a,b}.

Literatur

Best, T.: Handel's Solo Sonatas. In: Music & Letters, vol. 58, 1977, S. 430 ff. (deutsch als: Händels Solosonaten. In: Händel-Jb., 23. Jg., 1977, S. 21 ff.; vgl. auch: Nachtrag zu dem Aufsatz „Händels Solosonaten". In: Händel-Jb., 26. Jg., 1980, S. 121 f.); Chrysander III, S. 147 f.; Lasocki, D./Best, T.: A new flute sonata by Handel. In: Early Music, vol. IX, 1981, S. 307 ff.; Lasocki, D.: A New Look at Handel's Recorder Sonatas (II. The Autograph Manuscripts). In: Recorder & Music vol. 6, 1978, Nr. 3, S. 71 ff., (III: The Roger and Walsh Prints – A New View), ebenda, vol. 6, Nr. 5, 1979, S. 130 ff.

Beschreibung des Autographs: Cfm: Catalogue Mann, MS. 263, S. 207 f.

366. Sonate c-Moll für Oboe und B.c.

ChA 27 (op. 1 Nr. 8). – HHA IV/18 (Nr. 7). – EZ: London, ca. 1710/11

1. Largo

[vgl. HWV 375 (1.)]

18 Takte

2. Allegro   **3.** Adagio

[vgl. HWV 375 (2.)]   45 Takte

4. Bourrée anglaise Allegro

30 Takte   20 Takte

Quellen

Handschriften: Autograph: *GB* Cfm (30. H. 13., MS. 263, p. 9–12: *Hautb. Solo. Largo.* Nur Satz 1–3). Abschriften: B Bc (Lit. XY. 15. 115., p. 216–218: *Sonata XLVIII/Hautbois Solo del Sr. Handel)*[1] – GB Mp (MS 130 Hd4, v.312, p.50–54: *Sonata 9*, Kopie des Schreibers S₂, um 1730, mit Continuobezifferung von Charles Jennens).
Drucke: S. unter HWV 359[b], a)–f): Nr. 8.
Ausgabe: G. F. Handel: The Three Authentic Sonatas for Oboe and Basso Continuo, ed. by D. Lasocki, London: Nova Musica 1979 (Nr. 1).

Bemerkungen

HWV 366, in allen Quellen für Oboe bestimmt und in den zeitgenössischen Drucken als *Sonata VIII (Hoboy Solo)* veröffentlicht, entstand bereits in der frühen englischen Zeit Händels. Schrift und Papier des fragmentarisch erhaltenen, durch Korrekturen als Kompositionsexemplar kenntlichen Autographs (WZ: Ca, Wappen mit 4 Querstreifen), dessen vierter Satz verschollen ist, ähneln den autographen Fragmenten von HWV 7[a] Rinaldo (*GB* Cfm, 30. H. 4, MS. 254, p. 17–44), so daß als Entstehungszeit der Sonate HWV 366 ebenfalls 1710/11 gelten muß.

[1] Faksimile-Wiedergabe in: Thesaurus musicus, Nova Series, Serie A, vol.7, Bruxelles: Editions Culture et Civilisation, 1979, No. 48.

In den Drucken fehlt die im Autograph für Satz 1 belegte Vortragsbezeichnung *Largo*; das thematische Material des 1. Satzes benutzte Händel in umgearbeiteter und stark modifizierter Form noch einmal in der Sonate HWV 367[a,b] (1. Satz, *Largo*); Satz 1 und 2 erscheinen, nach e-Moll transponiert, in HWV 375 (Sätze 1–2).

Literatur

Best, T.: Handel's Solo Sonatas. In: Music & Letters, vol. 58, 1977, S. 430ff. (deutsch als: Händels Solosonaten. In: Händel-Jb., 23. Jg., 1977, S. 21ff.); Best, T.: Further Studies on Handel's Solo Sonatas. In: Händel-Jb., 30. Jg., 1984, S. 75ff.; Chrysander III, S. 147ff.; Kubik, R.: Zu Händels Solosonaten. Addenda zu einem Aufsatz von Terence Best. In: Händel-Jb., 26. Jg., 1980, S. 115ff.
Beschreibung des Autographs: Cfm: Catalogue Mann, MS. 263, S. 207.

367ª. Sonate d-Moll für Blockflöte und B.c.
[Fitzwilliam Sonata III]

HHA IV/18 (Nr. 5). – EZ: London, ca. 1724

1. Largo
19 Takte

2. Vivace
63 Takte

3. Furioso
34 Takte

4. Adagio
21 Takte

5. Alla breve

6. (Andante)
94 (96) Takte
20 Takte

7. A tempo di menuet
20 Takte

Quellen

Handschriften: Autographe: *GB* Cfm (30. H. 11., MS. 261, p. 52–60; 30. H. 13., MS. 263, p. 21–22: Satz 7 und Satz 6 in früherer Fassung[1], vgl. unter HWV 409).

[1] Veröffentlicht als Satz 1 und 2 der Sonata II in T. Darts Ausgabe The Fitzwilliam Sonatas (London 1948). Als Schlußsatz verwendete Dart HWV 462, wobei er die Notenwerte dieses Satzes verdoppelte.

Abschriften: D (ddr) Dlb (Mus. 2410-S-6) – *GB* Lbm (R. M. 18. b. 8., f. 74ᵛ, f. 77ʳ: Satz 7), Mp (MS 130 Hd4, v. 312, p. 40–49: *Sonata 8,* Kopie des Schreibers S₂, um 1730).

Drucke: Ausgaben: a) The Fitzwilliam Sonatas by G. F. Handel from the autograph MSS in the Fitzwilliam Museum, Cambridge. Edited by Thurston Dart, London: Schott & Co. Ltd. 1948 (Sonata III, nur Satz 1–5); b) Hrsg. von K. Hofmann, Neuhausen-Stuttgart: Hänssler 1974; c) G. F. Handel: The Complete Sonatas for Treble Recorder and Basso Continuo, ed. by D. Lasocki and W. Bergmann, London: Faber Music, 1979 (Nr. 6) Faksimile: HHA/Supplemente, Bd. 1 (Aufzeichnungen zur Kompositionslehre, hrsg. von A. Mann), S. 79: Satz 7; The Fitzwilliam Sonatas … Ed. by T. Dart, Satz 2 (T. 26–34) und Satz 3.

Bemerkungen

HWV 367[a] stellt die Originalfassung der später als *Sonata IX* veröffentlichten Querflötensonate h-Moll HWV 367[b] dar. Das Autograph, das entgegen einer Behauptung von T. Dart[2] vollständig ist und sämtliche 7 Sätze der Sonate enthält, ist aufgrund von Schrifteigentümlichkeit und Papierbeschaffenheit (WZ: Cantoni/Bergamo)[3] um 1724/25 entstanden; für die Veröffentlichung in den zeitgenössischen Drucken der 12 Solosonaten muß allerdings noch eine (heute nicht mehr nachweisbare) Zwischenfassung vorgelegen haben, die weitere Änderungen Händels einschloß, ohne die sich die Unterschiede in einzelnen Lesartenvarianten zwischen HWV 367[a] und HWV 367[b] nicht erklären lassen.

Obwohl das Autograph von HWV 367[a] keine Besetzungsangabe aufweist, entspricht der Ambitus des Soloparts ($f'–d'''$) weitgehend dem der Blockflöte[4], so daß diese Besetzung vermutlich auch von Händel bei dieser Sonate vorgesehen wurde. Satz 6 und 7 liegen außerdem in einer autogra-

---

[2] Vgl. dessen Rezension der Ausgabe der Flötensonaten in HHA, Serie IV, Bd. 3, in: Music&Letters, vol. 37, 1956, S. 402.
[3] Papier mit diesem Wasserzeichen weisen auch die 1724 entstandenen Autographe der Sonate HWV 377, der deutschen Arien HWV 202 und HWV 203 sowie des I. und II. Aktes von HWV 19 Rodelinda auf.
[4] Eine im Besitz des Londoner Privatsammlers Mr. Guy Oldham befindliche zeitgenössische Abschrift einer Anzahl von Händels Solosonaten hat den Besetzungsvermerk *a Flauto e Cembalo*. Vgl. Lasocki, D./Best, T., a.a.O., S. 308.

phen Frühfassung vor, deren Papier (WZ: Cb) sich von dem des Hauptautographs deutlich unterscheidet. Terence Best stellte fest, daß zwei Möglichkeiten für die Entstehung dieser verschiedenen Fassungen in Betracht gezogen werden können: Entweder entstanden beide Varianten 1725/26, als Händel beide Papiertypen benutzte, oder die Sonate wurde ursprünglich nur in fünf Sätzen komponiert und ist 1724/25 niedergeschrieben worden. Hinweise darauf bietet die äußere Beschaffenheit des Autographs: das Papier der Sätze 1–5 bildet eine komplette Binio (p. 51–58), während die Sätze 6 und 7 auf einem einzelnen Schlußblatt (p. 59–60) notiert sind, das zwar das gleiche Wasserzeichen, aber ein etwas anderes Rastral aufweist als der andere Teil des Autographs; daher besteht Grund zu der Annahme, daß die beiden Schlußsätze erst nachträglich, nach der Umarbeitung ihrer Frühfassungen, dem Autograph zugeordnet wurden.

Satz 1 *(Largo)* teilt das thematische Material mit HWV 366 (1. Satz), Satz 2 *(Vivace)*, im Stil einer Hornpipe, besitzt thematische Verwandtschaft mit HWV 355, während Satz 7 *(A tempo di Minuet)* auf den·B-Teil („Vago volto ch'innamora") der Arie „Ritrosa bellezza" (19) aus HWV 37 Giustino zurückgewirkt hat.

Literatur

Best, T.: Handel's Solo Sonatas. In: Music & Letters, vol. 58, 1977, S. 430 ff. (deutsch als: Händels Solosonaten. In: Händel-Jb., 23. Jg., 1977, S. 21 ff.); Best, T.: Further Studies on Handel's Solo Sonatas. In: Händel-Jb., 30. Jg., 1984, S. 75 ff.; Horton (Symposium), S. 241; Lasocki, D./Best, T.: A new flute sonata by Handel. In: Early Music, vol. IX, 1981, S. 307 ff.; Lasocki, D.: A New Look at Handel's Recorder Sonatas (II: The Autograph Manuscripts). In: Recorder & Music, vol. 6, Nr. 3, 1978, S. 71 ff.

Beschreibung der Autographe: Cfm: Catalogue Mann, MS. 261, S. 200, MS. 263, S. 208.

367[b]. Sonate h-Moll für Querflöte und B.c.

ChA 27 (op. 1 Nr. 9). – HHA IV/3 (Nr. 7). – EZ: London, ca. 1726/32

1. Largo

19 Takte

Quellen

Handschriften: Autograph: verschollen.
Abschrift: *GB* Lbm (Add. MSS. 31467, f. 48ᵛ: Satz 3, *Presto*).
Drucke: S. unter HWV 359ᵇ, a) Nr. 9, ohne Satz 6 (Andante, vgl. HWV 363ᵇ), b)–f) Nr. 9, mit korrekter Satzfolge.

Bemerkungen

HWV 367ᵇ wurde in den zeitgenössischen Drukken der 12 Solosonaten als *Sonata IX (Traversa Solo)* veröffentlicht und basiert vermutlich auf einer heute verschollenen Vorlage, die Händels Änderungen der Originalfassung dieser Sonate (HWV 367ᵃ) enthielt.
Im Roger-Druck fehlt der sechste Satz, der stattdessen in *Sonata V* als dritter Satz erscheint. In seiner ersten englischen Ausgabe (*Solos for a German Flute*, ca. 1732) korrigierte Walsh diesen Fehler; diese Korrektur übernahmen alle späteren Ausgaben.

Literatur

Best, T.: Handel's Solo Sonatas. In: Music & Letters, vol. 58, 1977, S. 430ff. (deutsch als: Händels Solosonaten. In: Händel-Jb., 23.Jg., 1977, S. 21ff.); Best, T.: Further Studies on Handel's Solo Sonatas. In: Händel-Jb., 30. Jg., 1984, S. 75ff.; Best, T.: Nachtrag zu dem Artikel „Händels Solosonaten". In: Händel-Jb., 26. Jg., 1980, S. 121f.; Chrysander III, S. 147ff.; Lasocki, D./Best, T.: A new flute sonata by Handel. In: Early Music, vol. IX, 1981, S. 307ff.

368. Sonate g-Moll für Violine und B.c.

ChA 27 (op. 1 Nr. 10). – HHA IV/4 (Nr. 2). – EZ: London, ca. 1730 (Echtheit nicht verbürgt)

Quellen

Handschriften: verschollen.
Drucke: S. unter HWV 359ᵇ, b)–e): Nr. 10.

Bemerkungen

HWV 368 ist eine der beiden Violinsonaten, die von Walsh in seinen revidierten Neudruck der

12 Solosonaten (*Solos for a German Flute*, ca. 1732) als *Sonata X* anstelle der unter gleicher Nummer im Roger-Druck veröffentlichten A-Dur-Violinsonate HWV 372 aufgenommen wurde. Da für die Violinsonaten Nr. 10 und 12 der Drucke im Gegensatz zu sämtlichen anderen Sonaten des sogenannten „opus 1" keine handschriftliche Quellen erhalten sind, wird die Echtheit dieser Sonaten heute bestritten.

Die vier Sonaten Nr. 10 und 12 der Roger- bzw. Walsh-Drucke enthalten in zwei Exemplaren der British Library (*GB* Lbm, g.74.d. bzw. g.74.h.) die handschriftlichen Bemerkungen am Beginn *NB. This ist not Mr. Handel's* bzw. – beim Walsh-Druck von anderer Hand – *Not Mr. Handel's Solo*, was darauf verweist, daß bereits die Zeitgenossen Händels diesen Echtheitszweifeln Ausdruck gaben.

Literatur
Best, T.: Handel's Solo Sonatas. In: Music & Letters, vol. 58, 1977, S. 430ff. (deutsch als: Händels Solosonaten. In: Händel-Jb., 23.Jg., 1977, S. 21ff.). Chrysander III, S. 147ff.; Horton (Symposium), S. 254f.

369. Sonate F-Dur für Blockflöte und B.c.
(Sonata a Flauto e Cembalo)

ChA 27 (op. 1 Nr. 11). – HHA IV/3 (Nr. 8). – EZ: London, ca. 1725/26

1. Grave [Larghetto]

[vgl. HWV 293 (1.)]   44 Takte

2. Allegro

[vgl. HWV 293 (2.)]   28 Takte

3. Alla Siciliana

[vgl. HWV 293 (3.)]   11 Takte

4. Allegro

[vgl. HWV 293 (4.), HWV 378 (4.), HWV 405 (3.)]   28 Takte

Quellen

Handschriften: Autograph: *GB* Cfm (30. H. 11., MS. 261, p. 7–11: *Sonata a Flauto e Cembalo. Grave*).

Abschrift: *GB* Mp (MS 130 Hd4, v. 312, p. 27–31: *Sonata 6*, Kopie des Schreibers S$_2$, um 1730, mit Continuobezifferung von Charles Jennens).

Drucke: S. unter HWV 359^b, a)–f): Nr. 11.

Faksimile: HHA/Supplemente, Bd. 1 (Aufzeichnungen zur Kompositionslehre, hrsg. von A. Mann), S. 81: 1. Satz *(Grave)*

Ausgabe: G. F. Handel: The Complete Sonatas for Treble Recorder and Basso Continuo, ed. by D. Lasocki and W. Bergmann, London: Faber Music 1979 (Nr. 4).

Bemerkungen

HWV 369, veröffentlicht in den zeitgenössischen Drucken der 12 Solosonaten als *Sonata XI (Flauto Solo)*, ist in einer autographen Reinschrift überliefert, die zu denjenigen Kompositionen gehört, die Händel vermutlich für seinen Unterricht im Generalbaßspiel verwendet hat (vgl. auch HWV 360, 362 und 365). Das Autograph weist hinsichtlich der Schriftzüge und des verwendeten Papiers (WZ: Cb) starke Ähnlichkeit mit den Autographen von HWV 20 Scipione und HWV 21 Alessandro (Januar–April 1726) auf, so daß seine Niederschrift auf etwa die gleiche Zeit datiert werden kann. Gegenüber der verschollenen Erstfassung von HWV 369, die für die zeitgenössischen Drucke die Vorlage bildete, unterscheidet sich diese Reinschrift vor allem durch die Vortragsbezeichnung *Grave* für den 1. Satz, die Händel ursprünglich als *Larghetto* (so in den zeitgenössischen Drucken sowie in HWV 293) bestimmt hatte.

Die gesamte Sonate HWV 369 arbeitete Händel 1735 um und veränderte sie in allen 4 Sätzen zum Orgelkonzert HWV 293 op. 4 Nr. 5 F-Dur. Der 4. Satz *(Allegro)* basiert auf einem gigueartigen Thema, das bereits in den frühen Sonaten HWV 378 D-Dur (4. Satz, *Allegro*) und HWV 405 F-Dur (3. Satz) vorgebildet ist.

Literatur

Best, T.: Handel's Solo Sonatas. In: Music & Letters, vol. 58, 1977, S. 430 ff. (deutsch als: Händels Solosonaten. In: Händel-Jb., 23. Jg., 1977, S. 21 ff.); Best, T.: Further Studies on Handel's Solo Sonatas. In: Händel-Jb., 30. Jg., 1984, S. 75 ff.; Gudger, vol. 1, S. 99 ff.; Lasocki, D.: A new Look at Handel's Recorder Sonatas (II: The Autograph Manuscripts; III: The Roger and Walsh Prints – A New View). In: Recorder & Music, vol. 6, Nr. 3, 1978, S. 70 ff., Nr. 5, 1979, S. 130 ff.

Beschreibung des Autographs: Cfm: Catalogue Mann, MS. 261, S. 198 f.

370. Sonate F-Dur für Violine und B. c.

ChA 27 (op. 1 Nr. 12). – HHA IV/4 (Nr. 3). – EZ: London, ca. 1730 (Echtheit nicht verbürgt)

1. Adagio

54 Takte

2. Allegro

44 Takte

3. Largo

22 Takte

4. Allegro

52 Takte

Quellen
Handschriften: verschollen.
Drucke: S. unter HWV 359[b], b)–e): Nr. 12.

Bemerkungen
HWV 370 erschien als *Sonata XII (Violino Solo)* erstmals in Walshs korrigierter Ausgabe der Solosonaten (*Solos for a German Flute*, ca. 1732) im Druck. Sie ersetzte darin die im Roger-Druck als Nr. 12 abgedruckte Violinsonate in E-Dur (HWV 372). Aus stilkritischen Gründen wurde ihre Authentizität (wie auch im Falle von HWV 368, 372 und 373) bereits von den Zeitgenossen bezweifelt[1]; da auch von HWV 370 keinerlei handschrift-

[1] In einem Exemplar des Druckes von Walsh in GB Lbm

liche Quellen erhalten sind, dürften die Zweifel an ihrer Echtheit berechtigt sein.

Literatur
Best, T.: Handel's Solo Sonatas. In: Music & Letters, vol. 58, 1977, S. 430 ff. (deutsch als: Händels Solosonaten. In: Händel-Jb., 23. Jg., 1977, S. 21 ff.); Burrows, D.: Walsh's editions of Handel's Opera 1–5: the texts and their sources. In: Music in Eighteenth-Century England. Ed. by C. Hogwood and R. Luckett, Cambridge UP 1982, S. 79 ff.

(R. M. g. 74. d.) weist die Sonate einen Vermerk in zeitgenössischer Handschrift „Not Mr. Handel's Solo" auf. Vgl. dazu auch HWV 372.

371. Sonate D-Dur für Violine und B. c.
(Sonata a Violino Solo e Cembalo)

ChA 27 (op. 1 Nr. 13). – HHA IV/4 (Nr. 4). – EZ: London, ca. 1750

1. Affettuoso

[vgl. HWV 378 (1.), HWV 379 (3.)]

26 Takte

2. Allegro

[vgl. HWV 67. Solomon (15.)]

78 Takte

3. Larghetto   **4.** Allegro

40 Takte   [vgl. HWV 99 (3.), HWV 70. Jephtha (36.)]   72 Takte

Quellen

Handschriften: Autograph: *GB* Lbm (R.M. 20. g. 13., f. 5ʳ–8ʳ: *Sonata a Violino solo e Cembalo di G. F. Handel*; R. M. 20. g. 14., f. 51ʳ: Skizze für HWV 67, Nr. 15, verwendet als Satz 2 in HWV 371).

Bemerkungen

HWV 371 wurde von Chrysander (ChA 27) als Nr. 13 der von ihm fälschlich als „XV Solos for a German Flute … Opera Prima" bezeichneten Sammlung veröffentlicht, obwohl diese Sonate gar nicht zum sogenannten „opus 1" gehört und wesentlich später als alle anderen Kammermusikwerke komponiert wurde. Schrift und Papier des Autographs (WZ: Cp, nur für 1750/54 belegt)[1] weisen Ähnlichkeiten mit den Ende 1749 bis Anfang 1751 entstandenen Werken auf, so daß die Komposition von HWV 371 auch in dieser Zeit erfolgt sein muß.

Händel versah das Autograph mit Taktangaben für Satz 1 (26 Takte) und Satz 2 (78 Takte). Der letzte Satz (Allegro) umfaßt 72 Takte (28 + 44 Takte), ist aber durch Bleistiftmarkierungen auf 54 Takte reduziert; die Kürzungsvermerke betreffen dabei die Takte 19–24, 48–51 und 61–68. Dies hängt mit der Übernahme des Satzes in HWV 70 Jephta zusammen, denn die verkürzte Fassung bildet

---

[1] Die Rastralbreite des zehn Systeme aufweisenden Autographs (ca. 92 mm) findet sich auch in den um 1749/51 entstandenen Autographen von HWV 68 Theodora, HWV 45 Alceste, HWV 308 Orgelkonzert op. 7 Nr. 3 (Erstfassung) und HWV 69 The Choice of Hercules.

dort die *Symphony* (36) beim Erscheinen des Engels und befindet sich in der Direktionspartitur [*D (brd)* Hs, M$\frac{A}{1024}$] in der Kopie von Smith senior, die Händel um die Violastimme ergänzte.

Chrysanders Fassung von HWV 371 (ChA 27, S. 47ff.) nahm diese Kürzung um insgesamt 18 Takte auch für den Abdruck der Sonate in Anspruch; in HHA IV/4 (S. 28ff.) ist die Originalfassung wiedergegeben, und die Kürzungen werden lediglich durch Vide-Zeichen angedeutet.

Entlehnungen:

1. Satz *(Affettuoso)*
   HWV 378 Sonate D-Dur: 1. Satz *(Adagio)*
   HWV 379 Sonate e-Moll: 3. Satz *(Largo)*
2. Satz *(Allegro)*
   HWV 67 Solomon: 15. From the censer curling rise/Live, live forever, David's son (T. 39 ff.)
4. Satz *(Allegro)*
   HWV 99 Delirio amoroso: Da quel giorno fatale: 3. Lascia omai le brune vele (Ritornello)
   HWV 70 Jephtha: 36. Symphonie

Literatur

Best, T.: Handel's Solo Sonatas. In: Music & Letters, vol. 58, 1977, S. 430ff. (deutsch als: Händels Solosonaten. In: Händel-Jb., 23.Jg., 1977, S. 21ff.); Chrysander III, S. 147ff.; Horton (Symposium), S. 254f.; Lasocki, D./Best, T.: A new flute sonate by Handel. In: Early Music, vol. IX, 1981, S. 307ff.

Beschreibung des Autographs: Lbm: Catalogue Squire, S. 45.

372. Sonate A-Dur für Violine und B.c.

ChA 27 (op. 1 Nr. 14). – HHA IV/4 (Nr. 5). – EZ: London, ca. 1725/26 (Echtheit nicht verbürgt)

13 Takte

29 Takte

3.

17 Takte

4.

68 Takte

Quellen

Handschriften: verschollen.

Drucke: Sonates pour un Traversiere un Violon ou Hautbois Con Basso Continuo Composées par G. F. Handel. – Amsterdam, Jeanne Roger, N° 534 (ca. 1730), Nr. 10; Twelve Sonatas or Solo's for the German Flute, Hautboy and Violin. Published about the Year 1724. Composed by G. F. Handel. – London, Arnold's edition, No. 139–140 (ca. 1794), Nr. 10.

Bemerkungen

HWV 372 wird (zusammen mit HWV 373) nur durch den Roger-Druck als *Sonate X (Violino Solo)* überliefert, handschriftliche Quellen zu dem Werk sind nicht erhalten. Als Walsh um 1732 seine korrigierte Ausgabe *(Solos for a German Flute)* unter eigenem Namen veröffentlichte, ersetzte er HWV 372 und HWV 373 (Nr. 10 und 12 des Roger-Druckes) durch zwei andere Violinsonaten (HWV 368 bzw. HWV 370), ohne jedoch eine Erklärung dazu abzugeben. Dieser Austausch sowie stilkritische Bedenken und der Umstand, daß keine anderen Quellen zu dem Werk existieren, haben zu starken Zweifeln an der Authentizität dieser sowie der Violinsonaten HWV 368, 370 und 373 geführt. Ein Exemplar des Roger-Druckes in *GB* Lbm (R. M. g. 74. d.) weist folgende Eintragung in einer zeitgenössischen Handschrift auf: *NB. This is not M.r Handel's.* Dies deutet bereits auf zeitgenössische Bedenken an der Echtheit der Sonate hin. Die Erklärung für die Einfügung jeweils zweier nicht autorisierter Sonaten in die beiden Erstdrucke von Roger bzw. Walsh liegt vermutlich darin, daß von Händel nur 10 authentische Werke für den Verleger verfügbar waren; um die erforderliche Anzahl der für eine solche Ausgabe üblichen 12 Werke zu erreichen, wurden daher jeweils zwei andere bereitliegende Sonaten eines anderen Komponisten in den Druck aufgenommen. Daß damit jedoch eine zweifache Täuschung des Publikums erfolgte und Händel später nicht auf eine wirklich korrekte Ausgabe seiner Solosonaten bestand, bleibt unerklärlich.

Literatur

Best, T.: Handel's Solo Sonatas. In: Music & Letters, vol. 58, 1977, S. 430 ff. (deutsch als: Händels Solosonaten. In: Händel-Jb., 23. Jg., 1977, S. 21 ff.); Doflein, E.: Die Violinsonaten von G. F. Händel. In: Musik im Unterricht, 44. Jg., 1953, H. 7/8, S. 197 ff.; Hopkinson, C.: Handel and France: editions published there during his lifetime. In: Edinburgh Bibliographical Society Transactions, Vol. III, Part 4, 1957, S. 223 ff.

373. Sonate E-Dur für Violine und B.c.

ChA 27 (op. 1 Nr. 15). – HHA IV/4 (Nr. 6). – EZ: London, ca. 1725/26 (Echtheit nicht verbürgt)

Quellen
Handschriften: verschollen.
Drucke: Sonates pour un Traversiere un Violon ou Hautbois Con Basso Continuo Composées par G. F. Handel. – Amsterdam, Jeanne Roger, N° 534 (ca. 1730), Nr. 12; Twelve Sonatas or Solo's for the German Flute, Hautboy and Violin. Published about the year 1724. Composed by G. F. Handel. – London, Arnold's edition, No. 139–140 (ca. 1794), Nr. 12.

Bemerkungen
HWV 373 wird (zusammen mit HWV 372) nur durch den Roger-Druck als *Sonata XII (Violino Solo)* überliefert; im Druck von Walsh um 1732 *(Solos for a German Flute)* wurde diese Sonate durch eine andere (HWV 370) ersetzt. Dieser Austausch sowie stilkritische Bedenken und das Fehlen handschriftlicher Quellen haben bereits bei den Zeitgenossen zu Zweifeln an der Echtheit von HWV 373 geführt; das Exemplar des Roger-Druckes in *GB* Lbm (R. M. g. 74. d.) enthält in zeitgenössischer Handschrift einen diesbezüglichen Vermerk *This is not Mr. Handel's.* Zur Erklärung über die möglichen Gründe für die Übernahme nichtautorisierter Kompositionen und den Austausch mit zwei

anderen gleichfalls ungesicherten Sonaten durch Walsh vgl. unter HWV 372.

Literatur
Best, T.: Handel's Solo Sonatas. In: Music & Letters, vol. 58, 1977, S. 430 ff. (deutsch als: Händels Solosonaten. In: Händel-Jb., 23. Jg., 1977, S. 21 ff.); Doflein, E.: Die Violinsonaten von G. F. Händel. In: Musik im Unterricht, 44. Jg., 1953, H. 7/8, S. 197 ff.; Hopkinson, C.: Handel and France: editions published there during his lifetime. In: Edinburgh Bibliographical Society Transactions, Vol. III, Part 4, 1957, S. 223 ff.

374. Sonate a-Moll
für Querflöte und B.c.

ChA 48 (Sonata XVI). – HHA IV/3 (Nr. 9, „Hallenser Sonate I"). – EZ: London, vor 1730 (Echtheit nicht verbürgt)

1. Adagio

44 Takte

2. Allegro

34 Takte

3. Adagio

24 Takte

4. Allegro

47 Takte

Quellen

Handschriften: verschollen.

Drucke: Six Solos Four for a German Flute and a Bass and two for a Violin with a Thorough Bass for the Harpsicord or Bass Violin Compos'd by Mr Handel Sigr Geminiani Sigr Somis Sigr Brivio. – London, J. Walsh, Joseph Hare (1730): *Sonata I. Traversa Solo by Mr Handel.* – —— – ib., J. Walsh, No. 398 (ca. 1731), dto.

Bemerkungen

HWV 374 wurde mit zwei anderen Querflötensonaten (HWV 375 und 376) 1730 von Walsh in einem Sammeldruck veröffentlicht, der außer den drei Händel zugeschriebenen Werken je eine Violinsonate von Francesco Saverio Geminiani (Nr. 5) und Giovanni Battista Somis (Nr. 6) sowie eine weitere Querflötensonate von Giuseppe Ferdinando Brivio (Nr. 4) enthält.

Seit Chrysanders Veröffentlichung (ChA 48, S. 130–139), der die Sonaten als frühe Werke einstufte, werden sie als sogenannte „Hallenser Sonaten" 1–3 bezeichnet; ihre Entstehung soll in die Jugendzeit Händels fallen, obwohl es dafür keinerlei Hinweise gibt. HWV 374 wird außer durch den Walsh-Druck von keiner anderen Quelle überliefert. Dieser Umstand sowie stilkritische Bedenken haben zu Zweifeln an der Authentizität der Sonate geführt, die auch infolge der fehlenden Verbindungen zu anderen Werken Händels durchaus berechtigt erscheinen.

Literatur

Best, T.: Handel's Solo Sonatas. In: Music & Letters, vol. 58, 1977, S. 430 ff. (deutsch als: Händels Solosonaten. In: Händel-Jb., 23. Jg., 1977, S. 21 ff.); Horton (Symposium), S. 251; Lasocki, D./Best, T.: A new flute sonata by Handel. In: Early Music, IX. Jg., 1981, S. 307 ff.

375. Sonate e-Moll für Querflöte und B.c.

ChA 48 (Sonata XVII). – HHA IV/3 (Nr. 10, „Hallenser Sonate II"). – EZ: London, vor 1730

1. Adagio

[vgl. HWV 366 (1.)]   18 Takte

2. Allegro

[vgl. HWV 366 (2.)]   45 Takte

3. Grave

[vgl. HWV 360 (2.), HWV 379 (2.)]   27 Takte

4. Minuet

[vgl. HWV 434 (4.)]

36 Takte

Quellen
Handschriften: verschollen.
Drucke: S. unter HWV 374: *Sonata II. Traversa Solo by M.ʳ Handel.*

Bemerkungen
HWV 375 gehört mit HWV 374 und HWV 376 zu den 1730 von Walsh veröffentlichten 3 Querflötensonaten, die als sog. „Hallenser Sonaten" seit Chrysanders Veröffentlichung (in ChA 48) mit Händels frühen Werken in Verbindung gebracht werden, obwohl es dafür keine Beweise gibt. Während HWV 374 und 376 aufgrund stilkritischer Bedenken als Werke von zweifelhafter Echtheit angesehen werden müssen, enthält HWV 375 Musik Händels in überarbeiteter Form und als Zusammenstellung von Sätzen aus folgenden anderen Werken:

1. Satz *(Adagio)*
   HWV 366: 1. Satz *(Largo)*
2. Satz *(Allegro)*
   HWV 366: 2. Satz *(Allegro)*
3. Satz *(Grave)*
   HWV 360: 2. Satz *(Andante)*
   HWV 379: 2. Satz *(Andante)*

4. Satz
   HWV 434 Suite für Cembalo I B-Dur (2. Sammlg.): 4. Satz (Menuet).

Die Vorlagen für Satz 1 und 2 sind in den entsprechenden Sätzen von HWV 366 zu finden. Diese Sonate ist im Autograph erhalten, das infolge von Korrekturen und Änderungen zweifelsfrei die Kompositionshandschrift darstellt (ca. 1711 entstanden); daher muß die überarbeitete und transponierte Fassung der Sätze in HWV 375 auf jeden Fall später entstanden sein. Auch aus diesem Grunde kann HWV 375 keinesfalls zu den Jugendwerken gehören und ist vermutlich erst um 1730 für den Druck in dieser Form zusammengestellt worden. Ob dies auf Händels eigene Veranlassung oder ohne sein Wissen geschah, ist nicht geklärt.

Literatur
Best, T.: Handel's Solo Sonatas. In: Music & Letters, vol. 58, 1977, S. 430 ff. (deutsch als: Händels Solosonaten. In: Händel-Jb., 23. Jg., 1977, S. 21 ff.); Horton (Symposium), S. 251; Lasocki, D./Best, T.: A new flute sonata by Handel. In: Early Music, vol. IX, 1981, S. 307 ff.

376. Sonate h-Moll für Querflöte und B.c.

ChA 48 (Sonata XVIII). – HHA IV/3 (Nr. 11, „Hallenser Sonate III"). – EZ: London, vor 1730 (Echtheit nicht verbürgt)

1. Adagio

21 Takte

2. Allegro

3. Largo

58 Takte

4. Allegro

17 Takte

67 Takte

Quellen

Handschriften: Autograph: verschollen.
Abschriften: *GB* BENcoke (2 Ex.).
Drucke: S. unter HWV 374: *Sonata III. Traversa Solo by M.̠ Handel.*

Bemerkungen

HWV 376 wurde zusammen mit HWV 374 und 375 in einem Sammeldruck von John Walsh veröffentlicht (vgl. unter HWV 374). Die Sonate wird seit Chrysanders Neuausgabe (ChA 48) zu den sogenannten „Hallenser Sonaten" gerechnet und mit Händels frühesten Kompositionen in Verbindung gebracht, obwohl es dafür keinerlei Beweise gibt und Stil sowie Überlieferung des Werkes dies nahezu ausschließen.
Infolge stilkritischer Bedenken und fehlender thematischer Verbindungen zu sicher beglaubigten Werken Händels wird HWV 376 heute in seiner Authentizität stark angezweifelt.

Literatur

Best, T.: Handel's Solo Sonatas. In: Music & Letters, vol. 58, 1977, S. 430 ff. (deutsch als: Händels Solosonaten. In: Händel-Jb., 23. Jg., 1977, S. 21 ff.); Horton (Symposium), S. 251; Lasocki, D./Best, T.: A new flute sonata by Handel. In: Early Music, vol. IX, 1981, S. 307 ff.

377. Sonate B-Dur für Blockflöte und B.c.
[Fitzwilliam Sonata I]

HHA IV/18 (Nr. 4). – EZ: London, ca. 1724/25

1. (Allegro)

[vgl. HWV 20 (Ouverture, 3. Satz), HWV 594]   44 Takte

2. Adagio

[vgl. HWV 292 (3.)]   10 Takte

3. Allegro

[vgl. HWV 361 (4.)]   35 Takte

Quellen

Handschriften: Autograph: *GB* Cfm (30. H. 10., MS. 260, p. 13–15).

Drucke: Ausgaben: a) The Fitzwilliam Sonatas by G. F. Handel from the autograph MSS in the Fitzwilliam Museum, Cambridge. Edited by Thurston Dart, London: Schott & Co. Ltd., 1948 (Sonata I); b) G. F. Handel: The Complete Sonatas for Treble Recorder and Basso Continuo, ed. by D. Lasocki and W. Bergmann, London: Faber Music, 1979 (Nr. 5).

Bemerkungen

HWV 377 wurde erst in jüngster Zeit aus den autographen Manuskripten in *GB* Cfm erschlossen und erstmals von Thurston Dart als Sonata I seiner sogenannten „Fitzwilliam Sonatas" veröffentlicht. Obwohl Händel keinen Besetzungsvermerk hinzufügte, dürfte das Werk für Blockflöte bestimmt sein.

Das Autograph, das in Papier (WZ: Cantoni-Bergamo) und Schriftbild mit einigen anderen Werken Händels korrespondiert (vgl. unter HWV 367ª), ist auf 1724/25 zu datieren; HWV 377 bildete die Vorlage für folgende Werke, in denen Händel thematisches Material dieser Sonate verarbeitete und deren Entstehungszeit damit einen zusätzlichen terminus ante quem für HWV 377 bietet:

1. Satz
   HWV 20 Scipione (Anfang 1726): Ouverture, 3. Satz *(Allegro)*
2. Satz *(Adagio)*
   HWV 292 op. 4 Nr. 4 F-Dur (März 1735): 3. Satz *(Adagio)*
3. Satz *(Allegro)*
   HWV 361 Sonata III A-Dur für Violine und B.c. (1725/26): 4. Satz *(Allegro)*

Literatur

Best, T.: Handel's Solo Sonatas. In: Music & Letters, vol. 58, 1977, S. 430 ff. (deutsch als: Händels Solosonaten. In: Händel-Jb., 23. Jg., 1977, S. 21 ff.); Horton (Symposium), S. 251; Lasocki, D.: A New Look at Handel's Recorder Sonatas (II: The Autograph Manuscripts). In: Recorder & Music, vol. 6, 1978, S. 71 ff.

Beschreibung des Autographs: Cfm: Catalogue Mann, MS. 260, S. 191.

378. Sonate D-Dur für Querflöte und B. c.

HHA IV/18 (Nr. 9). – EZ: Italien, ca. 1707/10

1. Adagio

[vgl. HWV 371 (1.), HWV 379 (3.)]   16 Takte

2. Allegro

[vgl. HWV 405 (1.)]   69 Takte

3. Adagio

10 Takte

4. Allegro

29 Takte

[vgl. HWV 293 (4.), HWV 369 (4.), HWV 405 (3.)]

Quellen

Handschriften: Autograph: verschollen.
Abschrift: *B* Bc (Lit. XY. 15. 115., p. 142–145: *Sonata XXX/ Traversa Solo/ et Basso continuo/ del Sr. Weisse*).
Faksimile: Thesaurus musicus, Nova Series, Serie A, vol. 7. Bruxelles: Editions Culture et Civilisation, 1979 (Nr. 30).

Bemerkungen

Ungeachtet der Zuschreibung von HWV 378 „del Sr. Weisse"[1] handelt es sich bei dieser Querflötensonate um eine frühe Komposition Händels. Das wird deutlich aus verschiedenen thematischen Parallelen mit anderen, sicher beglaubigten Werken, die sich für folgende Sätze von HWV 378 nachweisen lassen:

1. Satz *(Adagio)*
   HWV 379 Sonate e-Moll für Querflöte und B. c.: 3. Satz *(Largo)*
   HWV 371 Sonate D-Dur für Violine und B. c.: 1. Satz *(Affettuoso)*
2. Satz *(Allegro)*
   HWV 46ª Il Trionfo del Tempo e del Disinganno: Sonata dell' Overtura (3. Satz)
   HWV 47 La Resurrezione: 16. Introduzione zum II. Teil
   HWV 405 Triosonate F-Dur: 1. Satz

4. Satz *(Allegro)*
   HWV 405 Triosonate F-Dur: 3. Satz
   HWV 369 Sonata XI F-Dur: 4. Satz *(Allegro)*
   HWV 293 op. 4 Nr. 5 F-Dur: 4. Satz *(Presto)*

Der Entdeckung dieser Sonate und ihrer Beschreibung zunächst als Werk von Johann Sigismund Weiß durch Reinhold Kubik, der anfangs annahm, Händel hätte Material daraus für spätere Kompositionen entsprechend seiner oft belegten Entlehnungspraxis entnommen, folgte die Zuschreibung an Händel aufgrund der eindeutigen stilistischen und werkgeschichtlichen Kriterien. Vor allem das charakteristische Thema des 1. Satzes als Quelle für Sätze zweier weiterer Sonaten aus Händels späterer Schaffenszeit bietet dafür den Ausgangspunkt. Die stilistische Nähe zu weiteren frühen, in Italien entstandenen Kompositionen läßt an eine Entstehung zwischen 1707 und 1710 denken; es wird vermutet, daß Händel während eines Aufenthalts am Düsseldorfer Hofe des Kurfürsten Johann Wilhelm von der Pfalz 1710/11 Johann Sigismund Weiß kennenlernte, der dadurch in den Besitz der Sonate kam und das vermutlich unsignierte Manuskript, das als Vorlage für die Abschrift in *B* Bc diente, mit seinem Besitzer-Vermerk versah, woraus sich leicht ein Irrtum des Kopisten erklären läßt.

[1] Es handelt sich hierbei um Johann Sigismund Weiß, einen jüngeren Bruder des berühmten Dresdner Lautenisten Sylvius Leopold Weiß. J. S. Weiß (ca. 1690–1737) war in Düsseldorf und Mannheim Hofmusiker und komponierte mehrere Sonaten für Querflöte und Oboe. Außer HWV 378 werden ihm vier Sonaten in dem genannten Band in *B* Bc (Lit. XY 15. 115., p. 134–137: *Sonata XXVIII*, p. 152–155: *Sonata XXXII*, p. 222–226: *Sonata L*, p. 233–236: *Sonata LII*) zugeschrieben. Zur Musikerfamilie Weiß vgl. Neemann, H.: Die Lautenistenfami-

Literatur

Kubik, R.: Zu Händels Solosonaten. Addenda zu einem Aufsatz von Terence Best. In: Händel-Jb., 26. Jg., 1980, S. 115 ff.; Lasocki, D./Best, T.: A new flute sonata by Handel. In: Early Music, vol. IX, 1981, S. 307 ff.

lie Weiß. In: Archiv für Musikforschung, 4. Jg., 1939, S. 157 ff.

379. Sonate e-Moll für Querflöte und B.c.
(Sonata a Traversa e Basso)

ChA 27 (op. 1 Nr. 1ª). – HHA IV/3 (Nr. 1). – EZ: London, ca. 1727/28

Quellen

Handschriften: Autograph: *GB* Lbm (R.M. 20. g. 13., f. 9ʳ–11ʳ: *Sonata a Travers: e Basso*).

Bemerkungen

HWV 379 wurde aus Sätzen bereits vorliegender Werke zusammengestellt und für Querflöte eingerichtet. Schrift und Papier des Autographs (WZ: Cb) deuten auf eine Entstehungszeit nach 1726, die als terminus post quem mit den in der Sonate verarbeiteten Vorlagen korrespondiert; vermutlich komponierte Händel HWV 379 für eine noch nicht sicher zu datierende Gelegenheitsaufführung um 1727/28[1].

Die Vorlagen für die einzelnen Sätze der Sonate bildeten folgende Werke:

[1] Die von Lasocki/Best (s. Lit.) vermutete Aufführung in einem Konzert des als Fagottist bekannten Jean Christian Kytch (alias Johann Christian Keusch) am 23. Februar 1720 trifft allerdings wegen der eindeutig späteren Entstehungszeit der Sonate nicht zu.

1. Satz *(Larghetto)*
   HWV 359[a, b]: 1. Satz *(Grave)*
2. Satz *(Andante)*
   HWV 360: 2. Satz *(Andante)*
   HWV 375: 3. Satz *(Grave)*
3. Satz *(Largo)*
   HWV 378: 1. Satz *(Adagio)*[2]
4. Satz *(Allegro)*
   HWV 359[a, b]: 4. Satz *(Allegro)*
5. Satz *(Presto)*
   HWV 360: 4. Satz *(Presto)*[3]

Tonartengleichheit und Ähnlichkeit der Ecksätze von HWV 379 mit Satz 1 und 4 von HWV 359[b] veranlaßten Friedrich Chrysander, in seiner Ausgabe des „op. 1" (ChA 27) HWV 379 als Variante

[2] Die endgültige Form erhielt der Satz in der späten Violinsonate D-Dur HWV 371 (1. Satz, *Affettuoso*).
[3] Das Thema des Satzes gehört zu Händels Lieblingsthemen und findet sich auch in folgenden Werken: HWV 150 „Qual ti riveggio": 2. Se la morte non vorrà, HWV 6 Agrippina: 17. Non ho cor che per amarti, HWV 16 Flavio: 7. Di quel bel che m'innamora, HWV 29 Ezio: 32.–36. Stringo al fine (etc.), HWV 291 op. 4 Nr. 3 g-moll: 4. Satz *(Allegro)*, HWV 310 op. 7 Nr. 5 g-Moll: 4. Satz (Gavotte).

von *Sonata I* (HWV 359[b]) zu sehen und sie infolge der Existenz eines Autographs[4] sowie der in dem Werk verarbeiteten Sätze anderer Sonaten als ursprüngliche Fassung einer Querflötensonate in e-Moll zu betrachten. Aus diesen Gründen ordnete er sie als Sonate 1[a] seiner Ausgabe der Solosonaten zu, obwohl sie mit den Drucken von Roger und Walsh in keinem Zusammenhang steht und später als alle anderen Sonaten des sogenannten „opus 1" entstand.

Literatur
Best, T.: Handel's Solo Sonatas. In: Music & Letters, vol. 58, 1977, S. 430 ff. (deutsch als: Händels Solosonaten. In: Händel-Jb., 23. Jg., 1977, S. 21 ff.); Horton (Symposium), S. 252 f.; Lasocki, D./Best, T.: A new flute sonata by Handel. In: Early Music, vol. IX, 1981, S. 307 ff.
Beschreibung des Autographs: Lbm: Catalogue Squire, S. 45.

[4] Das Autograph von HWV 359[a] war Chrysander zur Zeit der Edition von ChA 27 offensichtlich noch nicht bekannt; er hielt 1867 (in: Chrysander III, S. 147) die Handschrift von HWV 379 für das Autograph von HWV 359[b].

Triosonaten

380.–385. 6 Sonaten für Oboe, Violine (oder 2 Oboen) und B. c.

ChA 27. – HHA IV/9. – EZ: 1700/05 (Echtheit nicht verbürgt)

380. Sonate Nr. 1 B-Dur

21 Takte

Takt 59

69 Takte

96 Takte

381. Sonate Nr. 2 d-Moll

20 Takte

55 Takte

29 Takte

46 Takte

382. Sonate Nr. 3 Es-Dur

1. Adagio

23 Takte

2. Alla breve

107 Takte

3. Andante

27 Takte

4. Allegro

63 Takte

383. Sonate Nr. 4 F-Dur

1. Adagio

24 Takte

2. Allegro

100 Takte

3. Largo

37 Takte

122 Takte

384. Sonate Nr. 5 G-Dur

1. Adagio

22 Takte

2. Allegro

(49 Takte)

3. Grave

Takt 50

57 Takte

4. Allegro

36 Takte

385. Sonate Nr. 6 D-Dur

Quellen
Handschriften: Autographe: verschollen.
Abschriften: *GB* Lbm (R.M. 18.b.3.: *6 Sonate Compose par Mr: Hendel,* 3 Stimmhefte für *Hautbois 1ma, Hautbois 2da, Basso Cimbalo,* aus dem Besitz von Carl Friedrich Weidemann)

Bemerkungen
Die 6 Sonaten für 2 Melodieinstrumente und Basso continuo, die als „Oboentrios" bekannt geworden sind, sollen zu Händels frühesten erhaltenen Kompositionen gehören. Diese Vermutung geht auf folgende Bemerkung von Charles Burney[1]

[1] Vgl. Burney, Ch.: Sketch of the Life of Handel. In: An Account of the Musical Performances in Westminster Abbey and the Pantheon … 1784: in Commemoration of Handel. London 1785. Zitiert nach: Dr. Karl Burney's Nachricht von Georg Friedrich Händels Lebensumständen und der ihm zu London … 1784 angestellten Gedächtnißfeyer. Aus dem Englischen übersetzt von Johann Joachim Eschenburg. Berlin und Stettin 1785 (Faksimile-Neudruck, Leipzig 1965), S. V (Abriß von Händels Leben).

zurück: „Der verstorbene Herr Weidemann[2] besaß eine Folge dreystimmiger Sonaten, die Händel verfertigte, als er erst zehn Jahr alt war." In der Fußnote 6) zu dieser Bemerkung fügte er die näheren Umstände für die quellenmäßige Überlieferung der Sonaten an: „Der Graf von Marchmont[3] machte sie auf seinen Reisen, die er als Lord Polwarth durch Deutschland that, als eine große Seltenheit ausfündig, und gab sie Herrn Weidemann, der ihm Stunden auf der Flöte gab. Einer meiner Freunde, der mir diese Anekdote mitgeteilt hat, besorgte eine Abschrift dieser jugendlichen Kompositionen[4] … die Weidemann einmal Händel'n

[2] Carl Friedrich Weidemann (gest. 1782) war ab 1724/25 als Flötist im Orchester des Haymarket Theatre tätig. Vgl. Deutsch, S. 174.
[3] Hugh Hume, 3. Earl of Marchmont (geb. 1708), unternahm diese Kavaliersreise (noch als Lord Polwarth) vermutlich zwischen 1725 und 1740, bevor er den Titel erbte. Vgl. Flesch, S. 149, S. 201, Anm. 34.
[4] Diese Kopie ist verschollen. Chrysander I, S. 44 (1858) beklagte zunächst den Verlust der Handschrift, doch 1879 stand sie ihm für die Veröffentlichung in ChA 27

zeigte, der sich darüber zu freuen schien, und lachend sagte: ‚Ich schrieb damals wie der Teufel: am meisten für die Hoboe, die mein Lieblingsinstrument war' ..." Obwohl damit keinesfalls gesagt ist, daß Händel diese Kompositionen als seine eigenen anerkannte, führt Burney anschließend im Werkverzeichnis (S. L, *Vermischte Werke*) eine „Abschrift von sechs Sonaten für zwey Hoboen und einen Baß 1694" als authentisch an, die auch Ernst Ludwig Gerber (*Historisch-biographisches Lexikon der Tonkünstler, Erster Theil*, Leipzig 1790, Sp. 568ff., besonders Sp. 574) in sein Händel-Werke-Verzeichnis übernahm.

Neben Burneys Bemerkungen findet sich bereits auf dem Stimmheft für Hautbois I folgende Eintragung Carl Friedrich Weidemanns[5]: „The first Compositions Mr Handel made in 3 Parts, when a School Boy, about Ten Years of Age, before he had any Instructions and then playd on the Hautboye, besides the Harpsichord ..."[6]

Gegenüber diesen Behauptungen wurden in neuerer Zeit starke Zweifel nicht nur an der Datierung[7] auf 1694 sondern an der Echtheit der Sonaten überhaupt geäußert[8], meist aufgrund stilkritischer Bedenken und infolge Fehlens einer beglaubigten Quellenüberlieferung, die durch die vorliegende Abschrift nicht geltend gemacht werden kann (vgl. die Diskussion bei Flesch, S. 142 ff.). Obwohl die Handschrift aus Deutschland stammt[9], ist ihre genaue Provenienz ungewiß; die von Chrysander angenommene Entstehungszeit der Abschrift „um 1700" ist sicherlich kaum stichhaltig, und die von Burney/Weidemann gegebene Datierung 1694 gehört erst recht ins Reich der Fabel.[10] Die Frage der Authentizität der Sonaten muß demnach zweifelhaft bleiben.

Die Besetzung der Oberstimmen mit 2 Oboen entspricht nicht der tatsächlichen Faktur der zweiten Stimme. Diese ist in der vorliegenden Form in mindestens 3 Sonaten für die damalige Oboe nicht spielbar, da sie teilweise (Sonata II, 2. Satz, Adagio, T. 5, 46) bis *e'''* geführt wird, andererseits (Sonata I, 4. Satz, Allegro, T. 58–60, Sonata V, 2. Satz Allegro, T. 42) zum *b* und *a* hinunter reicht.

Daraus sowie aus der Notierung von Doppelgriffen in Sonata III, 1. Satz (Adagio), T. 21–22, ergibt sich, daß die zweite Stimme für Violine gedacht ist und auch so besetzt werden sollte.

Chrysander (in: ChA 27, S. 57–90) verwendete als Werkbezeichnung *(VI Sonatas or Trios for Two Hoboys with a Throrough Bass for the Harpsicord)* einen frei erfundenen Titel im Stil der zeitgenössischen Drucke von Walsh und anderen, der keine historische Berechtigung besitzt, da die Sonaten erst von ihm (um 1879) erstmals veröffentlicht wurden.

Literatur

Chrysander I, S. 44 f.; Flesch, S.: Georg Friedrich Händels Triosonaten, Phil. Diss. Halle 1972, maschinenschriftl.; Flesch, S.: Georg Friedrich Händels Triosonaten. In: Händel-Jb., 18./19. Jg., 1972/73, S. 139 ff., besonders S. 142 ff.; Horton(Symposium), S. 250 f.; Lang, p. 22 f./S. 18 f.; Leichtentritt, S. 819 ff.

---

wieder zur Verfügung, nachdem W. G. Cusins sie in der Royal Music Library im Buckingham Palace wieder aufgefunden hatte. Vgl. Vorwort zu ChA 27.

[5] Vgl. auch Catalogue Squire, S. 105. Faksimile in HHA IV/9, S. XI.

[6] Es folgen Angaben zu Händels Lebensdaten und Werken, die aber keinen Bezug auf die 6 Sonaten haben.

[7] U. a. von Leichtentritt, S. 819 ff., der sie für spätere Überarbeitungen hält, und von Lang (englische Ausgabe, S. 22 f.), der sich dieser Meinung anschließt.

[8] Vgl. Hicks, A.: Handel and others, In: The Musical Times, vol. 112, S. 360; Sadie, S.: ebenda, S. 674 (Schallplattenbesprechung der Aufnahme der 6 Sonaten durch die Archivproduktion der Deutschen Grammophon-Gesellschaft).

[9] S. Flesch (S. 150 und HHA IV/9, Quellen und Lesarten, S. 67) konnte nachweisen, daß das für die Handschrift verwendete Papier kontinentaler Herkunft ist (WZ der Papiermühle Relliehausen bei Dassel, Niedersachsen).

[10] Ebenso die ohne stichhaltige Begründung gegebene Datierung auf 1746 durch J. Müller-Blattau (in: G. F. Händel, Der Wille zur Vollendung, Mainz 1959, S. 194, und MGG Bd. 5, Artikel: Händel, Georg Friedrich, 1956, Sp. 1260).

386.–391. 6 Sonaten für 2 Violinen, Oboen oder Querflöten und B. c. op. 2

386ᵃ. Sonate Nr. 1ᵃ c-Moll

Besetzung: Fl. trav. (Ob.); V.; Cont.
ChA 27 (Nr. Iᵃ). – HHA IV/10/1 (Anhang). – EZ:
London, ca. 1718

1. Andante

38 Takte

2. Allegro

78 Takte

3. Andante

[vgl. HWV 46a (13.), HWV 6 (29.), HWV 13 (6.)]

44 Takte

4. Allegro

staccato

[vgl. HWV 251b, c (6.)]

Takt 19

127 Takte

Quellen
Handschriften: Autograph: verschollen.
Abschriften: *D (brd)* B(Am. Bibl. 154, f. 1ᵛ–7ʳ)[1], Hs
(M$\frac{C}{50}$, p. 1–8, für V. und Cemb. obbligato) –
D(ddr) Dlb (Mus. 2410/Q/3, p. 17–23, für V. I, II,
B. c.; Mus. 2410/Q/6: *Trio à Flauto trav., Violino e
Basso. del Sigʳᵉ Hendel*) – *DK* Kk (mu 6212. 0335,
Gieddes samling III, 32: *Sonata 4ª*, St. für Ob., V.,
B. c.) – *GB* Cfm (23. G. 9., MS. 70), Lbm
(R.M. 19. g. 6., f. 1ʳ–5ᵛ, für Ob., V., B. c., Kopie des
Schreibers S₅ um 1760), Lcm (MS. 260, f. 19ʳ–27ʳ:
Sonata 3ª, Kopie des Schreibers S₂ nach 1730) – *US*
CA (Houghton, f. MS. Mus. 1., St. für V. I, II, B. c.,
Nr. 4)[2].

Bemerkungen
HWV 386ª stellt vermutlich die Originalfassung
(in c-Moll) der später als op. 2 Nr. 1 veröffentlichten Triosonate in h-Moll HWV 386ᵇ dar und
dürfte – zusammen mit HWV 388–390ª – um
1718 entstanden sein. Sie wird lediglich durch
handschriftliche Quellen überliefert und scheint
auf eine heute verschollene autographe Vorlage
zurückzugehen, die älter als die Stichvorlage für
die zeitgenössischen Drucke war.
Dennoch stimmt ihr Notentext mit der späteren
h-Moll-Fassung im wesentlichen überein.
Die Quellen zu HWV 386ª geben als Besetzung
unterschiedliche Instrumentenkombinationen an;
obwohl die Tonart c-Moll auch die Verwendung
der Blockflöte[3] für die 1. Stimme nahelegen
würde – die Violine ist wegen der Doppelgriffe

---

[1] Vgl. Blechschmidt, E. R.: Die Amalienbibliothek, Berlin 1965, S. 158.
[2] Das 1894 von F. Chrysander (in ChA 48, Vorwort,
S. IIIf.) beschriebene Manuskript aus dem Besitz von
T. W. Bourne (*VI Sonate a 2 Violini et Basso. Par Signor Hendel*) mit den Triosonaten HWV 390ᵇ, 389, 388 und 386ª
und zwei anonymen Werken.
[3] Vgl. Horton (Symposium), S. 255, A. Hicks (in: The
New Grove, Artikel G. F. Handel, Works: Sonatas,
No. 14).

im 3. Satz *(Andante)* als 2. Stimme festgelegt –,
kann diese Besetzung aus keiner der vorliegenden
Handschriften als Alternative zu den anderen
darin genannten Instrumenten[4] (V. I, Ob. oder
Querflöte) belegt werden.
Friedrich Chrysander veröffentlichte HWV 386ª
als Nr. 1ª in seiner Ausgabe (ChA 27, S. 92–98)
von op. 2 (vgl. dazu HWV 386ᵇ); die von ihm vor-
geschriebene Besetzung mit Querflöte, Violine
und Cont. entnahm er der Quelle *D(ddr)* Dlb
(Mus. 2410/Q/6).
Entlehnungen[5]:
3. Satz *(Andante)*
   HWV 46ª Il Trionfo del Tempo e del Disin-
   ganno: 13. Crede l'uom (Ritornello)[6]
   HWV 6 Agrippina: 29. Vaghe fonti (Ritornello)
   HWV 13 Muzio Scevola: 6. Volate più dei venti,
   T. 28ff.: Ma siate lenti (Ritornello)
   HWV 71 The Triumph of Time and Truth: 15.
   Mortals think that Time is sleeping (Ritor-
   nello)
4. Satz *(Allegro)*
   HWV 251ᵇ·ᶜ As pants the hart: 6. Why so full of
   grief (vgl. auch HWV 251ᵈ, Nr. 4)

Literatur
Flesch, S. 150ff.; Flesch, S.: Krit. Bericht zu op. 2
(HHA IV/10/1), in: G. F. Händels Triosonaten,
Phil. Diss. Halle 1972, Teil B; Horton (Sympo-
sium), S. 255f.; Leichtentritt, S. 822.

---

[4] Als Kuriosum sei auf die Fassung für Violine und Cembalo obbligato in *D(brd)* Hs hingewiesen.
[5] Satz 1 teilt das Kopfthema mit der Sonate HWV 367ª·ᵇ
1. Satz (Largo) und weist Ähnlichkeiten mit der Arie „O
the pleasure my soul is possessing" in HWV 51 (Deborah (27)) auf.
[6] Vgl. auch HWV 46ᵇ, Nr. 16. Das Urbild des Satzes
stammt aus der Oper „Die römische Unruhe oder Die
edelmütige Octavia" von Reinhard Keiser (Hamburg 1705), I. Handlung, 1. Auftritt (Arie des Seneca:
„Ruhig sein").

386ᵇ. Sonate Nr. 1ᵇ h-Moll

Besetzung: Fl. trav. (V.); V.; Cont.
ChA 27 (Nr. Iᵇ). – HHA IV/10/1. – EZ: London,
ca. 1726/32

1. Andante

38 Takte

2. Allegro ma non troppo

78 Takte

3. Largo

Takt 5   44 Takte

4. Allegro

Takt 19   127 Takte

Quellen

Handschriften: Autograph: verschollen.
Abschriften: *A* Sm (Mn 107, No. 1, p. 53 ff., Kopie
von G. Mederitsch detto Gallus) – *GB* Mp (MS
130 Hd4, v. 312, p. 61–79: *Sonata 1,* Kopie des
Schreibers S₂ nach 1730, mit Bezifferungen von
Charles Jennens), Malmesbury Collection (*Sonatas
and Concerto's compos'd by George Frederick Handel
Esq.,* datiert *London 1727, No. 1*).
Drucke[1]: VI Sonates à deux Violons, deux haubois
ou deux Flutes traversieres & Basse Continue
Composées Par G. F. Handel Second ouvrage. –
Amsterdam, Jeanne Roger Nᵒ 535 (ca. 1730/32);
VI Sonates à deux Violons, deux haubois ou deux
Flutes traversieres & Basse Continue Composées
Par G. F. Handel. Second ouvrage. – [London],
Iohn Walsh … Note: This is more Correct than
the former Edition. Nᵒ 408 (2 verschiedene Ausga-
ben, ca. 1733, 1750); —— – London, B. Cooke …
Note: This is more Correct than the former Edi-
tion's (ca. 1733); —— – ib., John Johnson
(ca. 1743); Six Sonates En Trio, Pour deux Vio-
lons, Hautbois, ou Flûtes Traversieres, Avec la
Basse Continue. Par Mʳ Handel. Second Oeuvre
Nouvelle Edition. Corrigée … Gravés par Denise
Vincent. – Paris, Le Clerc le Cadet, Le Sʳ Le Clerc,
La Vᵉ Boivin (1736); —— – ib. (ca. 1740); Six Sona-
tas For Two Violons, Two Hautbois, or Two Ger-
man Flutes, & a Violoncello First published at
Amsterdam 1731 Composed by G. F. Handel. –
[London], Arnold's edition, No. 47–48 (1789),
Part.

[1] Sämtliche Ausgaben außer der Arnold-Edition sind
Stimmendrucke. In *GB* Lbm (Add. MSS. 31575) befindet
sich ein Exemplar der Violino-I-Stimme aus einem
Walsh-Druck mit handschriftlichen Bemerkungen von
Michael Rophino Lacy (ca. 1850) über die Entlehnungen
in op. 2.

Bemerkungen

Händels Triosonaten wurden zu seinen Lebzeiten
im wesentlichen in zwei Sammlungen als op. 2
und op. 5 veröffentlicht, die zwischen 1726/32 und
1739 erschienen und mehrere Nachdrucke und Titelauflagen während des 18. Jahrhunderts erlebten.
Diese Drucke werden durch eine Reihe von nur
handschriftlich überlieferten Triosonaten ver-
mehrt, deren Authentizität teils durch Autographe oder gesicherte Abschriften außer Frage
steht, teils aber auch infolge ihres apokryphen
Überlieferungsbefundes angezweifelt werden
muß.
Hinsichtlich der Triosonaten op. 2 ergab sich
durch die Veröffentlichung Chrysanders (in ChA
27, S. 92–155) wie schon im Falle seines sogenannten „op. 1" in der Musikpraxis eine Unsicherheit darüber, wie viele Sonaten eigentlich in der
Sammlung von op. 2 zusammengefaßt sind. Während die zeitgenössischen Drucke nur 6 Triosonaten überliefern, deren Titel stets in französischer
Sprache abgefaßt sind[2], enthält ChA 27 insgesamt
9 Sonaten[3]. Den ursprünglich 6 Sonaten von op. 2
fügte er die drei nur abschriftlich erhaltenen Triosonaten HWV 392–394 als Nr. 3, 8 und 9 hinzu
und erfand für die Ausgabe den irreführenden Titel *IX Sonatas or Trios for Two Violins, Flutes or Hoboys With a Thorough Bass for the Harpsicord or Violoncello Opera Seconda,* wobei er den Roger zugeschriebenen Druck anscheinend nicht kannte sondern
annahm, die Triosonaten op. 2 seien erstmals von
Witvogel in Amsterdam publiziert worden. Die
6 Triosonaten op. 2 sind von Chrysander unter
den Nummern 1ᵇ, 2, 4, 5, 6, 7 gedruckt worden.
Die Erstausgabe der Triosonaten op. 2 (veröffentlicht zwischen 1726 und 1732, vermutlich jedoch
1730/32) erschien unter einem französischen Titel

[2] Erst Samuel Arnolds Ausgabe, die auf dem Walsh-
Druck basiert, erschien unter einem englischen Titel.
[3] Zuzüglich der c-Moll-Fassung von Sonate 1, die Chrysander als Originalfassung ansah und mit der Nr. 1ᵃ bezeichnete.

mit dem Impressum „A Amsterdam Chez Jeanne Roger" und der Plattennummer 535. Wie bereits bei der Ausgabe der Solosonaten konnte aufgrund der unzutreffenden Plattennummer kürzlich ermittelt werden, daß es sich auch bei diesem Roger zugeschriebenen Druck von op. 2 um eine Falsifikation des Londoner Verlegers John Walsh (d. J.) handelt, der kurz darauf einen mit seinem Namen gezeichneten und unter Verwendung z. T. der gleichen Stichplatten hergestellten Nachdruck veröffentlichte und auf dem Titelblatt vermerken ließ: *Note: This is more Correct than the former Edition.* Die Korrekturen, auf die hiermit verwiesen wurde, umfaßten neben unwesentlichen kleineren Änderungen eine korrigierte Fassung des letzten Satzes der 6. Sonate (vgl. unter HWV 391), der im Roger-Druck durch Stichfehler ziemlich entstellt wiedergegeben ist (vgl. Burrows, Lit.).

Da von keiner der Sonaten op. 2 Autographe erhalten sind, kann auch aus den abschriftlichen Quellen nicht mit Sicherheit die Entstehungszeit der einzelnen Werke abgeleitet werden, da die meisten vollständigen Abschriften nach Kopien der zeitgenössischen Drucke angelegt wurden[4] und nach 1730 entstanden, also späteren Datums sind als die beiden Erstdrucke. Die vermutlich unabhängig von den Drucken entstandenen Abschriften *D (ddr)* Dlb (Mus. 2410/Q/3), *DK* Kk, *GB* Lcm sowie das Manuskript (*US* CA) aus dem Besitz von T. W. Bourne[5] enthalten jeweils die Sonaten HWV 386[a] (Nr. 1[a] c-Moll), HWV 388 (Nr. 3),

[4] Wie S. Flesch (HHA IV/10/1) nachweisen konnte, basieren die Handschriften *GB* Mp (MS 130 Hd4, vol. 312) auf dem Erstdruck nach Roger, *GB* Lbm (R. M. 19. g. 6.) auf dem Walsh-Druck, *D (brd)* B (Am. Bibl. 154) auf der Ausgabe von Le Clerc. Die Ausgabe von John Johnson (ca. 1743) benutzte die Stichplatten von B. Cooke (ca. 1733). Weshalb 2 der Handschriften jedoch statt der h-Moll-Fassung die c-Moll-Variante bevorzugen, die in keinem der Drucke erhalten ist, bleibt unerklärlich.

[5] Vgl. ChA 48, Vorwort, S. III f.

HWV 389 (Nr. 4) und HWV 390 (Nr. 5), die auch nach Stil und Entstehungsdaten der darin verarbeiteten Vorlagen aus anderen Werken Händels zeitlich zusammengehören und um 1718 komponiert wurden. HWV 387 (Nr. 2) und HWV 391 (Nr. 6) sind dagegen eindeutig früheren Datums und müssen von Händel für die Druckvorlage zu op. 2 älteren autographen Beständen entnommen worden sein.

Obwohl in den Drucken der Sonaten eine variable Besetzung[6] (für 2 Violinen, 2 Oboen oder 2 Querflöten mit Violoncello und Cembalo) angezeigt ist, wird darauf in den Stimmen selbst wenig Bezug genommen; in der Regel sind V. I, II vorgeschrieben, nur für Sonate 1 und 4 Querflöte und Violine. Die handschriftliche Überlieferung läßt dagegen einer freizügigeren Besetzung mehr Raum, ist aber auch nicht einheitlich in der Instrumentenbezeichnung, so daß der Angabe in den Drucken der Vorzug zu geben ist.

HWV 386[b] wurde vermutlich aus der c-Moll-Fassung HWV 386[a] für den Druck nach h-Moll transponiert und überarbeitet. Die Sonate erscheint als Nr. 1 in allen Drucken von op. 2 und ist für die Besetzung mit Querflöte, Violine und Basso continuo bestimmt. Zu den Entlehnungen thematischen Materials für die Sätze 3 und 4 vgl. unter HWV 386[a].

Literatur

Burrows, D.: Walsh's edition of Handel's Opera 1–5: the texts and their sources. In: Music in Eighteenth-Century England. Ed. by C. Hogwood and R. Luckett, Cambridge UP 1982, S. 79 ff.; Best, T.: Nachtrag zu dem Artikel „Händels Solosonaten". In: Händel-Jb., 26. Jg., 1980, S. 121 f.; Chrysander III, S. 150 f.; Horton (Symposium), S. 255 f.; Leichtentritt, S. 822.

[6] Die zeitgenössischen Drucke bestehen aus 3 Stimmen für *Violino Primo* (für Sonate 1 und 4: *Traversa-Primo*), *Violino Secondo* und *Violoncello e Cimbalo*.

387. Sonate Nr. 2 g-Moll

Besetzung: V. I, II; Cont.
ChA 27 (Nr. II). – HHA IV/10/1. – EZ: Halle, vermutlich um 1700

45 Takte

32 Takte

25 Takte
Da capo (34 Takte)

[vgl. HWV 408]

61 Takte

Quellen

Handschriften: Autograph: verschollen.

Abschriften: *A* Sm (Mn 107, No. 2, Kopie von G. Mederitsch detto Gallus) – *D (brd)* B (Am. Bibl. 154, f. 30ᵛ–34ʳ), Hs (M $\frac{C}{50}$, f. 31–35) – *GB* Cfm (23.G.9., MS.70), Lbm (R.M.19.g.6., f.6ʳ–9ʳ), Mp (MS 130 Hd4, v.312, p.154–166: *Sonata 6*, Kopie des Schreibers S₂, nach 1730, mit einer Bemerkung von Charles Jennens: *Composed at the age of 14*).

Drucke: S. unter HWV 386ᵇ.

Bemerkungen

HWV 387, veröffentlicht als op. 2 Nr. 2, weist stilistisch deutlich auf eine frühe Entstehungszeit (vgl. Hicks, Lit.). Eine Hilfe für die Datierung verdanken wir Charles Jennens, der auf der Anfangsseite seiner Abschrift der Sonate (*GB* Mp) folgendes vermerkte: „Composed at the age of 14". Dieser Hinweis kann sich nur auf eine Bestäti-

gung durch Händel beziehen, mit dem Jennens zeitweise engen Kontakt hatte und dadurch mehrfach Informationen über Ereignisse aus Händels Leben erhielt, die sonst nicht bekannt waren[1]. Da Jennens die in seinem Besitz befindlichen Handschriften Händelscher Werke nach den autographen Vermerken in der Regel selbst zu datieren pflegte, dürfte die Zuweisung von HWV 387 in Händels früheste Schaffensperiode einige Authentizität beanspruchen; selbst wenn man das Datum von etwa 1700, das sich daraus ergeben würde, nicht allzu wörtlich nimmt, hat eine Datierung der Sonate auf 1700/05 auch aufgrund der stilkritischen Bewertung der musikalischen Faktur und der Nähe ihrer motivisch-thematischen Zusammenhänge mit anderen frühen Werken volle Berechtigung. Mit HWV 387 läge somit eine der frü-

[1] Vgl. dazu Dean, W.: Charles Jennens's Marginalia to Mainwaring's Life of Handel. In: Music & Letters, vol. 53, 1972, S. 160 ff.

hesten annähernd genau datierbaren Kompositionen des jungen Händel vor; ob das Werk noch aus Halle stammt oder bereits in Hamburg geschrieben wurde, kann jedoch wegen des verschollenen Autographs nicht bestimmt werden, denn alle erhaltenen handschriftlichen Quellen stammen aus der Zeit nach der Veröffentlichung des Werkes in der Sammlung von op. 2.

Das thematische Material des vierten Satzes *(Allegro)* bildet die Vorstufe für ein von Händel später mehrfach verwendetes melodisches Modell, das in HWV 408 *(Allegro* c-Moll) direkt weiterentwickelt wurde, in verschiedenen anderen Werken in immer neuen Varianten erscheint[2] und zu den meistzitierten eigenen Themen Händels gehört.

Literatur

Chrysander III, S. 150 f., Flesch, S. 150 ff.; Hicks, A.: Handel's Early Musical Development. In: Proceedings of the Royal Musical Association, vol. 103, 1976/77, S. 80 ff., besonders S. 85 f.; Horton (Symposium), S. 255 f.

[2] Vgl. HWV 287 (4. Satz), HWV 362 (4. Satz), HWV 576 *(Allegro)*, HWV 291 (2. Satz), HWV 390 (4. Satz), HWV 46[b] Il Trionfo del Tempo e della Verità (9. Un pensiero nemico di pace). Aus Satz 1 *(Andante)* scheint Händel später das Kopfthema für „The flocks shall leave the mountains" (17) in HWV 49[a] Acis and Galatea (1. Fassung) gebildet zu haben.

388. Sonate Nr. 3 B-Dur

Besetzung: V. I, II (Ob. I, II; Fl., V.); Cont.
ChA 27 (Nr. IV). – HHA IV/10/1. – EZ: London, ca. 1718

1. Andante   29 Takte
2. Allegro   66 Takte
[vgl. HWV 50a, b (Ouverture, 3. Satz)]
3. Larghetto   56 Takte
[vgl. HWV 50a, b (Ouverture, 2. Satz)]
4. Allegro   82 Takte
[vgl. HWV 290 (2.)]

Quellen

Handschriften: Autograph: verschollen.
Abschriften: *A* Sm (Mn 107, p. 49–52, fragm.; Mn. 107, No. 3, Kopie von G. Mederitsch detto Gallus) – *D (brd)* B (Am. Bibl. 154, f. 15ᵛ–22ʳ), Hs (M $\frac{C}{50}$, p. 17–24, für Flauto, V. und B. c.) – *D (ddr)* Dlb (Mus. 2410/Q/3, p. 1–8: Sonata 1; Mus. 2410/Q/4, p. 1–6: *Sonata à 3. Mons. Hendel,* für Ob. I, II, Fag.) – *DK* Kk (mu 6212.0335, Gieddes samling III, 32: *Sonata 2ᵈᵃ,* St.) – *GB* Cfm (32. G. 9., MS. 70), Lbm (R. M. 19. g. 6., f. 9ᵛ–14ʳ), Lcm (MS. 260, f. 10ᵛ–18ᵛ: *Sonata 2ᵈᵃ*), Malmesbury Collection (*Sonata's and Concerto's Compos'd by George Frederick Handel Esq.,* datiert *London 1727,* No. 3), Mp (MS 130 Hd4, v. 312, p. 117–136: *Sonata 4,* Kopie des Schreibers S₂ nach 1730, mit Continuobezifferung von Charles Jennens) – *US* CA (Houghton, f. MS. Mus. 1., St. für V. I, II, B. c. Nr. 3).
Drucke: S. unter HWV 386ᵇ.

Bemerkungen

Die Triosonate HWV 388, veröffentlicht als op. 2 Nr. 3 (ChA 27: Nr. 4), ist vermutlich um 1718 entstanden, etwa um die gleiche Zeit wie die Cannons-Masque HWV 50ᵃ Esther (1. Fassung), deren Ouvertüre den Sätzen 1–3 entspricht. Im allgemeinen wird angenommen, daß die „Esther"-Ouvertüre (1. Fassung) die Vorlage für die Triosonate HWV 388 darstellt, doch wird diese Annahme über das Abhängigkeitsverhältnis beider Werke aus dem Quellenbefund nicht ersichtlich. Die Tatsache, daß der Druck der Sonaten op. 2 statt, wie bisher angenommen, nicht schon 1722 sondern erst um 1730 erfolgte, hat lediglich Konsequenzen im Hinblick auf die Zweitfassung der Ouverture zu HWV 50ᵇ Esther (2. Fassung, 1732), die ebenfalls mit HWV 388 in Zusammenhang gebracht wurde[1], ohne daß man jedoch das Vorlageverhältnis zwischen HWV 388 und HWV 50ᵃ sowie HWV 50ᵇ genügend berücksichtigt hätte.

Die musikalisch reifere Faktur, vor allem des ersten Satzes, zeigt die Fassung der Triosonate, die auf jeden Fall eine Überarbeitung des ersten Satzes der Ouverture voraussetzt, während die Sätze 2 und 3 im wesentlichen in beiden Fassungen übereinstimmen. Die Beziehung aller vier Sätze von HWV 388 zu anderen Werken Händels zeigt folgende Übersicht:

1. Satz *(Andante)*
   HWV 50ᵃ,ᵇ Esther: Ouverture, 1. Satz *(Andante)*
2. Satz *(Allegro)*
   HWV 50ᵃ,ᵇ Esther: Ouverture, 3. Satz *(Allegro)*
3. Satz *(Larghetto)*
   HWV 50ᵃ,ᵇ Esther: Ouverture, 2. Satz *(Larghetto)*
4. Satz *(Allegro)*
   HWV 290 Orgelkonzert op. 4 Nr. 2 B-Dur: 2. Satz *(Allegro)*

Literatur

Chrysander III, S. 150 f.; Flesch, S. 150 ff.; Gudger, vol. 1, S. 120 ff.; Horton (Symposium), S. 257 f.; Leichtentritt, S. 823; Nottebohm, G./Chrysander, F.: Ein Trio von Händel in Beethovens Abschrift. In: Allgemeine Musikalische Zeitung, 4. Jg., 1869, S. 37 f.

[1] Vgl. Streatfeild, R. A.: Handel, London 1909, S. 329; Dean, W.: Handel's Dramatic Oratorios and Masques, London 1959, S. 200.

389. Sonate Nr. 4 F-Dur

Besetzung: Fl. trav. (Fl.; Ob.; V.); V. (Fl. trav.); Cont.
ChA 27 (Nr. V). – HHA IV/10/1. – EZ: London, ca. 1718

[vgl. HWV 249b (Symphony)]

23 Takte

90 Takte

3. Adagio

41 Takte

4. Allegro

[vgl. HWV 253 (1.), HWV 302a (2.)]

5. A
B Allegro

64 Takte   [vgl. HWV 73 (Ouverture, Gigue)]

B.

A.

A: 36 Takte
B: 35 Takte

Quellen

Handschriften: Autograph: verschollen.
Abschriften: *A* Sm (Mn 107, No. 4, Kopie von
G. Mederitsch detto Gallus) – *D (brd)* B (Am.
Bibl. 154, f. 36^v–41^r, für Traversa I, II und B. c.), Hs
(M $\frac{C}{50}$, p. 36–42, für Flauto, V. und B. c., mit
Satz 5^B) – *D (ddr)* Bds (Am. Bibl. 514/II, Sätze
3–5^B, E-Dur), Dlb (Mus. 2410/Q/3, p. 9–16: *Sonata 2,* mit Satz 5^B; Mus. 2410/Q/5: *5. Sonata del
Sig^r Hendel*) – *DK* Kk (mu 6212. 0335, Gieddes
samling III, 32: *Sonata 1ma,* St. für Ob., V. und B. c.,
mit Satz 5^B) – *GB* Cfm (23. G. 9., MS. 70), Lbm
(R. M. 19. g. 6., f. 14^v–18^r; Add. MSS. 31 576,
f. 55^{r-v}: Satz 1), Lcm (MS. 260., f. 2^v–10^r: *Sonata 1^a*), Malmesbury Collection (*Sonata's and Concerto's Compos'd by George Frederick Handel Esq.,* datiert *London 1727,* No. 7), Mp (MS 130 Hd4, v. 312,
p. 80–94: *Sonata 2,* für V. I, II und B. c., Kopie des
Schreibers S$_2$ nach 1730, mit Continuobezifferung
von Charles Jennens). – *US* CA (Houghton, f. MS.
Mus. 1., St. für V. I, II, B. c., Nr. 2).
Drucke: S. unter HWV 386^b.

Bemerkungen

HWV 389, veröffentlicht als op. 2 Nr. 4 für Traversa, V. und B. c. (ChA 27: Nr. 5), entlehnt das
musikalische Material dreier Sätze wiederum aus

anderen Kompositionen, die für die Datierung der
Triosonate auf etwa 1718 herangezogen werden
können. Satz 5 *(Allegro)* ist in zwei Varianten überliefert: als Fassung A ist die der Drucke und der
meisten Handschriften bezeichnet, Fassung B
wird nur durch die Abschriften *D (brd)* Hs, *D (ddr)*
Dlb (Mus. 2410/Q/3) und *DK* Kk repräsentiert.
Letztere hielt Chrysander für die ältere Version
und druckte daher die beiden Fassungen in umge-
kehrter Reihenfolge in ChA 27 ab[1].
Entlehnungen:
1. Satz *(Larghetto)*
   HWV 249^b O sing unto the Lord: 1. Symphony,
   1. Satz *(Grave)*
4. Satz *(Allegro)*
   HWV 253 O come let us sing unto the Lord:
   1. Sonata, 2. Satz
   HWV 302^a Oboenkonzert (Nr. 2) B-Dur: 2. Satz
   (Fuga)
5. Satz *(Allegro)*
   HWV 73 Il Parnasso in festa: Ouverture, 3. Satz
   (Gigue, *Allegro*) bzw. HWV 52 Athalia: Ouverture, 3. Satz (Gigue, *Allegro*)

[1] Die in Satz 4 *(Allegro)* für T. 36–37 und T. 40–42 in
ChA 27 bzw. HHA IV/10/1 wiedergegebenen Lesarten-
varianten stammen aus Quelle *D (ddr)* Dlb
(Mus. 2410/Q/3, p. 14). Vgl. Faksimile in HHA IV/10/1,
S. XIX.

390[a]. Sonate Nr. 5[a] g-Moll

Besetzung: V.I, II; Cont.
ChA 27 (Nr. VI). – HHA IV/10/1. – EZ: London, ca. 1718

1. Larghetto

[vgl. HWV 291 (1.), HWV 7a. Rinaldo (27.)]

Takt 8

2. Allegro

28 Takte

78 Takte

3. Adagio

39 Takte

4. Allegro

[vgl. HWV 287 (4.), HWV 291 (2.), HWV 576 (2.)]   129 Takte

390[b]. Sonate Nr. 5[b] g-Moll

Besetzung: V.I, II; Vc. e Cemb.; Org.
ChA 48 (Sonata VI). – EZ: ca. 1730

1. Adagio

Basso

Org.   28 Takte

2. Allegro

78 Takte

3. Largo

39 Takte

4. Allegro

129 Takte

Quellen

Handschriften: Autographe: verschollen.
Abschriften: HWV 390ᵃ: *A* Sm (Mn 107, No. 5) –
D (brd) B (Am. Bibl. 154, f. 9ᵛ–14ʳ), Hs (M $\frac{C}{50}$,
p. 9–16), Mbs (Ms. 678, f. 41–52, No. 6) –
D(ddr) Dlb (Mus. 2410/Q/3, p. 24–31: *Sonata 4*;
Mus. 2410/Q/7: *Trio del Sigᵗᵉ Hendel*) – *DK* Kk (mu
6212. 0335, Gieddes samling III, 32: *Sonata 3ᶻᵃ*,
St.) – *GB* Cfm (23. G. 9., MS. 70), Lbm
(R. M. 19. g. 6., f. 18ᵛ–23ᵛ), Lcm (MS. 260, f. 27ᵛ–36ʳ:
Sonata 4ᵃ), Malmesbury Collection (*Sonata's and
Concerto's Compos'd by George Frederick Handel Esq.*,
datiert *London 1727*, No. 4), Mp (MS 130 Hd4,
v. 312, p. 95–116: *Sonata 3*, Kopie des Schreibers S₂
nach 1730, mit Continuobezifferung von Charles
Jennens) – HWV 390ᵇ: A Sm (Mn 107, p. 45–48,
fragm.) – *US* CA (Houghton, f. MS. Mus. 1., St.
für V. I, II, B. C., Nr. 1)[1].
Drucke: S. unter HWV 386ᵇ.

Bemerkungen

Die Triosonate HWV 390ᵃ, veröffentlicht als op. 2
Nr. 5 (ChA 27: Nr. 6) kursierte zu Händels Zeit
(ca. 1730) in einer weiteren Fassung (als HWV
390ᵇ verzeichnet) mit obligaten Orgelbaß, die
Chrysander in ChA 48 (als Sonata VI, S. 118–129)
erstmals veröffentlichte. Obwohl diese Fassung

---

[1] Das von Chrysander (ChA 48, Vorwort, S. IIIf.) beschriebene Manuskript aus dem Besitz von T.W. Bourne
(vgl. HWV 386ᵃ), das ihm als Quelle für den Abdruck
von HWV 390ᵇ diente.

vermutlich nicht auf Händels direkte Veranlassung entstand, ist sie von historischem Interesse
für eine zeitgenössische aufführungspraktische
Variante und verdient daher Beachtung.
Auch HWV 390ᵃ,ᵇ ist thematisch von mehreren anderen Werken Händels beeinflußt; die vermutliche Entstehungszeit dieser Sonate ist daher (zusammen mit HWV 386ᵃ, 388 und 389) auf etwa
1718 zu datieren.

Entlehnungen
1. Satz *(Larghetto)*
HWV 7ᵃ Rinaldo (1. Fassung): 27. Ah! crudel, il
pianto mio
HWV 8ᵃ Il Pastor fido (1. Fassung): 23. Sinfonia
HWV 291 Orgelkonzert op. 4 Nr. 3 g-Moll:
1. Satz *(Adagio)*
3. Satz *(Adagio)*
HWV 338 Adagio h-Moll (ca. 1720)
4. Satz *(Allegro)*[2]
HWV 287 Oboenkonzert g-Moll: 4. Satz *(Allegro)*
HWV 576 (Preludio ed) Allegro a-Moll
HWV 291 Orgelkonzert op. 4 Nr. 3 g-Moll:
2. Satz *(Allegro)*

Literatur
Chrysander III, S. 150f.; Flesch, S. 150ff.; Horton
(Symposium), S. 258.

---

[2] Vgl. auch die unter HWV 387, Anmerkung 2 zu Satz 4,
verzeichneten Werke.

391. Sonate Nr. 6 g-Moll

Besetzung: V. I, II; Cont.
ChA 27 (Nr. VII). – HHA IV/10/1. – EZ: Italien,
ca. 1707/10

1. Andante

2. Allegro

Takt 26   78 Takte

3. Arioso

55 Takte

4. Allegro

63 Takte

Quellen

Handschriften: Autograph: verschollen.
Abschriften: *A* Sm (Mn 107, No. 6, Kopie von
G. Mederitsch detto Gallus) − *D (brd)* B (Am.
Bibl. 154, f. 23^v−28^r), Hs (M $\frac{C}{50}$, p. 25−30) − *GB*
BENcoke [St. für Ob.I, II, V.I, II, Vc. in Stimmen-
konvolut: *No. 45. Sonata del Signor Hendel (Adagio)*],
Cfm (23.G.9., MS.70), Lbm (R.M.19.g.6., f.24^r−
28^r), Malmesbury Collection (*Sonata's and Concerto's
Compos'd by George Frederick Handel Esq.*, datiert
London 1727, No. 2), Mp (MS 130 Hd4, v. 312,
p.137−153: *Sonata 5,* Kopie des Schreibers S$_2$ nach
1730, mit Continuobezifferung von Charles Jen-
nens).
Drucke: S. unter HWV 386^b.

Bemerkungen

HWV 391, veröffentlicht als op. 2 Nr. 6 (ChA 27:
Nr. 7), ist stilistisch mit HWV 387 unter die vermutlich frühesten Triosonaten Händels einzuordnen. Da das Werk (mit Ausnahme der Quelle *GB*
BENcoke) nur in den nach zeitgenössischen
Drucken kopierten Handschriften überliefert ist,
gehört es sicherlich nicht zu den um 1718 zu da-
tierenden Triosonaten HWV 386, 388−390, die in
der handschriftlichen Überlieferung durch gemeinsame Quellen (vgl. unter HWV 386^b) einander zugeordnet sind, sondern entstand bereits um
1707−1710.
Die Erstveröffentlichung der Sonate als Nr. 6 in
dem Roger zugeschriebenen Stimmendruck weist
in Satz 4 (T. 2−7) einen gravierenden Fehler im
Part von Violino I auf, wo der Notenstecher verse-
hentlich diese Takte aus der Stimme für Violino II
übernahm. In der „korrekteren" Fassung von
Walsh (1733) ist dieses Versehen dann entsprechend der Vorlage verbessert worden (s. Burrows,
Lit., mit Notenbsp., S. 86).
Entlehnung:
Satz 4 (Allegro)
    HWV 256^a Let God arise: 5.O sing unto God

Literatur

Burrows, D.: Walsh's edition of Handel's
Opera 1−5: the texts and their sources. In: Music
in Eighteenth-Century England. Ed. by C. Hogwood and R. Luckett, Cambridge UP 1982, S.79ff.;
Chrysander III, S. 150ff.; Flesch, S. 150ff.

392. Sonate F-Dur

Besetzung: V.I, II; Cont.
ChA 27 (op. 2 Nr. III). – HHA IV/10/1 (Sonata VII). – EZ: Italien, ca. 1706/09

Quellen

Handschriften: Autograph: verschollen.
Abschriften: D (ddr) Dlb (Mus. 2410/Q/4, p. 7–12: *Sonata à 3. Mons. Hendel;* Mus. 2/Q/20, St. für V. I, II, Abschrift des Dresdner Kopisten Johann Jacob Lindner, vor 1728[1])

Bemerkungen

HWV 392 wurde von Chrysander (ChA 27, S. 109 ff.) als Nr. 3 der Triosonaten op. 2 veröffentlicht, obwohl die Sonate keinen Zusammenhang mit dieser Sammlung aufweist.

[1] Vgl. dazu Heller, K.: Die deutsche Überlieferung der Instrumentalwerke Vivaldis, Leipzig 1971, S. 30 ff., sowie Flesch, S. 165.

Stilistisch gehört das Werk zweifellos mit zu den frühesten Kompositionen Händels und entstand vermutlich noch in der Hamburger Zeit oder kurz danach in Italien. Da das Autograph verschollen ist, kann eine genaue Datierung nicht gegeben werden, doch bietet die thematisch-motivische Substanzgemeinschaft mit mehreren sicher datierbaren Werken aus den Jahren um 1705/06 hinreichende Beweiskraft für eine Einordnung von HWV 392 in diese Zeit. Später entlehnte Händel Satz 2 und 3 für HWV 401 op. 5 Nr. 6 F-Dur[2]; Satz 4 *(Allegro)* bildet den Ausgangspunkt für weitere, um 1735 entstandene Kompositionen.

[2] Zur Priorität von HWV 392 gegenüber op. 5 Nr. 6 vgl. Anmerkung 5 zu HWV 401.

Entlehnungen:
1. Satz (*Andante*, T. 29–34)
   HWV 352² Suite B-Dur (1705/06): 2. Satz (T. 21 ff.)
   HWV 5 Rodrigo: 7. In mano al mio sposo (T. 30 ff.); 13. Per dar pregio (T. 16 ff., 68 ff.)
2. Satz (*Allegro*)
   HWV 401 Triosonate op. 5 Nr. 6 F-Dur: 2. Satz (*Allegro*)
3. Satz (*Adagio*)
   HWV 401 Triosonate op. 5 Nr. 6 F-Dur: 3. Satz (*Adagio*)

4. Satz (*Allegro*)
   HWV 1 Almira (1704/05): 36. Szepter und Kron' (Ritornellpassagen)
   HWV 52 Athalia: Ouverture, 2. Satz (*Allegro*) bzw.
   HWV 73 Il Parnasso in festa: Ouverture, 2. Satz (*Più allegro*)
   HWV 399 Triosonate op. 5 Nr. 4 G-Dur: 2. Satz (*Allegro ma non presto*)

Literatur
Flesch, S. 150 ff., S. 165 ff.

393. Sonate g-Moll

Besetzung: V. I, II; Cont.
ChA 27 (op. 2 Nr. VIII). – HHA IV/10/1 (Sonata VIII). – EZ: ca. 1720 (Echtheit nicht verbürgt)

1. Andante

37 Takte

2. Allegro

70 Takte

3. Largo

34 Takte

4. Allegro

Takt 20

138 Takte

Quellen

Handschriften: Autograph: verschollen.
Abschrift: *D (ddr)* Dlb (Mus. 2410/Q/3, p. 32–38: *Sonata Hendel*)

Bemerkungen

HWV 393 wird nur durch eine einzige handschriftliche Quelle als Werk Händels überliefert; die Sonate zeigt keine thematischen Beziehungen zu anderen Werken[1] Händels, so daß auch deswegen ihre Authentizität bezweifelt wird[2]. Da die

Sonate jedoch im Zusammenhang mit den Sonaten 3–5 aus op. 2 sowie mit HWV 386[a] innerhalb einer zusammengehörigen Quelle ausdrücklich als Werk Händels kopiert wurde, dürften genügend Gründe vorliegen, sie bis zur endgültigen Klärung der Autorschaft nicht aus Händels Werkverzeichnis auszuscheiden. Ihrem Stil nach entstand die Sonate um 1720. Die Einbeziehung als „op. 2 Nr. 8" in ChA 27 hat allerdings keinerlei Berechtigung.

[1] Abgesehen von den Sequenzpassagen in T. 3–4, 9–10, 31–33, die in ähnlicher Weise auch in HWV 310 Orgelkonzert op. 7 Nr. 5 g-Moll (1. Satz) anzutreffen sind.
[2] Vgl. Hicks, A.: Handel and others. In: The Musical Times, vol. 112, 1971, S. 360.

Literatur

Flesch, S. 150 ff., 165 f.; Horton (Symposium), S. 258; Leichtentritt, S. 824.

394. Sonate E-Dur

Besetzung: V. I, II; Cont.
ChA 27 (op. 2 Nr. IX). – HHA IV/10/1 (Sonata IX). – EZ: ca. 1730 (Echtheit nicht verbürgt)

Quellen

Handschriften: Autograph: verschollen.
Abschrift: *D (ddr)* Dlb (Mus. 2410/Q/3, p. 39–45: *Sonate 6 Hendel*)

Bemerkungen

HWV 394, von Chrysander ohne nachweisbaren Grund in seine Ausgabe der Triosonaten op. 2 als Nr. 9 aufgenommen (ChA 27, S. 148ff.), wird nur durch eine einzige handschriftliche Quelle zusammen mit den Sonaten 3–5 aus op. 2, der c-Moll-Variante HWV 386ª sowie der nicht gesicherten Sonate HWV 393 überliefert. Da auch für diese Sonate im Gegensatz zu allen anderen Triosonaten keinerlei thematische Beziehungen zu anderen Werken Händels nachzuweisen sind und auch stilistische Gründe Zweifel an der Autorschaft Händels aufkommen lassen, ist ihre Authentizität fraglich[1].

Die Entstehungszeit dieser Sonate kann aus musikalischen Erwägungen heraus nicht vor 1730 angesetzt werden.

Literatur

Flesch, S. 150ff., 165f.; Horton (Symposium), S. 258f.; Leichtentritt, S. 824.

[1] Vgl. Hicks, A.: Handel and others. In: The Musical Times, vol. 112, 1971, S. 360.

395. Sonate e-Moll

Besetzung: Fl. trav. I, II; Cont.
HHA IV/19. – EZ: London, ca. 1720/30 (Echtheit nicht verbürgt)

4.

84 Takte

Quellen
Handschriften: Autograph: verschollen.
Abschriften: *GB* Lbm (R. M. 19. a. 4., f. 22ʳ–30ᵛ: *Sonata con due Flauti Traversi Del Sᵗ: Hend.,* Kopie des Schreibers S_2 nach 1730)
Drucke: Ausgaben: a) Hrsg. von F. Nagel, Mainz: Ed. Schott 1971. – b) Edited by A. C. Bell and A. Cuckston, London: Hinrichsen 1972.

Bemerkungen
HWV 395 ist in einem Band der Aylesford Collection zusammen mit anderen authentischen Werken Händels sowie Konzerten Geminianis überlie-
fert. Die stilistische Haltung der Sonate läßt einige Zweifel an ihrer Authentizität aufkommen. Da die Kopie jedoch aus der für Charles Jennens angefertigten Sammlung stammt und von dem eng mit John Christopher Smith senior zusammenarbeitenden Schreiber S_2 um 1733 angefertigt wurde, ist aus diesem Grunde dessen ausdrücklicher Zuschreibung des Werkes an Händel schwer zu widersprechen.

Literatur
Flesch, S. 172 ff.

396.–402. 7 Sonaten oder Trios für 2 Violinen oder Querflöten und B. c. op. 5

396. Sonate Nr. 1 A-Dur

Besetzung: V. I, II; Cont.
ChA 27. – HHA IV/10/2. – EZ: London, ca. 1737/38

1.

[vgl. HWV 250 a, b (1.), HWV 288 (1.), HWV 302 a (3.), HWV 580]   23 Takte

2. Allegro

[vgl. HWV 250a (1.), HWV 302a (4.)]   57 Takte

3. Larghetto

8 Takte

4. Allegro

44 Takte

5. Gavotte
   Allegro

[vgl. HWV 32. Arianna (32.), HWV 33. Ariodante (53.)]   18 Takte

Quellen

Handschriften: Autograph: verschollen.
Abschriften: *D (brd)* B (Am. Bibl. 153, f. 1ᵛ–5ʳ, Abschrift nach Walsh-Druck von J. Ph. Kirnberger[1]; Am. Bibl. 156, f. 2ʳ–5ʳ, Abschrift von J. Ph. Kirnberger[2]) – *GB* Cfm (Barrett-Lennard-Collection vol. 10, Mus. MS. 798, f. 39ʳ⁻ᵛ, fragm., Satz 3–4, Kopie des Schreibers S₁), Lbm (R. M. 19. f. 6, Part.: f. 1ʳ–6ʳ, St.: für V. I, II, B. c.; R.M. 19.g.6., f. 28ᵛ–31ʳ: *Sonata* 7)
Drucke: Seven Sonatas or Trios for two Violins or German Flutes with a Thorough Bass for the Harpsicord or Violoncello Compos'd by Mʳ. Handel. Opera Quinta. – London, J. Walsh, № 653 (3 St., 1739); —— – ib. (ca. 1750); —— – ib. (ca. 1770, mit einer neugestochenen p. 8 im B. c.); —— – ib., H. Wright (3 St., ca. 1785); Seven Sonatas or Trios For Two Violins or Two German Flutes And a Violoncello Composed & Published in the Year 1739 By G. F. Handel. – [London], Arnold's edition, No. 48–49 (Part., 1789)

[1] Vgl. Blechschmidt, E. R.: Die Amalienbibliothek, Berlin 1965, S. 118.
[2] Vgl. Blechschmidt, a. a. O., S. 119.

Bemerkungen

Händels zweite Sammlung von 7 Triosonaten, als op. 5 von Walsh 1739 veröffentlicht[3], lag im Oktober 1738 zunächst in Form von 6 Sonaten bei dem Verleger vor[4]. Die Vorgeschichte zur Entstehung dieser Sammlung ist dunkel. Da nur von zwei Sonaten (HWV 400 und HWV 401) autographe Quellen vorliegen und die übrigen Werke hauptsächlich aus anderen Kompositionen zusammengestellt wurden, ist anzunehmen, daß Händel vom Verleger Walsh aufgefordert wurde, eine weitere Sammlung von Triosonaten für eine Veröffentlichung in seinem Verlag vorzubereiten, deren Zusammenstellung der Komponist auf relativ leichte Weise durch die Bearbeitung von bereits existie-

[3] Walsh rief erstmals am 18. Januar 1739 zur Subskription von op. 5 auf, bevor er am 28. Februar gleichen Jahres die Publikation der Sonaten ankündigte. Vgl. Deutsch, S. 473 f., 477.
[4] Im Abrechnungsbuch von Walsh erscheint knapp 10 Tage nach der Bezahlung für die 6 Orgelkonzerte op. 4 am 7. Oktober 1738 eine Abrechnung über „six new sonatas", die mit op. 5 in Verbindung gebracht werden. Vgl. Macfarren, G. A.: A Sketch of the Life of Handel, London 1859, S. 22; Chrysander III, S. 151 f.; Deutsch, S. 468.

renden Sätzen (hauptsächlich instrumentale Einleitungen zu Chandos Anthems) für vier der Sonaten nachzukommen suchte. Um das allgemein übliche halbe Dutzend Werke für die geplante Sammlung zu komplettieren, komponierte Händel zwei neue Sonaten und lieferte die Sammlung im Herbst 1738 an Walsh. Die übliche Entlehnungspraxis erforderte sicher nicht die Ausfertigung eines kompletten Autographs für alle Sonaten, so daß erklärlich ist, weshalb nur für HWV 400 und HWV 401 Autographe vorliegen[5]. Vermutlich ließ Händel die neu komponierten Sätze für op. 5 (HWV 396, Sätze 3 und 4, HWV 400, Sätze 1–4 und HWV 401, Sätze 1–4) für Walsh kopieren; die Quelle GB Cfm (Barrett-Lennard-Collection, Mus. MS. 798, f. 31–39) enthält alle diese angeführten Sätze in der Abschrift des Kopisten S_1, deren Zweckbestimmung (vgl. Burrows, S. 102) mit der Vorbereitung für den Druck von op. 5 in Zusammenhang gebracht werden kann[6].

Daß Walsh jedoch sieben statt der üblichen 6 Sonaten unter op. 5 zusammenfaßte, hängt anscheinend mit der Gesamtanlage dieser Sammlung zusammen, deren Marktwert vermutlich durch die überwiegende Einbeziehung von Tanzsätzen aus Händels Bühnenwerken der Saison 1734 gesteigert werden sollte. Wie aus den Autographen der Sonaten HWV 400 und 401 sowie den auf Vorlagen aus den Chandos Anthems basierenden Sonaten HWV 396 und 402 hervorgeht, plante Händel auch für op. 5 die Satzfolge der Sonata da chiesa. Walsh scheint als Verleger für das Durchbrechen dieses Schemas verantwortlich gewesen zu sein und hat sicherlich ohne Wissen Händels auch die Sonate Nr. 4 HWV 399 G-Dur in die Sammlung aufgenommen, deren Satzfolge von dem sonstigen Schema der Sonaten abweicht, und deren Vorlagesätze die in der Quelle GB Lbm (R. M. 19. f. 6) überlieferte Viola-Stimme aufweisen. Möglicherweise stellt diese Sonate die über das übliche Maß hinausgehende Nummer 7 dar, deren Eingliederung nicht auf Händel zurückgeht.

HWV 396, als op. 5 Nr. 1 veröffentlicht, übernimmt für Satz 1 und 2 die Einleitung des Chandos Anthems V; Satz 3 *(Larghetto)* und Satz 4 *(Allegro)* sind vermutlich von Händel neu für op. 5 komponiert worden, wie aus der Kopie in GB Cfm zu schließen ist, während die abschließende Gavotte als Schlußsatz auf Wunsch des Verlegers hinzukam. Die Vorlagen für die einzelnen Sätze

finden sich in folgenden anderen Werken Händels:

1. Satz *(Andante)*
   HWV 250[a] „I will magnify thee": 1. Symphony[7]
   HWV 61 Belshazzar: 50[a,b], I will magnify thee
   HWV 288 Sonata à 5 B-Dur: 1. Satz *(Andante)*
   HWV 302[a] Oboenkonzert B-Dur: 3. Satz *(Andante)*
   HWV 580 Sonata *(Larghetto)* g-Moll
2. Satz *(Allegro)*
   HWV 250[a] „I will magnify thee": 1. Symphony, 2. Satz *(Allegro)*
   HWV 302[a] Oboenkonzert B-Dur: 4. Satz *(Allegro)*
3. Satz *(Larghetto)*
   HWV 250[a] „I will magnify thee": 5. The Lord preserveth (Ritornello)
4. Satz *(Allegro)*
   HWV 37, Giustino: 6./8. Corri, vola, a'tuoi trofei (Baßthema)
5. Satz, Gavotte *(Allegro)*
   HWV 32 Arianna in Creta: 32. Gavotte
   HWV 33 Ariodante: 53. Gavotte
   HWV Anhang A[11] Oreste: 37. Gavotte

Literatur

Burrows, D.: Walsh's edition of Handel's Opera 1–5: the texts and their sources. In: Music in Eighteenth-Century England. Ed. by C. Hogwood and R. Luckett, Cambridge, UP 1982, S. 79 ff., 97 ff.; Chrysander III, S. 151 ff.; Flesch, S. 158 ff.; Flesch, S.: Krit. Bericht zu HHA IV/10/2, Kassel und Leipzig 1973; Horton (Symposium), S. 259 ff.; Serauky III, S. 578 f.

[7] Vgl. auch HWV 250[b] „I will magnify thee" (Chapel Royal-Fassung): 1. Air (Ritornello).

---

[5] Außer Satz 3 und Satz 4 von HWV 396 existieren für sämtliche anderen Sätze innerhalb von op. 5 entsprechende Vorlagen; sicherlich wurden diese beiden Sätze ebenfalls neu komponiert, so daß es dafür Autographe gegeben haben muß, die vermutlich verlorengingen.
[6] Auch die Quelle GB Lbm (R. M. 19. f. 6) ist als Abschrift des Kopisten S_1 anzusehen. Vgl. Larsen, S. 302.

397. Sonate Nr. 2 D-Dur

Besetzung: V. I, II; Cont.
ChA 27. – HHA IV/10/2. – EZ: London, ca. 1737/38

1. Adagio

[vgl. HWV 246 (1.), HWV 280 (1.)]   10 Takte

2. Allegro

[vgl. HWV 246 (1.), HWV 278 (1.)]

3. Musette
Andante

41 Takte   [vgl. HWV 33. Ariodante (18.)]   12 Takte

4. Allegro

5. Marche

[vgl. HWV 33. Ariodante (19.)]   48 Takte   [vgl. HWV 345]
3. Musette *da capo*

6. Gavotte
Allegro

28 Takte   12 Takte

Quellen

Handschriften: Autograph: verschollen.
Abschriften: *D (brd)* B (Am. Bibl. 153, f. 5ᵛ–9ᵛ; Am. Bibl. 156, f. 5ᵛ–9ᵛ) – *GB* Cfm (Barrett-Lennard-Collection vol. 10, Mus. MS. 798: *Sinfonie diverse,* Kopie von Smith senior, No. 2, p. 239: *Gavotte,* No. 7, p. 243: *Marche*), Lbm (R. M. 19. f. 6., Part: f. 7ʳ–13ʳ, St.: für V. I, II, B. c.; R. M. 19. g. 6., f. 31ᵛ–34ᵛ: *Sonata 8*), Mp [MS 130 Hd4, St.: v. 354(2), 355(2), 82(1): *March*].
Drucke: S. unter HWV 396.

Bemerkungen

HWV 397, veröffentlicht als op. 5 Nr. 2, entlehnt Satz 1 und 2 aus dem Chandos Anthem I HWV 246. Wie Donald Burrows nachweisen konnte, änderte Händel im Autograph von HWV 246 den ursprünglichen Halbschluß des zweiten Satzes *(Allegro)* der *Sinfonia* zu einer perfekten Kadenz für die Verwendung in HWV 397. Damit ist erwiesen, daß Händel die Sonatensätze direkt aus dem Chandos Anthem HWV 246 für die Stichvorlage des Druckes kopieren ließ und so auf das Ausschreiben eines neuen Autographs verzichten konnte. Die übrigen Sätze 3–6 von HWV 397 wurden vermutlich nicht von Händel, sondern vom Verleger Walsh der Sonate beigefügt.

Entlehnungen:

1. Satz *(Adagio)*
   HWV 246 „O be joyful in the Lord": 1. Sinfonia, 1. Satz *(Adagio)*
   HWV 280 Te Deum D-Dur: 1. We praise thee, o God (Instrumentaleinleitung)
2. Satz *(Allegro)*
   HWV 246 „O be joyful in the Lord: 1. Sinfonia, 2. Satz *(Allegro)*
   HWV 278 Utrecht Te Deum: 1. We praise thee, o God (Instrumentaleinleitung, T. 5 ff.)
3. Satz, Musette *(Andante)*
   HWV 33 Ariodante: 18. Musette
4. Satz *(Allegro)*
   HWV 33 Ariodante: 19. *Allegro*
5. Satz, *Marche*
   HWV 345 March D-Dur

Von Satz 6 (Gavotte) gibt es zwei Versionen, die in der Sammlung *Warlike Music*[1], *Book II* (p. 29) und *Book IV* (p. 76) jeweils als „Grenadier's March" bezeichnet sind; die zweite Version *(Book IV)* entspricht der Gavotte in HWV 397.

Literatur

Beeks, G.: Handel's Chandos Anthems: More ‚extra' Movements. In: Music & Letters, vol. 62, 1981, S. 155 ff.; Burrows, D.: Walsh's edition of Handel's Opera 1–5: the texts and their sources. In: Music in Eighteenth-Century England. Ed. by C. Hogwood and R. Luckett, Cambridge UP 1982, S. 79 ff., 98 ff.; Chrysander III, S. 151 ff.; Flesch, S. 158 ff.; Horton (Symposium), S. 260 f.; Serauky III, S. 579 f.

[1] Warlike Music, Book I–IV, Being a Choice Collection of Marches & Trumpet Tunes for a German Flute, Violin or Harpsicord. By M.r Handel, S.r Martini and the most eminent Masters. – London, J. Walsh (1758).

398. Sonate Nr. 3 e-Moll

Besetzung: V. I, II; Cont.
ChA 27. – HHA IV/10/2. – EZ: London, ca. 1737/38

1. Andante larghetto

[vgl. HWV 251b, c (1.), HWV 266 (1.)]   55 Takte

2.A Allegro

[vgl. HWV 251b (1., Allegro), HWV 316 (4.)]   42 Takte

2.B Allegro

28 Takte

3. Sarabande
Largo assai

[vgl. HWV 8b. Terpsicore (7.)]   24 Takte

4. Allemande
Andante allegro

[vgl. HWV 29. Ezio (23.), HWV 436 (1.), HWV 479]   12 Takte

5. Rondeau

[vgl. HWV 33. Ariodante (38.)]   65 Takte

6. Gavotte
Allegro

[vgl. HWV 8c. Il Pastor fido (2. Fassung: 37.)]   32 Takte

Quellen
Handschriften: Autograph: verschollen[1].
Abschriften: D (brd) B (Am. Bibl. 153, f. 9ᵛ–14ʳ, mit Satz 2ᴬ; Am. Bibl. 156, f. 9ᵛ–14ʳ, mit Satz 2ᴬ) – *GB Cfm* (Barrett-Lennard-Collection vol. 10, Mus. MS. 798: *Sinfonie diverse,* No. 5, p. 241: Satz 2ᴬ, Kopie von Smith senior), Lbm (R. M. 19. f. 6., Part: f. 14ʳ–20, St.: für V. I, II, B. c., beide Quellen mit Satz 2ᴮ; R. M. 19. g. 6., f. 33ʳ–38ʳ: *Sonata 9* mit Satz 2ᴬ; Add. MSS. 31576, f. 54ʳ⁻ᵛ: Satz 3)
Drucke: S. unter HWV 396.

Bemerkungen
HWV 398, veröffentlicht als op. 5 Nr. 3, entlehnt die Sätze 1 und 2ᴬ aus dem Chandos Anthem VIᴬ

---

[1] Vgl. aber die Hinweise auf das Autograph zu HWV 251ᵇ (*GB* Lbm, R. M. 20. d. 6., f. 1–2) bei Burrows, a. a. O., S. 98.

(HWV 251ᵇ), und obwohl in einem späteren Stadium Fassung A des zweiten Satzes durch die Fassung B ersetzt wurde, entsprach Händels ursprüngliche Version vermutlich der gesamten Sonata des Chandos Anthems VIᴬ. Im Autograph dieses Anthems kürzte Händel den ersten Satz der Instrumentaleinleitung und änderte ihn für die Verwendung in HWV 398; die Überschrift *Sonata* wurde wohl ebenfalls erst zu diesem Zeitpunkt hinzugefügt.[2] Die übrigen Sätze der Triosonate HWV 398 verwenden Tanzsätze aus Bühnenwerken der Jahre 1731/34 als Vorlagen, deren Einglie-

---

[2] Die Kürzung der Anthem-Einleitung (T. 33–40) bezieht sich nicht auf ihre erneute Verwendung in HWV 251ᶜ. Abgesehen von der Transposition nach d-Moll weist diese Chapel Royal Version (Anthem VIᴮ) auch nicht die Variante der Triosonate (T. 42) auf, die Händel in Takt 50 des Autographs der Einleitung zu HWV 251ᵇ durch Bleistifteintragung anmerkte.

derung vermutlich auf Wunsch des Verlegers erfolgte.

Folgende Werke Händels enthalten musikalische Vorlagen für die Sätze von HWV 398:

1. Satz *(Andante larghetto)*
   HWV 251[b,c] „As pants the hart": 1. Sonata, 1. Satz *(Larghetto)*
   HWV 266 „How beautiful are the feet of them": 1. How beautiful (Einleitung)

2. Satz, Fassung A *(Allegro)*
   HWV 251[b] „As pants the hart": 1. Sonata, 2. Satz *(Allegro)*
   HWV 316 Concerto grosso op. 3 Nr. 5 d-Moll: 4. Satz *(Allegro man non troppo)*

3. Satz, Sarabande *(Largo assai)*
   HWV 8[b] Terpsicore: 7. Sarabande *(Largo assai)* bzw. 6. Col tuo piede *(Largo)*

4. Satz, Allemande *(Andante allegro)*[3]
   HWV 29 Ezio: 23. Sinfonia *(A tempo ordinario)*
   HWV 8[c] Il Pastor fido (2. Fassung): 12. Sinfonia *(A tempo ordinario)*

5. Satz, Rondeau
   HWV 33 Ariodante: 38. Rondeau

6. Satz, Gavotte *(Allegro)*
   HWV 8[c] Il Pastor fido (2. Fassung): 37. Gavotte ·

Literatur
Burrows, D.: Walsh's editions of Handel's Opera 1–5: the texts and their sources. In: Music in Eighteenth-Century England. Ed. by C. Hogwood and R. Luckett, Cambridge UP 1982, S. 79 ff., 98 ff.; Chrysander III, S. 151 ff.; Flesch, S. 158 ff.; Horton (Symposium), S. 260; Serauky III, S. 580.

[3] Der Themenkopf entspricht der Allemande h-Moll HWV 479 bzw. der späteren Fassung in d-Moll der Suite III HWV 436 (2. Sammlung).

399. Sonate Nr. 4 G-Dur

Besetzung: V. I, II; [Va. ad lib.]; Cont.
ChA 27. – HHA IV/10/2. – EZ: London, ca. 1737/38

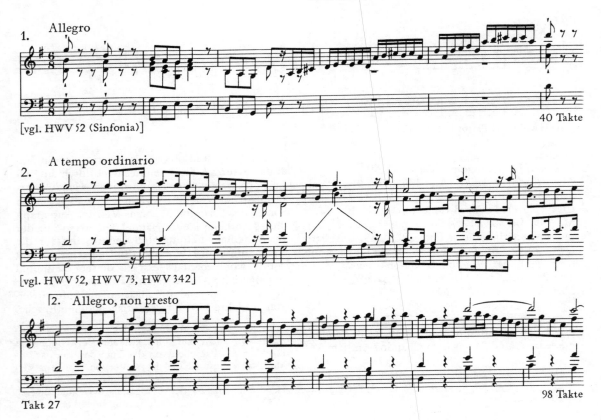

1. Allegro

[vgl. HWV 52 (Sinfonia)]

40 Takte

2. A tempo ordinario

[vgl. HWV 52, HWV 73, HWV 342]

[2. Allegro, non presto

Takt 27

98 Takte

3. Passacaille

[vgl. HWV 12a. Radamisto (Passacaille), HWV 8b. Terpsicore (5.)]

Takt 97

Takt 142

4. Gigue
Presto

166 Takte   [vgl. HWV 8b. Terpsicore (8.)]   24 Takte

Menuet
Allegro moderato
V. I
V. II

36 Takte

[vgl. HWV 34. Alcina (5.)]

Quellen

Handschriften: Autograph: verschollen.
Abschriften: *D (brd)* B (Am. Bibl. 153, f. 14ᵛ–22ʳ; Am. Bibl. 156, f. 14ᵛ–22ʳ) – *GB* Cfm (Barrett-Lennard-Collection vol. 10, Mus. MS. 798: *Sinfonie diverse*, No. 4, p. 240: Satz 2, T. 1–27, als *Largo* mit 2 Hörnern für HWV 342, Kopie von Smith senior), Lbm (R. M. 19. f. 6., Part.: f. 21ʳ–34ʳ, St.: für V. I, II, Va., B. c., beide Quellen mit zusätzlicher Va.-St. ad libitum, aber ohne das Menuet; R. M. 19. g. 6., f. 38ᵛ–43ᵛ: *Sonata 10*)
Drucke: S. unter HWV 396.

Bemerkungen

HWV 399, als op. 5 Nr. 4 veröffentlicht, stellt vermutlich jene überzählige 7. Sonate der Sammlung dar, die ohne Händels Zutun vom Verleger Walsh in op. 5 eingegliedert wurde. Die Sätze bestehen sämtlich aus direkten Übernahmen bereits mehrfach verwendeter Kompositionen, die Händel sicherlich nicht selbst auswählte, und ihr gemeinsames Kennzeichen liegt in der Überlieferung einer obligaten Viola-Stimme in der Quelle *GB* Lbm

(R. M. 19. f. 6.)[1], die im wesentlichen mit dem Originalpart der Vorlagesätze übereinstimmt.
Entlehnungen:
1. Satz *(Allegro)*
   HWV 52 Athalia: A. Symphony, 1. Satz *(Allegro)*
2. Satz, *A tempo ordinario* (T. 1–27)
   HWV 52 Athalia: B. Ouverture, 1. Satz *(Un poco allegro,* T. 1–27)
   HWV 73 Il Parnasso in festa: Ouverture *(A tempo ordinario, un poco allegro,* T. 1–27)
   HWV 342 Ouverture *(Un poco allegro)* F-Dur
2. Satz *(Allegro non presto,* T. 27–98)[2]
   HWV 52 Athalia: A. Symphony, 3. Satz *(Allegro),* B. Ouverture *(Allegro,* T. 27–98)
   HWV 73 Il Parnasso in festa: Ouverture *(Più allegro,* T. 27–98)

[1] S. Flesch (in: Krit. Bericht zu HHA IV/10/2, Kassel und Leipzig 1973, S. 8 f.) hält diese Quelle für die einzige vor dem Erscheinen von op. 5 angefertigte Abschrift des Kopisten S₁.
[2] Vgl. auch das motivische Vorbild dieses Satzes in HWV 392 Triosonate F-Dur, 4. Satz *(Allegro).*

3. Satz, *Passacaille*
   HWV 12ᵃ Radamisto (1. Fassung): Ballo (Ende Act III), Passacaille A-Dur
   HWV 73 Il Parnasso in festa: 13. S'accenda pur di festa il cor (A-Dur)
   HWV 8ᵇ Terpsicore: 5. Chaconne A-Dur
4. Satz, Gigue *(Presto)*
   HWV 8ᵇ Terpsicore: 8. Gigue *(Presto)*
5. Satz, Menuet *(Allegro moderato)*
   HWV 34 Alcina: 5. Menuet³

³ Auch als English Song überliefert unter dem Titel „Why this talking still of my dying" (*Words to a Favourite*

Literatur
Burrows, D.: Walsh's edition of Handel's Opera 1–5: the texts and their sources. In: Music in Eighteenth-Century England. Ed. by C. Hogwood and R. Luckett, Cambridge UP 1982, S. 79 ff., 97; Chrysander III, S. 181 ff.; Flesch, S. 158 ff.; Horton (Symposium), S. 260; Serauky III, S. 580 f.

Minuet of Mr. Handel's. In: British Musical Miscellany, or, the Delightful Grove … vol. IV (p. 121) – London, J. Walsh, ca. 1736/37). Vgl. Smith, Descriptive Catalogue, S. 12 (Nr. 18).

400. Sonate Nr. 5 g-Moll

Besetzung: V. I, II; Cont.
ChA 27. – HHA IV/10/2. – EZ: London, ca. 1737/38

1. Largo

[vgl. HWV 18. Tamerlano (1.)]   56 Takte

2. [Come alla breve]

[vgl. HWV 610]   127 Takte

3. Larghetto

[vgl. HWV 8b (2.), HWV 73 (5.), HWV 52 (28.)]   8 Takte

4. A tempo giusto

[vgl. HWV 429 (1.)]

51 Takte

5. Air
Andante allegro

[vgl. HWV 452 (3.), HWV 8b. Terpsicore (9.)]

6. Bourrée

38 Takte   20 Takte

Quellen

Handschriften: Autograph: *GB* Lbm (R.M. 20. g. 14., f. 1ʳ–5ᵛ: *Sonata 5,* Sätze 1–4).

Abschriften: *D (brd)* B (Am. Bibl. 153, f. 22ᵛ–28ʳ; Am. Bibl. 156, f. 22ᵛ–28ʳ) – *GB* Cfm (Barrett-Lennard-Collection vol. 10, Mus. MS. 798, f. 31–35: Sätze 1–4), Lbm (R.M. 19.f. 6., Part.: f. 35ʳ–43ᵛ, St.: für V. I, II, B. c.; R. M. 19. g. 6., f. 44ʳ–48ᵛ: *Sonata 11*)

Drucke: S. unter HWV 396.

Bemerkungen

HWV 400, veröffentlicht als op. 5 Nr. 5, stellt die erste von zwei für die Sammlung gänzlich neu komponierten Triosonaten dar, deren Autograph[1] erhalten ist. Im Autograph bildet das Werk nach dem von Händel bevorzugten Schema für seine Kammermusik eine viersätzige Kirchensonate; die beiden Tanzsätze 5 und 6 wurden vermutlich auf Betreiben des Verlegers hinzugefügt, um eine gefällige Abrundung zu erreichen. Daß das Autograph unvollständig sei, weil die Sätze 5–6 nicht in ihm enthalten sind, wie von Siegfried Flesch (Krit. Bericht zu HHA IV/10/2, S. 7 f.) bemerkt wurde, scheint nicht der Fall zu sein, wenn man Händels Praxis bei der Sonatenkomposition berücksichtigt: die sieben unbenutzten Notensysteme am Ende des 4. Satzes (f. 5ᵛ des Autographs) blieben frei und enthalten auch keinen Vermerk

über eine Fortsetzung der Sonate auf einem anderen Blatt.

Obwohl HWV 400 eine Neukomposition für op. 5 darstellt, ließ Händel sich von mehreren Sätzen früher entstandener Kompositionen anregen und arbeitete diese für die Sonate um. Folgende Vorlagen lassen sich nachweisen:

1. Satz *(Largo)*
   HWV 18 Tamerlano: 1. Introduzione *(Largo e staccato)*
2. Satz
   HWV 610 Fuge VI c-Moll
3. Satz *(Larghetto)*
   HWV 52 Athalia: 28. Jerusalem thou shalt no more (Ritornello)
   HWV 73 Il Parnasso in festa: 5. Gran tonante (Ritornello)
   HWV 8ᵇ Terpsicore: 2. Gran tonante
4. Satz *(A tempo giusto)*
   HWV 429 Suite IV e-Moll (1. Sammlung): 1. Satz *(Allegro)*
5. Satz, Air *(Andante allegro)*[2]
   HWV 8ᵇ Terpsicore: 9. Tuoi passi son dardi

Literatur

Burrows, D.: Walsh's editions of Handel's Opera 1–5: the texts and their sources. In: Music in Eighteenth-Century England. Ed. by C. Hogwood and R. Luckett, Cambridge UP 1982, S. 79 ff.; Chrysander III, S. 151 ff.; Flesch, S. 158 ff.; Horton (Symposium), S. 260; Serauky III, S. 581 f.

---

[1] Das Wasserzeichen (Cd) der beiden Autographe von HWV 400 und HWV 401 weist deutlich auf das Kompositionsjahr 1737/38 hin.

[2] Vgl. auch das Thema der *Sarabande* in HWV 452 Suite g-Moll.

401. Sonate Nr. 6 F-Dur

Besetzung: V. I, II; Cont.
ChA 27. – HHA IV/10/2. – EZ: London, ca. 1737/38

1. Largo

[vgl. HWV 295 (1.)]

2. Allegro

24 Takte   [vgl. HWV 392 (2.)]

Adagio

Takt 47   52 Takte

3. Adagio

[vgl. HWV 392 (3.)]   52 Takte

4. Allegro

[vgl. HWV 295 (4.)]

75 Takte

5.A [Menuet]
Andante

[vgl. HWV 289 (4.)]

Variatio

30 Takte   15 Takte

5.B Menuet
Allegro moderato

44 Takte

Quellen

Handschriften: Autographe[1]: *GB* Lbm (R. M. 20. g. 14., f. 6[r]–9[v]: *Sonata 6,* Sätze 1–4, T. 1–62), Cfm (30. H. 13., MS. 263, p. 43–45: Satz 4, T. 63 ff., Satz 5[A]; 30. H. 12., MS. 262, p. 58: Skizze für Satz 4).
Abschriften: D (brd) B (Am. Bibl. 153, f. 28[v]–33[v]; Am. Bibl. 156, f. 28[v]–33[v]) – *GB* Cfm (Barrett-Lennard-Collection vol. 10, Mus. MS. 798, f. 35–38: Sätze 1–5[A], p. 242, *Sinfonie diverse,* No. 6: Satz 5[B], *Menuet),* Lbm (R. M. 19. f. 6., Part.: f. 44[r]–52[v], mit Satz 5[A], St.: für V. I, II, B. c., mit Satz 5[A]; R. M. 19. g. 6., f. 49[r]–53[r]: *Sonata 12;* Add. MSS. 31576, f. 56[r]–58[r]: Satz 4)
Drucke: S. unter HWV 396.

Bemerkungen

HWV 401, veröffentlicht als op. 5 Nr. 6, ist im Autograph erhalten, das aufgrund von Schrift und Papierbeschaffenheit (WZ: Cd) auf 1737/38 zu datieren ist. Nach Händels Tod gelangte ein Teil des Manuskripts (Bll. 5 und 6 des ursprünglichen Autographs) unter die autographen Fragmente, die heute im Fitzwilliam Museum, Cambridge, aufbewahrt werden; die Herausgeber der Triosonaten in ChA 27 und HHA IV/10/2 übersahen diesen Teil der Handschrift und berücksichtigten ihn deshalb nicht in den kritischen Anmerkungen zu ihren Ausgaben[2].
In Händels autographer Fassung endet HWV 401 mit Satz 5[A] (*Andante* mit *Variatio)*[3], nach dessen Schluß sich ein *Fine*-Vermerk findet. In der Ausgabe von Walsh wurde dagegen dieser Satz durch das *Menuet* (5[B]) ersetzt, der durch keine autographe Quelle überliefert ist[4]. Der Grund für diesen Austausch ist vermutlich darin zu sehen, daß knapp 5 Monate (Oktober 1738) vor dem Erscheinen von op. 5 (Februar 1739) substantielle Teile des Satzes 5[A] im Orgelkonzert HWV 289 op. 4 Nr. 1 (4. Satz, *Andante)* durch Walsh veröffentlicht worden waren. Der Austausch der beiden Sätze in op. 5 Nr. 6 dürfte also eher auf Betreiben des Verlegers als auf Händels Veranlassung erfolgt sein. Der Triosonaten-Satz 5[A] in HWV 401 entstand je-

denfalls wesentlich später als der entsprechende Satz im Orgelkonzert HWV 289, das 1735/36 komponiert wurde.
Auch in HWV 401 griff Händel auf seine Entlehnungspraxis zurück und arbeitete zum Teil Sätze aus früheren Kompositionen dafür um oder legte Sätze aus der Triosonate später entstandenen Werken zugrunde:

1. Satz *(Largo)*
   HWV 295 Orgelkonzert Nr. 13 F-Dur (1739): 1. Satz *(Largo* bzw. *Larghetto)*
2. Satz *(Allegro)*
   HWV 392 Triosonate F-Dur (ca. 1707/09): 2. Satz *(Allegro)*[5]
3. Satz *(Adagio)*
   HWV 392 Triosonate F-Dur: 3. Satz *(Adagio)*
   HWV 251[d] As pants the hart (Anthem VI[D]): 2. Tears are my daily food
4. Satz *(Allegro)*
   HWV 295 Orgelkonzert Nr. 13 F-Dur: 4. Satz *(Allegro)*
5. Satz *(Andante*[A]*)*
   HWV 289 Orgelkonzert op. 4 Nr. 1 g-Moll: 4. Satz *(Andante)*

Literatur

Burrows, D.: Walsh's edition of Handel's Opera 1–5: the texts and their sources. In: Music in Eighteenth-Century England. Ed. by C. Hogwood and R. Luckett, Cambridge, UP 1982, S. 79 ff., 101 f.; Chrysander III, S. 151 ff.; Flesch, S. 158 ff.; Horton (Symposium), S. 260 f.; Serauky III, S. 582.
Beschreibung der Autographe: Lbm: Catalogue Squire, S. 45; Flesch, S.: Krit. Bericht zu HHA IV/10/2, Kassel und Leipzig 1973, S. 3 f. —— Cfm: Catalogue Mann, MS. 262, S. 205, MS. 263, S. 209.

---

[1] Beide Autographe gehören zusammen und ergänzen einander.
[2] HHA IV/10/2 (1967) samt Krit. Bericht (1973) bezeichnen das Autograph noch als fragmentarisch; demgegenüber wies der Hrsg. S. Flesch in seinem Beitrag über G. F. Händels Triosonaten (Händel-Jb., 18./19. Jg., 1972/73) in Fußnote 47 (S. 204) auf den Eintrag im Catalogue Mann (s. 209, nicht 211) über den abgetrennten Teil des Autographs in *GB* Cfm hin.
[3] ChA 27, Fassung A (S. 193–194), HHA IV/10/2, Anhang, S. 92–94, beides nach Quelle *GB* Lbm (R. M. 19. f. 6.) ediert.
[4] Die vermutlich älteste von den Drucken unabhängige Abschrift liegt in einer Kopie von Smith senior in *GB* Cfm (Mus. MS. 798, p. 242) vor, während alle anderen handschriftlichen Quellen nach dem Walsh-Druck kopiert wurden.

[5] Korrekturen im Autograph des 2. Satzes von HWV 401 (T. 10 und T. 45 von V. II, T. 26 des B. c.) beweisen klar die Anlehnung Händels an HWV 392 bei der Komposition von op. 5 Nr. 6: in den genannten Takten ist deutlich zu erkennen, daß Händel zunächst die Lesarten aus HWV 392 übernahm und sie erst nachträglich für op. 5 Nr. 6 änderte. Damit erweist sich die von H. J. Moser (*Händels zeitstilistische Entwicklung.* In: Wege zu Händel, Halle 1953, S. 44 ff., bzw. Musik in Zeit und Raum, Berlin 1960, S. 174 ff.) behauptete Priorität von HWV 401 vor der Triosonate HWV 392, die er noch als Teil von op. 2 ansah, als unhaltbar, da sie quellenmäßig nicht zu belegen ist.

402. Sonate Nr. 7 B-Dur

Besetzung: V. I, II; Cont.
ChA 27. – HHA IV/10/2. – EZ: London, ca. 1737/38

1. Larghetto

[vgl. HWV 256a (1.)]

2. Allegro ma non presto

26 Takte   [vgl. HWV 256a (1., Allegro)]

56 Takte

3. Adagio

p

[vgl. HWV 256a (1., Adagio)]

4. Allegro

[vgl. HWV 249b (1., Allegro), HWV 242 (1., Allegro)]

71 Takte

5. Gavotte
Allegro

[vgl. HWV A 11. Oreste (11.)]   24 Takte

6. Menuet
Andante allegro

[vgl. HWV 8b. Terpsicore (12.)]

48 Takte

Quellen

Handschriften: Autograph: verschollen.
Abschriften: *D (brd)* B (Am. Bibl. 153, f. 34ʳ–38ʳ; Am. Bibl. 156, f. 34ʳ–38ʳ) – *GB* Lbm (R.M. 19. f. 6., Part.: f. 53ʳ–60ʰ, St.: für V. I, II, B. c.; R.M. 19. g. 6., f. 53ᵛ–57ʳ: *Sonata 13*).
Drucke: S. unter HWV 396.

Bemerkungen

HWV 402, veröffentlicht als op. 5 Nr. 7, stellte Händel in Form der viersätzigen Kirchensonate aus Instrumentaleinleitungen der Chandos Anthems XIᴬ und IV zusammen[1]. Die beiden Tanzsätze, mit denen die Triosonate beendet wird, sind vermutlich wiederum auf Wunsch des Verlegers hinzugefügt worden, der offensichtlich die erfolgreichen Ballettsätze der Opernsaison 1734/35, in der Händel mit Marie Sallé und ihrer Ballettgruppe zusammengearbeitet hatte, für seine Veröffentlichung zu nutzen suchte.
Die Sätze von HWV 402 gehen auf folgende früheren Werke Händels zurück:

1. Satz (Larghetto)
   HWV 256ᵃ „Let God arise": 1. Symphony, 1. Satz (*Andante* bzw. *A tempo ordinario e staccato*)
2. Satz *(Allegro ma non presto)*
   HWV 256ᵃ „Let God arise": 1. Symphony 2. Satz *(Allegro)*[2]

[1] Die von Händel nachträglich geänderten Vortragsbezeichnungen für die beiden ersten Sätze der Instrumentaleinleitung im Autograph des Anthems HWV 256ᵃ (*GB* Lbm, R.M. 20. d. 6., f. 43 bzw. f. 51) beziehen sich offensichtlich auf die Verwendung in HWV 402 (vgl. Beeks, a. a. O., S. 156, Burrows, a. a. O., S. 98).
[2] Das Thema des *Allegro* beruht auf einem Satz aus der

3. Satz *(Adagio)*
   HWV 256ᵃ „Let God arise": 1. Symphony, 3. Satz *(Adagio)*
4. Satz *(Allegro)*
   HWV 249ᵇ „O sing unto the Lord": 1. Symphony, 2. Satz *(Allegro,* F-Dur)
   HWV 242 „Silete venti": 1. Symphonia, 2. Teil *(Allegro,* T. 11 ff.)
5. Satz, Gavotte *(Allegro)*
   HWV Anhang A¹¹ Oreste: 11. (Ballo)
6. Satz, Menuet *(Andante allegro)*[3]
   HWV 8ᵇ Terpsicore: 12. (Ballo), 11. Arie: Hai tanto rapido
   HWV Anhang A¹¹ Oreste: 27. (Ballo)

Literatur

Beeks, G.: Handel's Chandos Anthems: More ‚extra' Movements. In: Music & Letters, vol. 62, 1981, S. 155 ff. Burrows, D.: Walsh's editions of Handel's Opera 1–5: the texts and their sources. In: Music in Eighteenth-Century England. Ed. by C. Hogwood and R. Luckett, Cambridge UP 1982, S. 79 ff.; Chrysander III, S. 151 ff.; Flesch, S. 158 ff.; Horton (Symposium), S. 260 f.; Serauky III, S. 583.

frühen Kantate HWV 82 Il Duello amoroso: *Amarilli vezzosa* (3. Quel nocchiero che mira le sponde, Ritornello).
[3] Das Thema des *Menuet* zeigt Anklänge an HWV 46ᵇ Il Trionfo del Tempo e della Veriatà (27. Lascia la spina) bzw. HWV 71 The Triumph of Time and Truth (23ᵃ·ᵇ· Sharp thorns despising); letzteres wurde auch mit englischem Text als Song „The Address to Sylvia" (*Blest with my Sylvia*) populär.

403. Sonate C-Dur für 2 Instrumente und B. c.

Besetzung: V. I, II; Cont.
HHA I/13, SAUL (Krit. Bericht, Kassel und Leipzig 1964, S. 107–113, 161–163). – EZ: London, ca. 1738

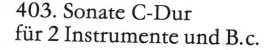

[vgl. HWV 53. Saul (Symfonia)]

124 Takte

76 Takte

3. Allegro

50 Takte

4. Allegro

84 Takte

[vgl. HWV 53. Saul (58a.)]

Quellen
Handschriften: Autograph: *GB* Cfm (30. H. 9. , MS. 259, p. 1–13).
Drucke: Ausgabe: HHA I/13, Saul. Krit. Bericht von P. M. Young, Kassel und Leipzig 1964, S. 107–113, 161–163.

Bemerkungen
HWV 403 stellt vermutlich keine unabhängige Triosonate dar, sondern die Sätze 1–3 dienten als Entwurf für die später ausgearbeitete Ouverture (Satz 1–3) zu HWV 53 Saul, während Satz 4 als zweiter Satz der sogenannten „Wedding Symphony" (Nr. 58) in dieses Oratorium eingearbeitet wurde.[1]

[1] Der von S. Flesch (a. a. O., S. 162) angeführte Satz in *GB*

Die Komposition der Triosätze ist auf 1738 zu datieren; ihre Entstehungszeit fällt daher mit der Vorbereitung von op. 5 für den Druck bei Walsh zusammen, obwohl keiner der 4 Sätze thematische Verbindungen zu den Triosonaten op. 5 aufweist.

Literatur
Flesch, S. 162 ff.; Young, P. M.: Saul. Krit. Bericht zu HHA I/13, Kassel und Leipzig 1964.
Beschreibung des Autographs: Cfm: Catalogue Mann, MS. 259, S. 182, Young, Krit. Bericht zu HHA I/13, S. 40, 85 ff., 93 ff.

Cfm (MS. 265, p. 10–11) gehört nicht zu den unter HWV 403 zusammengefaßten Triosätzen, sondern stellt eine Cembaloversion des „Dead March" (77[b]) aus „Saul" dar.

404. Sonate g-Moll

Besetzung: Ob./V. I; V. II; Cont.
HHA IV/15. – EZ: Cannons (?), ca. 1718/20

1. Andante
Ob., V. I
V. II

67 Takte

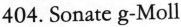
[vgl. HWV 122 (10.), HWV 34. Alcina (39.)]

2. Allegro
Ob., V. I

3. Adagio
Ob.

V. II

51 Takte

4. Allegro
Ob., V. I

V. II

16 Takte   [vgl. HWV 433 (2.)]   146 Takte

Quellen

Handschriften: Autograph: verschollen.
Abschrift: *GB* Malmesbury Collection (*Sonata's and Concerto's compos'd by George Frederick Handel Esq.*[r], *Partitura,* datiert *London 1727,* f. 35–43: *Sonata 5ᵃ,* Kopie des Schreibers S₂).

Bemerkungen

Die Sonate HWV 404, die kammermusikalische Faktur aufweist und sicher nicht orchestrale Besetzung verlangt, ist hier als Triosonate eingeordnet, da sie eindeutig mit *Sonata* gekennzeichnet ist und ihrer ganzen stilistischen Haltung nach unter die Sonaten der Zeit um 1718/20 gehört. Vermutlich ist sie mit jener Sonata identisch, die Händel während seiner Tätigkeit in Cannons für den Herzog von Chandos schrieb und die, im sogenannten „Cannons Catalogue" unter No. 117 verzeichnet[1],

in ihrer Besetzung mit HWV 404 übereinstimmt.
Entlehnungen:
1. Satz *(Andante)*
    HWV 122 Apollo e Dafne: *La terra è liberata:* 10. Cara pianta co'miei pianti
    HWV 446 Suite à deux clavecins c-Moll: 4. Chaconne (T.5–8)
    HWV 34 Alcina: 39. Dal orror di notte cieca
4. Satz *(Allegro)*
    HWV 433 Suite Nr. 8 f-Moll (1. Sammlung); 2. Satz *(Allegro)*

[1] Vgl. Baker, C. H. C./Baker, M. I.: The Life and Circumstances of James Brydges, First Duke of Chandos, Patron of the Liberal Arts, Oxford 1949, S. 134 ff.: *A Shortened and Modernized Catalogue of Music Belonging to His Grace, James, Duke of Chandos, form the Original in the Handwriting of Mr. Noland, Subscribed by Dr. Pepusch in 1720:*
No. 117 Sonata for 2 Violins 1 Hautboi and a Bass composed by Mr. Hendel.
Original in *US* SM (Stowe Ms. 66).

405. Sonate F-Dur

Besetzung: Fl. I, II; Cont.
HHA IV/19. – EZ: Italien, ca. 1707/09

1. (Allegro)

[vgl. HWV 378 (2.)]   56 Takte

2. Grave

14 Takte

3. (Allegro)

[vgl. HWV 293 (4.), HWV 369 (4.), HWV 378 (4.)]   33 Takte

Quellen

Handschriften: Autograph: *GB* Cfm (30. H. 11., MS. 261, p. 70–71: 1. Satz ohne B. c., p. 72–73: *Grave*, p. 73–76: 3. Satz).
Abschrift: *US* Wc (M 350. M3 Case: 3 Stimmbücher mit Triosonaten verschiedener Komponisten, datiert *Isleworth, Sept. 17, 1778,* für V. I oder Fl. I, V. II oder Fl. II und B. c., No. 41: *Sonata a Due Flauti, e Basso Del Sig. Giorgio Federigo Hendel).*
Drucke: Ausgabe[1]: Trio Sonata for Two Recorders and Continuo, ed. by C. Hogwood. – London: Faber Music Ltd, 1981.

Bemerkungen

HWV 405 entstand vermutlich zusammen mit HWV 358 und HWV 357, deren Autographe auf gleichem Papier italienischer Herkunft notiert sind und in dem autographen Sammelband in *GB* Cfm unmittelbar aufeinander folgen, während Händels Italienreise um 1707/09. Die Triosonate teilt das musikalische Material der Sätze 1 und 3 mit anderen während dieser Zeit in Italien entstandenen Kompositionen Händels, was als zusätzliches Indiz für ihre frühe Entstehungszeit gelten kann. Im Autograph ist der 1. Satz, der dort keine Tempobezeichnung trägt, ohne den Continuopart notiert; auch der dritte Satz ist ohne jegliche Satzüberschrift von Händel niedergeschrieben

[1] Eine unvollständige Ausgabe der Sonate (nur Sätze 2–3) erschien als *Grave and Allegro*. Ed. by T. Dart, London: Schott 1951.

worden. In der Abschrift in *US* Wc dagegen fehlt im Stimmbuch für V. I/Fl. I der Part für das erste Instrument, der daher nur im Autograph überliefert ist. Dafür enthält das Stimmbuch für den B. c. auch die Baßstimme des ersten Satzes, die wiederum im Autograph fehlt. Im B.-c.-Stimmbuch ist HWV 405 unter ihrer No. 41 mit der Überschrift „Sonata a Due Flauti, e Basso Del Sig. Giorgio Federigo Hendel" versehen. Alle drei Sätze weisen in der Abschrift *US* Wc die Bezeichnungen *Allegro – Grave – Allegro* auf.
Entlehnungen:
1. Satz *(Allegro)*
    HWV 46[a] Il Trionfo del Tempo e del Disinganno: Sinfonia, 3. Satz
    HWV 47 La Resurrezione: 16. Introduzione zu Part II
    HWV 378 Sonate D-Dur für Querflöte und B. c.: 2. Satz *(Allegro)*
3. Satz *(Allegro)*
    HWV 378 Sonate D-Dur für Querflöte und B. c.: 4. Satz *(Allegro)*
    HWV 369 Sonate F-Dur für Blockflöte und B. c.: 4. Satz *(Allegro)*
    HWV 293 Orgelkonzert op. 4 Nr. 5 F-Dur: 4. Satz *(Presto)*

Literatur
Flesch, S. 164 f.
Beschreibung des Autographs: Cfm: Catalogue Mann, MS. 261, S. 200.

Einzeln überlieferte Stücke verschiedener Besetzung

406. Adagio – Allegro A-Dur für Violino solo und andere Instrumente

Besetzung: V. solo; V. I, V. II [Va.]; Cont.
HHA IV/19. – EZ: London, ca. 1751

38 Takte

Quellen

Handschriften: Autograph: *GB* Cfm (30. H. 12., MS. 262, p. 54).
Drucke: Ausgabe: *Fantasia and Sonata.* Ed. by R. Howat, London 1976.

Bemerkungen

Die beiden Sätze von HWV 406, die nur im Autograph überliefert sind, entstanden den Schriftzügen und dem verwendeten Papiertyp zufolge (WZ: Cp, belegt zwischen 1750 und 1754) um 1751. Beide Sätze sind von Händel auf drei Notensystemen (ohne Instrumentenangabe) notiert, deren oberstes im Violinschlüssel aller Wahrscheinlichkeit nach für Solovioline und deren untersters für Basso continuo bestimmt sind. Das mittlere Notensystem überliefert zwei Mittelstim-

men im Sopranschlüssel, was zunächst darauf hindeuten könnte, daß hiermit ein Tasteninstrument gemeint sei. Die Struktur des Satzes mit dem häufigen Auslassen der Terz in Akkordbildungen, wenn diese in der Oberstimme erscheint, läßt jedoch eher vermuten, daß die Mittelstimmen für zwei weitere Streichinstrumente (V. II, III bzw. Viola) gedacht sind. Der musikalische Satz moduliert sehr stark und ändert häufig die Tonart, auch sind nicht alle Stimmen vollständig ausgeschrieben (im System der Oberstimme sind T. 7, 3. Viertel, bis T. 10, T. 19–22, T. 28–31 und T. 33–35, im System der Mittelstimmen T. 9–10 jeweils leer geblieben).
Beschreibung des Autographs: Cfm: Catalogue Mann, MS. 262, S. 205.

407. Allegro G-Dur für Violino solo

HHA IV/19. – EZ: London, 1738

22 Takte

Quellen

Handschriften: Autograph: *GB* Cfm (30. H. 12., MS. 262, p. 55: *Allegro*).
Abschrift: *GB* Lbm (Add. MSS. 35024, f. 27ʳ: *Exercise for the Violin. Handel.* Kopie von Samuel Wesley).

Bemerkungen

HWV 407, Händels einziger Satz für ein Soloinstrument *senza basso*, entstand 1738, wie ein Bleistiftvermerk Händels auf dem Autograph (WZ: Bh$_2$) bestätigt. Eine Datierung für 1738 trägt auch HWV 473 auf der Rückseite des Blattes (p. 56:

25 Agost 1738), so daß anzunehmen ist, beide Kompositionen seien als Skizzen während der Arbeit an HWV 53 Saul (Juli–September 1738) von Händel entworfen worden.
Obwohl HWV 407 keine Besetzungsangabe aufweist, ist von der Spieltechnik her eindeutig Solovioline gemeint, was auch durch die Kopie Samuel Wesleys bestätigt wird. Takt 1 entspricht dem Beginn von HWV 566 *Prélude* für Cembalo E-Dur, einer Frühfassung des Präludiums zu HWV 430 Suite Nr. 5 E-Dur (1. Sammlung, 1720).
Beschreibung des Autographs: Cfm: Catalogue Mann, MS. 262, S. 205.

408. Allegro c-Moll für Violine und B. c.

HHA IV/19. – EZ: London, ca. 1724/26

[vgl. HWV 387 (4.)]

50 Takte

Quellen

Handschriften: Autograph: *GB* Cfm (30. H. 10., MS. 260, p. 19–20).
Drucke: Ausgabe: The Complete Sonatas for Treble Recorder and Basso Continuo: Ed. by D. Lasocki and W. Bergmann, London: Faber Music 1979, Appendix.

Bemerkungen

Das *Allegro* HWV 408 entstand um 1724/25, wie aus dem Papier des Autographs hervorgeht (WZ: Cantoni/Bergamo, vgl. auch unter HWV 367ᵃ und HWV 377), und teilt das motivische Material mit mehreren Kammermusikwerken jener Jahre. Aus dem Ambitus der Oberstimme ist auf Violine als Soloinstrument zu schließen.
Das Autograph weist zahlreiche Änderungen und Korrekturen auf, die auf mehrmalige Umarbeitungen hindeuten. Händel benutzte als Vorlage für HWV 408 den vierten Satz *(Allegro)* der frühen Triosonate HWV 387 op. 2 Nr. 2 g-Moll und leitete später den Schlußsatz *(Allegro)* der Blockflötenso-

nate a-Moll HWV 362 daraus ab. Das Thema selbst kehrt in abgewandelter Form in verschiedenen anderen Werken wieder:
HWV 408, *Allegro*
 HWV 387 Triosonate p. 2 Nr. 2 g-Moll: 4. Satz *(Allegro)*
 HWV 362 Sonata a-Moll: 4. Satz *(Allegro)*
 HWV 576 (Preludio ed) Allegro a-Moll
 HWV 46ᵃ Il Trionfo del Tempo e del Disinganno: 7. Un pensiero nemico di pace (Ritornello)
 HWV 46ᵇ Il Trionfo del Tempo e della Verità: 17. Folle dunque (Ritornello)
 HWV 287 Oboenkonzert g-Moll: 4. Satz *(Allegro)*
 HWV 390 Triosonate op. 2 Nr. 5 g-Moll: 4. Satz *(Allegro)*
 HWV 291 Orgelkonzert op. 4 Nr. 3 g-Moll: 2. Satz *(Allegro)*

Beschreibung des Autographs: Cfm: Catalogue Mann, MS. 260, S. 192.

409. Andante d-Moll für Blockflöte und B. c.

HHA IV/18 (Anhang). – EZ: London, ca. 1725/26

(Andante)

25 Takte

Quellen

Handschriften: Autograph: *GB* Cfm (30. H. 13., MS. 263, p. 22).
Drucke: Ausgabe: The Fitzwilliam Sonatas by G. F. Handel from the autograph MSS in the Fitzwilliam Museum Cambridge. Edited by Thurston Dart, London: Schott & Co. Ltd., 1948 (Sonata II, 2. Satz).

Bemerkungen

HWV 409 ist eine Vorform des 6. Satzes *(Andante)* der Blockflötensonate d-Moll HWV 367ᵃ und entstand zusammen mit einer Frühfassung des 7. Satzes um 1725/26 noch vor der Endfassung von HWV 367ᵃ. Das Papier des Autographs von HWV 409 (WZ: Cb) unterscheidet sich deutlich von dem des Autographs dieser Sonate und kann daher zeitlich differenziert eingeordnet werden. HWV 409 benutzt in der melodischen Ausarbei-

tung bereits wesentliche thematische Gedanken der späteren Fassung in HWV 367ᵃ und läßt Händels Überarbeitungspraxis deutlich werden.
Der Satz erscheint in der von Thurston Dart aus unterschiedlichen, nicht zusammengehörenden Einzelsätzen vereinigten sogenannten *Fitzwilliam Sonata II* als Mittelsatz. Als Satz 1 und 3 fügte Dart seiner Ausgabe die Frühfassung von Satz 7 aus HWV 367ᵃ (Autograph: *GB* Cfm, MS. 263, p. 21) und das *Menuet* HWV 462 (Autograph: *GB* Cfm, MS. 260, p. 1) mit verdoppelten Notenwerten hinzu.

Literatur

Best, T.: Handel's Solo Sonatas. In: Music & Letters, vol. 58, 1977, S. 430 ff. (deutsch als: Händels Solosonaten. In: Händel-Jb., 23. Jg., 1977, S. 21 ff.).
Beschreibung des Autographs: Cfm: Catalogue Mann, MS. 263, S. 208.

410. Aria F-Dur

Besetzung: Ob. I, II; Cor. I, II; Fag. [Cont.]
HHA IV/19. – EZ: London, ca. 1725

Takt 52   60 Takte   *D. s.* (𝄋)

Quellen
Handschriften: Autograph: verschollen.
Abschrift: *GB* Lbm (R. M. 18. b. 8., f. 25ʳ–30ᵛ: *Aria pour deux Corne de Chasse del Sig. Hendel,* Abschrift des Kopisten S₂, um 1730, aus der Aylesford Collection, mit Titelüberschrift von Smith junior).

Bemerkungen
HWV 410 entstand vermutlich um 1725 als Gelegenheitskomposition unbekannter Zweckbestimmung, die Händel für höfische oder bürgerliche Unterhaltungsveranstaltungen schrieb.
Das Thema des Satzes geht auf HWV 72 Aci, Galatea e Polifemo (6. Benchè tuoni e l'etra avvampi) zurück; später (1712) übertrug Händel diese Arie mit gleichem Text in HWV 9 Teseo (26) und übernahm das Thema von dort für HWV 410.
Die einzelnen Systeme der Partitur weisen folgende Besetzungsangaben auf: *Corn. 1, Corn. 2, Hb. 1, Hb. 2, Basso.*

411. Aria F-Dur

Besetzung: Ob. I, II; [V. I, II]; Cor. I, II; Fag.
HHA IV/19. – EZ: London, ca. 1725

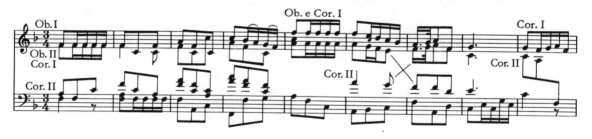

48 Takte

Quellen
Handschriften: Autograph: *GB* Cfm (30. H. 10., MS. 260, p. 22, fragm., nur T. 1–15).
Abschrift: *GB* Lbm (R. M. 18. b. 8., f. 31ʳ–32ᵛ: *Aria pour des Corne de Chasse del Sig.ʳ G. F. Handel,* Abschrift des Kopisten S₂, um 1730, aus der Aylesford Collection, mit Titelüberschrift von Smith junior).

Bemerkungen
HWV 411 entstand vermutlich um 1725 als Gelegenheitskomposition; über den genauen Verwendungszweck ist nichts bekannt.
Das Autograph (WZ: Cantoni/Bergamo) ist nur zu etwa einem Drittel erhalten; es enthält keine Instrumentenbezeichnungen. T. 9–15 des Autographs zeigt einen von der Abschrift in *GB* Lbm

etwas abweichenden Text, wobei infolge der fragmentarischen Überlieferung im Autograph offenbleiben muß, ob Händel die gesamte Komposition in zwei unterschiedlichen Varianten komponiert hat.

In der Abschrift GB Lbm weisen die einzelnen Systeme der Partitur die Instrumentenbezeichnungen *Corn. 1, Corn. 2, Oboe 1, Oboe 2., Basso* auf.
Beschreibung des Autographs: Cfm: Catalogue Mann, MS. 260, S. 192.

412. Andante a-Moll für Violine und B.c.

HHA IV/19. – EZ: London, ca. 1724/25

18 Takte

Quellen
Handschriften: Autograph: *GB* Cfm (30. H. 10., MS. 260, p. 18).

Bemerkungen
HWV 412 ist als Einzelsatz ohne Vortragsbezeichnung und Instrumentenangabe überliefert. Das Autograph (WZ: Cantoni/Bergamo), das in Schrift

und Papierqualität verschiedenen anderen Kammermusikwerken (vgl. unter HWV 367[a], HWV 377 und 408) ähnelt, entstand vermutlich um 1724/25 als Entwurf für einen nicht verwendeten Sonatensatz.
Beschreibung des Autographs: Cfm: Catalogue Mann, MS. 260, S. 192.

413. Gigue B-Dur

Besetzung: V.; Va.; Cont.
HHA IV/19. – EZ: London, ca. 1736/37

Gigue

15 Takte

Quellen
Handschriften: Autograph: *GB* Cfm (30. H. 12., MS. 262, p. 37: *Gigue*).

Bemerkungen
Die Gigue HWV 413, im Autograph ohne Instrumentenangabe überliefert, befindet sich unter au-

tographen Skizzen zu den Opern HWV 38 Berenice und HWV 37 Giustino und ist vermutlich ebenfalls auf 1736/37 zu datieren.
Beschreibung des Autographs: Cfm: Catalogue Mann, MS. 262, S. 203.

414. Marche for the Fife C-Dur

Besetzung: Querpfeife, Cont.
HHA IV/19. – EZ: London, ca. 1747

Slow

[vgl. HWV 64. Joshua, Introduzione]

12 Takte *D.c.*

Quellen

Handschriften: Autograph: *GB* Cfm (30. H. 9., MS. 259, p. 61, Notensysteme 4–8: *Marche for the Fife/Slow*).

Bemerkungen

Der *March for the Fife* HWV 414 findet sich (zusammen mit HWV 415) unter den autographen Skizzen zu HWV 64 Joshua und entstand vermutlich ebenfalls um 1747.

Das Thema verwendete Händel später in der In-troduzione zu diesem Oratorium[1] sowie in HWV 347 Sinfonia B-Dur (2. Satz, *Air lentement*). Er entlehnte es der ca. 1736 veröffentlichten Suitensammlung „Componimenti musicali" (Suite I C-Dur, 9. Adagio)[2] von Gottlieb Muffat.

Beschreibung des Autographs: Cfm: Catalogue Mann, MS. 259, S. 187.

[1] Vgl. auch HWV 67 Solomon, Anhang (*Air lentement*, Autograph *GB* Lbm, R. M. 20. h. 4., f. 91ᵛ).
[2] ChA Supplemente V, S. 20.

415. Marche for the Fife D-Dur

Besetzung: Querpfeife; Cont.
HHA IV/19. – EZ: London, ca. 1747

[vgl. HWV 64. Joshua (35.)]

8 Takte *D. c.*

Quellen

Handschriften: Autograph: *GB* Cfm (30. H. 9., MS. 259, p. 61, Notensysteme 3–4: *Marche for the Fife*).

Bemerkungen

Der *March for the Fife* HWV 415 findet sich (zusammen mit HWV 414) unter den autographen Skizzen zu HWV 64 Joshua und entstand vermutlich ebenfalls um 1747.

Das Thema verwendete Händel für den Chor „See the conquering hero comes" (35–37) in diesem Oratorium.

Beschreibung des Autographs: Cfm: Catalogue Mann, MS. 259, S. 187.

416. Marche allegro D-Dur *(Dragoon's March)*

Besetzung: Ob. I, II; Trba.; Fag.
HHA IV/19. – EZ: London, ca. 1734

16 Takte *D. c.*

Quellen

Handschriften: Autograph: *GB* Cfm (30. H. 13., MS. 263, p. 54: *Marche/Allegro*, nur Oberstimme ausgeschrieben, p. 55: *Marche/Allegro*, für *H. 1, H. 2, Tromb.*, Bass).
Druck: Warlike Musick, Book IV Being a Choice Collection of Marches & Trumpet Tunes for a German Flute, Violin or Harpsicord. By Mͬ Handel, Sͭ Martini and the most eminent Masters. – London, J. Walsh (1758), p. 74: *Dragoon's March* für Oberstimme und Baß.

Bemerkungen

Das autographe Quellenmaterial für HWV 416 besteht aus zwei Seiten: einem zunächst skizzierten Entwurf für den Marsch (p. 54), der auf der folgenden Seite (p. 55) dann für Oboe I, II, Trba. und B. c. auskomponiert vorliegt. Da sich beide Autographe (WZ: Cc) unter Skizzen und Entwürfen zu Tanzsätzen der Ballettopern HWV 32 Arianna und HWV 8ᶜ Il Pastor fido (2. Fassung) finden, kann als Entstehungszeit für HWV 416 ebenfalls 1734 angenommen werden.

Der Marsch wurde später als „Dragoon's March" bekannt. Sein Thema erinnert an den Coro „Dia si lode in cielo, in terra" (29) aus HWV 47 La Resurrezione[1].

Beschreibung der Autographe: Cfm: Catalogue Mann, MS. 263, S. 211.

[1] Vgl. auch die weiteren Nachweise unter diesem Werk in Händel-Hdb., Bd. 2, S. 47.

417ᵃ,ᵇ. La Marche D-Dur

Besetzung: Cor. I, II; [Ob. I, II]; Fag.
HHA IV/19. – EZ: London, ca. 1746/47

[vgl. HWV 65. Alexander Balus (1.)]

a: 30 Takte, fragm.
b: 34 Takte

Quellen
Handschriften: GB Cfm (30. H. 2., MS. 252, p. 34: *La Marche*, fragm.).
Abschrift: *GB* Cfm (30. H. 13., MS. 263, p. 78: *La Marche*, St. für Cor. II, Kopie von Smith senior).
Druck: Warlike Music, Book IV … – London, J. Walsh (1758) p. 73, für Oberstimme und Baß.

Bemerkungen
Das Autograph (WZ: Ci) von HWV 417, um 1746/47 entstanden, ist nicht ganz vollständig und weist zahlreiche Korrekturen auf. Die Corno II-Stimme in der Abschrift von Smith senior zeigt sowohl Abweichungen von der autographen Version als auch vom Druck in *Warlike Music, Book IV;* sie gehört offensichtlich zu einer nicht erhaltenen weiteren Fassung des Stückes.

Händel bildete aus dem Marsch später den Einleitungschor „Flushed with conquest" (1) zu HWV 65 Alexander Balus.

Beschreibung des Autographs: Cfm: Catalogue Mann, MS. 252, S. 165.

418. Marche G-Dur

Besetzung: Ob. I, II [V. I, II]; Fag. [Cont.]
HHA IV/19. – EZ: London, ca. 1741

26 Takte

Quellen
Handschriften: Autograph: *GB* Cfm (30. H. 13., MS. 263, p. 57: *Marche*).

Bemerkungen
Der *Marche* HWV 418 ist nur im Autograph (WZ: Bk) überliefert; die Partitur enthält keine Angaben zur Besetzung.

Da sich das Werk unter den Skizzen zu HWV 56 Messiah befindet, kann als Entstehungszeit ebenfalls 1741 angenommen werden.

Beschreibung des Autographs: Cfm: Catalogue Mann, MS. 263, S. 211.

419¹⁻⁶. 6 Märsche für eine instrumentale Oberstimme und B. c.

Besetzung: Fl. trav./Ob./V.; Cont.
HHA IV/19. – EZ: London, ca. 1710/20

419¹. March G-Dur *(March in Ptolomy)*

419². March G-Dur *(L^d. Loudon's March)*

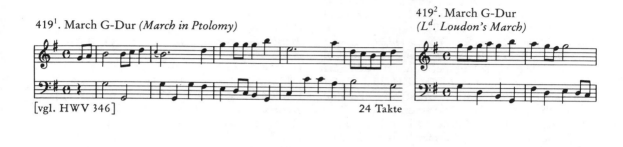

[vgl. HWV 346]   24 Takte

419³. March G-Dur *(Admiral Boscowin's March)*

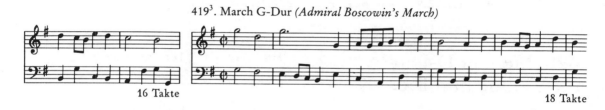

16 Takte   18 Takte

419⁴. March F-Dur

20 Takte

419⁵. March C-Dur

419⁶. March C-Dur *(Handel's March)*

26 Takte   16 Takte

Quellen

Handschriften: verschollen.

Drucke: a) A General Collection of Minuets made for the Balls at Court The Operas and Masquerades Consisting of Sixty in Number Compos'd by Mᵣ : Handel. To which are added Twelve celebrated Marches made on several occasions by the same Author. All curiously fitted for the German Flute or Violin Fairly Engraven and carefully corrected. – London, J. Walsh, Jos. Hare, J. Young (1729); The Basses to the General Collection of Minuets and Marches Compos'd by Mʳ Handel. Fairly Engraven and carefully Corrected, – London, J. Walsh, Jos. Hare, J. Young (1729). b) Warlike Music, Book I [II, III, IV] Being a Choice Collection of Marches & Trumpet Tunes for a German Flute, Violin or Harpsicord. By Mᵣ Handel, Sᵣ Martini and the most eminent Masters. – London, J. Walsh (1758, für Oberstimme und Baß). c) Thirty Favourite Marches Which are now in Vogue Set for the Violin, German Flute or Hautboy; by the most Eminent Masters. – London, Ch.ˢ & Ann Thompson (ca. 1759); —— – ib., Thomp-

son and Son (ca. 1760, nur Oberstimme). d) The Lady's Banquet Second Book; Being a Choice Collection of the newest, & most Airy Lessons for the Harpsicord or Spinnet, Compos'd by the most Eminent Masters. Together with several Minuets & Marches Perform'd at Court, the Theatres, & Publick Entertainments: Being a most delightfull Collection, and proper for the Improvement of the Hand on the Harpsicord or Spinnet. All Fairly Engraven. – London, J. Walsh, No. 217 (1733).

Einzelnachweise:

HWV 419[1]: a) No. 3 – b) Book II, p. 26 – c) p. 13: *March in Ptolomy,* in F-Dur (Variante von HWV 346).

HWV 419[2]: a) No. 5 – b) Book II, p. 28. – c) p. 15: *Lᵈ Loudon's March.* – d) p. 21

HWV 419[3]: a) No. 6 – b) Book II, p. 28. – c) p. 18: *Admiral Boscowin's March.* – d) p. 20

HWV 419[4]: a) No. 9 – b) Book II, p. 33

HWV 419[5]: a) No. 11. – b) Book II, p. 36

HWV 419[6:] b) Book IV, p. 77: *Handel's March.* – c) p. 9: *Handel's March*

420. Menuet D-Dur für Violine und B. c.

HHA IV/19. – EZ: London, ca. 1743

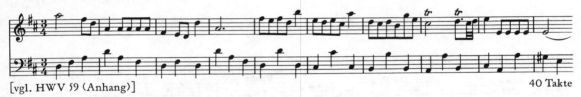

[vgl. HWV 59 (Anhang)]

40 Takte

Quellen

Handschriften: Autograph: *GB* Cfm (30. H. 9., MS. 259, p. 24: *Menuet).*

Druck: Select Minuets Second Book. Collected from the late Operas, the Balls at Court, the Masquerades, and all Publick Entertainments, For the Harpsicord, German Flute, or Violin. By Mᵣ Handel Sigᵣ Martini Sigᵉ Pasquali Sigᵣ Hasse. To which are added Twenty Six Venetian Tunes. – London,

J. Walsh (1745), p. 35–36: *1. Minuet by Mr. Handel.*

Bemerkungen

HWV 420 findet sich unter den Skizzen und Entwürfen von Sätzen für HWV 59 Joseph, so daß die Entstehungszeit des Menuetts ebenfalls auf 1743 anzusetzen ist.

Beschreibung des Autographs: Cfm: Catalogue Mann, MS. 259, S. 184.

421. Menuet D-Dur für Violine und B. c.

HHA IV/19. – EZ: London, ca. 1744

60 Takte

Quellen
Handschriften: Autograph: *GB* Cfm (30. H. 13., MS. 263, p. 80: *Minuet*).
Drucke: Select Minuets Second Book ... – London, J. Walsh (1745), p. 17–18: *2. Minuet by Mr. Handel*; Handel's Favourite Minuets from the Operas & Oratorios with those made for the Balls at Court, for the Harpsicord, German Flute, Violin or Guitar. Book IV. – London, J. Walsh (1762); p. 62

Bemerkungen
Das Autograph von HWV 421 befindet sich auf der Rückseite eines Blattes mit dem Entwurf einer Arie für HWV 60 Hercules, so daß als Entstehungszeit ebenfalls 1744 anzunehmen ist.
Beschreibung des Autographs: Cfm: Catalogue Mann, MS. 263, S. 216.

422. Menuet G-Dur

Besetzung: Ob. I, II; Cor. I, II; Fag.
HHA IV/19. – EZ: London, ca. 1746/47

[vgl. HWV 351, Menuet II]

16 Takte

Quellen
Handschriften: Autograph: *GB* Cfm (30. H. 10., MS. 260, p. 25: *Menuet*).

Bemerkungen
Das Autograph von HWV 422 ist aufgrund der gleichen Papierbeschaffenheit (WZ: Cl) mit dem Autograph des *March* (32ª) in HWV 63 Judas Maccabaeus, der auf p. 26 dieses autographen Sammelbandes geschrieben ist, ebenfalls auf etwa 1746/47 zu datieren. Als Besetzung ist *H. 1, H. 2, C. I, C. II, B.* angegeben.
Händel arbeitete den Satz später zum Menuet II in HWV 351 *Music for the Royal Fireworks* (1749) um.
Beschreibung des Autographs: Cfm: Catalogue Mann, MS. 260, S. 192.

423. Menuet G-Dur

Besetzung: Ob. I, II; Cor. I, II; Fag.
HHA IV/19. – EZ: London, ca. 1746/47

20 Takte

Quellen
Handschriften: Autograph: *GB* Cfm (30. H. 13., MS. 263, p. 77, Notensysteme 5–9: *Minuet by Mr. Handel*).

Bemerkungen
HWV 423 ist zusammen mit der Abschrift einer Corno II-Stimme für den *Marche* in HWV 63 Judas Maccabaeus auf der gleichen Seite des Sammelbandes (WZ: Bl) in *GB* Cfm überliefert. Als Entstehungszeit kann daher 1746/47 angenommen werden. Als Besetzung ist *H1, H2, C. 1, C. 2; B.* angegeben.
Beschreibung des Autographs: Cfm: Catalogue Mann, MS. 263, S. 216.

424. Ouverture D-Dur für 2 Clarinetti und Corno da caccia

Besetzung: Clarinetto I, II; Cor.
HHA IV/15. – EZ: London, ca. 1740/41

1. Ouverture

28 Takte

[vgl. HWV 334 (1.)]

2. Allegro ma non troppo

50 Takte

3. Larghetto

76 Takte

4. Andante allegro

38 Takte

5. Allegro

44 Takte

Quellen

Handschriften: Autograph: *GB* Cfm (30. H. 14., MS. 264, p. 17–23: *Overture*).
Drucke: Ausgaben: a) Sonata in D major for 2 Clarinets and Horn or 3 Clarinets in B♭, ed. by J.M.Coopersmith and Jan LaRue, New York: Mercury Music Corporation 1950. – b) Ed. by Karl Haas, London: Schott & Co. 1952

Bemerkungen

Die Ouverturensuite HWV 423 ist das einzige Werk Händels, in dem die um 1720 auf dem Kontinent entwickelte Klarinette in C im Rahmen eines Bläsertrios eingesetzt ist. Entstehungsanlaß und Aufführungsgelegenheit für das Werk sind unbekannt; nach dem Papier (WZ: Ce, Bk) des Autographs ist die Komposition auf etwa 1740/41 zu datieren.

Zwei Sätze des Werkes haben thematische Beziehungen zu anderen Werken Händels: Das Thema von Satz 1 *(Largo)* wurde in HWV 334 Concerto F-Dur (1. Satz, *Ouverture*) weiterentwickelt, Satz 3 *(Andante allegro)*[1] zeigt Ähnlichkeit mit Teilen der Sinfonia (27) zum III. Akt von HWV 67 Solomon (T. 17 ff.).
Beschreibung des Autographs: Cfm: Catalogue Mann, S. 221.

[1] Das Thema des 4. Satzes entspricht dem thematischen Material der Arie „Sol m'affanna" aus der Oper „Numitore" von Giovanni Porta, von der sich Händel ebenfalls um 1741/42 für HWV 57 Samson musikalisch anregen ließ. Vgl. dazu Dean, W.: Handel's Dramatic Oratorios and Masques, London 1959, S. 334 ff., 523.

425. Air (Sarabande) E-Dur für eine instrumentale Oberstimme und B.c.

Besetzung: V.; Cont.
HHA IV/19. – EZ: St. Giles, Wimborne, Dorsetshire, ca. 1750

Saraband

24 Takte

Quellen

Handschriften: Autograph: *GB* Malmesbury Collection (mit einem Entwurf in deutscher Orgeltabulatur).
Abschriften: *GB* Lbm (R. M. 19. a. 3., f. 64ʳ: *Saraband*, mit Bezifferung von Charles Jennens, Aylesford Collection), Shaftesbury Collection (V. 1/4, *Composed by Mr. Handel extempore at St. Giles*).
Drucke: Ausgabe: Stücke für Clavicembalo von/Pieces for Harpsichord by G. F. Händel. Herausgegeben von – Edited by W. Barclay Squire / J. A. Fuller-Maitland, Mainz und Leipzig: B. Schott's Söhne 1928, vol. I, Nr. 16
Faksimile: Matthews, B.: Handel – More unpublished Letters. In: Music & Letters, vol. 42, 1961, S. 130–131.

Bemerkungen

HWV 425 ist hier als Werk für ein Soloinstrument und B.c. verzeichnet, obwohl es auch als Komposition für ein Tasteninstrument gewertet werden kann, da keine Instrumentenangabe vorliegt.
Das Autograph ist vermutlich um 1750 niedergeschrieben worden, wie aus einem Vergleich mit anderen datierbaren Manuskripten Händels hervorgeht. Die von Betty Matthews (s. Faksimile) nicht identifizierten Buchstaben am rechten Rande des Blattes sind ein Entwurf Händels in der Notationsform der deutschen Orgeltabulatur. Das Autograph hat einen Vermerk von unbekannter Hand: „The above Air was composed at St. Giles by Mr. Handel extempore, & afterwards by Desire of the Company writt. down in his own handwriting as above". Die Bemerkung „extempore" bezieht sich vermutlich auf die Skizzierung des Stückes in Tabulaturbuchstaben. St. Giles war der Landsitz des Earls of Shaftesbury (heute: Wimborne St. Giles, Dorset), mit dem Händel gut bekannt war. HWV 425 ist vermutlich auf Veranlassung von Anthony Ashley Cooper, 4th Earl of Shaftesbury, niedergeschrieben worden; das Autograph kam in den Besitz von dessen Cousin James Harris (1707–1780), der eine umfangreiche Sammlung von Händeliana anlegte, die später in den Besitz seines Sohnes, des 1. Earl of Malmesbury, überging und heute noch besteht. Später verwendete Händel die Melodie für die Arie „Fain would I know" in der Fassung 1758 des Oratoriums HWV 61 Belshazzar (Add. air 40ᶜ).

Literatur

Matthews, B.: Handel – More unpublished Letters. In: Music & Letters, vol. 42, 1961, S. 127 ff.

Musik für Tasteninstrumente

Suiten und Ouverturen
Einzeln überlieferte Stücke und Tänze, Musik für Spieluhren
Fugen

Suiten und Ouverturen

426.–438. 8 Suites de Pièces pour le Clavecin (1. Sammlung)

426. Suite Nr. 1 A-Dur

ChA 2. – HHA IV/1. – EZ: London, ca. 1710/17

1. Prélude

Harpegg.

40 Takte

2. Allemande

22 Takte

3. Courante

50 Takte

4. Gigue

45 Takte

Quellen

Handschriften: Autograph: verschollen.
Abschriften: *A* Sm (Mn 106, p. 199ff.), Wn (Cod. 19054, f. 1ᵛ–6ʳ) – *D (brd)* B (Mus. Ms. 9160[1], f. 1ᵛ–6ʳ; Mus. Ms. 9160/1[2]; Mus. Ms. 9161/1;

Mus. Ms. 9166; Mus. Ms. 9173; Mus. Ms. 9184) – *D (ddr)* Bds (Mus. L. 143)[3] – *GB* Malmesbury Collection (*Pieces for the Harpsicord compos'd by Signᵣ. G. F. Handel 1718, aus dem Besitz von Elizabeth Legh, HWV 426 am Ende des Bandes ohne Paginierung*) – *I* Bc (2 Ex.) – *US* Bfa (E. M. Ripin-Col-

[1] Titel des Ms.: *Suites De Pieces Pour le Clavecin Composees Par G.F.Händel, et mises dans une autre applicature pour la facilité de la main Par Theophile Muffat. A. 1736 / Ex libris Theophile Muffat.*
[2] Titel des Ms.: *Suites des Pièces pour le clavecin. Lessons for the Harpsichord et copiée d'après le manuscrit de l'applicature de Theophil Muffat, 1736.*

[3] Titel des Ms.: *Sonate per il gravecembalo di Federigo, anzi Giorgio-Federigo Handel denominato il Sassone. Tomo I. Il Sigᵣ Cavᵣ Azzolino della Ciaia copiò di sua mano questa opera dall' esemplare stampato, poi questa stessa copia egli la donò a me Flavio Chigi nell'anno 1752. – Kopiert zwischen 1724 und 1734.*

lection, Ms. mit Cembalowerken[4], p. 94–103),
NYp (Mus. Res. MN*, p. 148–149: *Gigue*).
Drucke: a) Suites de Pieces pour le Clavecin Com-
posées par G. F. Handel. Premier Volume. – Lon-
don, printed for the Author. And are only to be
had at Christopher Smith's … and by Richard
Mear's (1720, No. 1); b) Suites de Pieces Pour le
Clavecin. Composées par G. F. Handel. Premier
Volume. – London, printed for the Author …
Christopher Smith's … R. Mears. Engraved and
Printed at Cluer's Printing Office (ca. 1721/22,
No. 1); c) —— – ib. (ca. 1725/27, No. 1);
d) Suites De Pieces Pour le Clavecin Composées
Par G. F. Handel. – Amsterdam, Michel Charles Le
Cene. N⁰ 561 (ca. 1734, No. 1); e) Suites de Pieces
Pour le Clavecin Composées par G. H. Handel Pre-
mier Livre. – Paris, Mᵉ Le clerc le cadet, Le Sᵉ Le
clerc, Mᵐᵉ Boivin (ca. 1736, No. 1); f) —— – ib.
(ca. 1740, No. 1); g) Suites de Pieces Pour le Clavecin. Composées par G. F. Handel. – London,
John Walsh, N⁰ 490 (ca. 1736. No. 1); h) —— –
ib., Wright & Cⁿ (ca. 1784, No. 1); i) Suites de Pieces Pour le Clavecin … Volume the first. – London, H. Wright, N⁰ 490 (ca. 1794, No. 1); k) Lessons For The Harpsichord, First Published in the
Year, 1720. Composed By G. F. Handel. – [London],
Arnold's edition, No. 128–129 (ca. 1793, No. 1);
l) Handel's Celebrated Suites de Pieces or Lessons
for the Piano Forte. New Edition carefully Revi-
sed. 1ˢ Set. – London, Preston (ca. 1810, No. 1).

Bemerkungen
Aus neueren Forschungen (s. Best, Lit.) geht hervor, daß Händel den überwiegenden Teil seiner
Musik für Tasteninstrumente bis ca. 1720 komponiert hat und – von wenigen Ausnahmen abgesehen, die vorwiegend didaktischen Zwecken dienten[5] – später seinem Gesamtwerk kaum noch
nennenswerte Cembalowerke hinzufügte. Der
Zeitpunkt um 1720 ist zweifellos im Zusammenhang mit der Veröffentlichung der *8 Suites de Pièces*
(HWV 426–433) zu sehen, die Händels reifste
und von ihm auch persönlich für den Druck ausgewählte Cembalomusik darstellen; fast alle in
später erschienenen Sammlungen zusammengefaßten Cembalowerke Händels sind nachweislich
vor 1720 entstanden und vielfach vermutlich ohne
sein Einverständnis durch die betreffenden Verleger aus nicht immer zuverlässigen Quellen ediert
worden.
Händels Entscheidung, selbst 8 Cembalosuiten zu
veröffentlichen, geht auf seine Kenntnis vom geplanten Erscheinen eines Raubdruckes zurück, in
dem bereits wesentliche Teile der sogenannten 1.

und 2. Sammlung von Cembalowerken Händels in
unreifen und zum Teil nicht autorisierten Fassungen enthalten sind. Er erschien unter dem Titel
Pieces à un & Deux Clavecins Composées par Mᵉ Hendel
(*A Amsterdam Chez Jeanne Roger*, Plattennummer 490). Diese Publikation ist eine gemeinsame
Produktion der beiden Verleger Roger-Amster-
dam und Walsh-London; letzterer besorgte Stich
und Druck der Sammlung[6] und übernahm den
Vertrieb in England. Vermutlich kam dieser Ro-
ger/Walsh-Druck erst 1721, also nach dem Erscheinen von Händels eigener Veröffentlichung
der 8 Suiten (14. November 1720) auf den Markt[7];
Händel hatte zweifellos von dem Vorhaben
Kenntnis erhalten, als er sich bis Ende 1719 auf
dem Kontinent aufhielt, und war dem Raubdruck
durch seine Eigeninitiative zuvorgekommen. Dies
geht aus dem königlichen Druckprivileg hervor,
das er sich am 14. Juni 1720 bestätigen ließ[8], vor
allem aber aus seiner eigenen Vorrede zu seiner
Sammlung, in der er deutlich die unrechtmäßige
Verbreitung seiner Cembalomusik verurteilt und
folgendes darüber zu sagen hat:
I have been obliged to publish Some of the following
lessons because Surrepticious and incorrect copies
of them had got abroad. I have added several new
ones to make the Work more usefull which if it
meets with a favourable reception: I will Still pro-
ceed to publish more reckoning it my duty with
my Small talent to Serve a Nation from which I
have receiv'd so Generous a protection.
G. F. Handel

Händels eigene Ausgabe der 8 Suiten, deren Vertrieb von seinem Sekretär John Christopher Smith
senior und dem Musikinstrumentenmacher Richard Meares übernommen wurde, nachdem der Verleger und Stecher John Cluer den Notenstich hergestellt hatte, unterscheidet sich somit beträchtlich von dem Inhalt des Roger/Walsh-Druckes,
der die Suiten II HWV 427, IV HWV 429,
VII HWV 432 und VIII HWV 433 in jedoch zum
Teil erheblich früheren Lesarten enthält[9]. In seine
eigene Veröffentlichung übernahm Händel
16 Sätze aus diesen vier Suiten in teilweise stark
revidierter Form, ergänzte diese durch weitere

---

[4] Ms. mit Cembalomusik Händels aus der Sammlung von
Edwin M. Ripin (New York). Abschrift der Kopisten
RM 1 (p. 1–103) um 1717, S₁ (p. 105–145) um 1730 und
Smith senior (p. 146–166) nach 1734.
[5] Vgl. HWV 447 und HWV 452.

[6] Vgl. Burrows, D.: Walsh's edition of Handel's
Opera 1–5: the texts and their sources. In: Music in
Eighteenth-Century England. Ed. by C. Hogwood and
R. Luckett, Cambridge Up 1982, S. 79 ff.; Best, a. a. O.,
S. 175.
[7] Vgl. Lesure, F.: Bibliographie des éditions musicales
publiées par Estienne Roger et Michel Charles le Cène
(Amsterdam 1696–1743), Paris 1969.
[8] Entgegen der Angabe von Deutsch, S. 106, enthalten
die von Cluer gestochenen 3 Ausgaben der *Suites de Pieces*
doch den Wortlaut dieses Privilegs. Vgl. Smith, Descriptive Catalogue. S. 248 f., Nr. 1–3.
[9] Zum übrigen Inhalt des Roger/Walsh-Druckes vgl. unter HWV 434 ff. (2. Sammlung).

Sätze und fügte vier neu komponierte bzw. neu konzipierte Suiten hinzu, die mehrfach durch autographe Vorlagen belegt sind.

HWV 426 gehört zu den von Händel neu in die Sammlung *8 Suites de Pieces* (1720) aufgenommenen Kompositionen, die nicht in dem Roger/Walsh-Druck veröffentlicht wurden. Die Entstehung dieser Suite I fällt in die Zeit vor 1717, da sie durch frühe Kopien in *GB* Malmesbury Collection (ca. 1717/18) und *US* Bfa (ca. 1717) bereits zu diesem Zeitpunkt belegt ist.

Literatur

Abraham, G.: Handel's Clavier Music. In: Music & Letters, vol. XVI, 1935, S. 278 ff.; Best, T.: Handel's keyboard music. In: The Musical Times, vol. 112, 1971, S. 845 ff.; Best, T.: Die Chronologie von Händels Klaviermusik. In: Händel-Jb., 27. Jg., 1981, S. 79 ff.; Best, T.: Handel's harpsichord music: a Checklist. In: Music in Eighteenth-Century England. Ed. by C. Hogwood an R. Luckett, Cambridge UP 1982, S. 171 ff.; Chrysander III, S. 185 ff.; Dale, K. (Symposium), S 233 ff.; Hoffmann-Erbrecht, L.: Deutsche und italienische Klaviermusik zur Bachzeit. Studien zur Thematik und Themenverarbeitung in der Zeit von 1720–1760 (= Jenaer Beiträge zur Musikforschung, Bd. 1), Leipzig 1954, S. 17 ff.; Hopkinson, C.: Handel in France: editions published there during his lifetime. In: Edinburgh Bibliographical Society Transactions, vol. III, part 4, Edinburgh 1957, S. 223 ff.; Kahle, F.: Georg Friedrich Händels Cembalosuiten, Eisenach 1928; Leichtentritt, S. 826 ff.; Rackwitz, W.: Stileinflüsse in Händels Klavierwerken. In: Festschrift der Händelfestspiele Halle 1956, Leipzig 1956, S. 64 ff.; Roth, H.: Bemerkungen zum Sondercharakter der ersten Klaviersuitensammlung. In: Händel-Jb., 2. Jg., 1929, S. 41 ff.; Seiffert, M.: Zu Händels Klavierwerken. In: Sammelbände der Internationalen Musikgesellschaft, 1. Jg., 1899–1900, S. 131 ff.; Seiffert, M.: Geschichte der Klaviermusik, Leipzig 1899, S. 445 ff.

427. Suite Nr. 2 F-Dur

ChA 2 – HHA IV/1. – EZ: London, ca. 1710/17

51 Takte

[5.] Allegro

[vgl. HWV 442 (1.), HWV 488]

26 Takte

Quellen

Handschriften: Autograph: *GB* Lbm (R. M. 20. g. 14.,
f. 39^{r-v}: Satz 2), Cfm (30. H. 13., MS. 263, p. 41:
Satz 4, T. 43–51, gefolgt von *Allegro* HWV 442/1^b
in F-Dur als Schlußsatz auf p. 42).
Abschriften: A Sm (Mn 106, p. 153–160:
Sätze 1–2, p. 15–18: Satz 4), Wn (Cod. 19054,
f. 6^v–13^r) – *D (brd)* B (Mus. Ms. 9160, f. 6^v–10^v;
Mus. Ms. 9160/1; Mus. Ms. 9161/1; Mus. Mus. 9171,
datiert 1717, Satz 4, T. 43–51, gefolgt von *Allegro*
HWV 442/1^b in F-Dur; Mus. Ms. 9173;
Mus. Ms. 9184; Mus. Ms. 9188: Satz 4) – *D (ddr)*
Bds (Mus. L. 143) – *GB* Lbm (Add. MSS. 31467,
f. 5^v–6^r: Satz 2 als *Air*), Malmesbury Collection
(*Pieces for the Harpsicord compos'd by Sign^r. G. F. Han-
del 1718*, p. 9–11: Satz 1–2, p. 12: *Allegro* HWV
442/1^b in F-Dur, p. 13: Satz 3, p. 173–176: Satz 4
*Fuga Tempo ordinario; IIX Fuge's For an organ or
Harpsichord Compos'd by George Fred^k Handel Esqr:*
Satz 4) – *I* Bc (2 Ex.) – *US* Bfa (E. M. Ripin-Collec-
tion, p. 1–9, gefolgt von *Allegro* HWV 442/1^b in F-
Dur als Schlußsatz auf p. 10–11).
Drucke: S. unter HWV 426, a)–l): No. 2; Pieces à
un & Deux Clavecins Composées par M^r. Hendel. –
Amsterdam, Jeanne Roger, N°. 490 (ca. 1721,
p. 43–48, gefolgt von *Allegro* HWV 442/1^b in F-Dur
auf p. 49); — – ib., Michel Charles Le Cene,
N°. 490 (ca. 1723/43, dto.)

Bemerkungen

HWV 427 wurde als Suite II für die Veröffentlichung der Sammlung 1720 von Händel um
1717/18 revidiert. Der erste Satz *(Adagio)* trug ursprünglich den Titel *Sonata*[1], vom Autograph des
vierten Satzes *(Allegro)* ist nur der Schluß erhalten
(*GB* Cfm, MS. 263, p. 41). Nach diesem Satz folgte
in der älteren Version von HWV 427 ein weiteres
Allegro, das in zwei verschiedenen autographen
Fassungen erhalten ist (*GB* Lbm, R. M. 20. g. 14.,
f. 40^r, 1. Fassung als HWV 488; *GB* Cfm, MS. 263,
p. 42, 2. Fassung). In Quelle *GB* Cfm befindet sich
dieses *Allegro* auf der Rückseite des Autographs
mit den letzten neun Takten der Fuge (Satz 4), an
deren Ende Händel den Vermerk *Segue l'Allegro*
hinzufügte, um anzudeuten, daß der folgende
Satz daran anzuschließen sei. Später strich er so-

wohl den Vermerk als auch das gesamte *Allegro*[2]
und schrieb seinen üblichen Schlußvermerk *Fi-
ne/G. F. Handel* unter den (vermutlich revidierten)
Schluß des vierten Satzes. Das gestrichene Allegro
wurde später zum Preludio in G-Dur für HWV
442 (Suite IX, 2. Sammlung, 1733) umgearbeitet[3].

Literatur

Best, T.: Handel's harpsichord music: a checklist.
In: Music in Eighteenth-Century England. Ed. by
C. Hogwood and R. Luckett, Cambridge UP 1982,
S. 171 ff.; Chrysander III, S. 191 f., 201 f.; Hopkin-
son, C.: Handel in France: editions published
there during his lifetime. In: Edinburgh Bibliogra-
phical Society Transactions; vol. III, part 4, Edin-
burgh 1957, S. 223 ff.; Kahle, F.: Georg Friedrich
Händels Cembalosuiten, Eisenach 1928, S. 66 ff.;
Leichtentritt, S. 828 f.; Seiffert, M.: Zu Händel's
Klavierwerken. In: Sammelbände der Internationa-
len Musikgesellschaft, 1. Jg., 1899–1900,
S. 131 ff.

Beschreibung des Autographs: Lbm: Catalogue Squire,
S. 45 – Cfm: Catalogue Mann, MS. 263, S. 209.

[2] Vgl. die Faksimiles des Satzes in HHA IV/5, Vorwort,
S. XII, und in HHA Supplemente, Bd. 1 (Aufzeichnungen zur Kompositionslehre), S. 76–77, wo beide Seiten
des Autographs *GB* Cfm (MS. 263, p. 41–42) reprodu-
ziert sind.
[3] Vgl. aber auch HWV 488.

[1] Vgl. *GB* Malmesbury Collection (*Pieces for the Harpsicord,*
p. 9), *US* Bfa (E. M. Ripin-Collection, p. 1), Roger/Walsh-
Druck, p. 43.

428. Suite Nr. 3 d-Moll

ChA 2. – HHA IV/1. – EZ: London, ca. 1717/20

1. Prelude
Presto

[vgl. HWV 561, HWV 565, HWV 437 (1.)]

20 Takte

2. Allegro

47 Takte

3. Allemande

4. Courante

27 Takte

38 Takte

5. Air con Variazioni

[vgl. HWV 449 (5.)]

12 Takte

Var. 1

Var. 2

12 Takte

Var. 3

12 Takte

12 Takte

Var. 4

Var. 5

12 Takte

6. Presto

12 Takte

152 Takte

[vgl. HWV 495, HWV 8a. Il Pastor fido (Ouverture, 6. Satz), HWV 309 (3.), HWV 317 (2.)]

Anhang
5. Aria
Adagio

12 Takte

Var. 2

12 Takte

Quellen

Handschriften: Autographe: *GB* Lbm (R. M. 20. g. 14., f. 37ʳ–38ʳ: Satz 2; R. M. 20. g. 13., f. 17ʳ: Courante), Cfm (30. H. 13., MS. 263, p. 35–36: Allemande, p. 37: Allemande, Erstfassung, fragm., T. 1–17).

Abschriften: *A* Sm (Mn 106, p. 5–8: Satz 2, p. 105: Satz 1), Wn (Cod. 19054, f. 13ᵛ–27ʳ) – *D (brd)* B (Mus. Ms. 9160, f. 11ʳ–20ʳ; Mus. Ms. 9160/1; Mus. Ms. 9161/1; Mus. Ms. 9173; Mus. Ms. 9184; Mus. Ms. 9162/5: Sätze 1, 2, 5; Mus. Ms. 9172: Satz 6; Mus. Ms. 9175: Satz 2; Mus. Ms. 9188: Satz 2; Mus. Ms. P. 275, f. 39: Satz 1; Mus. Ms. autogr. Joh. Ringk: Sätze 1–2), MÜs (Hs. 1911, f. 11ʳ–16ʳ: Sätze 3–6) – *D (ddr)* Bds (Mus. L. 143; Mus. Ms. 30078, p. 67–68: Satz 6 als *Gigue,* Frühfas-

sung; Mus. Ms. 30374, p. 20–21: Satz 2) – *GB* BENcoke (Lady Rivers-Ms., ca. 1727, f. 23ᵛ–24ᵛ: Satz 6; *Harp.ᵈ Sonatas By Handel,* Walond-Ms., p. 60: Satz 5, Var. 1–2 in Frühfassung), Lbm (R. M. 18. b. 8., f. 56ʳ–57ᵛ: Satz 2 als *Fuga 10ᵗʰ;* Add. MSS. 31467, f. 49ᵛ–50ᵛ: Satz 6, Frühfassung; Add. MSS. 31577, f. 30ʳ–31ʳ: Satz 5 ohne Var. 2–3 in Frühfassung), Malmesbury Collection (*Pieces for the Harpsicord compos'd by Sign.ʳ G.F. Handel 1718,* aus dem Besitz von Elizabeth Legh, p. 168–172: Satz 5 als *Aria/Adagio* ohne Var. 2–3 in Frühfassung; *IIX Fuge's for an Organ or Harpsicord:* Satz 2), Mp [MS 130 Hd4, v. 268 (2), p. 204–211] – *I* Bc (2 Ex.) – *US* Bfa (E. M. Ripin-Collection, p. 50–54: Satz 5 ohne Var. 2–3 in Frühfassung, p. 55–57: Satz 6 als Gigue in Frühfassung), NYp

(Mus. Res. Drexel 5856, p. 122–124: Satz 5 als *Aria/Adagio* ohne Var. 2–3 in Frühfassung; Mus. Res. MN*, p. 113–115: Satz 6 als *Lesson* in Frühfassung).
Drucke: S. unter HWV 426, a–l): No. 3.

Bemerkungen
HWV 428 wurde als Suite III von Händel 1720 ebenfalls in revidierter Form veröffentlicht. Satz 1 *(Prélude)* entwickelte er aus zwei frühen Fassungen eines Préludes, die unter HWV 565 bzw. HWV 561 verzeichnet sind.
HWV 561 diente in verschiedenen Manuskriptfassungen sowie im Roger/Walsh-Druck als Einleitung zu HWV 437, was Händel vermutlich bewog, eine Neufassung für HWV 428 vorzunehmen. Das Autograph der *Allegro*-Fuge (Satz 2) hat in den Takten 5–6 und 18 eine von der Fassung des Druckes 1720 etwas abweichende Lesart, die zunächst zwar in der Ausgabe Händels auch so gestochen, aber nachträglich korrigiert und in die endgültige Fassung gebracht wurde. Spuren dieser Korrekturen sind auf dem Papier der Originalausgabe noch erkennbar. *Allemande* (Satz 3) und *Courante* (Satz 4) wurden für die Sammlung 1720 von Händel neu komponiert, wie die erhaltenen Autographe beweisen, wobei die *Allemande* bereits im Verlaufe des Kompositionsprozesses revidiert und umgearbeitet wurde. Satz 5 (*Air* und Variationen) stellt die umfassende Überarbeitung des unverzierten *Air* mit 7 Variationen dar, die in einer frühen Suite (vgl. unter HWV 499) vorliegen. Eine weitere frühe Fassung, die – gleichsam zwischen den Fassungen HWV 499 und HWV 428 vermittelnd – aus *Air* und den 3 Variationen 1, 4 und 5 in HWV 428 besteht, wird durch die Quellen *GB* Lbm (Add. MSS. 31577, f. 30ʳ–31ʳ), Mal-

mesbury Collection (*Pieces for the Harpsicord,* p. 168–172), Mp (MS 130 Hd4, v. 268, p. 207–211), *US* NYp (Mus. Res. Drexel 5856, p. 122–124) und Bfa (E. M. Ripin-Collection, p. 50–54) überliefert (s. Anhang).
Satz 6 (*Presto*) ist einer der am häufigsten revidierten Sätze Händels, der in mehreren anderen Versionen in unterschiedlichen Werkgattungen begegnet (zur Frühfassung für HWV 428 vgl. unter HWV 495).
Folgende thematische Entsprechungen zu den einzelnen Sätzen in HWV 428 lassen sich in anderen Werken Händels nachweisen:
1. Satz, *Prélude*
  HWV 561 Prélude d-Moll
  HWV 565 Prélude d-Moll
  HWV 449 Suite d-Moll: 1. Satz *(Prélude)*
5. Satz, *Air con Var.*
  HWV 449 Suite d-Moll: 5. Satz *(Air con Var.)*
6. Satz *(Presto)*
  HWV 495 Lesson d-Moll
  HWV 8ᵃ Il Pastor fido (1. Fassung): Ouverture, 6. Satz
  HWV 309 Orgelkonzert op. 7 Nr. 4 d-Moll: 3. Satz *(Allegro)*
  HWV 317 Concerto grosso op. 3 Nr. 6 d-Moll: 2. Satz *(Allegro)*

Literatur
Best, T.: Handel's harpsichord music: a checklist. In: Music in Eighteenth Century – England. Ed. by C. Hogwood and R. Luckett, Cambridge UP 1982, S. 171 ff.; Kahle, S. 66 ff.; Leichtentritt, S. 829 f.
Beschreibung der Autographe: Lbm: Catalogue Squire, S. 45, 46. – Cfm: Catalogue Mann, MS. 263, S. 208.

429. Suite Nr. 4 e-Moll

ChA 2. – HHA IV/1. – EZ: London, ca. 1710/17

1. Allegro

[vgl. HWV 400 (4.)]   77 Takte

2. Allemande

17 Takte

3. Courante

49 Takte

4. Sarabande

48 Takte

5. Gigue

23 Takte

Anhang
(1.)

58½ Takte (fragm.)

Quellen

Handschriften: Autograph: *GB* Lbm (R. M. 20. g. 13.,
f. 16ʳ⁻ᵛ: Satz 1, fragm., 58½ Takte[1] in doppelten Notenwerten, Erstfassung; R. M. 20. g. 14., f. 4ʳ–5ᵛ:
Satz 1 in der Fassung als Triosonate HWV 400,
4. Satz[2]), Cfm (30. H. 13., MS. 263, p. 40: Satz 2 als
Allemande, Satz 4 fragm., nur T. 41–48).
Abschriften: *A* Sm (Mn 106, p. 9–14: Satz 1,
p. 145–152: Sätze 2–5), Wn (Cod. 19054, f. 27ᵛ–
55ʳ) – *D (brd)* B (Mus. Ms. 9160, f. 20ʳ–26ʳ;
Mus. Ms. 9160/1; Mus. Ms. 9161/1; Mus. Ms. 9173;
Mus. Ms. 9184; Mus. Ms. 9164/2: *Partia ex E mol*

[1] Die 58½ Takte der Erstfassung von Satz 1 entsprechen
mit einigen Abweichungen zur Lesart der Zweitfassung
im Druck von 1720 den Takten 1–31 der letzteren.
[2] In HWV 400, op. 5 Nr. 5, benutzte Händel die Takte
1–42, 1. Takthälfte, der Cembalofuge aus HWV 429 und
fügte einen Schluß von neuneinhalb Takten hinzu, die
auf T. 60–67 des Originalsatzes beruhen.

pour le Clavessin di Sign. Haendel, Sätze 2–5 in Früh-
fassung; Mus. Ms. 9171: Satz 1 als *Fuga di Sⁿ Hen-
del 1717;* Mus. Ms. 9186: Satz 1; Mus. Ms. 9188:
Satz 1) – *D (ddr)* Bds (Mus. L. 143) – *GB* Lbm
(R. M. 18. b. 8., f. 43ʳ–44ᵛ: Satz 1 als *Fuga 4ᵗʰ;*
Add. MSS. 31467, f. 3ʳ–5ʳ: Sätze 2–5), Malmesbury
Collection (*Pieces for the Harpsicord compos'd by Sign.ʳ
G. F. Handel 1718,* aus dem Besitz von Elizabeth
Legh, p. 29: Satz 2 als *Allemande Favorita* in Früh-
fassung, p. 30–31: Satz 3, p. 32–33: Satz 4 in Früh-
fassung, p. 34–35: Satz 5; *IIX Fuge's for an Organ or
Harpsicord:* Satz 1) – *I* Bc (2 Ex.) – *US* Bfa
(E. M. Ripin-Collection, p. 30–31: Satz 2 in Früh-
fassung, p. 32–33: Satz 3, p. 34–35: Satz 4 in Früh-
fassung, p. 36–37: Satz 5), NYp (Mus. Res. Dre-
xel 5856, p. 40: Satz 2 als *Allemande Favorita* in
Frühfassung, p. 41: Satz 3, p. 42: Satz 4 in Frühfassung, p. 43: Satz 5; Mus. Res. MN*, p. 140:
Satz 2).

Drucke: S. unter HWV 426, a–l) No. 4; Pieces à un & Deux Clavecins Composées par M.r Hendel. – Amsterdam, Jeanne Roger, N.o 490 (ca. 1721, p. 14–17, ohne Satz 1); —— ib., Michel Charles Le Cene, N.o 490 (ca. 1723/43, dto.).

Bemerkungen

HWV 429 wurde als Suite IV von Händel 1720 in revidierter Form veröffentlicht. Der Roger/Walsh-Druck, der im wesentlichen die Lesarten der Abschriften *D (brd)* B(Mus. Ms. 9164/2), *GB* Malmesbury Collection *(Pieces for the Harpsicord)*, US Bfa (E. M. Ripin-Collection) und NYp (Mus. Res. Drexel 5856) berücksichtigt, weist vor allem Frühfassungen der Sätze 2 und 4 auf, die Händel für seine eigene Veröffentlichung 1720 überarbeitete, wie die Autographe in *GB* Cfm (Ms. 263) erkennen lassen. Die *Allemande* wurde dabei vor allem in

den Takten 5–14 wesentlich umgestaltet, und für die *Sarabande* schrieb Händel einen neuen Schluß (T. 41–48). Schließlich erweiterte er die Suite noch um die Einleitungsfuge, die er aus einem bereits vorliegenden älteren Satz entwickelte, der im Autograph (*GB* Lbm, R.M.20.g.13.), in fragmentarischer Form mit doppelten Notenwerten notiert, erhalten ist. Später gestaltete Händel diesen Satz für die Verwendung in der Triosonate HWV 400 op. 5 Nr. 5 g-Moll (4. Satz, *A tempo giusto*) um.

Literatur

Best, T.: Handel's harpsichord music: a checklist. In: Music in Eighteenth-Century England. Ed. by C. Hogwood and R. Luckett, Cambridge UP 1982, S. 171ff.; Kahle, S. 66ff; Leichtentritt, S. 830f. *Beschreibung der Autographe:* Lbm: Catalogue Squire, S. 45. – Cfm: Catalogue Mann, MS. 263, S. 208f.

430. Suite Nr. 5 E-Dur

ChA 2. – HHA IV/1. – EZ: London, ca. 1710/20

1. Prélude

[vgl. HWV 566]   24 Takte

2. Allemande   35 Takte

3. Courante   52 Takte

4. Air con Variazioni [The harmonious blacksmith]   Var. 1   6 Takte

Var. 2

6 Takte

8 Takte

Var. 3

6 Takte

Var. 4

6 Takte

Var. 5

10 Takte

Anhang
(4a.) Chaconne

37 Takte

(4b.) Chaconne

43 Takte

Quellen

Handschriften: Autograph: verschollen.
Abschriften: *A* Sm (Mn 106, p. 129–144), Wn (Cod. 19054, f. 35ᵛ–45ʳ; Cod. 18755: Air con Var.) – *D (brd)* B (Mus. Ms. 9160, f. 26ᵛ–32ᵛ; Mus. 9160/1; Mus. Ms. 9161/1; Mus. Ms. 9162/5: Satz 4, Var. 1–5 ohne Thema; Mus. Ms. 9173; Mus. Ms. 9184; Mus. Ms. 9180: *Sonate per Cembalo, Air con Var.;* Mus. Ms. P. 275, f. 47: *Prélude, Air con Var.),* MÜs (Hs. 1911, f. 1ʳ–4ᵛ: Sätze 2–4) – *D (ddr)* Bds (Mus. L. 143) – *GB* BENcoke (*Harp.*ᵈ *Sonatas by Handel,* Walond-Ms., p. 100–102: Satz 4 als *Ciaccone Del Sigr. Handell,* Frühfassung in G-Dur), Cfm (32. G. 13., Ms. 159, *Air con Var.),* Lbm (Add. MSS. 31467, f. 6ʳ–7ᵛ: *Air con Var.,* f. 114–115: Sätze 1–2; Add. MSS. 31577, f. 3ʳ–4ʳ: *Air con Var.* als *Chaconne,* Frühfassung in G-Dur), Malmesbury Collection (*Pieces for the Harpsicord*

*compos'd by Sign.*ʳ *G. F. Handel 1718*, aus dem Besitz von Elizabeth Legh, p. 52–55: Sätze 2–3 in Frühfassung, p. 56–60: Satz 4 als *Aria. Chaccone*, Frühfassung in E-Dur als Transposition der G-Dur-Fassung p. 61–64: *Airia Chaccone*; Ms. mit Ouverturen, datiert *Eliza. Legh August yᵉ 30. 1722*, p. 177–182: Sätze 2–3 mit Prélude HWV 566 auf p. 176), Mp [MS 130 Hd4, v. 268(2), p. 162–165: Prélude HWV 572 und Satz 4 als *Aria. Chaccone*, Frühfassung in G-Dur) – *I* Bc (2 Ex.) – *US* Bfa (E. M. Ripin-Collection, p. 58–61: Sätze 2–3 in Frühfassung, p. 82–86: Satz 4, Frühfassung in G-Dur), NYp (Mus. Res. Drexel 5856, p. 38–39: Satz 4 als *Chaccone*, Frühfassung in G-Dur, p. 58–60: Sätze 2–3 mit Prélude HWV 566 auf p. 57; Mus. Res. MN*, p. 174–181: Sätze 2–3 und Satz 4 als *Ciacona*).
Drucke: S. unter HWV 426, a–l): No. 5.

Bemerkungen

HWV 430 wurde als Suite V für die Veröffentlichung 1720 von Händel in mehrfacher Hinsicht überarbeitet. Das Prélude ist neu; ursprünglich wurde die Suite mit dem (thematisch ähnlichen) Prélude HWV 566 eingeleitet, wie aus den handschriftlichen Quellen *GB* Malmesbury Collection (Ms. mit Ouverturen, p. 176) und *US* NYp (Mus. Res. Drexel 5856, p. 57) hervorgeht. *Allemande* und *Courante* existieren auch in Frühfassungen (vgl. *GB* Malmesbury Collection, *Pieces for the Harpsicord*, p. 52–55, und *US* Bfa, E. M. Ripin-Collection, p. 58–61), die sich allerdings nicht wesentlich vom späteren Text unterscheiden, den Händel für die Veröffentlichung 1720 revidierte. Das *Air con Variazioni* (The Harmonious Blacksmith) liegt ebenfalls in drei frühen Fassungen vor: 1) als *Aria. Chaccone* in G-Dur (Nr. 4ª) in den Abschriften *GB* BENcoke (Walond-Ms., p. 100–102), Malmesbury Collection (*Pieces for the Harpsicord*, p. 61–64), Mp [MS 130 Hd4, v. 268(2), p. 162–165)], *US* NYp (Mus. Res. Drexel 5856, p. 38–39) und Bfa (E. M. Ripin-Collection, p. 82–86), 2) als *Chaconne* in G-Dur (Nr. 4ᵇ) in der Abschrift *GB* Lbm (Add. MSS. 31577, f. 3–4), 3) als Transposition der Fassung 4ᵇ nach E-Dur (*GB* Malmesbury Collection, *Pieces for the Harpsicord*, p. 56–60). Die überarbeitete und modifizierte endgültige Fassung wird erst durch den Druck 1720 überliefert.

Literatur

Best, T.: Handel's harpsicord music: a checklist In: Music in Eighteenth-Century England. Ed. by C. Hogwood and R. Luckett, Cambridge UP 1982, S. 171 ff.; Best, T.: Die Chronologie von Händels Klaviermusik. In: Händel-Jb., 27. Jg., 1981, S. 79 ff., Chrysander III. S. 185 ff.; Kahle, S. 108 ff., 194 ff.; Leichtentritt, S. 831; Seiffert, M.: Zu Händels Klavierwerken. In: Sammelbände der Internationalen Musikgesellschaft, 1. Jg., 1899–1900, S. 131 ff.

431. Suite Nr. 6 fis-Moll

ChA 2. – HHA IV/1. – EZ: London, ca. 1717/19

[vgl. HWV 247 (1., Allegro), HWV 316 (2.)]

84 Takte

4. Gigue

Anhang
(4.)

[Autograph]

41 Takte

Quellen

Handschriften: Autograph: *GB* Lbm (R. M. 20. g. 14., f. 61ʳ: Satz 2, mit Vermerk *Seque la Fuga*[1], f. 61ᵛ–62ʳ: Satz 4 in Frühfassung, f. 62ᵛ: Prélude HWV 570). Abschriften: *A* Sm (Mn 106, p. 177–182: Sätze 1, 2, 4, p. 35–38: Satz 3), Wn (Cod. 19054, f. 45ᵛ–52ʳ) – *D (brd)* B (Mus. Ms. 9160, f. 33ʳ–37ʳ; Mus. 9160/1; Mus. Ms. 9161/1; Mus. Ms. 9173; Mus. Ms. 9184; Mus. Ms. 9162/10: Satz 3; Mus. Ms. 9175: Satz 3; Mus. Ms. 9180: Satz 1; Mus.Ms.9188: Satz 3; Mus.Ms.P.624, p.80: Satz 3; Mus. BP. in 717, f. 2ʳ–4ʳ) – *D (ddr)* Bds (Mus.L.143) – *GB* Cfm (32.G.18., MS.161, f.44ʳ–47ᵛ: Sätze 2–4), Lbm (Add.MSS.31577, f.19ᵛ–21ᵛ: Sätze 2–4, mit Prélude HWV 570 auf f.20ᵛ–21ʳ am unteren Blattrand), Malmesbury Collection (*Pieces for the Harpsicord compos'd by Sign.ʳ G.F.Handel 1718*, aus dem Besitz von Elizabeth Legh, p. 1: Prélude HWV 570 und Satz 2 als *Overture. Largo*, p. 2–5: Satz 3 als *Fuga Presto* ₵, p.6–7: Satz 4; *IIX Fuge's for an Organ or Harpsicord*: Satz 3) – *I* Bc (2 Ex.) – *US* Bfa (E.M. Ripin-Collection, p. 12–13: Satz 2 als *Sonata*, p. 14–17: Satz 3 als *Presto* ₵, p. 18–19: Satz 4 als *Gigue Allegro*), NYp (Mus. Res. Drexel 5856, p. 70: Prélude HWV 570, p. 71: Satz 2 als *Ouverture*, p.72–73: Satz 3 als *Fuga Presto*, p.74–75: Satz 4).
Drucke: S. unter HWV 426, a)–l): No. 6.

Bemerkungen

HWV 431 wurde als Suite VI für die Veröffentlichung 1720 von Händel aus vorliegenden Sätzen

---

[1] Vgl. Skizze auf f.38ᵛ dieses Bandes, vermutlich für die Verwendung in HWV 247.

zum Teil neugestaltet, zum Teil überarbeitet. Das Prélude, dessen Autograph nicht erhalten ist, stellt eine Neukomposition für HWV 431 dar; ursprünglich war die Suite mit dem Prélude HWV 570 (Autograph: *GB* Lbm, R. M. 20. g. 14., f. 62ᵛ) verbunden, wie verschiedene handschriftliche Quellen belegen (vgl. *GB* Lbm, Add.MSS. 31577, Malmesbury Collection, *Pieces for the Harpsicord*, *US* NYp, Mus. Res. Drexel 5856). Satz 2 *(Largo)*, der in den genannten Abschriften als *Ouverture* bezeichnet ist, zeigt ebenfalls Spuren einer Überarbeitung; die 1717/18 entstandene autographe Fassung des Satzes (*GB* Lbm, R. M. 20. g. 14., f. 61ʳ, WZ: Bb₂), die am Schluß mit dem Vermerk *Segue la Fuga* auf Satz 3 verweist, unterscheidet sich von der später gedruckten Fassung 1720 in verschiedenen Details (u. a. sind im Autograph noch keine Oktavverdoppelungen der Baßtöne in den Takten 2, 18, und 19 notiert und die Zeichen für Triller fehlen).
Satz 3 *(Allegro)*, in den genannten handschriftlichen Quellen meist als *Fuge* bezeichnet, hat dort die Tempovorschrift *Presto* und steht mehrfach im Alla Breve-Takt. Händel verwendete den Satz außer in der Cembalofassung etwas früher auch in zwei Orchestertranskriptionen für die *Symphony* (2. Satz) im Chandos Anthem II HWV 247 sowie für HWV 316 Concerto grosso op. 3 Nr. 5 d-Moll (2. Satz, *Allegro*), auf 76 Takte verkürzt und nach d-Moll transponiert. Satz 4 *(Gigue)* wurde ebenfalls überarbeitet; die auf 1717/18 zu datierende autographe Niederschrift (WZ: Bb₂) stellt eine Frühfassung mit wesentlichen Unterschieden in der Lesart einzelner Stellen gegenüber dem Druck von 1720 dar, mit dem sämtliche handschriftlichen

Quellen bis auf die Tempobezeichnung übereinstimmen, während die Frühfassung (ohne Tempobezeichnung) nur durch das Autograph belegt ist. Das Thema der Gigue übernahm Händel etwa zur gleichen Zeit als Ritornellthema für das Duett bzw. den Chor „Happy we" (9[a,b,c]) in HWV 49[a] Acis and Galatea.

Literatur

Best, T.: Handel's harpsichord music: a checklist. In: Music in Eighteenth-Century England. Ed. by C. Hogwood and R. Luckett, Cambridge UP 1982, S. 171 ff.; Chrysander III, S. 185.; Kahle, S. 60 ff.; Leichtentritt, S. 831 f.
Beschreibung des Autographs: Lbm: Catalogue Squire, S. 47.

432. Suite Nr. 7 g-Moll

ChA 2. – HHA IV/1. – EZ: ca. 1705/17

1. Ouverture

[vgl. HWV 96 (Ouverture), HWV A[11] Oreste (Ouverture)]

[2. Presto]

Takt 20

Adagio

Takt 57   64 Takte (D.c.)

2. Andante

[p]

[Autograph: Sonata/Allegro]   31 Takte

3.   Allegro   68 Takte

4. Sarabande

[vgl. HWV 439 (3.)]   32 Takte

5. Gigue   19 Takte

6. Passacaille

[vgl. HWV 306 (1., T. 43 ff.)]

Takt 5

Takt 9

Takt 13

Takt 17

Takt 21

Takt 25

Takt 29
[vgl. HWV 96 (4.)]

Takt 33

Takt 37

Takt 41

Takt 45

Takt 49

Takt 53

Takt 57

Takt 61

64 Takte

Quellen

Handschriften: Autograph: *GB* Lbm (R.M. 20. g. 14., f. 21ᵛ–22ʳ: Satz 2 als *Sonata/Allegro* in Frühfassung).

Abschriften: *A* Sm (Mn 106, p. 183–198), Wn (Cod. 19054, f. 53ᵛ–62ʳ) – *D (brd)* B (Mus. Ms. 9160, f. 37ᵛ–44ʳ; Mus. Ms. 9160/1; Mus. Ms. 9161/1; Mus. Ms. 9173; Mus. BP. in 719, f. 3ᵛ–4ʳ: Sätze 3, 5) – *D (ddr)* Bds (Mus. Ms. 30 202: Satz 3 als *Preludium*; Mus. L. 143) – *GB* BENcoke (Lady Rivers-Ms., f. 11ᵛ–12ʳ: Satz 2, f. 12ᵛ–13ʳ: Satz 3, f. 13ᵛ: Satz 5, f. 14ᵛ–15ʳ: Satz 6), Lbm (Add. MSS. 31467, f. 8ʳ–9ʳ: Sätze 3–5; Add. MSS. 31577, f. 24ʳ–25ᵛ: Satz 6 als *Chaconne*, f. 25ᵛ: Prélude HWV 572, f. 25ᵛ–26ʳ: Satz 2 als *So-*

nata, f. 26ᵛ–27ʳ: Satz 3, f. 27ᵛ: Satz 5 als *Gigha* in Frühfassung, f. 28ʳ–29ʳ: Satz 1 als *Overture*, f. 29ʳ: Minuetto HWV 434/4), Malmesbury Collection (*Pieces for the Harpsicord compos'd by Sign.ʳ G.F. Handel 1718*, aus dem Besitz von Elizabeth Legh, p. 14: Prélude HWV 572, p. 15: Satz 2 als *Sonata*, p. 16–17: Satz 3, p. 43: Satz 4, *Sarabande*, in Frühfassung, p. 140–143: Satz 6 als *Chacon*; Ms. mit Ouverturen, datiert *Eliza. Legh August yᵉ 30. 1722*, p. 106–109: Satz 1 als *Overture*, p. 110: *Menuet* HWV 434/4, p. 111: *Menuet* HWV 540ᵇ, p. 112–113: Satz 5, *Gigue*, in Frühfassung), Mp (MS 130 Hd4, v. 268 (2), p. 192–195: Satz 6 als *Chaconne*) – *I* Bc (2 Ex.) – *US* Bfa (E. M. Ripin-Collection, p. 62: Prélude HWV 572, p. 62–63: Satz 2 als *Sonata*, p. 64–65: Satz 3, p. 66: *Menuet* HWV 535b), NYp (Mus. Res. Drexel 5856, p. 17: Prélude HWV 572, p. 17–18: Satz 2 als *Sonata*, p. 19: Satz 3, p. 36–37: Satz 6 als *Chaccona* in Frühfassung des Roger/Walsh-Druckes, p. 52–53: Satz 1, *Ouverture*, in Frühfassung des Roger/Walsh-Druckes, p. 54: Menuets HWV 434/4 und HWV 540b, p. 55: Satz 5, *Gigue*, in Frühfassung, p. 80: Satz 4, *Sarabande*, in Frühfassung des Roger/Walsh-Druckes; Mus. Res. MN*, p. 156–164: Satz 2, *Andante*, Satz 1, *Ouverture*, Satz 5, *Gigue*).

Drucke: S. unter HWV 426, a)–l): No. 7; Pieces à un & Deux Clavecins Composées par Mr. Hendel. – Amsterdam, Jeanne Roger, No. 490 (ca. 1721, p. 6–9: Sätze 2–3 mit Prélude HWV 572 in a-Moll, p. 28: Satz 4 als Teil von HWV 439, p. 34–36: Ouverture und Menuet HWV 434/4, p. 37–39: Satz 6 als *Chacoon*); —— – ib., Michel Charles Le Cene, No. 490 (ca. 1723/43, dto.).

Bemerkungen

HWV 432 wurde als Suite VII für den Druck 1720 von Händel aus mehreren Quellen zusammengestellt, wobei er die einzelnen Sätze gleichzeitig grundlegend überarbeitete. Händel benutzte dabei folgendes Quellenmaterial:

1. Eine Suite bestehend aus Ouverture, zwei Menuets (HWV 434/4 und HWV 540b) und Gigue, die in den Abschriften GB Malmesbury Collection (Ms. mit Ouverturen 1722, p. 106–113), Lbm (Add. MSS. 31577) und US NYp (Mus. Res. Drexel 5856, p. 52–55) vorliegt und in anderer Form – ohne das zweite Menuet und mit der Passacaille *(Chacoon)* anstelle der Gigue – im Roger/Walsh-Druck (p. 34–39) veröffentlicht wurde.

2. Eine Suite bestehend aus Prélude HWV 572 mit den Sätzen 2–3, überliefert durch die Abschriften GB Lbm (Add. MSS. 31577, f. 25–27), Malmesbury Collection (Pieces for the Harpsicord 1718, p. 14–17), US Bfa (E. M. Ripin-Collection, p. 62–66, hier abgeschlossen durch das Menuet HWV 535b), NYp (Mus. Res. Drexel 5856, p. 17–19) und veröffentlicht im Roger/Walsh-Druck in a-Moll (p. 6–9).

3. Die Sätze 4 (Sarabande) als Teil einer Frühfassung von HWV 439 und 6 (Passacaille), die in verschiedenen frühen Manuskripten überliefert sind und in überarbeiteter Form von Händel in HWV 432 eingegliedert wurden.

Die einzelnen Sätze von HWV 432 entstammen verschiedenen Schaffensperioden Händels; während Ouverture, Sarabande, Gigue und Passacaille infolge ihrer stilistischen und satztechnischen Eigenheiten vermutlich der Hamburger Zeit (ca. 1705/06) angehören, wurden Satz 2 *(Andante)* und Satz 3 *(Allegro)* um 1717/18 komponiert. Von Satz 2 ist Händels Erstfassung erhalten; sie trägt im Autograph (GB Lbm, R.M. 20. g. 14., f. 21v–22)

die Überschrift *Sonata* und als Tempobezeichnung *Allegro*. Verschiedene abweichende Lesarten im Vergleich zur späteren Fassung im Druck von 1720 sowie das Fehlen jeglicher Ornamentik läßt die autographe Version als Erstfassung erkennen. Auch Satz 3 *(Allegro)* zeigt gegenüber den frühen Manuskriptfassungen und dem Roger/Walsh-Druck in Händels überarbeiteter Form abweichende Lesarten. Die Sarabande begegnet meist in wesentlich einfacherer Form in frühen Manuskripten sowie im Roger/Walsh-Druck als Teil der späteren Suite HWV 439 (vgl. ChA 48, S. 148); von dort wurde sie in HWV 432 übernommen und in satztechnisch reiferer Gestaltung von Händel 1720 veröffentlicht. Die Passacaille wurde ursprünglich als *Chaconne* bezeichnet (vgl. die Abschriften in GB Lbm, Mp, Malmesbury Collection, US NYp sowie den Roger/Walsh-Druck, p. 37–39) und weist in dieser frühen Form verschiedene Lesartenvarianten zum Text des Druckes 1720 auf.

Entlehnungen:

1. Satz, Ouverture
   HWV 96 Clori, Tirsi e Fileno: *Cor fedele:* Ouverture
   HWV Anhang A[11] Oreste: Ouverture
   HWV 8a Il Pastor fido (1. Fassung): Ouverture, 1. Satz

6. Satz, Passacaille
   HWV 96 Clori, Tirsi e Fileno: Cor fedele: 4. Sai perchè l'onda (Baßthema)[1]
   HWV 306 Orgelkonzert op. 7 Nr. 1 B-Dur: 1. Satz, T. 43 ff. (Thema)

Literatur

Best, T.: Handel's harpsicord music: a checklist. In: Music in Eighteenth-Century England. Ed. by C. Hogwood and R. Luckett, Cambridge UP 1982, S. 171 ff.; Best, T.: Die Chronologie von Händels Klaviermusik. In: Händel-Jb., 27. Jg., 1981, S. 79 ff.; Chrysander III, S. 185 ff.; Kahle, S. 66 ff., 189 ff.; Leichtentritt, S. 832; Seiffert, M.: Zu Händel's Klavierwerken. In: Sammelbände der Internationalen Musikgesellschaft, 1. Jg., 1899–1900, S. 131 ff. *Beschreibung des Autographs:* Lbm: Catalogue Squire, S. 46.

[1] Vgl. HWV 432, 7. Variation, T. 29–32.

433. Suite Nr. 8 f-Moll

ChA 2. – HHA IV/1. – EZ: London, ca. 1717/20

1. Prélude

21 Takte

2. Allegro

[vgl. HWV 404 (4.)]

146 Takte

3. Allemande

29 Takte

4. Courante

51 Takte

5. Gigue

47 Takte

Anhang

(1a.) Lentement

[Autograph]

(fragm.)

(1b.) Adagio

[Autograph]

(fragm.)

Quellen

Handschriften: Autographe: *GB* Lbm (R. M. 20. g. 14., f. 25ʳ⁻ᵛ: Satz 1 als *Prelud: Adagio,* zusammen mit 2 Entwürfen *Lentement* bzw. *Adagio,* f. 26ʳ–27ᵛ: Satz 2).

Abschriften: *A* Sm (Mn 106, p. 161–176: Sätze 1, 3–5, p. 19–21: Satz 2), Wn (Cod. 19054, f. 62ᵛ bis 71ʳ) – *D (brd)* B (Mus. Ms. 9160, f. 44ᵛ–50ʳ; Mus. Ms. 9160/1; Mus. Ms. 9161/1; Mus. Ms. 9173; Mus. Ms. 9175: Sätze 1–2; Mus. Ms. 9188: Sätze 2 und 5; Mus. BP in 709, p. 6ᵛ–7ʳ: Satz 2, p. 11ᵛ–13ʳ: Sätze 3 und 5), DS (Mus. ms. 1231, f. 87ᵛ ff.) – *D (ddr)* Bds (Mus. L. 143; Mus. Ms. 30374, p. 22–23: Satz 2; Mus. Ms. 30384, p. 70: Satz 2; Mus. Ms. 30385, p. 8–9: Satz 5) – *GB* Lbm (R. M. 18. b. 8., f. 51ʳ–52ᵛ: Satz 2 als *Fuga 8ᵗʰ*; Add. MSS. 31577, f. 22ʳ–24ʳ: Satz 3–5 mit Prélude HWV 568), Malmesbury Collection (*Pieces for the Harpsicord compos'd by Sign.ʳ G. F. Handel 1718,* aus dem Besitz von Elizabeth Legh, p. 156–161: Sätze 3–5 in Frühfassung des Roger/Walsh-Drukkes; *IIX Fuge's for an Organ or Harpsicord:* Satz 2) – *I* Bc (2 Ex.) – *US* NYp (Mus. Res. Drexel 5856, p. 33–35: Sätze 3–5 in Frühfassung des Roger/Walsh-Druckes).

Drucke: S. unter HWV 426, a)–l): No. 8; Pieces à un & Deux Clavecins Composées par Mʳ. Hendel. – Amsterdam, Jeanne Roger, N? 490 (ca. 1721, p. 50–54: Sätze 3–5); —— – ib., Michel Charles Le Cene, N? 490 (ca. 1723/43, dto.).

Bemerkungen

HWV 433, von Händel als Suite VIII für die Veröffentlichung 1720 zum Teil neu komponiert, zum Teil aus Überarbeitungen älterer Sätze zusammengestellt, erscheint als dreisätzige Suite (Allemande – Courante – Gigue) in verschiedenen frühen Abschriften (*GB* Malmesbury Collection, *Pieces for the Harpsicord,* *US* NYp, Mus. Res. Drexel 5856) und im Roger/Walsh-Druck. In einer gleichfalls frühen Abschrift (*GB* Lbm, Add. MSS. 31577) sind diese drei Sätze mit dem Prélude f-Moll HWV 568 verbunden.

Bei der Überarbeitung für den Druck 1720 stellte Händel HWV 433 ein neu komponiertes Prélude voran, das im Autograph zusammen mit zwei fragmentarischen Entwürfen von je dreieinhalb (1. Fassung, *Lentement*) bzw. viereinhalb Takten (2. Fassung, *Adagio*) überliefert ist. Die vier übrigen Sätze entstammen älteren Vorlagen, die vor 1718 komponiert wurden. Die Fuge (Satz 2) ist ebenfalls im Autograph erhalten, weist aber gegenüber der späteren Druckfassung von 1720 einige textliche Varianten auf (u. a. ist sie in 74 Doppeltakten notiert), was auch für die Allemande im Vergleich mit den oben angeführten frühen Abschriften und dem Roger/Walsh-Druck gilt.

Die Gigue war ursprünglich im 12/8-Takt notiert (mit Wechsel zum 6/8-Takt in T. 21–24), wie aus den genannten Quellen hervorgeht.

Entlehnung:

2. Satz, *Allegro*
  HWV 404 Sonata g-Moll: 4. Satz *(Allegro)*

Literatur

Best, T.: Handel's harpsicord music: a checklist. In: Music in Eighteenth-Century England. Ed. by C. Hogwood and R. Luckett, Cambridge UP 1982, S. 171 ff.; Chrysander III, S. 185 ff.; Kahle, S. 66 ff., 108 ff.; Leichtentritt, S. 833.

Beschreibung der Autographe: Lbm: Catalogue Squire, S. 46.

434.–442. 9 Suites de Pièces pour le Clavecin (2. Sammlung)

434. Suite Nr. 1 B-Dur

ChA 2. – HHA IV/5. – EZ: London, ca. 1710/17

1. Prélude

Takt 8   36 Takte

2. Sonata

[vgl. HWV 339 (1.)]

36 Takte

3. Aria con Variazioni

Var. 1

Var. 2

8 Takte   Takt 9

(8 Takte)   Takt 17

(12 Takte)

Var. 3

Var. 4

Takt 29

(8 Takte)   Takt 37

(8 Takte)

Var. 5

4. Menuet

Takt 45

52 Takte

[vgl. HWV 375 (4.)]

38 Takte

Anhang
Sonata da Cembalo

Harpegg.

accord.
Harpegg.

[Autograph]

Takt 15

Allegro

6 6 5♭ 6   4 3
4   5
2   3

Takt 12
(fragm.)

Quellen

Handschriften: Autograph: *GB* BENcoke (Ms. *Sonata da Cembalo*, Prelude B-Dur, s. Anhang, und Satz 2 als *allegro*, fragm., nur 11½ Takte).

Abschriften.: *D (brd)* B (Mus. Ms. 9163: Sätze 1, 3, 4; Mus. Ms. 9165) – *GB* BENcoke (*Harp.*ᵈ *Sonatas By Handel*, Walond-Ms. p. 42–46: Prélude und Satz 3 als *Aria con Varitio*, p. 61: Menuet), Lbm (Add. MSS. 31467, f. 19ʳ⁻ᵛ: Satz 2 als *Prelude/Allegro*, f. 29ʳ: *Minuetto*, f. 32ʳ: Satz 1 als *Preludio*, f. 32ᵛ–33ʳ: Satz 3 als *Aire/Vivace*; R. M. 19. a. 3., f. 10ʳ: *Menuet*, f. 19ᵛ–20ᵛ: Satz 2, f. 21ʳ–22ʳ: Aria mit 5 Variationen; Add. MSS. 31577, f. 4ᵛ–6ᵛ: Sätze 1–3; R. M. 18. b. 8., f. 91ʳ: *Menuet*), Malmesbury Collection (*Pieces for the Harpsicord compos'd by Sign.*ʳ *G. F. Handel 1718*, aus dem Besitz von Elizabeth Legh, p. 77: Prélude in verkürzter Fassung, p. 81–83: Satz 2 als *Aria variat*, p. 84–87: Satz 3 als *Air*, ab Var. 2 in Frühfassung; Ms. mit Ouverturen, datiert *Eliza. Legh August yᵉ 30. 1722*, p. 110: *Menuet*), Mp [MS 130 Hd4, v. 268 (2), p. 167: Prélude] – *US* Bfa (E. M. Ripin-Collection, p. 20–21: Satz 1 als *Preludio* in verkürzter Fassung, p. 22–24: Satz 2 als *Capriccio* im ₵ -Takt, p. 25–29: Satz 3 als *Aria*, ab Var. 2 in Frühfassung), NYp (Mus. Res. Drexel 5856, p. 20: Satz 1 als *Prelude arpeggio* in verkürzter Fassung, p. 23: Satz 2 als *Aria variat*. p. 24–26: Satz 3 als *Air*, ab Var. 2 in Frühfassung, p. 54: *Menuet*).

Drucke: a) Pieces à un & Deux Clavecins Composées par Mʳ. Hendel. – Amsterdam, Jeanne Roger N°. 490 (ca. 1721, p. 55–59: Sätze 1–3); b) — – ib., Michel Charles Le Cene Libraire N°. 490 (ca. 1723/43, dto.)[1]; c) Suites de Pieces Pour le Clavecin. Composées par G. F. Handel. Second Volume. – s. l., s. n. (ca 1727, Reihenfolge der Suiten: Nr. 8 mit Preludio HWV 442/1ᵇ, Nr. 3–5, 2, 6, 7, 1 und 9 der späteren Walsh-Ausgabe von 1733); d) — – London, John Walsh N°. 490 (1733, p. 1–8); e) Suites De Pieces Pour le Clavecin Composées Par G. H.(!) Handel Deuxieme Livre Gravées par Mᵐᵉ. Leclair. – Paris, Mʳ. Le clerc le cadet, Le Sʳ. Le clerc, Mᵐᵉ. Boivin (ca. 1736, Nr. 1); f) — – ib. (ca. 1740); g) Suites de Pieces Pour le Clavecin. Composeés par G. F. Handel … Second Volume. – London, Wright & C°. (ca. 1784, Nr. 1); h) Handel's Celebrated Suites de Pieces … 2ᵈ Set. – London, Preston (ca. 1810, Reihenfolge der Suiten: No. 8, 3–5, 2, 6, 7, 1, 9); i) A Second Set Of Lessons For The Harpsichord Composed by G. F. Handel. – [London], Arnold's edition, No. 129–130 (ca. 1793, Nr. 1).

---

[1] Komplette Ex. der Drucke a) und b) befinden sich nur in *S* LB (Roger) bzw. in *CH* AShoboken (Le Cene). *GB* Ob besitzt ein defektes Ex. des Druckes a), von dem die Seiten 13–24 fehlen.

Bemerkungen

Die in Händels Veröffentlichung der 8 *Suites de Pieces* (1720) angekündigte Fortsetzung seiner Publikationen von Cembalomusik erschien erst 1733 mit dem Band *Suites de Pieces Pour le Clavecin … Second Volume*, wiederum veröffentlicht von John Walsh, mit dem Händel zu dieser Zeit eine endgültige Verlagsbindung eingegangen war. Diese Ausgabe enthielt die neun unter HWV 434–442 verzeichneten Werke, von denen bereits sechs (HWV 434, 435 und 437–440) in dem Roger/Walsh-Druck *Pieces à un & Deux Clavecins* (ca. 1721) ohne Händels Wissen erschienen waren, und gegen den er mit seinem Vorwort 1720 energisch protestiert hatte.

Walshs Ausgabe des *Second Volume* von 1733 ist aber auch wieder als Reaktion Händels gegen unrechtmäßige Raubdrucke seiner Cembalowerke zu sehen, denn um 1727 war bereits eine anonyme Ausgabe sämtlicher neun Nummern des *Second Volume* erschienen, wenngleich in anderer Anordnung der Suiten (Nr. 8, 3–5, 2, 6, 7, 1 und 9), die vermutlich auf Betreiben von Walsh gestochen worden war. Walsh benutzte später (1730 bzw. 1733) die gleichen Stichplatten für seine Ausgabe, bei der nur wenig Textkorrekturen erfolgten, obwohl die Reihenfolge der Suiten nun der bekannten Anordnung entsprach. Es ist anzunehmen, daß diese Neuordnung des *Second Volume* auf Händels Veranlassung zurückgeht; unerklärlich bleibt jedoch, weshalb nicht der Versuch gemacht wurde, wenigstens die offensichtlichen Fehler und Inkonsequenzen des gedruckten Textes zu korrigieren, der im Vergleich zu den überlieferten abschriftlichen Quellen nur sekundäre textkritische Bedeutung beanspruchen kann.

Der Inhalt des *Second Volume* gründet sich weitgehend (bis auf die neu hinzugekommene Suite III HWV 436 d-Moll, die frühe Suite VII HWV 441 G-Dur und die gleichfalls frühe Chaconne G-Dur[2] HWV 442) auf den textlichen Bestand des Roger/Walsh-Druckes von 1721, den Händel für seine Veröffentlichung der 8 *Suites de Pieces* 1720 nicht mehr berücksichtigt hatte.[3] Damit enthielt diese spätere Sammlung seiner Cembalowerke meist Musik, deren Entstehungszeit Jahrzehnte zurücklag und demnach in Qualität und Ausdrucksvermögen hinter dem *Premier Volume* klar zurücksteht.

---

[2] HWV 442 war 1732 bereits bei Witvogel in Amsterdam erschienen.

[3] Abgesehen von den beiden Préludes HWV 561 und 572 wurde nur die Sonate für zweimanualiges Cembalo HWV 579 aus dem Roger/Walsh-Druck nicht wieder aufgelegt. Walsh setzte seine Veröffentlichungen 1734 mit *The Lady's Banquet Fifth Book* fort, in der er die 1732 bei Witvogel in Amsterdam erschienenen und unter HWV 481, 574, 490 und 577 verzeichneten Kompositionen nachdruckte.

HWV 434, als erste Suite des *Second Volume* veröffentlicht[4], beginnt mit einem Prélude und einem als *Sonata* bezeichneten Satz, die beide in Frühfassung als Autograph in *GB* BENcoke vorliegen, wobei von der *Sonata* nur ein Entwurf von wenigen Takten ausgeschrieben wurde; danach bricht das Autograph ab. Satz 3 *(Air con Var.)* liegt in mehreren handschriftlichen Quellen in einer vom Druck abweichenden Frühfassung vor; teilweise (vgl. die Abschriften *GB* Malmesbury Collection, *Pieces for the Harpsicord*, BENcoke, Walond-Ms., Lbm, Add. MSS. 31577, und *US* NYp, Mus. Res. Drexel 5856) werden Satz 1–3 mit Allemande und Sarabande aus HWV 440 (Suite VII B-Dur) zu einer einzigen fünfsätzigen Suitenfolge[5] verbunden. Das als Satz 4 in späteren Ausgaben folgende g-Moll-Menuett steht zwar auch im *Second Volume* an dieser Stelle (auf p. 8 nach *Air con Var.*), doch bietet sich aus dem Quellenbefund der handschriftlichen Vorlagen keine Verbindung mit

[4] Im *Second Volume* sind die einzelnen Satzfolgen nicht als Suiten bezeichnet und nicht mit einer bestimmten Nummernfolge versehen. Trotzdem werden sie hier und im folgenden, der Einfachheit halber und dem allgemeinen Sprachgebrauch entsprechend, als Suiten I–IX bezeichnet.
[5] Quelle *GB* Lbm (Add. MSS. 31577, f. 4v–8r) überliefert die Satzfolge *Prélude – Sonata – Air/Allemande[a] – Courante – Sarabande[a] – Gigue* [= HWV 440, Erstfassung]. Alle anderen genannten handschriftlichen Quellen beginnen mit dem *Prélude*, fügen danach *Allemande* und *Sarabande* aus HWV 440 ein und schließen mit *Sonata* und *Air*.

HWV 434; im Roger/Walsh-Druck sowie in zwei handschriftlichen Quellen (*GB* Malmesbury Collection, Ms. mit Ouverturen, 1722, p. 106–113, *US* NYp, Mus. Res. Drexel 5856, p. 52–55) erscheint es mit der Ouverture zu HWV 432 bzw. bildet in den beiden Handschriften mit einem weiteren Menuett (HWV 540[b]) und der Gigue aus HWV 432 eine selbständige Suite. Es wurde bereits 1730 als Schlußsatz der Querflötensonate e-Moll HWV 375(4) in transponierter Form von Walsh gedruckt. Satz 2 *(Sonata)* weist thematische Beziehungen zu den frühen Werken HWV 1 Almira (58. Blinder Schütz, Ritornello) und HWV 339 Sinfonia B-Dur (1. Satz) auf. Satz 3 *(Air)* diente Johannes Brahms später als Thema für seine Händel-Variationen B-Dur op. 24 (1861).

Literatur

Best, T.: Handel's harpsichord music: a checklist. In: Music in Eighteenth-Century England. Ed. by C. Hogwood and R. Luckett, Cambridge UP 1982, S. 171 ff.; Best, T.: Die Chronologie von Händels Klaviermusik. In: Händel-Jb., 27. Jg., 1981, S. 79 ff.; Chrysander III, S. 195 f.; Dale, K. (Symposium), S. 231 ff.; Hoffmann-Erbrecht, L.: Deutsche und italienische Klaviermusik zur Bachzeit, Leipzig 1954, S. 17 ff.; Kahle, S. 66 ff., 108 ff.; Leichtentritt, S. 833 f.; Seiffert, M.: Zu Händels Klavierwerken. In: Sammelbände der Internationalen Musikgesellschaft, 1. Jg., 1899–1900, S. 131 ff.; Seiffert, M.: Geschichte der Klaviermusik, Leipzig 1899, S. 446 ff.

435. [Suite Nr. 2]: Chaconne G-Dur mit 21 Variationen (Fassung IV)

ChA 2. – HHA IV/5. – Praktische Ausgabe: G. F. Handel, Chaconne in G for keyboard. Edited by T. Best. – London: Oxford University Press 1979 (Fassung I/II und Fassung V). – EZ: ca. 1705/17 (Fassung I–V)

[Ritornello]

Tutti stromenti

Takt 192

5. Fassung
Chaconne

Var. 9   Adagio

Takt 73

Var. 10

Takt 81

Var. 14

Takt 113

Var. 17

Takt 137

Var. 19

Takt 153

Var. 20

Takt 161

169 Takte

Quellen

Handschriften: Autograph: verschollen.
Abschriften: Fassung I: *D (brd)* B (Mus. Ms. 9161, Heft 2: *Chaconne pour le Clavessin*, mit umrahmendem Instrumentaltutti, vgl. HWV 343ª). – Fassung II: *GB* BENcoke (Lady Rivers-Ms., ca. 1727, f. 33ᵛ–36ʳ, fragm., Variation 1–17). – Fassung IV:

D (brd) B (Mus. Ms. 9162; Mus. Ms. 9164/5: Nr. 2; Mus. Ms. 9165) – *GB* Lbm (Add. MSS. 31467, f. 25ʳ–26ʳ: Var. 9–16, nach f-Moll transponiert, f. 30ʳ–31ᵛ). – Fassung V: *GB* BENcoke (*Harp.*ᵈ *Sonatas By Handel*, Walond-Ms., p. 26–31: *Chaccone Sigr. Handel 2*ᵈ *Set of Lessons*), Lbm (Add. MSS.31577, f. 34ᵛ–37ʳ; R. M. 19. a. 3., f. 15ʳ–19ʳ: *Ciacone del*

Sig.ʳ Handel), Malmesbury Collection (*Pieces for the Harpsicord compos'd by Sign.ʳ G. F. Handel 1718,* aus dem Besitz von Elizabeth Legh, p. 20–28: *Ciacone*) – US Bfa (E. M. Ripin-Collection, p. 72–81: *Ciacone*), NYp (Mus. Res. Drexel 5856, p. 8–12: *Chaccone*).

Drucke: Fassung III: Pieces à un & Deux Clavecins Composées par Mʳ. Hendel. – Amsterdam, Jeanne Roger N? 490 (ca. 1721, p. 18–23); —— – ib., Charles Michael Le Cene Libraire N? 490 (ca. 1723/43, dto.). – Fassung IV: Suites de Pieces Pour le Clavecin Composées par G. F. Handel. Second Volume. – s. l., s. n. (ca. 1727, No. 5); —— – London, John Walsh N? 490 (ca. 1733, p. 9–15); Suites De Pieces Pour le Clavecin Par G. H. Handel Deuxieme Livre Gravées par Mᵐᵉ. Leclair. – Paris, Mʳ Le Clerc la cadet, Le Sʳ Le Clerc, Mᵐᵉ. Boivin (ca. 1736, Nr. 2); —— – ib. (ca. 1740, Nr. 2); Suites de Pieces Pour le Clavecin. Composées par G. F. Handel …. Second Volume. – London, Wright & C? (ca. 1784, Nr. 2); Handel's Celebrated Suites de Pieces … 2ᵈ. Set. – London, Preston (ca. 1810, Nr. 5); A Second Set of Lessons For The Harpsichord Composed by G. F. Handel, – [London], Arnold's edition, No. 129–130 (ca. 1793, Nr. 2).

Bemerkungen

HWV 435 ist von Händel mehrfach überarbeitet worden. In ihrer Erstfassung geht die Chaconne vermutlich auf die Zeit um 1703/06 zurück, wie aus der Quelle *D (brd)* B(Mus. Ms. 9161, Heft 2) deutlich wird, deren Text in einzelnen Variationen (5–8ᵃ,ᵇ) mit Stellen in anderen frühen Variationswerken – wie etwa HWV 484 oder HWV 442 (hier besonders Var. 16, 17, 20, 23) – Gemeinsamkeiten aufweist. Während Fassung I und II (diese wird nur durch die Quelle *GB* BENcoke, Lady Rivers–Ms., überliefert und ist zudem unvollständig) sich nur in einigen Details unterscheiden[1], stellt Fassung III in der Version des Roger/Walsh-Druckes (ca. 1721) die erste gedruckte Wiedergabe des Werkes dar, in der bereits wesentliche Überarbeitungsgrundsätze erkennbar sind. Im Vergleich zu Fassung I/II liegen hier das Thema in veränderter Version und die Variationen 1–6, 12 und 15 in der Endfassung V vor; Var. 7 ist durch eine revidierte Form von Var. 17ᵇ ersetzt, Var. 8ᵃ wurde überarbeitet und Var. 8ᵇ in revidierter Form als Moll-Variante (Var. 13) eingegliedert, wodurch sie im allgemeinen der Fassung V entsprechen. Die

Variationen 9, 11, 14, 16 und 18–21 blieben unverändert. Weitere Hinweise zur Fassung des Roger/Walsh-Druckes s. NA von T. Best. Fassung IV, deren Quelle in Walshs Veröffentlichung der *Suites de Pieces, Second Volume* (1733) zu suchen ist, kann im wesentlichen als Nachdruck der Fassung III betrachtet werden, ohne größere textliche Änderungen (Var. 9 und 10 stellen lediglich eine Zwischenfassung zwischen der frühen und der Endfassung dar) und mit nur wenigen unbedeutenden Abweichungen vom früheren Druck. Obwohl zu dieser Zeit bereits Händels endgültige Überarbeitung (als Fassung V durch sechs zuverlässige Abschriften dokumentiert) vorlag, wurde sicherlich ohne Händels Mitwirkung die Chaconne HWV 435 von Walsh in seinen Druck eingefügt. Diese Fassung IV des Walsh-Druckes aus dem *Second Volume* (1733) bildete bisher die einzige und allgemein verbreitete Version der Chaconne HWV 435; erst die Neuausgabe der Fassung V (kurz vor 1718 entstanden), die als Händels Fassung letzter Hand zu werten ist, bringt das Werk in vermutlich der Form, in der es Händel im Druck zu sehen wünschte[2].

Das Thema der Chaconne scheint auf ein' damals verbreitetes melodisches Modell zurückzugehen; auch Gottlieb Muffat verwendet es in seiner Sammlung „Componimenti Musicali", aus der Händel wesentliche musikalische Anregungen bezog, für eine *Ciacona* mit 38 Var.[3], wenn man nicht annehmen will, daß Muffat das Thema Händels früher Komposition entlehnt hat.

Literatur

Best, T.: Handel's harpsichord music: a checklist. In: Music in Eighteenth-Century England. Ed. by C. Hogwood and R. Luckett, Cambridge UP 1982, S. 171 ff.; Chrysander III, S. 195 f.; Kahle, S. 71 ff.; Leichtentritt, S. 834 f.

---

[2] Die wichtigsten Änderungen sind im Anhang zu HHA IV/5, Klavierwerke II, hrsg. von P. Northway, Kassel und Leipzig 1970, abgedruckt. Da aber zu dieser Ausgabe noch kein Krit. Bericht vorliegt, bleibt der Benutzer hinsichtlich der Quellenbezeichnung und Quellenbewertung des Hrsg. im Unklaren. Das gilt auch für alle anderen Suiten dieses Bandes, deren Text nicht auf den teilweise besseren Lesarten der handschriftlichen Quellen beruht, sondern im wesentlichen dem Walsh-Druck von 1733 folgt. Als Beleg für die Fassung V von HWV 435 sei deshalb auf die authentische Neuausgabe von T. Best nachdrücklich verwiesen.

[3] Vgl. ChA, Supplemente V, S. 148–163, bzw. DTÖ, Bd. III, hrsg. von G. Adler, Dritter Theil, Wien 1896, S. 80–88.

---

[1] Wie T. Best (s. Editorial note zur NA 1979) nachweist, fehlt in beiden Fassungen die Variation 13; die als Var. 8ᵃ,ᵇ und 17ᵃ,ᵇ bezeichneten Teile sind keine Alternativfassungen, sondern folgen in den Quellen unmittelbar nacheinander. Die Numerierung ist eine editorische Ergänzung, um die Fassungen miteinander vergleichen zu können.

436. Suite Nr. 3 d-Moll

ChA 2. – HHA IV/5. – EZ: London, ca. 1721/26

1. Allemande

[vgl. HWV 479, HWV 29. Ezio (23.), HWV 398 (4.)]

26 Takte

2. Allegro

Air
Lentement

46 Takte

3. Gigue
Presto

24 Takte

4. Menuetto

Var. 1

30 Takte   [vgl. HWV 507]

(24 Takte)   Takt 25

Var. 2

Var. 3

Takt 49

Takt 73

96 Takte

Quellen

Handschriften: Autograph: *GB* Lbm (R. M. 18. c. 2., f. 30^{r-v}: *Allemande,* in h-Moll, Fassung HWV 479).
Abschriften: *D (brd)* B(Mus. Ms. 9162; Mus. Ms. 9165) – *GB* Cfm (30. H. 15., MS. 265, p. 95–96: Menuet ohne Var.), Lbm (R. M. 19. a. 3., f. 1^v–6^v, Aylesford Collection, Kopie des Schreibers S$_2$, ca. 1732; Add. MSS. 31 467, f. 11^v–14^r; R. M. 18. b. 8., f. 78^r, Menuet ohne Var.), Malmesbury Collection (Ms. mit Ouverturen, datiert *Eliza Legh August y^e 30. 1722,* p. 222–231, Kopie von Smith junior, ca. 1726), Mp (MS 130 Hd4, v. 314, p. 65–73) – *US* Bfa (E. M. Ripin-Collection, p. 134–145, Kopie des Schreibers S$_1$, ca. 1730).

Drucke: S. unter HWV 434, c) Nr. 2; d) p. 16–24; e) – g), i) Nr. 3; h): Nr. 2.

Bemerkungen

HWV 436, als dritte Suite im *Second Volume* (1733) veröffentlicht, wurde in dieser Ausgabe zum erstenmal gedruckt. Das Werk entstand zwischen 1721 und 1726, wie die handschriftliche Überlieferung erkennen läßt. Die Allemande ist der vermutlich früheste Satz der Folge. Händel komponierte sie zunächst in einer Frühfassung in h-Moll (als HWV 479 verzeichnet); in dieser Tonart ist sie mit der gleichfalls in h-Moll stehenden Courante HWV 489 als Teil einer vermutlich Fragment gebliebenen Suite überliefert (vgl. *GB* Malmesbury Collection, Ms. mit Ouverturen 1722, p. 171–174). Die Allemande weist motivische Verbindungen mit der Allemande der d-Moll-Suite HWV 449 auf; ihre endgültige Fassung als Einleitungssatz für HWV 436 erhielt sie vermutlich um 1725/26 (vgl. die Kopie in *GB* Malmesbury Collection), als Händel die Suite HWV 436 komponierte. Das Kopfmotiv der Allemande zitierte Händel außerdem in HWV 29 Ezio (23. Sinfonia), HWV 8ᶜ Il Pastor fido (12. Sinfonia) und in HWV 398 Triosonate op. 5 Nr. 3 e-Moll (4. Satz, *Alle-*

mande). Satz 3 *(Air)* und Satz 4 *(Gigue)* greifen motivisch auf Sätze aus HWV 449 zurück. Das Menuett ist ebenfalls in mehreren Fassungen als selbständiger Satz überliefert (vgl. HWV 507ᵃ,ᵇ).

Literatur
Best, T.: Handel's harpsichord music: a checklist. In: Music in Eighteenth-Century England. Ed. by C. Hogwood and R. Luckett, Cambridge UP 1981, S. 171 ff.; Kahle, S. 71 ff.; Leichtentritt, S. 835.
Beschreibung des Autographs: Lbm: Catalogue Squire, S. 112.

437. Suite Nr. 4 d-Moll

ChA 2. – HHA IV/5. – EZ: Hamburg (?), ca. 1703/06

Var. 2

Takt 33   48 Takte

5. Gigue

11 Takte

Quellen

Handschriften: Autograph: verschollen.

Abschriften: *D (brd)* B (Mus. Ms. 9162; Mus. Ms. 9164/4: *Suite sur le Clavessin par Mons. Haendel,* mit Prélude HWV 561; Mus. Ms. 9165) – *D (ddr)* Bds (Mus. Ms. 30325, f. 122: Gigue als *Les Forgerons)* – *GB* BENcoke (*Harp.*ᵈ *Sonatas By Handel,* Walond-Ms., p. 31–35, mit Prélude HWV 561), Cfm (Barrett-Lennard-Collection, Ms. mit Cembalowerken, heute verschollen[1], Fassung mit Prélude HWV 561), Lbm (Add. MSS. 31467, f. 9ᵛ–10ᵛ: Sätze 2–3 in c-Moll, f. 26ʳ⁻ᵛ: Sätze 4–5 in f-Moll; Add. MSS. 31577, f. 8ᵛ–10ᵛ, mit Prélude HWV 561), Malmesbury Collection (*Pieces for the Harpsicord compos'd by Sign.*ᵗ *G. F. Handel 1718,* aus dem Besitz von Elizabeth Legh, p. 144–149, mit Prélude HWV 561), Mp [MS 130 Hd4, v. 268(2), p. 196–201, mit Prélude HWV 561; v. 314, p. 74–75: Sätze 2–3) – *US* NYp (Mus. Res. Drexel 5856, p. 27–31, mit Prélude HWV 561).

Drucke: S. unter HWV 434; a)–b) p. 1–5, mit Prélude HWV 561; c) Nr. 3; d) p. 25–28 [Nr. 4]; e)–g) Nr. 4; h) Nr. 3; i) Nr. 4.

Bemerkungen

Die Suite HWV 437 entstand vermutlich bereits in der Hamburger Zeit Händels, wie ihre stilistische Haltung mit der charakteristischen Sarabande im ³⁄₂-Takt und den in frühen Werken von Händel bevorzugten Kadenzwendungen (sog. „Almira-Kadenzen", vgl. T. Best, Lit.) erkennen läßt.

Das Werk, als vierte Suite im *Second Volume* (1733) erschienen, wurde im Roger/Walsh-Druck (ca. 1721) und in den vor der Veröffentlichung kopierten Manuskripten stets mit dem Prélude HWV 561 überliefert, so daß Händels ursprüngliche Fassung von HWV 437 aus mindestens 5 Sätzen bestand; vermutlich gehörte zu einer Frühfas-

sung dieser Suite auch die Sonatina HWV 581, die in den als authentisch zu bewertenden handschriftlichen Quellen *GB* Barrett-Lennard-Collection (vgl. ChA 48, S. 149–150), Lbm (Add. MSS. 31577, p. 8ᵛ–11ᵛ), Malmesbury Collection (*Pieces for the Harpsicord,* p. 144–151), Mp [v. 268 (2), p. 196–203] und *US* NYp (Mus. Res. Drexel 5856, p. 27–32) als Schlußsatz kopiert wurde. Die Sonatina HWV 581 wurde vermutlich bereits im Roger/Walsh-Druck (ca. 1721) irrtümlich ausgelassen und deshalb auch von Walsh 1727 bzw. 1733 nicht wieder berücksichtigt. Daß im Walsh-Druck des *Second Volume* jedoch auch das Prélude fehlt, geht vermutlich darauf zurück, daß Händel eine überarbeitete Fassung davon als Einleitung *(Prélude)* zu HWV 428 in seinem Druck der 8 *Suites de Pieces* (1720) veröffentlicht hatte.

Literatur

Best, T.: Handel's harpsichord music: a checklist. In: Music in Eighteenth-Century England. Ed. by C. Hogwood and R. Luckett, Cambridge UP 1982, S. 171 ff.; Best, T.: Die Chronologie von Händels Klaviermusik. In: Händel-Jb., 27. Jg., 1981, S. 79 ff.; Kahle, S. 53 ff.; Leichtentritt, S. 835; Seiffert, M.: Zu Händel's Klavierwerken. In: Sammelbände der Internationalen Musikgesellschaft, 1. Jg., 1899/1900, S. 131 ff.

[1] Vgl. ChA 48, Vorwort, S. V, und S. 149. Das Manuskript wurde ca. 1850 teilweise von R. Lacy kopiert (*GB* Lbm, Add. MSS. 31573, f. 33–51) und von F. Chrysander (in: ChA 48, S. 146–175) ausgewertet.

438. Suite Nr. 5 e-Moll

ChA 2. – HHA IV/5. – EZ: London, ca. 1710/17

1. Allemande

21 Takte

2. Sarabande

32 Takte

3a. Gigue

3b. Gigue

30 Takte   28 Takte

Quellen

Handschriften: Autograph: verschollen.
Abschriften: *D (brd)* B (Mus. Ms. 9162; Mus.
Ms. 9164/5: Nr. 1; Mus. Ms. 9165) – *GB* BENcoke
(*Harp.*d *Sonatas By Handel*, Walond-Ms., p. 37–41:
*2*d *Set of Lessons Del Sigr Handell*), Lbm
(Add. MSS. 31467, f. 14v–16v; R. M. 19. a. 3., f. 10v–
14v, mit Gigue in beiden Fassungen[1]), Malmesbury Collection (*Pieces for the Harpsicord compos'd by
Sign.*r *G. F. Handel 1718*, aus dem Besitz von Elizabeth Legh, p. 70–71: *Allemande*, p. 72: *Sarabande*,
p. 73–75: *Gigue* Fassung b) – *US* Bfa (E. M. Ripin-
Collection, p. 87–88: *Allemanda*, p. 89–90: *Sarabanda*, p. 90–93: *Gigue* Fassung b), NYp
(Mus. Res. Drexel 5 856, p. 13: *Allemande,* p. 14: *Sarabande,* p. 15–16: *Gigue* Fassung b).
Drucke: S. unter HWV 434, a) p. 10–13; b) dto.; c)
Nr. 4; d) p. 29–33, [Nr. 5]; e)–g) Nr. 5; h) Nr. 4; i)
Nr. 5.

[1] Als Fassung a) ist die der Frühdrucke (HHA IV/5,
S. 37–39, 30 Takte), als Fassung b) die der frühen Abschriften (HHA IV/5, Anhang 5, S. 104–105, 28 Takte)
bezeichnet.

Bemerkungen

HWV 438, als fünfte Suite im *Second Volume* 1733
veröffentlicht, entstand vermutlich zwischen 1710
und 1717 und wurde erstmals im Roger/Walsh-
Druck (ca. 1721) herausgegeben. Die vor Erscheinen dieses Druckes kopierten handschriftlichen
Quellen (*GB* Malmesbury Collection, *US* Bfa und
NYp) überliefern die Gigue in einer von den
Frühdrucken abweichenden Version von 28 Takten (Fassung b), die auf eine spätere Überarbeitung schließen läßt. Der Satz geht auf die Gigue (5) der frühen Partita G-Dur HWV 450
zurück.

Literatur

Best, T.: Handel's harpsichord music: a checklist.
In: Musik in Eighteenth-Century England. Ed. by
C. Hogwood and R. Luckett, Cambridge UP 1982,
S. 171 ff.; Kahle, S. 66 ff.

439. Suite Nr. 6 g-Moll

ChA 2. – HHA IV/5. – EZ: Hamburg (?), ca. 1703/06

1. Allemande

2. Courante

49 Takte

96 Takte

3. Sarabande

[vgl. HWV 432 (4.)]

32 Takte

4. Gigue

[vgl. HWV 493]

143 Takte

Quellen

Handschriften: Autograph: verschollen.
Abschriften: *D (brd)* B (Mus. Ms. 9162; Mus. Ms. 9163: mit Sarabande HWV 432/4 in der Frühfassung des Roger/Walsh-Druckes[1], Kopie C. P. E. Bachs; Mus. Ms. 9164/5: Nr. 3; Mus. Ms. 9164/6: mit Sarabande HWV 432/4 in der Frühfassung des Roger/Walsh-Druckes; Mus. Ms. 9165: Nr. 6; Mus. Ms. 9168: *Suite de Clavessin dell Sign. G. F. Händel,* mit Sarabande HWV 432/4 in der Frühfassung des Roger/Walsh-Druckes; Mus. Ms. P. 626, mit Sarabande HWV 432/4 in der Frühfassung des Roger/Walsh-Druckes) – *GB* Cfm (Barrett-Lennard-Collection, verschollen, vgl. ChA 48, S. 148, ohne Courante, mit

Sarabande HWV 432/4 in der Frühfassung des Roger/Walsh-Druckes), Lbm (Add. MSS. 31467, f. 27^r–29^v: *Allmand, Corrant,* mit *Menuet* HWV 434/4; R. M. 19. a. 3., f. 7^r–10^v: Satz 1–2 mit *Menuet* HWV 434/4, f. 25^r–29^r: *Giga*), Malmesbury Collection (*Pieces for the Harpsicord compos'd by Sign.^{r} G. F. Handel 1718,* aus dem Besitz von Elizabeth Legh, p. 37–39: Satz 1, p. 40–42: Satz 2, p. 43: Sarabande HWV 432/4 in der Frühfassung des Roger/Walsh-Druckes, p. 44–51: Gigue) – *USNY* p (Mus. Res. Drexel 5856, p. 76–77: Satz 1, p. 78–79: Satz 2, p. 80: Sarabande HWV 432/4 in der Frühfassung des Roger/Walsh-Druckes, p. 80–85: Gigue).
Drucke: S. unter HWV 434, a) p. 24–33 (mit Sarabande HWV 432/4 in Frühfassung); b) dto.; c) Nr. 6; d) p. 34–46 [Nr. 6]; e)–g) Nr. 6; h) Nr. 6; i) Nr. 6.

[1] Vgl. ChA 48, S. 148. Diese *Sarabande* wurde, erheblich umgestaltet, um 1720 in HWV 432 eingegliedert.

Bemerkungen

HWV 439, als sechste Suite im *Second Volume* 1733 veröffentlicht, entstand vermutlich bereits in der Hamburger Zeit Händels, wie einige für diese Zeit typischen Stilelemente und Kadenzwendungen in den einzelnen Sätzen erkennen lassen. Ihre erste Veröffentlichung erfolgte im Roger/Walsh-Druck (ca. 1721) ohne Händels Zustimmung aus Quellen, die verschiedene Entwicklungsstadien von HWV 439 überliefern. Ob in ihrer ältesten Fassung die Suite wirklich nur aus drei Sätzen in der Folge Allemande – Sarabande – Gigue (vgl. das verschollene Ms. der Barrett-Lennard-Collection) bestanden hat, erscheint fraglich. In allen anderen Quellen enthält sie eine *Courante*, die im Sinne der von Händel in der Frühzeit seines Schaffens besonders gepflegten Variationssuitenform thematisch von der *Allemande* beeinflußt ist. Daher gehört die *Courante* ebenfalls in die Zeit um 1706. Vor der Veröffentlichung der 8 Suites de Pieces (1720) entnahm Händel HWV 439 die *Sarabande*, um sie in beträchtlich veränderter Gestalt der Suite VII HWV 432 einzugliedern.[2]

[2] Eine weitere handschriftliche Quelle (*GB* Lbm, R.M. 19.a.3., f. 7ʳ–10ᵛ) verbindet *Allemande* und *Courante* mit dem *Menuet* g-Moll aus HWV 434 (4. Satz).

Die *Gigue* existiert in zwei weiteren frühen Fassungen (vgl. unter HWV 493[a,b]), die vermutlich noch vor der Oper HWV 1 Almira entstanden. In ihrer späteren, für HWV 439 überarbeiteten Form teilt die *Gigue* das thematische Material mit der Arie „Du irrst dich, mein Licht" (10) aus „Almira", während ihre beiden Vorformen (HWV 493[a,b]) noch nicht jene reduzierte Achtelbewegung auf dem 3. und 4. Viertel des Themas aufweisen, wie sie für die beiden später entstandenen Kompositionen charakteristisch ist.

Literatur

Best, T.: Handel's harpsichord music: a checklist. In: Music in Eighteenth-Century England. Ed. by C. Hogwood and R. Luckett, Cambridge UP 1982, S. 171 ff.; Best, T.: Die Chronologie von Händels Klaviermusik. In: Händel-Jb., 27. Jg., 1981, S. 79 ff.; Kahle, S. 66 ff.; Seiffert, M.: Zu Händel's Klavierwerken. In: Sammelbände der Internationalen Musikgesellschaft, 1. Jg., 1899/1900, S. 131 ff.

440. Suite Nr. 7 B-Dur

ChA 2. – HHA IV/5. – EZ: Hamburg (?), ca. 1703/06, überarbeitet ca. 1717/18

1b. Allemande

2. Courante

20 Takte

3b. Sarabande

44 Takte

4. Gigue

20 Takte *D. c.* (28 Takte)

51 Takte

Anhang
(1a.) Allemande

20 Takte

(3a.) Sarabande

28 Takte

(3a.) Sarabande

20 Takte *D. c.* (28 Takte)

Quellen

Handschriften: Autograph: verschollen.
Abschriften: D (brd) B (Mus. Ms. 9161, Heft 2: Nr. 2, Erstfassung; Mus. Ms. 9162; Mus. Ms. 9164/5: Nr. 4; Mus. Ms. 9165; Mus. Ms. 9168: Erstfassung, ohne authentische Gigue; Mus. Ms. 9185; Mus. BP. in 715, f. 2ʳ: Courante, f. 3ᵛ–4ʳ: Prélude HWV 344/1, Allemande ᵇ) – GB BENcoke (Lady Rivers – Ms., f. 10ᵛ–11ʳ: Allemande ᵇ; *Harp.ᵈ Sonatas By Handel*, Walond-Ms., p. 42–46: *Sonata Del Sigr Handell. 2ᵈ Set Lessons*, Allemandeᵇ, Sarabandeᵇ, mit Prélude und *Aria con Varitio* aus HWV 434), Cfm (Barrett-Lennard-Collection, verschollen[1], Erstfassung), Lbm (R. M. 19, a. 4., f. 10ʳ–12ʳ: Erstfassung; Add. MSS. 31467, f. 19ʳ⁻ᵛ: Sonata HWV 434/2, f. 20ʳ–21ᵛ: *Allemand*ᵇ. *Vivace, Corrante, Saraband*ᵇ. *Largo, Jigg. Vivace*; Add. MSS. 31577, f. 7ʳ–8ʳ: Erstfassung[2]), Malmesbury Collection (*Pieces for the Harpsicord compos'd by Sign.ᵗ G. F. Handel 1718*, aus dem Besitz von Elizabeth Legh, p. 77: Prélude HWV

434/1, p. 78–80: Allemandeᵇ, Sarabandeᵇ)[3], Mp [MS 130 Hd4, v. 268 (2): p. 167: Prélude HWV 434/1, p. 168–170: Allemandeᵇ, Sarabandeᵇ] – US Bfa (E. M. Ripin-Collection, p. 38–43: Allemandeᵇ, Sarabandeᵇ, Gigue) NYp (Mus. Res. Drexel 5856, p. 20: Prélude HWV 434/1, p. 21–22: Allemandeᵇ, Sarabandeᵇ)[4].
Drucke: S. unter HWV 434, a) p. 40–42; b) dto.; c) Nr. 7; d) p. 47–50 [Nr. 7]; e)–i) Nr. 7.

Bemerkungen

HWV 440, als siebente Suite im *Second Volume* 1733 veröffentlicht, liegt in zwei Fassungen vor, deren erste aufgrund ihrer stilistischen Merkmale (Sarabande im ³⁄₂-Takt und charakteristische Kadenzwendungen) in die Hamburger Zeit Händels gehören muß. Eine spätere Fassung, vermutlich um 1717/18 entstanden, wurde ohne Zustimmung Händels erstmals im Roger/Walsh-Druck (ca. 1721) publiziert; diese Version setzt eine Überarbeitung der Allemande und der Sarabande

---

[1] Vgl. ChA 48, Vorwort, S. V, und S. 146–147. Erstfassung der Sätze 1 und 3 auch in HHA IV/5, Anhang, S. 112–113, nach Quelle GB Lbm (R. M. 19. a. 4.) ediert.
[2] Mit Satz 1–3 von HWV 434 auf f. 4ᵛ–6ᵛ verbunden.

[3] Mit *Prélude* HWV 434/1 (p. 77) und Satz 2, 3 aus HWV 434 (p. 81–87) verbunden.
[4] Gefolgt von HWV 434, Satz 2–3 (p. 23–26).

(jetzt im ¾-Takt) voraus, die danach auch im *Second Volume* (1733) erschien, während Courante und Gigue bis auf wenige Abweichungen unverändert blieben. Einige frühe handschriftliche Quellen verbinden HWV 440 mit HWV 434 (vgl. die Nachweise zu *GB* BENcoke, Walond-Ms., Lbm, Add. MSS. 31577, Malmesbury Collection, *Pieces for the Harpsicord 1718*, und *US* NYp, Mus. Res. Drexel 5856) zu einer Suite von 5 bis 7 Sätzen.

Literatur

Best, T.: Handel's harpsichord music: a checklist. In: Music in Eighteenth-Century England. Ed. by C. Hogwood and R. Luckett, Cambridge UP 1982, S. 171ff.; Best, T.: Die Chronologie von Händels Klaviermusik. In: Händel-Jb., 27.Jg. 1981, S.79ff.; Kahle, S. 66ff.; Leichtentritt, S. 836; Seiffert, M.: Zu Händel's Klavierwerken. In: Sammelbände der Internationalen Musikgesellschaft, 1.Jg., 1899/1900, S. 131ff.

441. Suite Nr. 8 G-Dur

ChA 2. – HHA IV/5. – EZ: Hamburg (?), ca. 1703/06

6. Gavotta

Takt 9

Var. 1

Takt 17

Takt 25

Var. 2

Takt 33   Takt 41   Takt 49

Var. 3   Var. 4   Var. 5

Takt 57   Takt 65

Var. 6

Takt 81   Takt 97

Var. 7   Var. 8

7. Gigue   Takt 105   Takt 121   128 Takte

40 Takte

Quellen
Handschriften: Autograph: verschollen.
Abschriften: *D (brd)* B (Mus. Ms. 9162; Mus. Ms. 9165) – *GB* BENcoke (Menuet, Gigue), Lbm (Add. MSS. 31467, f. 16ᵛ–17ʳ: *Allemande*, f. 17ʳ: Satz 4 als *Aria Presto*, f. 17ᵛ–18ʳ: *Minuett Vivace* mit Varianten, f. 18ʳ⁻ᵛ: *Gigue Allegro*, f. 22ʳ⁻ᵛ: Satz 2 als *Allemanda Allegro*, f. 22ᵛ–23ᵛ: *Corant Vivace*, f. 23ᵛ–24ᵛ: *Gavotta* con Var.), Mp (MS 130 Hd4, v. 314, p. 55–63: Satz 1–6, ohne Gigue) – *US* NYp (Mus. Res. Drexel 5856, p. 56: *Allemande*).

Drucke: S. unter HWV 434, c) Nr. 1, mit Preludio HWV 442/1ᵇ; d) p. 51–63 [Nr. 8]; e)–g) Nr. 8; h) Nr. 1); i) Nr. 8.

Bemerkungen
HWV 441, als achte Suite im *Second Volume* 1733 veröffentlicht, ist aus stilkritischen Gründen in Händels frühe (Hamburger) Schaffensperiode ca. 1703/06 einzuordnen. Diese Datierung wird auch durch den Quellenbefund bestätigt; sämtliche wichtigen authentischen Handschriften mit

Cembalomusik Händels, die vor 1720 angelegt wurden, überliefern nur Einzelsätze dieser Suite. Die erhaltenen Abschriften der gesamten Suite sind vermutlich erst nach dem Erscheinen des *Second Volume* angefertigt worden, so daß Walshs Druck von 1733 die authentischste Quelle für HWV 441 darstellt.

Literatur

Best, T.: Handel's harpsichord music: a checklist. In: Music in Eighteenth-Century England. Ed. by C. Hogwood and R. Luckett, Cambridge UP 1982, S. 171ff.; Best, T.: Die Chronologie von Händels Klaviermusik. In: Händel-Jb., 27.Jg., 1981, S.79ff.; Kahle, S.53ff.; Leichtentritt, S.836.

442. Suite Nr. 9 G-Dur
(Prélude et Chaconne avec LXII Variations)

ChA 2. – HHA IV/5. – EZ: Prélude ca.1717, Chaconne: Hamburg, ca.1703/06

1a. Prélude

[vgl. HWV 7a Rinaldo (28.); HWV 579]

20 Takte

1b. Preludio
Allegro

[vgl. HWV 488]

26 Takte

2. Chacoone

Var. 1

Var. 2   Takt 17

Var. 3   Takt 25

Var. 4   Takt 33

Var. 5   Takt 41

Var. 6   Takt 49

Var. 7   Takt 57

Var. 55   Takt 441

Var. 56   Takt 449

Var. 57   Takt 457

Var. 58   Takt 465

Var. 59   Takt 473

Var. 60   Takt 481

Var. 61   Takt 489

Var. 62   Takt 497   504 Takte

Quellen

Handschriften: Autograph: *GB* Cfm (30. H. 13., MS.263, p.42: *Prélude,* Fassung b, in F-Dur, *Allegro,* als Schlußsatz für HWV 427)[1].

Abschriften:D (brd) B (Mus.Ms.9162; Mus.Ms.9163, Kopie von C. P. E. Bach; Mus. Ms. 9165; Mus.Ms.9171, datiert 1717, *Prélude,* Fassung b, in F-Dur, als Schlußsatz für HWV 427) – *GB* BEN- coke (*Harp.*d *Sonatas By Handel,* Walond-Ms., ohne Paginierung am Ende des Bandes: *Chaconne N. 5*)[2], Lbm (Add. MSS. 31467, f. 29v: *Préludio Allegro,* Fas- sung b, f. 34v–36v: *Chaconne* mit 24 Var.), Malmes- bury Collection (*Pieces for the Harpsicord compos'd by Sign.*r *G. F. Handel 1718,* aus dem Besitz von Eliza- beth Legh, p. 12: *Prélude,* Fassung b, in F-Dur, als Schlußsatz für HWV 427, p. 110–128: *Chacon:*), Mp [MS 130 Hd4, v. 268(2), p. 161: *Prélude,* Fas- sung b, in F-Dur, p. 173–191: *Chaconne*] – *US* Bfa (E. M. Ripin-Collection, p. 10–11: *Prélude,* Fas- sung b, in F-Dur, als Schlußsatz für HWV 427), NYp (Mus. Res. Drexel 5856, p. 97–110: *Chac- conne*).

*Drucke:*S. unter HWV 434, a) p. 49: Prélude, Fas- sung b, in F-Dur als Schlußsatz für HWV 427; b) dto.; c) p. 2: *Preludio,* Fassung b, p. 65–83: Cha- conne [Nr. 9]; d) p. 64: *Preludio,* Fassung b: p. 65–83: Chaconne [Nr. 9]; e–i) Nr. 9; Prelude et Chacoone Avec LXII Variations Composees par Mr Hendel, Opera primo. – Amsterdam, Gerhard Fredrik Witvogel. No 3 (ca. 1731, mit Prélude Fas- sung a)[3].

[1] Vgl. auch unter HWV 488.
[2] Kopiert von Smith senior zwischen 1720 und 1730 (WZ nach T. Best: Clausens Cb).
[3] Vgl. HHA IV/5, Anhang, S. 114.

Bemerkungen

HWV 442 als neunte und letzte Nummer im *Se- cond Volume* 1733 veröffentlicht, entstand, wie die meisten Chaconnen Händels, vermutlich bereits in der Hamburger Zeit um 1703/06. Obwohl keine autographen Quellen für die Chaconne erhalten sind, ergibt sich diese Datierung aus den stilisti- schen Merkmalen, der spieltechnischen Anlage so- wie der motivisch-thematischen Substanzgemein- schaft vor allem mit der C-Dur-Chaconne HWV 484 (vgl. auch HWV 443).

Der Erstdruck – noch ohne die Zuordnung eines Prélude – erfolgte in der ohne Verlagsangabe erschienenen Ausgabe des *Second Volume* (ca. 1727)[4]. Diese Publikation diente vermutlich als Vorlage für den Amsterdamer Nachdruck Ger- hard Fredrik Witvogels (ca. 1731/32), der verschie- dene frühe Cembalowerke Händels unter den Opuszahlen 1–5 (HWV 442, 577, 481, 574 und 490) veröffentlichte[5].

[4] Das *Prélude,* Fassung b, erscheint hier am Anfang des Bandes als Einleitung zu HWV 441.
[5] Einen Hinweis auf die Datierung dieser Stücke gab Marpurg, W.: Kritische Briefe über die Tonkunst, mit kleinen Clavierstücken und Singoden begleitet von einer musikalischen Gesellschaft in Berlin, II. Band bestehend aus vier Theilen, Berlin 1763. Im Zweyten Band, Vierter Theil, CXXIV. Brief [S. 467] heißt es unter der Rubrik: Vierte Fortsetzung des Beytrags zur Historie der Musik, Berlin, den 18. December 1762; Fortsetzung der vom Herrn [Conrad] Wohlgemuth [= Pseudonym für J.W.Lu- stig] eingeschickten Artikel: 91) Hendel, unter dessen Namen hat Witvogel 5 Clavierpiecen im Landchartenfor- mat drucken lassen. Hendel pflegte zu sagen, er habe sie in seiner ersten Jugend gemacht. Vgl. auch Chrysan- der III, S. 197 f.

Als Prélude stellte Witvogel der Chaconne eine Komposition voran, die aus T. 1–20 der Fantasie über die Arie „Vò far guerra" (28) aus HWV 7ᵃ Rinaldo (1. Fassung) von William Babell besteht[6]. In der authentischen Ausgabe des *Second Volume* (1733) fühlte sich Walsh anscheinend veranlaßt, nun auch seinerseits der Chaconne ein Prélude voranzustellen und versetzte dazu einfach das am Beginn seines Raubdruckes (1727) stehende Preludio in G-Dur vor die Chaconne, obwohl es erst ca. 1717 entstanden war und keinerlei Verbindung mit der Chaconne HWV 442 besitzt. Dieses Preludio ist in zwei autographen F-Dur-Fassungen erhalten (vgl. HWV 427 und HWV 488); als Fassung HWV 488 (Autograph: *GB* Lbm, R. M. 20. g. 14.,

[6] Vgl. ChA 48, S. 230. Das Thema entstammt HWV 46ᵃ Il Trionfo del Tempo e del Disinganno (10. Sonata) und wurde außer in HWV 7ᵃ Rinaldo (28) auch in HWV 579 Sonata G-Dur verwendet.

f. 40) stellt es eine ältere, unabhängige Komposition dar[7], während die spätere, überarbeitete Version (Autograph: *GB* Cfm, MS. 263, p. 42) ursprünglich als Schlußsatz für HWV 427 diente.

Literatur

Best, T.: Handel's harpsicord music: a checklist. In: Music in Eighteenth-Century England. Ed. by C. Hogwood and R. Luckett, Cambridge UP 1982, S. 171 ff.; Best, T.: Die Chronologie von Händels Klaviermusik. In: Händel-Jb., 27. Jg., 1981, S. 79 ff.; Chrysander III, S. 195 f.; Dale, K. (Symposium), S. 242; Kahle, S. 53 ff.; Mies, P.: Die Chaconne (Passacaille) bei Händel. In: Händel-Jb., 2. Jg., 1929, S. 13 ff.

Beschreibung des Autographs: Cfm: Catalogue Mann, MS. 263, S. 209.

[7] Als Courante in ChA 2, S. 142, gedruckt.

443. Suite C-Dur

HHA IV/17 (Nr. 1, mit Chaconne HWV 484). – EZ: Halle/Hamburg (?), ca. 1700/03

5. Chaconne

[vgl. HWV 484]

Var. 21
Takt 169

Var. 22
Takt 177

Var. 23
Takt 185

Var. 24
Takt 193

Var. 25
Takt 201

Var. 26
Takt 209   216 Takte

Quellen

Handschriften: Autograph: verschollen.
Abschriften: *D (brd)* B (Mus. Ms. 9162/3: *Praeludium di Mr. Hendel*), DS (Ms. 1231, f. 71–79: *Prelude di Mons. Hendel*, mit Sarabande ohne Double, Gigue und Chaconne mit 27 Var.).
Drucke: Ausgaben: a) Hrsg. von E. Noack, Berlin–Leipzig: Verlagsanstalt Deutscher Tonkünstler A. G. 1928 (V. D. T. 3002), nach Quelle *D (brd)* DS; b) In: Unbekannte Meisterwerke der Klaviermusik, hrsg. von W. Danckert, Kassel: Bärenreiter Verlag 1930 (S. 17ff.), nach Quelle *D (brd)* B.

Bemerkungen

Die Suite HWV 443 gehört zu Händels frühesten Cembalokompositionen und ist vermutlich bereits in Halle (ca. 1700/03) entstanden, wie ihre stilistischen Merkmale und ihr Ausdruckscharakter erkennen lassen. Das Werk ist in zwei Abschriften überliefert, von denen die Quelle *D (brd)* DS (nach 1719 entstanden) eine verkürzte Fassung (ohne Allemande und Courante) bietet.
Die Fuge des 1. Satzes (T. 32–85) antizipiert das Thema des Kammertrios HWV 200 „Quel fior che all' alba ride" (T. 5 ff.: *E tomba ha nella sera*), das Händel später in HWV 75 Alexander's Feast (21. Let old Timotheus yield the prize) wieder aufgriff.
Die *Gigue* arbeitete Händel fast 4 Jahrzehnte später um als Schlußsatz *(Gigue)* der Suite HWV 447 (komponiert 1739 für Princess Louisa). Die Chaconne ist ebenfalls in zwei Fassungen überliefert: a) in einer Frühfassung mit 26 (bzw. 27) Variationen als Finalsatz für die Suite HWV 443, b) als unabhängige Chaconne HWV 484 mit 49 Variationen (zur Überlieferung dieser Fassung vgl. unter

HWV 484). Beide Fassungen haben folgende Variationen der Ausgabe in HHA IV/17 (S. 10–26) gemeinsam: Var. 1, 2, 4, 12–14, 16–19, 21, 25, 29–31, 34, 38–40, 42–44, 46–49. Aus diesen 26 Variationen besteht der originale Schlußsatz der Suite HWV 443, der in der thematisch-motivischen Struktur mit der Chaconne HWV 442 viele Gemeinsamkeiten aufweist und offensichtlich der gleichen Schaffenszeit Händels angehört wie diese Komposition.

Literatur

Abraham, G.: Handel's Clavier Music. In: Music & Letters, vol. XVI, 1935, S. 278 ff.; Best, T.: Vorwort zu HHA IV/17, Kassel und Leipzig 1975, S. VIII; Best, T.: Handel's harpsicord music: a checklist. In: Music in Eighteenth-Century England. Ed. by C. Hogwood and R. Luckett, Cambridge UP 1982, S. 171 ff.; Best, T.: Die Chronologie von Händels Klaviermusik. In: Händel-Jb., 27. Jg., 1981, S. 79 ff.; Dale, K. (Symposium), S. 237; Kahle, S. 68 ff.

444. Partita c-Moll

HHA IV/17 (Nr. 17[a]). – EZ: Hamburg (?), ca. 1705/06

1. Prélude

9 Takte

2. Allemande

[vgl. HWV 445 (2.)]

3. Courante

32 Takte

4. Gavotte

54 Takte

16 Takte

5. Menuet

28 Takte

Quellen

Handschriften: Autograph: verschollen.
Abschrift: D (brd) B (Mus. Ms. 9164/3: *Partie ex Cb. di Signor Haendel*).
Drucke: Ausgabe: In: Unbekannte Meisterwerke der Klaviermusik, hrsg. von W. Danckert, Kassel: Bärenreiter Verlag 1930 (S. 40 ff.).

Bemerkungen

Die Partita HWV 444 entstand vermutlich in der Hamburger Zeit Händels, wie Stil und thematische Substanzgemeinschaft mit anderen frühen Werken erkennen lassen.[1] Die Allemande ist in zwei Fassungen überliefert und erscheint in modifizierter Form in der Suite HWV 445.

Literatur

Abraham, G.: Handel's Clavier Music. In: Music & Letters, vol. XVI, 1935, S. 278 ff.; Best, T.: Handel's harpsicord Music: a checklist. In: Music in Eighteenth-Century England. Ed. by C. Hogwood and R. Luckett, Cambridge UP 1982, S. 171 ff.; Kahle, S. 68 ff.

[1] *Courante:* Vgl. HWV 100 „Da sete ardente afflitto" (2. Quando non son presente).

445. Suite c-Moll

HHA IV/17 (Nr. 17[b]). – EZ: Hamburg (?), ca. 1705/06

1. Prélude

22 Takte

2. Allemande

[vgl. HWV 444 (2.)]   34 Takte

3. Courante

[vgl. HWV 446 (3.)]   56 Takte

Quellen

Handschriften: Autograph: verschollen.
Abschrift: *GB* Lbm (R. M. 18. b. 8., f. 18ʳ–21ʳ).
Drucke: Ausgabe: Stücke für Clavicembalo/Pieces
for Harpsichord von/by G. F. Händel. Hrg. von/Ed.
by W. Barclay Squire/J. A. Fuller-Maitland, Mainz
und Leipzig: B. Schott's Söhne 1928, vol. II
(Nr. 40–42).

Bemerkungen

Die nur aus drei Sätzen bestehende Suite HWV
445 ist vermutlich unvollständig überliefert oder
von Händel um 1705/06 in der Komposition abgebrochen worden. Darauf deutet die Übernahme

zweier Sätze in andere Suiten hin, die damit
gleichzeitig einen weiteren Anhaltspunkt für die
frühe Entstehungszeit des Werkes bietet: die *Allemande* erscheint ebenfalls als Teil der frühen c-
Moll-Partita HWV 444, und das thematische Material der *Courante* wird in wesentlichen Teilen der
Sarabande (T. 2ff.) aus HWV 446 Suite c-Moll für
2 Cembali verarbeitet.

Literatur

Best, T.: Handel's harpsichord music: a checklist.
In: Music in Eighteenth-Century-England. Ed. by
C. Hogwood and R. Luckett, Cambridge UP 1982,
S. 171 ff.

446. Suite a deux Clavecins c-Moll (fragm.)

ChA 48. – HHA IV/19. – EZ: Hamburg (?),
ca. 1703/06

1. Allemande

26 Takte

2. Courante

55 Takte

3. Sarabande

[vgl. HWV 445 (3.)]   62 Takte

4. Chaconne

48 Takte

[vgl. HWV 122 (10.), HWV 404 (1.), HWV 34 (39.)]

Quellen

Handschriften: Autograph: verschollen.
Abschriften: *GB* BENcoke (*Overtures & Lessons for the Harpsicord: of M*[r] *Handel,* Wesley-Ms., p. 88–95, Kopie von Smith senior, ca. 1721), Cfm (Barrett-Lennard-Collection, Ms. mit Cembalowerken, heute verschollen)[1], Lbm [Add. MSS. 31577, f. 11[v]–13[r], nur Sätze 1–3 (T. 1–38), ohne Chaconne; Add. MSS. 31573, f. 40[v]–43[v]: *Suite a Deux Clavesin fait par Monsieur Hendell,* Kopie von R. Lacy, ca. 1858, nach dem heute verschollenen Barrett-Lennard-Ms., Satz 1 hier als *Preludium*], Malmesbury Collection (*Pieces for the Harpsicord compos'd by Sign.*[r] *G. F. Handel 1718,* aus dem Besitz von Elizabeth Legh, p. 193–198), Mp [MS 130 Hd4, v. 268(2), p. 212–219] – *US* NYp (Mus. Res. Drexel 5856, p. 46–51, Kopie von Smith senior, ca. 1721).
Drucke: Ausgabe: Suite for Two Keyboards. Ed. Th. Dart, London: Oxford University Press 1950 (mit rekonstruiertem *Cembalo II*).

Bemerkungen

HWV 446 ist der erhaltene Teil einer Suite für zwei Cembali, von der die Quellen jeweils nur den Part für Cembalo I überliefern; vermutlich ging der Part für Cembalo II zusammen mit dem Autograph verloren.
Stilistisch gehört das Werk in die Hamburger Zeit Händels, was durch die motivische Substanzgemeinschaft mit anderen frühen Kompositionen bestätigt werden kann. Die Komposition weist auch deshalb nach Hamburg, weil dort anscheinend eine besondere Vorliebe für Werke *a due Cembali soli* herrschte und diese Gattung auch im Schaffen anderer Hamburger Komponisten[2] belegt ist.
Innerhalb der zeitgenössischen Abschriften, die das Werk überliefern, läßt sich eine ältere Handschriftengruppe (*GB* Lbm, Add. MSS. 31577 bzw. Add. MSS. 31573, nach dem verschollenen Barrett-Lennard-Ms.) von einer jüngeren unterscheiden; bei letzterer haben die Kopisten jeweils die Pausen für die Tacet-Abschnitte des Cembalo-I-Parts als vermeintlich überflüssig weggelassen, da ihnen augenscheinlich entgangen war, daß es sich bei dieser Komposition um ein Werk für zwei Tasteninstrumente handelte[3].
Die *Sarabande* (Satz 3) entspricht in ihrem ersten Teil weitgehend der *Courante* (Satz 3) in HWV 445. Der Finalsatz *(Chaconne)* ist nicht in allen Quellen enthalten; Händel notierte den Satz in einer altertümlichen Notation, in der die Viertelnote noch durch eine Semiminima angegeben ist[4]. In Takt 5–8 der *Chaconne* erscheint ein Thema, das Händel außerdem in HWV 122 „La terra è liberata" (10. Cara pianta co' miei pianti), HWV 404 Sonata g-Moll (1. Satz, *Andante*) und HWV 34 Alcina (39. Dall' orror di notte cieca) verwendete.

Literatur

Best, T.: Handel's harpsichord music: a checklist. In: Music in Eighteenth-Century England, Ed. by C. Hogwood and R. Luckett, Cambridge UP 1982, S. 171 ff.

[3] Eine Rekonstruktion des *Cembalo II* – Parts im Rahmen einer NA des Werkes wurde von Th. Dart (1950) vorgelegt (vgl. unter Drucke).
[4] Die gleiche Notationsform verwendete Händel in seinem Autograph der Cantata spagnuola HWV 140 „No se emenderà jamás".

[1] Vgl. ChA 48, Vorwort, S. V, und S. 162–166.
[2] U.a. bei J. Mattheson. Vgl. dessen *Sonate/Suite a due Cembali* g-Moll, NA hrsg. von B. C. Cannon, London – New York: Hinrichsen 1960 (Faksimile einer Seite in: Marx, H. J.: Unbekannte Kompositionen aus Johann Matthesons Nachlaß. In: New Mattheson Studies. Ed. by G. J. Buelow and H. J. Marx, Cambridge UP 1983, S. 216).

447. Suite d-Moll

ChA 2 – HHA IV/6 (Nr. 6). – EZ: London, ca. 1738/39 (komponiert für Princess Louisa)

1. Allemande

14 Takte

2. Courante

3. Sarabande

40 Takte

4. Gigue

24 Takte   [vgl. HWV 443 (5.)]

12 Takte

Quellen

Handschriften: Autograph: *GB* Cfm (30. H. 11., MS. 261, p. 41–43).
Abschriften: *GB* Cfm (30. H. 15., MS. 265, p. 23–27: *Del Sigr. G: F: Handel*, Kopie des Schreibers S4, p. 29–32: Kopie des Schreibers S6; 23. G. 19., MS. 79), Lbm (R. M. 19. d. 11., f. 161ʳ–163ʳ: *Lessons composed for the Princess Louisa*, Kopie des Schreibers S13, ca. 1750/60), Mp [MS 130 Hd4, v. 268(6), p. 253–257: *Two sets of Lessons for the Princess Louisa*, Kopie des Schreibers S1, ca. 1740, mit Titelüberschrift von Charles Jennens, Aylesford Collection].
Druck: A Third Set of Lessons for the Harpsichord, Composed by G. F. Handel. – [London], Arnold's edition, No. 130–131 (ca. 1793, No. 1, p. 3–5).

Bemerkungen

Wie aus dem Autograph (WZ: Cx) und den zeitgenössischen Abschriften (vgl. die Titeleintragung von Charles Jennens in der Kopie der Aylesford Collection) hervorgeht, schrieb Händel die Suite HWV 447 ca. 1738/39 für Princess Louisa (1724–1751), die zweitjüngste Tochter König Georgs II. Händel wurde zu dieser Zeit vermutlich noch als Lehrer der drei „ältesten Prinzessinnen" Amelia, Caroline und Louisa besoldet[1] und hatte in dieser Eigenschaft auch für Unterrichtsliteratur zu sorgen.

[1] Vgl. Mann, A.: Aufzeichnungen zur Kompositionslehre, HHA, Supplement, Bd. 1, Kassel und Leipzig 1978, S. 19f.

Bei der Komposition des Werkes ließ sich Händel von zwei frühen Cembalosuiten anregen[2]; die *Sarabande* zitiert ein Arienthema aus zwei italienischen Kantaten[3] bzw. aus HWV 49ᵇ Acis and Galatea (2. Fassung: 21ᵇ Love ever vanquishing).

Literatur

Best, T.: Handel's harpsichord music: a checklist. In: Music in Eighteenth-Century England. Ed by C. Hogwood and R. Luckett, Cambridge UP 1982, S. 171ff.; Chrysander III, S. 197ff.; Kahle, S. 66ff.
Beschreibung des Autographs: Cfm: Catalogue Mann, MS. 261, S. 199.

[2] *Allemande* – vgl. HWV 449 (*Allemande*), Gigue – vgl. HWV 443 (*Gigue*).
[3] Vgl. HWV 84 „Aure soavi e lieti" (2. Un aura flebile) und HWV 95 „Clori, vezzosa Clori" (2. Non è possibile).

448. Suite d-Moll

ChA 48. – HHA IV/17 (Nr. 11). – EZ: Hamburg (?), ca. 1705/06

Var. 8

Var. 9

Takt 65

Takt 73

Var. 10

Takt 81   88 Takte

Quellen

Handschriften: Autograph: verschollen.
Abschriften: *D (brd)* B (Mus. Ms. 9168; nur *Allemande, Courante* und *Sarabande I*, mit Prélude HWV 561 und HWV 581 als *Gigue*) – *GB* Cfm (Barrett-Lennard-Collection, Ms. mit Cembalowerken, verschollen)[1], Lbm (Add. MSS. 31573, f. 46ᵛ–51ᵛ, Kopie von R. Lacy, ca. 1858, nach dem heute verschollenen Barrett-Lennard-Ms.).

Bemerkungen

HWV 448 gehört zu den um 1705/06 entstandenen Cembalowerken, wie der stilkritische Befund der einzelnen Sätze erkennen läßt.
Die Suite ist in zwei voneinander stark differierenden Fassungen überliefert. Während das heute verschollene Ms. aus der Barrett-Lennard-Collection die authentische Fassung enthalten hat, zeigt die Abschrift *D (brd)* B (Mus. Ms. 9168) eine völlig

[1] Vgl. ChA 48, Vorwort, S. V, und S. 170–175.

andere Satzfolge: *Allemande, Courante* und *Sarabande I* fungieren hier als Teil einer Suite, deren Außensätze aus dem Prélude HWV 561 und der Sonatina HWV 581 als *Gigue* bestehen[2]. Anschließend folgen zwei Menuette.
Die *Ouverture* diente vermutlich als Modell für die spätere Ouverture zu HWV 8ᵃ Il Pastor fido (1. Fassung), während die *Courante* motivisch mit der *Courante* in HWV 451 verknüpft ist.

Literatur

Best, T.: Handel's harpsichord music: a checklist. In: Music in Eighteenth-Century England. Ed. by C. Hogwood and R. Luckett, Cambridge UP 1982, S. 171 ff.; Kahle, S. 58 ff.

[2] In allen anderen Quellen für Prélude HWV 561 und Sonatina HWV 581 [*GB* Malmesbury Collection, *Pieces for the Harpsicord 1718*, Mp, v. 268(2), Lbm, Add. MSS. 31577 und *US* NYp, Mus. Res. Drexel 5856] sind als Mittelsätze diejenigen von HWV 437 eingegliedert.

449. Suite d-Moll

ChA 48. – HHA IV/17 (Nr. 12). – EZ: Hamburg (?), ca. 1705

1. Prélude

25 Takte

2. Allemande

[vgl. HWV 451 (1.)]

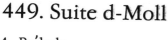

24 Takte

3. Courante

4. Sarabande

45 Takte

5. Aria con Variazioni

20 Takte   [vgl. HWV 428 (5.)]

Var. 1

Takt 13

Var. 2

Takt 25

Var. 3

Takt 37

Var. 4

Takt 49

Var. 5

Takt 61

Var. 6

Takt 73

Var. 7

Takt 85

96 Takte

6. Giga

24 Takte

7. Menuett

24 Takte

Quellen

Handschriften: Autograph: verschollen.

Abschriften: *D (brd)* B (Mus. Ms. 9161, Heft 2: Nr. 3, *Suite par Mons. Händell*) – *GB* Cfm (Barrett-Lennard-Collection, Ms. mit Cembalowerken, verschollen)[1], Lbm (Add. MSS. 31573, f. 34^v–40^r, Kopie von R. Lacy, ca. 1858, nach dem verschollenen Barrett-Lennard-Ms.).

Bemerkungen

Gemeinsame Stilmerkmale[2] und mehrfache thematische Substanzgemeinschaft mit anderen frühen Kompositionen Händels deuten darauf hin, daß die Suite HWV 449 um 1705 in Hamburg entstanden ist. Ihre Überlieferung in den beiden frühen Quel'en gilt als weiterer Nachweis für diese Datierung. Gegenüber dem verschollenen Barrett-Lennard-Ms. weist die Quelle *D (brd)* B einige Lesartenvarianten auf; das *Prélude* ist durch die Takte 20–23, die im Barrett-Lennard-Ms. fehlten, ergänzt, in der *Allemande* differieren beide Quellen in den Takten 22–24, wo im Barrett-Lennard-Ms. zwei zusätzliche Takte eingeschaltet sind und der Satz daher 26 Takte zählt, und die *Courante* ist zwischen T. 39 und T. 40 im Barrett-Lennard-Ms. um 4 Takte auf 49 Takte erweitert. Die *Aria con Var.* erscheint hier in einer unverzierten Frühform; später revidierte Händel sie grundlegend und

[1] Vgl. ChA 48, Vorwort, S. V, und S. 152–161.
[2] Vgl. die sog. „Almira-Kadenz" (T. Best) in der *Courante*, T. 17–18.

fügte diese Neufassung in die Suite HWV 428 ein (zur Revision dieses Satzes vgl. unter HWV 428). Eine weitere Abweichung des Barrett-Lennard-Ms. gegenüber der Berliner Kopie betrifft die Stellung des *Menuets*, das in letzterer Quelle den Schlußsatz bildet.

Für folgende Sätze sind motivische Verbindungen zu anderen Werken Händels nachzuweisen:

1. Satz, *Prélude*
   HWV 561 *Prélude* d-Moll
   HWV 565 *Prelude* d-Moll
   HWV 428 Suite III d-Moll *(Premier Volume)*: 1. Satz *(Prélude)*
2. Satz, *Allemande*
   HWV 451 Suite g-Moll: 1. Satz *(Allemande)*
   HWV 428 Suite III d-Moll *(Premier Volume)*: 3. Satz *(Allemande)*
   HWV 436 Suite III d-Moll *(Second Volume)*: 1. Satz *(Allemande)*
   HWV 447 Suite d-Moll: 1. Satz *(Allemande)*
5. Satz, *Air con Var.*
   HWV 428 Suite III d-Moll *(Premier Volume)*: 5. Satz *(Air con Var.)*
6. Satz, *Gigue*
   HWV 436 Suite III d-Moll *(Second Volume)*: 4. Satz *(Gigue)*

Literatur

Best, T.: Handel's harpsichord music: a checklist. In: Music in Eighteenth-Century England. Ed. by C. Hogwood and R. Luckett, Cambridge UP 1982, S. 171 ff.; Kahle, S. 55 ff.

450. Partita G-Dur

HHA IV/17 (Nr. 2). – EZ: Halle/Hamburg, ca. 1700/05

1. Preludio

43 Takte

2. Allemande

17 Takte

3. Courante

38 Takte

4. Sarabande

5. Gigue

32 Takte

6. Menuet

12 Takte   24 Takte

Quellen

Handschriften: Autograph: verschollen.
Abschrift: D *(brd)* B (Mus. Ms. 9164/1: *Partie ex G. Composée Sur le Clavessin par Mons. Hendel*).
Drucke: Ausgabe: Unbekannte Meisterwerke der Klaviermusik, hrsg. von W. Danckert, Kassel: Bärenreiter Verlag 1930 (S. 34 ff.)

Bemerkungen

Stilmerkmale und Überlieferungsbefund verweisen die Partita HWV 450 in die früheste Schaffensperiode Händels (ca. 1700/05). *Sarabande* (im 3/2-Takt) und *Gigue* bilden Vorformen für Sätze, die in späteren Suiten des *Premier* und *Second Vol-*

ume (HWV 432, HWV 437, HWV 438, HWV 440) in ausgereifteren Fassungen wiederkehren.

Literatur

Abraham, G.: Handel's Clavier Music. In: Music & Letters, vol. XVI, 1935, S. 278 ff.; Best, T.: Handel's harpsichord music: a checklist. In: Music in Eighteenth-Century England. Ed. by C. Hogwood and R. Luckett, Cambridge UP 1982, S. 171 ff.; Best, T.: Die Chronologie von Händels Klaviermusik. In: Händel-Jb., 27. Jg., 1981, S. 79 ff.; Kahle, S. 57 ff.; Seiffert, M.: Zu Händel's Klavierwerken. In: Sammelbände der Internationalen Musikgesellschaft, 1. Jg., 1899/1900, S. 131 ff.

451. Suite g-Moll

HHA IV/19. – EZ: Hamburg (?), ca. 1703/06

1. Allemande

[vgl. HWV 449 (2.)]   22 Takte

2. Courante

44 Takte

Quellen

Handschriften: Autograph: verschollen.
Abschrift: A Wm (MS. XIV 743, f. 34ʳ–35ᵛ: *Del Sign. Hendel*).

Bemerkungen

Die unter HWV 451 zusammengefaßten beiden Sätze sind vermutlich Teil einer Suite, die nur unvollständig überliefert ist oder von Händel nicht abgeschlossen wurde. Ihre Entstehungszeit ist aufgrund stilistischer Merkmale um 1703/06 anzusetzen; außerdem enthält die Quelle *A* Wm auf f. 36–37 im Anschluß an die beiden Suitensätze

drei Menuette (HWV 521 G-Dur, HWV 537ᵃ g-Moll, HWV 540ᵃ g-Moll), deren letztes aus HWV 1 Almira stammt[1], was ebenfalls auf eine frühe Überlieferung deutet. Die *Allemande* entspricht in wesentlichen Teilen der ausgereifteren Version der *Allemande* in HWV 449 Suite d-Moll (2. Satz), während die *Courante* thematische Substanzgemeinschaft mit der *Courante* in HWV 448 Suite d-Moll (3. Satz) aufweist.

[1] HWV 540ᵃ entspricht HWV 1 Almira (25. Menuet); die Melodie wurde auch als *English Song* HWV 228²² mit dem Text „Who to win a Woman's favour" bekannt.

452. Suite g-Moll

ChA 2. – HHA IV/6 (Nr. 7). – EZ: London, ca. 1738/39 (komponiert für Princess Louisa)

1. Allemande

[vgl. HWV 326 (1.)]

27 Takte

2. Courante

3. Sarabande

50 Takte   [vgl. HWV 8b (9.), HWV 400 (5.)]   24 Takte

4. Gigue

18 Takte

Quellen

Handschriften: Autographe: *GB* Cfm (30. H. 12., MS. 262, p. 60: *Sarabande* und *Gigue,* Kompositionsautograph; 30. H. 13., MS. 263, p. 25: *Allemande,* p. 27: *Courante,* Kompositionsautograph; 30. H. 11., MS. 261, p. 31: *Allemande 1,* p. 33: *Courante 2,* p. 35: *Sarabande 3,* p. 37: *Gigue 4,* spätere Reinschrift mit autographer Paginierung[1]).

Abschriften: *GB* Cfm (23. G. 19., MS. 79), Lbm (R. M. 19. d. 11., f. 164ᵛ–167ᵛ: *Lessons composed for Princess Louisa*[2], Kopie des Schreibers S$_{13}$, ca. 1750/60), Mp [MS 130 Hd4, v. 268(2), p. 262–267: *Two sets of Lessons for the Princess Louisa*[2], Kopie des Schreibers S$_1$, ca. 1740, mit Titelvermerk von Charles Jennens).

Drucke: A Favorite Lesson for the Harpsichord Composed for Young Practitioners by George Fred: Handel Never before Printed. – London, C. and S. Thompson (ca. 1770); A Third Set of Lessons for the Harpsichord, Composed by G. F. Handel. – [London], Arnold's edition, No. 130–131 (ca. 1793, No. 2, p. 5–8).

[1] Die Seiten 32, 34 und 36 sind unbeschrieben.
[2] Zusammen mit HWV 447.

Bemerkungen

HWV 452 entstand zusammen mit der Suite d-Moll HWV 447 um 1738/39 und wurde vermutlich als Unterrichtsliteratur von Händel für seine Schülerin Princess Louisa (1724–1751) geschrieben, wie die Bemerkungen auf den beiden Kopien in *GB* Lbm und Mp (hier von Charles Jennens in das Manuskript eingetragen) erkennen lassen. Die Datierung auf 1739 erhält eine zusätzliche Bestätigung dadurch, daß die Vorderseite (p. 59) des Autographs der *Sarabande* (*GB* Cfm, MS. 262, p. 60) mit der Sopranstimme zu der Arie „Nel passar da un laccio all'altro" (14)[3] aus HWV A¹⁴ Jupiter in Argos von Händel beschrieben wurde (März/April 1739); die Rückseite der autographen Reinschrift der *Gigue* (*GB* Cfm, MS. 261, p. 38) enthält dagegen den Beginn von HWV 154 „Quel fior che all'alba ride", einer kantatenhaften Komposition für Sopran und B. c., die ebenfalls auf 1739/40 zu datieren ist und damit den Entstehungszeitraum für HWV 452 weiter präzisiert (WZ: Cc, Bk.).

Außerdem verwendet die *Allemande*[4] den gleichen Themenkopf wie Satz 1 *(Allemande)* aus HWV 326

[3] Der Satz stellt eine Parodie der Arie „Se potessero i sospir' miei" (2ᵇ) aus HWV 41 Imeneo (1738/40) dar.
[4] Das Thema entlehnte Händel einer *Allemande* in g-Moll aus Suite V der Sammlung *Harmonisches Denkmal. XII Sui-*

Concerto grosso op. 6 Nr. 8 c-Moll (beendet am 18. Oktober 1739). Die *Sarabande* entlehnt ihr Thema HWV 8[b] Terpsicore (9. Tuoi passi son dardi) bzw. HWV 400 Triosonate op. 5 Nr. 5 g-Moll (5. Satz, *Air*).

tes pour le Clavecin (London 1714) von Johann Mattheson (vgl. *Pièces de Clavecin*, New York 1965, Reihe: Monuments of Music and Music Literature in Facsimile I, 5). S. dazu auch Seiffert, M.: Geschichte der Klaviermusik, Leipzig 1899, S. 349.

Literatur
Best, T.: Handel's harpsichord music: a checklist. In: Music in Eighteenth-Century England. Ed. by C. Hogwood and R. Luckett, Cambridge UP 1982, S. 171 ff.; Chrysander III, S. 198 f.; Kahle, S. 67 ff. *Beschreibung der Autographe:* Cfm: Catalogue Mann, MS. 261, S. 199, MS. 262, S. 205 f., MS. 263, S. 208.

453. Suite g-Moll

HHA IV/17 (Nr. 5–7), HHA IV/19 (Menuet I/II). – EZ: Hamburg (?), ca. 1705/06

1. Ouverture

[vgl. HWV 233 (Introduzione)]

Takt 10

2. Entrée

39 Takte

3. Menuet I

19 Takte

23 Takte

4. Menuet II

18 Takte

5. Chaconne

87 Takte

Quellen
Handschriften: Autograph: verschollen.
Abschrift[1]: *GB* Lbm (R. M. 19. a. 4., f. 13[v]–14[r]. *Ouverture*, f. 14[v]–15[r]: *Entrée* f. 15[r]: *Menuet 1*, f. 15[v]: *Menuet 2*, f. 15[v]–17[r]: *Chaconne*, Kopie des Schreibers S[2], Aylesford Collection, ca. 1732).
Drucke: Ausgabe: Stücke für Clavicembalo von/Pieces for Harpsichord by G. F. Händel. Hrsg. von / Edited by W. Barclay Squire / J. A. Fuller-Maitland,

[1] Der langsame Teil der *Ouverture* (T. 1–10) befand sich auch auf der letzten beschriebenen Seite (p. 175, mit Vermerk „citissime" auf eine geplante Fortsetzung verweisend) des verschollenen Barrett-Lennard-Manuskripts (vgl. ChA 48, Vorwort, S. VI).

Mainz und Leipzig: B. Schott's Söhne 1928, vol. I, Nr. 1–5.

Bemerkungen
HWV 453 umfaßt Sätze, die möglicherweise Cembalofassungen früherer Orchestersätze von Ballettmusik aus den verschollenen Hamburger Opern Händels der Jahre 1705/06 darstellen. Es ist nicht sicher, ob diese Folge von Einzelstücken eine geschlossene Suite bilden sollte, da die Möglichkeit besteht, daß f. 12[v]–21[v] des Manuskripts *GB* Lbm, R. M. 19. a. 4., eine zufällige Sammlung von Einzelkompositionen darstellt. Ebenso möglich ist jedoch auch die hier gewählte Suitenfolge *Ouverture – Entrée – Chaconne* mit Einschub der beiden

Menuets, wie sie durch die Handschrift überliefert ist. Der Editor des Werkes in HHA IV/17 Terence Best entschied sich für eine Trennung der Sätze; demgemäß erscheinen *Ouverture – Entrée – Chaconne* als Nr. 5–7 (S. 44–49) in diesem Band der HHA, während die beiden *Menuets* in den Supplementband HHA IV/19 aufgenommen wurden.

Für die frühe Entstehungszeit von HWV 453 spricht auch die umfangreiche thematische-motivische Substanzgemeinschaft mit folgenden Werken der Hamburger und der italienischen Reisezeit:

1. *Ouvertüre* (1. Teil)
   HWV 233 „Donna che in ciel": *Introduzione* (1. Teil)
   HWV 6 Agrippina: *Sinfonia* (1. Teil)

2. *Entrée* (T. 9–10)
   HWV 1 Almira: *Ouverture* (T. 56–57)
   38. Mi da speranza al core (T. 35)

5. *Chaconne*
   HWV 1 Almira: 3. *Chaconne*
   27. *Rondeau*
   13. Liebliche Wälder (T. 8/9 vgl. Chaconne T. 41/42)

Literatur

Best, T.: Handel's harpsichord music: a checklist. In: Music in Eighteenth-Century England. Ed. by C. Hogwood and R. Luckett, Cambridge UP 1982, S. 171 ff.

454. Partita A-Dur

ChA 48. – HHA IV/6 (Nr. 20). – EZ: Hamburg (?), ca. 1703/06

1. Allemande

2. Courante

43 Takte

49 Takte

3. Sarabande

24 Takte *D. c.* (32 Takte)

4. Gigue

84 Takte

Quellen

Handschriften: Autograph: verschollen.
Abschrift: verschollen (ehemals im Besitz von H. G. Nägeli, Zürich, und Mortier de Fontaine, Paris).
Drucke: Lithographie: Partita pour le Clavecin de G. F. Haendel. Œuvre inédite (5. November 1863). – Ausgabe: Partita pour le Clavecin (Piano) Composée par G. F. Händel. Publiée pour la première fois d'après de manuscrit de J. Chr. Smith … par Mortier de Fontaine. – Leipzig, Barthold Senff, No. 436 (1864).

Bemerkungen

Die Partita A-Dur HWV 454, deren Autograph verschollen ist, wurde durch eine Smith senior zugeschriebene Abschrift überliefert, die sich einstmals im Besitz von Hans Georg Nägeli (Zürich) befand. Aus seinem Nachlaß gelangte sie durch eine Londoner Auktion (23. Juni 1860) in den Besitz des französischen Pianisten Mortier de Fontaine (1816–1883), der später eine Lithographie und eine Edition veröffentlichte und dazu bemerkte, die Kopie sei von Smith 1720 angefertigt worden. Chrysander, der die Handschrift auf der Londoner Auktion besichtigen konnte, behauptete dagegen, „daß sie weder von J. Chr. Schmidt geschrieben, noch mit einem Datum versehen" gewesen sei[1]. Da das betreffende Manuskript verschollen ist, kann über den eigentlichen Sachverhalt keine Klärung herbeigeführt werden.

Aufgrund von Stilmerkmalen (sog. „Almira-Kadenzen", vgl. T. Best, Lit., und Sarabande im $\frac{3}{2}$-Takt) ist das Werk in die Hamburger Schaffensperiode Händels (ca. 1703/06) zu datieren; motivische Verbindungen bestehen in Satz 4 *(Gigue)* zu HWV 581 *Sonatina* d-Moll und zur *Gigue* der Suite HWV 439.

Literatur

Best, T.: Die Chronologie von Händels Klaviermusik. In: Händel-Jb., 27. Jg., 1981, S. 79 ff.; Chrysander III, S. 200; Fontaine, M. de: Zur Händel-Literatur. In: Recensionen und Mittheilungen über Theater und Musik, 9. Jg., Wien 1863, S. 582; Allgemeine Musikalische Zeitung, No. 38, 1862, Sp. 652, No. 39, 1863, Sp. 665 (Abdruck der *Sarabande* mit kurzem Kommentar).

---

[1] Vgl. Chrysander III, S. 200, Fußnote 43. Vgl. jedoch seine Bemerkung in ChA 48, Vorwort, S. VI (1894).

---

455. Suite B-Dur

Ausgabe: Stücke für Clavicembalo/Pieces for Harpsichord von/by G. F. Händel. Hrsg. von/Ed. by W. Barclay Squire/J. A. Fuller-Maitland. – Mainz und Leipzig: B. Schott's Söhne 1928, vol. I (Nr. 22–24). – EZ: Hamburg 1706

Quellen

Handschriften: Autograph: verschollen.
Abschrift: *GB* Lbm (R. M. 18. b. 8., f. 1ʳ–4ᵛ, Aylesford Collection).

Bemerkungen

Die unter HWV 455 zusammengefaßten Sätze bilden in der Handschrift *GB* Lbm (R. M. 18. b. 8.) eine Suite, die als Cembalotranskription von Orchestersätzen aus verschollenen Hamburger Opern (vgl. HWV 354) anzusehen ist. Vermutlich gehört auch die *Ouverture* dazu, die als Erstfassung der späteren *Sinfonia* zu HWV 46ª Il Trionfo del Tempo e del Disinganno gilt[1] und in ihrer Orchesterfassung unter HWV 336 verzeichnet ist.
Aus der Verbindung der *Ouverture* HWV 366 in Cembalofassung mit den gleichfalls für Cembalo arrangierten Sätzen *Sarabande, Gavotte* und *Menuet,* die unter HWV 354 für die Oper HWV 3 Der beglückte Florindo (Hamburg 1706) in Anspruch genommen werden, läßt sich die Vermutung ablei-

[1] Vgl. Mainwaring/Mattheson, p. 56 f./S. 48 f.

ten, daß die Ouvertüre ursprünglich auch als Einleitung zur Oper „Der beglückte Florindo" entstanden sein könnte und in Italien nur als Parodieouvertüre (für HWV 46ª Il Trionfo bzw. HWV 47 La Resurrezione) wiederverwendet worden sei.
Vorlagen:
1. *Ouverture*
   HWV 336 *Ouverture* B-Dur
2. *Sarabande*
   HWV 354/3 *Sarabande*
3. *Gavotte*
   HWV 354/4 *Gavotte*
4. *Menuet*
   HWV 354/1 *Menuet*
   HWV 550 *Menuet* B-Dur

Literatur

Baselt, B.: Wiederentdeckung von Fragmenten aus Händels verschollenen Hamburger Opern. In: Händel-Jb., 29. Jg., 1983, S. 7 ff., besonders S. 15 ff.

456¹⁻⁵. Autographe Cembalofassungen von Opernouverturen

456¹. Ouverture d-Moll (HWV 8ª Il Pastor fido, 1. Fassung)

ChA 48. – HHA IV/19. – EZ: London, ca. 1725

Takt 9   50 Takte (fragm.)

Quellen

Handschriften: Autograph: *GB* Cfm (30. H. 10., MS. 260, p. 5–6, fragm., nur T. 1–50).

Bemerkungen

Das Autograph dieser *Ouverture* weist keinerlei nähere Angaben auf. Die Musik entspricht im wesentlichen der *Ouverture* zu HWV 8ª Il Pastor fido (1. Fassung, London, September/Oktober 1712);

die Cembalofassung, die keine reine Transkription der Orchesterfassung, sondern ein Arrangement für ein Tasteninstrument darstellt, entstand jedoch erst ca. 1725, wie der diplomatische Befund der autographen Quelle (WZ: Cantoni/Bergamo) ausweist. Die Handschrift ist unvollständig überliefert und bricht nach Takt 50 ab.
Beschreibung des Autographs: Cfm: Catalogue Mann, MS. 260, S. 190 f.

456². Ouverture c-Moll (HWV 11 Amadigi)

HHA IV/19. – EZ: London, ca. 1725

Takt 17   104 Takte

Quellen

Handschriften: Autograph: *GB* Cfm (30. H. 10., MS. 260, p. 7–9).
Abschrift: *GB* BENcoke (Lady Rivers-Ms., p. 37ᵛ–38ʳ: *Overture*, ca. 1727), Lbm (R. M. 18. c. 1., f. 2ʳ–3ᵛ: *Ouverture in Amadis*, Kopie des Schreibers S₂, ca. 1728).

Bemerkungen

Das Autograph dieser *Ouverture* ist ohne nähere Angaben überliefert; nach dem diplomatischen Befund der Handschrift (WZ: Cantoni/Bergamo) wurde die Komposition ca. 1725 niedergeschrieben. Die Musik stellt eine Neufassung der *Ouverture* zu HWV 11 Amadigi (London, Frühjahr 1715) dar, die in wesentlichen Zügen von der Orchesterfassung abweicht und nicht als Cembalo-transkription der Orchesterpartitur von 1715 zu werten ist[1].

Literatur

Pont, G.: Handel's overtures for harpsichord or organ. An unrecognized genre. In: Early Music, vol. XI, Juli 1983, S. 309 ff.
Beschreibung des Autographs: Cfm: Catalogue Mann, MS. 260, S. 191.

[1] Die Kopie der *Amadigi-Ouverture* durch Smith senior (in *US* NYp, Mus. Res. Drexel 5856, p. 111–115) ist dagegen eine Transkription der Orchesterfassung, ebenso der Druck in *Six Overtures fitted to the Harpsicord or Spinnet viz Rodelinda Otho Floridant Amadis Radamistus Muzio Scaevola ...* – London M. DCC. XXVI, J. Walsh and Ioseph Hare.

456³. Ouverture in Flavio g-Moll (HWV 16 Flavio)

HHA IV/19. – EZ: London, ca. 1723

Takt 14   93 Takte

Quellen

Handschriften: Autograph: *GB* Mp (MS 130 Hd4, v. 128: *Ouverture in Flavio*).
Abschriften: *GB* Cfm (30. H. 15., MS. 265, p. 33–36: *Ouverture di Flavio opera*, Kopie von Smith senior, ca. 1723), Lbm (R. M. 18. c. 1., f. 32ʳ–33ᵛ: *Ouverture dell'Opera Flav:*, Kopie des Schreibers S₂, ca. 1728), Malmesbury Collection (Ms. mit Ouverturen, datiert *Eliza. Legh August yᵉ 30. 1722*, p. 193–195, Kopie des Schreibers H₅, ca. 1724/27; Ms. mit Ouverturen, f. 33ʳ–34ᵛ, Kopie von Smith senior, ca. 1728).

Drucke: Six Overtures fitted to the Harpsicord or Spinet viz Julius Caesar Alexander Tamerlano Scipio Flavius Theseus ... the Second Collection. – London, J. Walsh, Ioseph Hare (ca. 1728); XXIV Overtures fitted to the Harpsicord or Spinnet viz. Parthenope Page 1 ... Flavius 50 ... Compos'd by Mr. Handel. – London, J. Walsh, N⁰. 203 (1730); Handel's Overtures from all his Operas and Oratorios Set for the Harpsicord or Organ viz. Admetus N⁰ VI ... Xerxes XXXVII to which is added the Coronation Anthem. – London, J. Walsh (1760); Handel's Overtures from all his Operas and Oratorios Set for the Harpsicord or Organ. – London, H. Wright (ca. 1785, p. 50 ff.).

Bemerkungen

HWV 456³ stellt ein Cembaloarrangement der Orchesterfassung zur Ouverture der Oper HWV 16 Flavio (London, April/Mai 1723) dar, das unmit-

telbar nach Fertigstellung der Partitur entstanden sein muß. Im Gegensatz zu allen anderen autographen Cembaloversionen von Ouverturen wurde die „Flavio"-Cembalofassung auch in dieser Form gedruckt, während sonst die von Walsh veröffentlichten Ouverturen für Tasteninstrumente von bestellten Arrangeuren angefertigt wurden.

456⁴. Ouverture in Rodelinda C-Dur (HWV 19 Rodelinda)

HHA IV/19. – EZ: London, ca. 1725

Takt 12

(Adagio)

Takt 73

Menuet

Takt 75
[vgl. HWV 497]

106 Takte   D. c.

Quellen

Handschriften: Autograph: *GB* Cfm, (30. H. 6., MS. 256, p. 73–77: *Ouverture in Rodelinda*). Abschriften: *GB* BENcoke (Lady Rivers-Ms., f. 17ᵛ–18ᵛ: *Ouverture dell'Opera Rodelinda*, Kopie des Schreibers H₁, ca. 1727, *Menuet* kopiert von Smith junior, Endfassung, vgl. HWV 497), Lbm (R. M. 18. c. 1., f. 41ʳ–42ᵛ: *Ouverture in Rodelinda*, Kopie des Schreibers S₂, ca. 1728; R. M. 18. c. 2., f. 6ʳ–8ᵛ: *Ouverture Rodelinda*, ca. 1728; R. M. 18. b. 8., f. 99ʳ: Menuet), Malmesbury Collection (Ms. mit Ouverturen, datiert *Eliza. Legh August yᵉ 30. 1722*, p. 205–208, Kopie von Smith senior, ca. 1726; Ms. mit Ouverturen, f. 40ʳ–41ᵛ, Kopie von Smith senior, ca. 1728).

Bemerkungen

HWV 456⁴ entstand als Cembaloarrangement der Ouverture zu HWV 19 Rodelinda bald nach der Beendigung der Orchesterfassung (London, 20. Januar 1725). Das *Menuet* existiert in 3 Fassungen: 1. als Orchesterfassung in der Opernpartitur, 2. als revidierte Fassung im vorliegenden Cembaloautograph, 3. als selbständiger Satz, verzeichnet unter HWV 497.

Literatur

Pont, G.: Handel's overtures for harpsichord or organ. An unrecognized genre. In: Early Music, vol. XI, 1983, S. 309 ff.
Beschreibung des Autographs: Cfm: Catologue Mann, MS. 256, S. 172.

456⁵. Ouverture in Riccardo Iᵐᵒ D-Dur (HWV 23 Riccardo I.)

HHA IV/19. – EZ: London, ca. 1727

Takt 16   71 Takte

Quellen

Handschriften: Autograph: *GB* Cfm (30. H. 7., MS. 257, p. 55–57: *Ouverture Richard*).
Abschriften: *GB* Lbm (R. M. 18. c. 1., f. 53ʳ–54ᵛ; R. M. 18. c. 2., f. 17ʳ–18ᵛ), Malmesbury Collection (Ms. mit Ouverturen, f. 52ʳ–53ᵛ, Kopie von Smith senior, ca. 1728).

Bemerkungen

HWV 456⁵ entstand vermutlich kurz nach Beendigung der Partitur von HWV 23 Riccardo Iᵐᵒ (16. Mai 1727) als Cembaloarrangement der *Ouver*ture. Der Notentext folgt im wesentlichen der Orchesterfassung, benutzt jedoch eine typisch klaviermäßige Satztechnik zur Darstellung der musikalischen Struktur.

Literatur

Pont, G.: Handel's overtures for harpsichord or organ. An unrecognized genre. In: Early Music, vol. XI, 1983, S. 309 ff.
Beschreibung des Autographs: Cfm: Catalogue Mann, Ms. 257, S. 174.

Einzeln überlieferte Stücke und Tänze, Musik für Spieluhren

457. Air C-Dur

HHA IV/19. – EZ: London, ca. 1720/21

12 Takte

Quellen

Handschriften: Autograph: *GB* Cfm (30. H. 13., MS. 263, p. 1: *Air No. 1*).
Faksimile: HHA Supplement, Bd. 1 (Aufzeichnungen zur Kompositionslehre, hrsg. von A. Mann), S. 15.

Bemerkungen

Im Autograph (WZ: Cb, ca. 1720/21) ist das *Air* als *No. 1* mit dem *Passepied* HWV 559 als *No. 2* verbunden. Beide Stücke stellen nach Ansicht Alfred Manns (Kompositionslehre, S. 15) Cembalostücke für den Unterricht dar, den Händel den englischen Prinzessinen erteilte.
Beschreibung des Autographs: Cfm: Catalogue Mann, MS. 263, S. 207.

458. Air c-Moll

HHA IV/17 (Anhang 1). – EZ: London, ca. 1710/20 (Echtheit nicht verbürgt)

Allegro
28 Takte

Quellen
Handschriften: Autograph: verschollen.
Abschrift: *GB* Lbm (Add. MSS. 31467, f. 10^v, Kopie von John Barker, ca. 1735).

Bemerkungen
Das *Air* HWV 458 folgt einer Fassung in c-Moll von *Allemande* und *Courante* der d-Moll-Suite HWV 437. Seine Echtheit ist nicht verbürgt, da keine weiteren Quellen zu dem Werk vorliegen.

459. Aria c-Moll

HHA IV/17 (Anhang 3). – Praktische Ausgabe: Stücke für Clavicembalo/Pieces for Harpsichord von/by G. F. Händel. Hrsg. von/Ed. by W. Barclay Squire/J. A. Fuller-Maitland. – Mainz und Leipzig: B. Schott's Söhne 1928, vol. I (Nr. 13). – EZ: London, ca. 1710/20 (Echtheit nicht verbürgt)

17 Takte

Quellen
Handschriften: Autograph: verschollen.
Abschrift: *GB* Lbm (R. M. 19. a. 4., f. 20^r: *Aria*, Kopie des Schreibers S_2, ca. 1732).

Bemerkungen
Die Authentizität der *Aria* HWV 459 ist trotz der Abschrift des für die Händel-Überlieferung wichtigen Kopisten S_2 nicht ganz gesichert. Der Hrsg. des Werkes in HHA IV/17 (Anhang 3) sieht den Grund dafür in der Fehlerhaftigkeit bzw. Unvollständigkeit der Vorlage.

460. Air (March) D-Dur

HHA IV/19. – EZ: London, ca. 1720

27 Takte *D. s.*

Quellen
Handschriften: Autograph: *GB* Cfm (30. H. 13., MS. 263, p. 29).
Beschreibung des Autographs: Cfm: Catalogue Mann. MS. 263, S. 208.

461. Air (Hornpipe) d-Moll HHA IV/19. – EZ: London, ca. 1717/18

13 Takte

Quellen
Handschriften: Autograph: *GB* Lbm (R. M. 20. g. 14., f. 27ᵛ).

Bemerkungen
HWV 461 ist im Autograph ohne Titel überliefert und entstand ca. 1717/18. Im Stil einer englischen *Hornpipe* gehalten, weist der Satz thematische Gemeinsamkeiten mit HWV 355 *Aria* c-Moll auf und kann als Variante zu dieser Komposition betrachtet werden.
Beschreibung des Autographs: Lbm: Catalogue Squire, S. 46.

462. *(Air en)* Menuet d-Moll

HHA IV/19. – Praktische Ausgabe: Stücke für Clavicembalo/Pieces for Harpsichord von/by G. F. Händel. Hrsg. von/Ed. by W. Barclay Squire/ J. A. Fuller Maitland. – Mainz und Leipzig: B. Schott's Söhne 1928, vol. II (Nr. 56); vgl. auch HWV 367ᵃ (Fitzwilliam Sonata II, 3. Satz). – EZ: London, ca. 1724/26

16 Takte

Quellen
Handschriften: Autograph: *GB* Cfm (30. H. 10., MS. 260, p. 1: *Air en menuet*[1]).
Abschrift: *GB* Lbm (R. M. 18. b. 8., f. 78ᵛ).

Bemerkungen
Die Komposition, die Händel ursprünglich *Air en menuet* nannte, später jedoch durch die Streichung der beiden ersten Worte nur als *Menuet* bezeichnete, entstand ca. 1724/26 (WZ: Cantoni/Bergamo) und steht in zeitlicher Verbindung mit den Autographen der Sonaten für ein Soloinstrument und B. c. Als Teil einer Sonate wurde es von Thurston Dart als Satz 3 der *Fitzwilliam Sonata II* in verdoppelten Notenwerten veröffentlicht (vgl. die Bemerkungen zu HWV 409).
Beschreibung des Autographs: Cfm: Catalogue Mann, MS. 260, S. 190.

[1] Die ersten beiden Worte sind ausgestrichen.

463. Air F-Dur HHA IV/19. – EZ: Italien, ca. 1707/09

Quellen
Handschriften: Autograph: *GB* Lbm (R. M. 20. d. 11., f. 27ᵛ).

Bemerkungen
HWV 463 findet sich in Händels Handschrift auf der Rückseite des letzten Blattes vom Autograph der Kantate HWV 84 „Aure soavi e lieti" (Rom, Frühjahr 1707) und stellt vermutlich eine Skizze für einen nicht weiter ausgeführten melodischen Gedanken dar.
Beschreibung des Autographs: Lbm: Catalogue Squire, S. 20.

464. Air F-Dur

HHA IV/13 (Anhang, S. 97). – EZ: London, ca. 1725/26

[vgl. HWV 348 (6.)]

18 Takte

Quellen
Handschriften: Autograph: *GB* Cfm (30. H. 10., MS. 260, p. 11: *Air*).
Faksimile: HHA IV/13 (Wassermusik), Vorwort, S. XVII; HHA, Supplemente, Bd. 1 (Aufzeichnungen zur Kompositionslehre), S. 73

Bemerkungen
Das Autograph von HWV 464 wurde ca. 1725/26 niedergeschrieben (WZ: Cantoni/Bergamo). Das *Air* stellt die nachträglich angefertigte und um die Hälfte verkürzte Cembaloversion eines Satzes dar, den Händel schon in der *Wassermusik* (HWV 348 Suite I F-Dur, Nr. 6) verwendet hatte.
Beschreibung des Autographs: Cfm: Catalogue Mann, MS. 260, S. 191.

465. Air and 2 Doubles F-Dur

HHA IV/17 (Nr. 32). – Praktische Ausgabe: Stücke für Clavicembalo/Pieces for Harpsichord von/by G. F. Händel. Hrsg. von/Ed. by W. Barclay Squire/J. A. Fuller-Maitland. – Mainz und Leipzig: B. Schott's Söhne 1928, vol. II (Nr. 53). – EZ: London, ca. 1710/20

Air

Double 1.

Takt 13

Double 2.

Takt 25

36 Takte

Quellen
Handschriften: Autograph: verschollen.
Abschriften: *GB* BENcoke (Lady Rivers-Ms., . 8ʳ⁻ᵛ, Kopie von Smith junior, ca. 1727), Lbm (R. M. 18. b. 8., f. 72ʳ⁻ᵛ, Kopie von Smith junior, ca. 1730).

Bemerkungen
HWV 465, infolge des Fehlens autographer Quellen nur aufgrund stilkritischer Kriterien zu datieren, entstand vermutlich zwischen 1710 und 1720. Das Thema des Air bildet eine melodische Vorform zu der Arie „Stringo al fine" (32) aus der Oper HWV 29 Ezio (1731).

466. Air für zweimanualiges Cembalo g-Moll
(Air for two-rowed Harpsichord)

HHA IV/17 (Nr. 29). – Praktische Ausgabe: Stücke für Clavicembalo/Pieces for Harpsichord von/by G. F. Händel. Hrsg. von/Ed. by W. Barclay Squire/J. A. Fuller-Maitland. – Mainz und Leipzig: B. Schott's Söhne 1928, vol. II (Nr. 36). – EZ: London, ca. 1710/20

[vgl. HWV 25 (18.)]

42 Takte

Quellen
Handschriften: Autograph: verschollen.
Abschriften: *GB* Lbm (R. M. 18. b. 8., f. 14ʳ–15ᵛ: *Air for 2 rowed Harpsicord Mr Handel*, Kopie des Schreibers S₂, ca. 1730) – *US* Bfa (E. M. Ripin-Collection, p. 115–120, Kopie des Schreibers S₁, ca. 1730).

Bemerkungen
HWV 466 wurde von Händel ausdrücklich für ein zweimanualiges Cembalo geschrieben. Das Werk entstand vermutlich zwischen 1710 und 1720 und ist in beiden Quellen auf 3 Systeme geschrieben, deren oberstes – im $^{12}/_8$-Takt notiert – als *Upper Row*, und deren zwei untere – im C-Takt – als *Under Row* bezeichnet sind. Das Thema des Ritornells im *under row* stellt einen melodischen Vorgriff auf das Ritornell der Arie „Piangi pur" (18) aus der Oper HWV 25 Tolomeo (1728) dar. In T. 36/37 wird der Themenkopf der *Gigue* aus HWV 431 Suite VI fis-Moll (Premier Volume, 1720) zitiert, der mit dem Ritornellthema des Duetts bzw. Chores „Happy we" (9.) aus HWV 49ᵃ Acis and Galatea (1. Fassung, ca. 1718) identisch ist.

467. Air g-Moll

HHA IV/17 (Nr. 19). – Praktische Ausgabe: Stücke für Clavicembalo/Pieces for Harpsichord von/by G. F. Händel. Hrsg. von/Ed. by W. Barclay Squire/J. A. Fuller-Maitland. – Mainz und Leipzig: B. Schott's Söhne 1928, vol. I (Nr. 25). – EZ: London, ca. 1710/20

Lentement

[vgl. HWV 578 (2.)]

24 Takte

Quellen
Handschriften: Autograph: verschollen.
Abschrift: *GB* Lbm (R. M. 18. b. 8., f. 5ʳ: *Air Lentement*, Kopie des Schreibers S₂, ca. 1730).

Bemerkungen
HWV 467 wurde später (ca. 1750) von Händel in überarbeiteter Form dem a-Moll-Trio (2) in HWV 578 *Sonata con Trio e Gavotta* zugrundegelegt.

468. Air A-Dur

HHA IV/6 (Nr. 16). – EZ: London, ca. 1727/28

26 Takte

Quellen

Handschriften: Autograph: *GB* Lbm (R. M. 20. e. 5., f. 12ᵛ: *Air*).

Bemerkungen

Das Thema der Aria (WZ des Autographs: Cb, ca. 1727/28) gehört zu den melodischen Modellen, die Händel in abgewandelter Form immer wieder von neuem in zahlreichen Vokalwerken verwendete[1]. In chronologischer Folge erscheint das Thema in folgenden Werken:

[1] Von Händel einem Duett M. A. Cestis bzw. einer Arie A. Scarlattis entlehnt, die beide den gleichen Text („Cara e dolce libertà") besitzen. Vgl. Chrysander I, S. 197 ff. Auch bei R. Keiser findet sich ein ähnliches Thema in der Oper „La forza della virtù", Hamburg 1700 (Arie „Amor macht sich zum Tyrannen"). Vgl. Kretzschmar, H.: Das erste Jahrhundert der deutschen Oper. In: Sammelbände der Internationalen Musikgesellschaft, 3. Jg., 1901/02, S. 270, besonders S. 285, sowie Geschichte der Oper, Leipzig 1919, S. 148.

HWV 47 La Resurrezione (Rom, Frühjahr 1708): 29. Dia si lode in cielo

HWV 72 Aci, Galatea e Polifemo (Neapel, Juni 1708): 20. Chi ben ama ha per oggetti

HWV 78 „Ah crudel! nel pianto mio" (Rom, August 1708): *Sinfonia*

HWV 6 „Agrippina (Venedig 1709): 4. L'alma mia fra le tempeste

HWV 7ᵃ Rinaldo (1. Fassung, London 1710/11): 10. Molto voglio, molto spero

HWV 13 Muzio Scevola (London 1721): 18. Sì sarà più dolce amore

HWV 29 Ezio (London 1731): 12ᵃ *Symfonia*

HWV 55 L'Allegro, il Penseroso ed il Moderato (London 1740): 30. These delights if thou canst give (T. 30 ff.)

HWV 64 Joshua (London 1747): 24. Heroes when with glory burning

Beschreibung des Autographs: Lbm: Catalogue Squire, S. 25.

469. Air B-Dur

Ausgabe: Gudger, W. D.: The Organ Concertos of G. F. Handel. A Study based on the Primary Sources. Ph. D. Diss., Yale University, New Haven 1973, vol. II, Appendix IV, p. 207–208. – EZ: London, ca. 1738/39

[vgl. HWV 311 (2.), HWV 347 (3.)]

24 Takte

Quellen

Handschriften: Autograph: *GB* Cfm (30. H. 14., MS. 264, p. 7).

Bemerkungen

HWV 469 erweckt zunächst den Anschein, als handele es sich hierbei um eine Cembalo- bzw. Orgelfassung des dritten Satzes *(A tempo ordinario)* von HWV 347 Sinfonia B-Dur bzw. von HWV 311 op. 7 Nr. 6 B-Dur. Nach den diplomatischen Befunden des Autographs von HWV 469 (WZ: Cx) zu urteilen, muß dieser Satz jedoch schon 1738/39 von Händel niedergeschrieben worden sein, so daß die Fassung für HWV 347 eine nachträglich vorgenommene Orchestertranskription darstellt.

Beschreibung des Autographs: Cfm: Catalogue Mann, MS. 264, S. 219, Gudger, vol. 2, S. 207.

470. Air für zweimanualiges Cembalo B-Dur
(Air for two-rowed Harpsichord)

HHA IV/17 (Nr. 30). – Praktische Ausgabe: Stücke für Clavicembalo/Pieces for Harpsichord von/by G. F. Händel. Hrsg. von/Ed. by W. Barclay Squire/J. A. Fuller-Maitland. – Mainz und Leipzig: B. Schott's Söhne 1928, vol. II (Nr. 37). – EZ: London, ca. 1710/20

58 Takte

Quellen
Handschriften: Autograph: verschollen.
Abschriften: *GB* Lbm (R. M. 18. b. 8., f. 16ʳ–17ʳ: *Air for 2 rowed Harpsicord of Mr Handel,* Kopie des Schreibers S₂, ca. 1730) – *US* Bfa (E. M. Ripin-Collection, p. 156–158, Kopie von Smith senior, nach 1734).

Bemerkungen
HWV 470 wurde von Händel ausdrücklich für ein Cembalo mit zwei Manualen geschrieben hat, die in den Quellen als *Upper Row* und *Under Row* bezeichnet sind.
Der Themenkopf des *Air* zitiert den Beginn des Schlußteils der *Ouverture* zur Oper HWV 9 Teseo (London 1712).
Da sich beide Manuale fast ausschließlich (bis auf die Schlußkadenz) im Bereich der oberen Oktaven bewegen, hält Terence Best, der Hrsg. des Werkes in HHA IV/17 (Nr. 30), das Werk für ein umgearbeitetes Bläserduo.

471. Air B-Dur

HHA IV/17 (Nr. 24). – Praktische Ausgabe: Stücke für Clavicembalo/Pieces for Harpsichord von/by G. F. Händel. Hrsg. von/Ed. by W. Barclay Squire/J. A. Fuller-Maitland. – Mainz und Leipzig: B. Schott's Söhne 1928, vol. II (Nr. 39). – EZ: London, ca. 1710/20

28 Takte

Quellen
Handschriften: Autograph: verschollen.
Abschriften: *GB* BENcoke (Lady Rivers-Ms., f. 7ᵛ, ca. 1727), Lbm (R. M. 18. b. 8., f. 17ᵛ, Kopie von Smith junior, ca. 1730).
Drucke: A General Collection of Minuets made for the Balls at Court The Operas and Masquerades Consisting of Sixty in Number Compos'd by Mʳ Handel. To which are added Twelve celebrated Marches made on several occasions by the same Author. All curiously fitted for the German Flute or Violin Fairly Engraven and carefully corrected. – London, J. Walsh, Jos. Hare and J. Young (1729, Nr. 10 in G-Dur); The Basses to the General Collection of Minuets and Marches Compos'd by Mʳ Handel. – ib. (1729); Handel's Favourite Minuets from His Operas & Oratorios with those made for the Balls at Court, for the Harpsicord, German Flute, Violin or Guitar. Book I (–IV), – London, J. Walsh (1762, Book III, p. 58, in G-Dur).

Bemerkungen
HWV 471, zwischen 1710 und 1720 entstanden, antizipiert als Thema ein melodisches Modell, das Händel 1726 noch einmal in der Oper HWV 20 Scipione (27ª. Il fulgido seren) verwendete.

472. Allegro C-Dur

HHA IV/17 (Nr. 9). – Praktische Ausgabe: Stücke für Clavicembalo/Pieces for Harpsichord von/by G. F. Händel. Hrsg. von/Ed. by W. Barclay Squire/ J. A. Fuller-Maitland. – Mainz und Leipzig: B. Schott's Söhne 1928, vol. I (Nr. 12). – EZ: Hamburg (?), ca. 1705

20 Takte

Quellen
Handschriften: Autograph: verschollen.
Abschriften: *GB* Lbm (R. M. 19. a. 4., f. 19^v–20^r, Kopie des Schreibers S_2, ca. 1732).

473. Allegro C-Dur für eine Spieluhr

HHA IV/19. – EZ: London, 25. August 1738

48 Takte

Quellen
Handschriften: Autograph: *GB* Cfm (30. H. 12., MS. 262, p. 56; *Allegro,* datiert *25 Agost 1738*).
Abschrift: *GB* Lbm (Add. MSS. 31573, f. 52^r, Kopie aus dem 19. Jh.).

Bemerkungen
HWV 473 ist im Autograph von Händel auf den (24.) 25. August 1738 datiert[1].
Die Notierung der Komposition auf 2 Systemen, jeweils im Violinschlüssel, wie auch der Stil der Musik und der Umfang der beiden Stimmen deuten auf die Bestimmung des Satzes „for a musical clock" (d. h. für ein mechanisches Musikinstrument, vgl. unter HWV 587–604) oder für Carillons hin, da das im Autograph von Händel vermerkte Datum die Vermutung nahelegt, daß HWV 473 während der Arbeit an HWV 53 Saul (Juli–September 1738) entstand.[2]
Beschreibung des Autographs: Cfm Catalogue Mann, MS. 262, S. 205.

[1] Händel schrieb vorher *24 Agost* und strich dieses Datum danach aus. Unter der Vortragsbezeichnung *Allegro* vermerkte er vermutlich auch den Wochentag (Donnerstag bzw. Freitag?), von dem jedoch nur noch *...tag* zu entziffern ist.

[2] Die Komposition befindet sich auf der Rückseite eines Blattes mit einem Teil der Violinstimme zu HWV 40 Serse (Atto I, Scena 2, 3. Sinfonia e Recitativo) in der Handschrift des Kopisten S_1 (ca. 1738).

474. Air G-Dur
(aus HWV 49ᵃ
Acis and Galatea)

HHA IV/19. – EZ: London, ca. 1736/38

Andante allegro

26 Takte

Quellen
Handschriften: Autograph: *GB* Cfm (30. H. 6., MS. 256, p. 7: *O the pleasure of the Plains*).

Bemerkungen
HWV 474 stellt die Bearbeitung des bekannten Chores „Oh the pleasure of the plains" (2) aus HWV 49ᵃ Acis and Galatea (1. Fassung) für ein Tasteninstrument dar, die eine Orgel mit Pedal voraussetzt, um spielbar zu sein; die Bemerkung *Full* am Beginn des Satzes ist vermutlich als Registeranweisung zu verstehen.
Händels Schrift sowie das Papier des Autographs (WZ: C*d) lassen eine Datierung auf ca. 1736/38 annehmen. Die in dem gleichen Manuskriptband unmittelbar vorangehenden Entwürfe für die Parodiefassungen von Arien aus dieser Masque in italienischer Sprache deuten auf 1732 als Entstehungszeit; sie sind auf anderem Papier notiert als HWV 474. Anschließend folgt das Autograph des Chores „Happy we", komponiert 1739, jedoch wieder auf anderem Papier, so daß man annehmen muß, die Sätze aus „Acis and Galatea" wurden bei der Zusammenstellung dieses Manuskriptbandes aus Einzelblättern aneinandergereiht, obwohl sie in keinem direkten Zusammenhang miteinander stehen.
Beschreibung des Autographs: Cfm: Catalogue Mann, MS. 256, S. 170.

475. Allegro d-Moll

HHA IV/17 (Nr. 33). – Praktische Ausgabe: Stücke für Clavicembalo/Pieces for Harpsichord von/by G. F. Händel. Hrsg. von/Ed. by W. Barclay Squire/J. A. Fuller-Maitland. – Mainz und Leipzig: B. Schott's Söhne 1928, vol. II (Nr. 54). – EZ: London, ca. 1710/20

Allegro

38 Takte

Quellen
Handschriften: Autograph: verschollen.
Abschriften: *GB* BENcoke (Lady Rivers-Ms., f. 47ᵛ–48ʳ, Abschrift von Smith junior, ca. 1727), Lbm (R. M. 18. b. 8., f. 73ʳ–74ʳ, Kopie des Schreibers S₂, ca. 1730) – *US* Bfa (E. M. Ripin-Collection, p. 112–114, Kopie des Schreibers S₁, ca. 1730).

476. Allemande F-Dur

HHA IV/6 (Nr. 10). – EZ: London, ca. 1730/35

[vgl. HWV 40 (43)]

34 Takte

Quellen

Handschriften: Autograph: *GB* Cfm (30. H. 13., MS. 263, p. 23–24).

Bemerkungen

Das thematische Material von HWV 476 wurde später von Händel in der Oper HWV 40 Serse (43. Sinfonia) wiederverwendet.
Beschreibung des Autographs: Cfm: Catalogue Mann, MS. 263, S. 208.

477. Allemande A-Dur

HHA IV/6 (Nr. 9). – EZ: Italien, ca. 1724/26

18 Takte

Quellen

Handschriften: Autograph: *GB* Cfm (30. H. 10., MS. 260, p. 3–4: *Allemanda*).

Bemerkungen

Die *Allemande* HWV 477 entstand um 1724/26, wie Händels Schrift und das Papier des Autographs erkennen lassen. Er verwendete dafür je-nes Papier italienischer Herkunft (WZ: Cantoni/ Bergamo), das u. a. auch in den Autographen von HWV 19 Rodelinda (I./II. Akt), einigen Kammer-musikwerken (u. a. in HWV 367ª, HWV 377) und in zwei der Deutschen Arien (HWV 202, HWV 203) nachweisbar ist.
Beschreibung des Autographs: Cfm: Catalogue Mann, S. 190.

478. Allemande a-Moll

HHA IV/17 (Nr. 14). – Praktische Ausgabe: Stücke für Clavicembalo/Pieces for Harpsichord von/by G. F. Händel. Hrsg. von/Ed. by W. Barclay Squire/J. A. Fuller-Maitland. – Mainz und Leipzig: B. Schott's Söhne 1928, vol. II (Nr. 43). – EZ: Ham-burg (?), ca. 1705

18 Takte

Quellen

Handschriften: Autograph: verschollen.
Abschrift: *GB* Lbm (R. M. 18. b. 8., f. 21ᵛ–22ʳ).

Bemerkungen

Aus stilkritischen Gründen ist die *Allemande* HWV 478 in die Hamburger Schaffenszeit Hän-dels (ca. 1705) zu datieren.

479. Allemande h-Moll

HHA IV/5 (Anhang 3). – EZ: London, ca. 1721/22

[vgl. HWV 436 (1.), HWV 29 (23.), HWV 398 (4.)]

20 Takte

Quellen

Handschriften: Autograph: *GB* Lbm (R. M. 18. c. 2., f. 30^{r-v}).
Abschrift: *GB* Malmesbury Collection (Ms. mit Ouverturen, datiert *Eliza. Legh August y^e 30. 1722*, p. 171–172, Kopie des Schreibers H$_1$, Frühfassung).

Bemerkungen

Die *Allemande* HWV 479, ca. 1721/22 entstanden und als autographe Reinschrift erhalten, stellt eine Frühfassung der *Allemande* in HWV 436 Suite III d-Moll (*Second Volume*, 1733) dar. In dem Manuskript der Malmesbury Collection ist HWV 479 zusammen mit der h-Moll-*Courante* HWV 489 überliefert.

Den Themenkopf zitierte Händel später außerdem in HWV 29 Ezio (23. Sinfonia) und in HWV 398 Triosonate op. 5, Nr. 3 e-Moll (4. Satz, *Allemande*).

Beschreibung des Autographs: Lbm: Catalogue Squire, S. 112 (hier nicht als Autograph erkannt).

480. Choral
„Jesu meine Freude" g-Moll

HHA IV/19. – EZ: London, ca. 1736/40

13 Takte

Quellen

Handschriften: Autograph: *GB* Cfm (30. H. 13., MS. 263, p. 82: *Jesu meine Freude Choral im Alt.*)[1].
Faksimile: HHA, Supplemente, Bd. 1 (Aufzeichnungen zur Kompositionslehre), S. 42.

Bemerkungen

Die Choralbearbeitung HWV 480 über die Melodie „Jesu meine Freude"[2] entstand zwischen 1736 und 1740, wie Schrift und Papierbeschaffenheit des Autographs (WZ: Cc) erkennen lassen. Der Satz wurde von Händel als Beispiel für die instrumentale Choralbearbeitung vermutlich für die Unterrichtspraxis geschrieben; im Anschluß an diese Fassung mit dem Cantus firmus im Alt gab Händel (unter 2) in zwei ausgeführten Takten eine Vorlage dafür, wie der Schüler den Choral im Sopran durchzuführen habe.

Literatur

Mann, A.: Eine Kompositionslehre von Händel. In: Händel-Jb., 10/11. Jg., 1964/65, S. 35 ff., bes. S. 50f. (mit Abdruck des Satzes); Mann, A.: G. F. Händel, Aufzeichnungen zur Kompositionslehre, HHA, Supplemente, Bd. 1, Kassel und Leipzig 1978, S. 43.
Beschreibung des Autographs: Cfm: Catalogue Mann, MS. 263, S. 216.

[1] Händel schrieb den Choraltitel in deutschen, die Werkbezeichnung in lateinischen Buchstaben.
[2] Joh. Crüger, *Praxis pietatis melica* (Berlin 1653, Nr. 377).

481. Capriccio
pour le Clavecin F-Dur

ChA 2. – HHA IV/6 (Nr. 3). – EZ: Hamburg (?),
ca. 1703/06

73 Takte *D. c.*
(110 Takte)

Quellen

Handschriften: Autograph: verschollen.
Abschriften: verschollen.
Drucke: Capricio Pour le Clavecin Composée Par
Monsieur Hendel, opera terza. – Amsterdam,
Gerhard Fredrik Witvogel, no: 5 (ca. 1732); The
Lady's Banquet Fifth Book; Being a Choice Collec-
tion of the newest & most Airy Lessons for the
Harpsicord or Spinnet: Together with several
Opera Aires, Minuets, & Marches Compos'd by
M.ʳ Handel. Perform'd at Court, the Theatres, and
Publick Entertainments: Being a most delightfull
Collection, and proper for the Improvement of the
Hand on the Harpsicord or Spinnet. All fairly En-
graven ... N.º 171. – London, J. Walsh (ca. 1734).

Bemerkungen

HWV 481 gehört zu jenen fünf Cembalowerken
Händels (HWV 442, HWV 577, HWV 481, HWV
574 und HWV 490), die 1732 von Gerhard Fredrik Witvogel (gest. 1742), Organist an der Neuen
Lutherischen Kirche in Amsterdam, unter den
Opuszahlen I–V veröffentlicht[1] und von Walsh
kurz darauf (1733/34) in London nachgedruckt
wurden. Alle fünf Kompositionen stammen aus
Händels Hamburger Schaffensperiode (1703/06),
wie er selbst dem niederländischen Organisten Jacob Wilhelm Lustig aus Gröningen bestätigte, der
folgendes darüber berichtet[2]: „Hendel, unter dessen Namen hat Witvogel 5 Clavierpiecen in Land-
chartenformat drucken lassen. Hendel pflegte zu

sagen, er habe sie in seiner ersten Jugend gemacht." Diese Datierung wird durch motivische
Substanzgemeinschaft mit anderen frühen Werken (u. a. mit HWV 236 Laudate pueri F-Dur) bestätigt.

Literatur

Best, T.: Handel's harpsichord music: a checklist.
In: Music in Eighteenth-Century England. Ed. by
C. Hogwood and R. Luckett, Cambridge UP 1983,
S. 171 f.; Chrysander III, S. 197 f.

[1] Das Erscheinungsjahr 1732 ergibt sich aus einer An-
kündigung über das Erscheinen neuer Musikalien durch
den Londoner Musikverleger Benjamin Cooke, der die
Stücke in England in Vertrieb hatte. Vgl. Chrysander III,
S. 197, Fußnote 42, Deutsch, S. 302 f. Die Ansicht von
Chrysander und Deutsch, daß Witvogel nur 4 Stücke
Händels gedruckt habe, ist jedoch zu korrigieren: *Opera
Primo* Witvogels war HWV 442.
[2] Lustig unterhielt unter dem Pseudonym Conrad Wohl-
gemuth eine Korrespondenz mit Marpurg (in: Marpurg,
F. W.: Kritische Briefe über die Tonkunst, mit kleinen
Clavierstücken und Singoden begleitet von einer musi-
kalischen Gesellschaft in Berlin, II. Band, Berlin 1763,
Vierter Theil, S. 467, CXXIV. Brief. Vierte Fortsetzung
des Beytrages zur Historie der Musik, Berlin den 18. December 1762). Vgl. auch Chrysander III, S. 197.

482¹⁻⁵. Authentische Cembalofassungen von Opernarien

482¹. Aria dell'opera Rinaldo „Molto voglio" C-Dur (HWV 7ª Rinaldo, 1. Fassung, Nr. 10)

HHA IV/19. – EZ: London, ca. 1725

[= HWV 7a (10.)]   19 Takte   *D. s.*

Quellen
Handschriften: Autograph: *GB* Cfm (30. H. 4., MS. 254, p. 71: *Aria dell'opera Rinaldo Molto voglio*).
Abschrift: *GB* BENcoke (Lady Rivers-Ms., p. 5ᵛ: *Molto voglio. Aria dell'opera Rinaldo*, Kopie von Smith junior, ca. 1727).

Bemerkungen
Der Satz ist eine verkürzte Cembaloversion der Arie „Molto voglio, molto spero" (10) aus der Oper HWV 7ª Rinaldo (1. Fassung), die Händel um 1725 niederschrieb.
Beschreibung des Autographs: Cfm: Catalogue Mann, MS. 254, S. 169.

482². Aria dell'opera Floridante „Sventurato, godi, o core abbandonato" Es-Dur (HWV 14 Floridante, Nr. 8)

HHA IV/19. – EZ: London, ca. 1721/22

[= HWV 14 (8.)]   103 Takte   *D. c.*

Quellen
Handschriften: Autograph: *GB* Lbm (R. M. 18. c. 2., Aylesford Collection, f. 28ʳ–29ᵛ: *Aria dell'Opera Floridante. Sventurato, godi O core abbando.*).

Bemerkungen
Der Satz ist eine Cembaloversion der Arie „Sventurato, godi, oh core abbandonato" (8) aus der Oper HWV 14 Floridante, die Händel ca. 1721/22 niederschrieb (WZ des Autographs: Bc, belegt für 1721).
Das Autograph stellt eine Reinschrift Händels dar, die vermutlich als Dedikationsexemplar angefertigt wurde.
Beschreibung des Autographs: Lbm: Catalogue Squire, S. 112 (hier nicht als Autograph erkannt).

482³. Aria dell'opera Radamisto

EZ: London, ca. 1720. – HHA IV/19

[= HWV 12a (13.)]

90 Takte *D. c.*

Quellen

Handschriften: Autograph: verschollen.
Abschriften: *GB* BENcoke (*Overtures & Lessons for the Harpsicord: of M* Handel, Wesley – Ms., p. 109–112, Kopie des Schreibers H₂, ca. 1721), Malmesbury Collection (Ms. mit Ouverturen, datiert *Eliza. Legh August y* 30. 1722, p. 183–186, Kopie des Schreibers H₃, ca. 1722).

Bemerkungen

Der Satz ist eine Cembaloversion der Arie „Ombra cara di mia sposa" (13) aus der Oper HWV 12ª Radamisto (1. Fassung), die Händel nach g-Moll transponierte und vermutlich kurz nach der Beendigung der Opernpartitur niederschrieb. Da das Autograph verschollen ist, kann eine genaue Bestimmung der Entstehungszeit nicht vorgenommen werden, doch bestätigen beide Kopien die angenommene Datierung.

482⁴. Aria dell'opera Muzio Scevola

EZ: London, ca. 1721. – HHA IV/19

[= HWV 13 (3.)]

52 Takte *D. s.*

Quellen

Handschriften: Autograph: verschollen.
Abschriften: *GB* BENcoke (*Overtures & Lessons for the Harpsicord: of M* Handel, Wesley-Ms., p. 113–115, Kopie von Smith senior, ca. 1721), Malmesbury Collection (Ms. mit Ouverturen, datiert *Eliza. Legh August y* 30. 1722, p. 187–189, Kopie des Schreibers H₃, ca. 1722).

Bemerkungen

Der Satz stellt eine nach F-Dur transponierte Cembalofassung der Arie „Pupille sdegnose! sareste pietose" (3) aus der Oper HWV 13 Muzio Scevola (Atto III) dar, die Händel vermutlich kurz nach der Beendigung der Orchesterpartitur niederschrieb. Da das Autograph verschollen ist, kann eine genaue Bestimmung der Entstehungszeit nicht vorgenommen werden, doch bestätigen die beiden Kopien die angenommene Datierung.

482⁵. Aria dell'opera Muzio Scevola

EZ: London, ca. 1721. – HHA IV/19

[= HWV 13 (9.)]

32 Takte *D. c.*

Quellen

Handschriften: Autograph: verschollen.
Abschriften: *GB* BENcoke (*Overtures & Lessons for the Harpsicord: of Mr Handel*, Wesley-Ms., p. 116–118, Kopie von Smith senior, ca. 1721), Malmesbury Collection (Ms. mit Ouverturen, datiert *Eliza. Legh August y^e 30. 1722*, p. 190–192, Kopie des Schreibers H₃, ca. 1722).

Bemerkungen

Der Satz stellt eine nach G-Dur transponierte Cembalofassung der Arie „Come, se ti vedrò" (9) aus der Oper HWV 13 Muzio Scevola (Atto III) dar, die vermutlich von Händel kurz nach der Beendigung der Opernpartitur niedergeschrieben wurde (zur Datierung vgl. HWV 482⁴).

483. [Capriccio] g-Moll

ChA 2. – HHA IV/6 (Nr. 8). – EZ: London, ca. 1720

[vgl. HWV 75 Alexander's Feast (15.), HWV 26 Lotario (30.)]

37 Takte

Quellen

Handschriften: Autograph: *GB* Cfm (30. H. 13., MS. 263, p. 33–34).
Drucke: Lessons by Handel. – [London, B. Goodison, 1786, p. 10–11]; A Third Set of Lessons for the Harpsichord, Composed by G. F. Handel. – [London], Arnold's edition, No. 130–131 (ca. 1793, No. IV, p. 11–12).

Bemerkungen

HWV 483 trägt im Autograph keine Werkbezeichnung; Schrift und Papierbeschaffenheit (WZ: Cb) lassen eine Datierung auf ca. 1720 zu. Den Titel *Capriccio* erhielt das Werk vermutlich erstmals durch Benjamin Goodison, der in seiner Ausgabe *(Lessons by Handel)* das Werk unter dieser Bezeichnung abdruckte. In einer Anzeige des Druckes schrieb Goodison u. a.: „A few very curious Pieces by Händel ... Composed in his early Days; now in the Editor's Possession; and the greatest Part of them in the Author's own Hand-writing ..."[1]
Händel verwendete das Thema von HWV 483 für das Ritornell der Arie „Alza il ciel pianta orgo-

gliosa" (30) in der Oper HWV 26 Lotario (1729) und das Accompagnato „Now strike the golden Lyre again" (15) in HWV 75 Alexander's Feast (1736).
Beschreibung des Autographs: Cfm: Catalogue Mann, MS. 263, S. 208.

[1] Vgl. Smith, Descriptive Catalogue, S. 238. Goodisons Bemerkung über die Datierung und den autographen Charakter seiner Quellen kann sich höchstens auf die *Fantasie* HWV 490 beziehen, die dem *Capriccio* in seiner Ausgabe vorangeht und deren Autograph verschollen ist. Alle anderen Angaben sind im Hinblick auf die veröffentlichten Werke als reine Fiktion zu betrachten.

484. Chaconne C-Dur mit 49 Variationen

HHA IV/17 (Nr. 1, Satz 6). – Praktische Ausgabe: Stücke für Clavicembalo/Pieces for Harpsichord von/by G. F. Händel. Hrsg. von/Ed. by W. Barclay Squire/J. A. Fuller-Maitland. – Mainz und Leipzig: B. Schott's Söhne 1928, vol. I (Nr. 15). – EZ: Halle/ Hamburg, ca. 1700/05

[vgl. HWV 443 (6.)]

Var. 45

Takt 361

Var. 46

Takt 369

Var. 47

simile

Takt 377

Var. 48

Takt 385

Var. 49

Takt 393

Takt 401

408 Takte

Quellen

Handschriften: Autograph: verschollen.
Abschriften: *D (brd)* B (Mus. Ms. 9182, ohne Var. 32 und 48) – *GB* BENcoke (*Harp.ᵈ Sonatas By Handel*, Walond-Ms., letztes Werk am Ende des Bandes, ohne Paginierung: *Chaconne N. 5 Sg.ʳ G: F: Handel*, Abschrift von Smith senior, ca. 1722), Lbm (R. M. 19. a. 3., f. 39ᵛ–48ᵛ, Kopie des Schreibers S₂, ca. 1732), Malmesbury Collection (*Pieces for the Harpsicord compos'd by Sign.ʳ G. F. Handel 1718*, aus dem Besitz von Elizabeth Legh, p. 92–109) – *US* NYp (Mus. Res. Drexel 5856, p. 86–97, Kopie von Smith senior, ca. 1721).

Bemerkungen

Die *Chaconne* HWV 484 mit 49 Variationen ist die erweiterte Fassung des Schlußsatzes der Suite HWV 443 (mit 27 Variationen). Das Werk gehört zu Händels frühesten Cembalokompositionen und dürfte zwischen 1700 und 1705 entstanden sein.

Literatur

Best, T.: Handel's harpsichord music: a checklist. In: Music in Eighteenth-Century England. Ed. by C. Hogwood and R. Luckett, Cambridge UP 1982, S. 171 ff.; Kahle, S. 62 ff.; Seiffert, M.: Zu Händel's Klavierwerken. In: Sammelbände der Internationalen Musikgesellschaft, 1. Jg., 1899/1900, S. 131 ff.

485. Chaconne für zweimanualiges Cembalo F-Dur
(Chaconne with two sets of keys)

ChA 2. – HHA IV/17 (Nr. 10). – Praktische Ausgabe: Stücke für Clavicembalo/Pieces for Harpsichord von/by G. F. Händel. Hrsg. von/Ed. by W. Barclay Squire/J. A. Fuller-Maitland. – Mainz und Leipzig: B. Schott's Söhne 1928, vol. II (Nr. 38). – EZ: Hamburg (?), ca. 1705

209 Takte

Quellen

Handschriften: Autograph: verschollen.
Abschriften: *GB* BENcoke (*Overtures & Lessons for the Harpsicord: of Mʳ Handel*, Wesley-Ms., p. 96–108:

Chaccone a 2 Clavier, Kopie von Smith senior, ca. 1721), Lbm (R. M. 19. a. 3., f. 32ʳ–39ʳ: *Chaconne with 2 Setts of Key's*, Kopie des Schreibers S₂, ca. 1732), Malmesbury Collection (*Pieces for the*

Harpsicord Compos'd by Sign.ᵗ G. F. Handel 1718, aus dem Besitz von Elizabeth Legh, p. 129–139: *Chaconne a 2. Clavier*[1]).
Druck: A Third Set of Lessons for the Harpsichord, Composed by G. F. Handel. – [London], Arnold's edition, No. 130–131 (ca. 1793; No. VI, p. 16–19).

Bemerkungen
Die *Chaconne* HWV 485 schrieb Händel ausdrücklich für ein Cembalo mit zwei Manualen. Alle erhaltenen handschriftlichen Quellen notieren daher das Werk in vier Systemen (*GB* Lbm,

R. M. 19. a. 3.: *Lower Keys – Upper Keys*). Aufgrund stilistischer Gemeinsamkeiten und typischer Kadenzwendungen[2], die die *Chaconne* mit anderen frühen Werken verbinden, ist ihre Entstehungszeit auf ca. 1705 zu datieren.

Literatur
Best, T.: Handel's harpsichord music: a checklist, In: Music in Eighteenth-Century England, Ed. by C. Hogwood and R. Luckett, Cambridge UP 1982, S. 171 ff.; Best, T.: Die Chronologie von Händels Klaviermusik. In: Händel-Jb., 27. Jg., 1981, S. 79 ff.; Leichtentritt, S. 836.

---

[1] Im Index dieses Bandes verzeichnete E. Legh das Werk als *Chaccone for two Harpsicords to play at once in F.*

[2] Sog. „Almira"-Kadenzen (vgl. T. Best, a. a. O.), u. a. in T. 32, 61, 65, 125, 135, 143, 184.

486. Chaconne g-Moll

HHA IV/17 (Nr. 16). – Praktische Ausgabe: Stücke für Clavicembalo/Pieces for Harpsichord von/by G. F. Händel. Hrsg. von/Ed. by W. Barclay Squire/J. A. Fuller-Maitland. – Mainz und Leipzig: B. Schott's Söhne 1928, vol. II (Nr. 45). – EZ: Hamburg (?), ca. 1705

134 Takte

Quellen
Handschriften: Autograph: verschollen.
Abschrift: *GB* Lbm (R. M. 18. b. 8., f. 33ʳ–36ʳ).

Bemerkungen
HWV 486 gehört zu den frühen Cembalowerken Händels und entstand vermutlich ca. 1705, wie stilistische Gemeinsamkeiten mit anderen frühen Kompositionen erkennen lassen.

487. Concerto G-Dur

HHA IV/17 (Nr. 23). – Praktische Ausgabe: Stücke für Clavicembalo/Pieces for Harpsichord von/by G. F. Händel. Hrsg. von/Ed. by W. Barclay Squire/J. A. Fuller-Maitland. – Mainz und Leipzig: B. Schott's Söhne 1928, vol. I (Nr. 33–34). – EZ: London, ca. 1710/20

1. Allegro

[vgl. HWV 20 (28a.)]

38 Takte

2. Andante

[vgl. HWV 315 (2.)]

57 Takte

Quellen

Handschriften: Autograph: verschollen.
Abschriften: *GB* BENcoke (Lady Rivers-Ms.,
f. 45ᵛ–46ᵛ: *Concerto del Sgʳ Hendel,* nur Satz 1, Kopie
ca. 1727), Cfm (32. G. 18., MS. 161, f. 56–57: *Sonatina per Cembalo,* nur Satz 1), Lbm (R. M. 18. b. 8.,
f. 12ʳ–13ᵛ: *Concerto del Sgʳ Hendel,* Kopie von Smith
junior), Lcm (MS. 2097, f. 35ᵛ–36ʳ: *Sonatina per
Cembalo Mr. Handel,* nur Satz 1) – US Bfa (E. M. Ripin-Collection, p. 122–126, Kopie des Schreibers
S₁, ca. 1730).

Bemerkungen

Das *Concerto* HWV 487 entstand vermutlich zwischen 1710 und 1720 in England. Terence Best
(vgl. HHA IV/17, Vorwort, S. VIII) hält das Werk
für die Cembalotranskription einer Orchesterkomposition, da in zwei Quellen (*GB* Cfm, Lcm) die
Mittelstimmen nicht berücksichtigt worden seien,
die nicht selten bei solchen Umarbeitungen durch
die Kopisten ausgelassen würden.
Satz 1 *(Allegro)* arbeitete Händel später um zur *Sinfonia* F-Dur (28ᵃ) der Oper HWV 20 Scipione
(1726); Satz 2 *(Andante)* erscheint in etwas veränderter Form außerdem in HWV 315 Concerto
grosso op. 3 Nr. 4 F-Dur (2. Satz, *Andante*), das auf
ca. 1716 zu datieren ist.

488. Allegro [Courante] F-Dur

ChA 2 (Courante e due Menuetti, S. 142). – HHA
IV/5 (in G-Dur als Einleitung für HWV 442). –
EZ: London, ca. 1717/18

[Allegro]

[vgl. HWV 442 (1b.)]   26 Takte

Quellen

Handschriften: Autograph: *GB* Lbm (R. M. 20. g. 14.,
f. 40ʳ).
Druck: A Third Set of Lessons for the Harpsichord,
Composed by G. F. Handel. – [London], Arnold's
edition, No. 130–131 (ca. 1793, No. VII,
p. 19–20).

Bemerkungen

HWV 488 stellt die um 1717/18 entstandene Version eines Satzes dar, den Händel nur wenig später noch einmal überarbeitete und zunächst als
Schlußsatz für die Suite HWV 427 vorsah (Autograph: *GB* Cfm, MS. 263, p. 42, *Allegro*); beide Autographe sind auch auf gleichem Papier notiert
(WZ: Bb). In dem Druck *Pieces à un & Deux Clavecins* (Amsterdam, Jeanne Roger, ca. 1721, p. 49)
wurde das *Allegro* als Finalsatz für HWV 427 ver-

öffentlicht. Später verwendete John Walsh (in:
Suites de Pieces, Second Volume, 1727/1733) diese
Fassung, nach G-Dur transponiert, als *Prélude* für
die *Chaconne* HWV 442.
HWV 488 weist verschiedene Lesartenvarianten
zu dieser späteren Fassung auf und ist daher als
eigenständige Komposition zu werten. Chrysander druckte nach Arnolds Vorbild den Satz als
Courante mit zwei Menuetten (HWV 519 und
HWV 516ᶜ) ab[1], obwohl in keiner der handschriftlichen Quellen eine Verbindung von HWV 488
mit den *Menuets* nachweisbar ist.
Beschreibung des Autographs: Lbm: Catalogue Squire,
S. 46.

---

[1] Arnold wiederum übernahm die *Minuets* aus dem
Druck *Lessons by Handel* [London, B. Goodison, ca. 1786],
in dem sie auf S. 11 abgedruckt sind.

489. Courante h-Moll

HHA IV/17 (Nr. 34. – EZ: London, ca. 1720

38 Takte

Quellen

Handschriften: Autograph: verschollen.
Abschrift: *GB* Malmesbury Collection (Ms. mit Ouverturen, datiert *Eliza. Legh August y^e 30. 1722*, p. 173–174, Kopie des Schreibers H₁ ca. 1721).

Bemerkungen

Die Courante HWV 489 entstand vermutlich zusammen mit der *Allemande* h-Moll HWV 479 um 1720. In der einzigen Quelle, in der HWV 489 überliefert wird, folgt sie unmittelbar der *Allemande* als Teil einer Suite, deren übrige Sätze nicht erhalten sind.

490. Fantaisie pour le Clavecin C-Dur

ChA 2. – HHA IV/6 (Nr. 5). – EZ: Hamburg (?), ca. 1703/06

63 Takte

Quellen

Handschriften: Autograph: verschollen.
Drucke: Fantaisie Pour le Clavecin Composée Par Monsieur Hendel Opera quinta. – Amsterdam, Gerhard Fredrik Witvogel, № 11 (1732); The Lady's Banquet Fifth Book; Being a Choice Collection of the newest & most Airy Lessons for the Harpsicord or Spinnet: Together with several Opera Aires, Minuets, & Marches Compos'd by Mr Handel. Perform'd at Court, the Theatres, and Publick Entertainments: Being a most delightfull Collection, and proper for the Improvement of the Hand on the Harpsicord or Spinnet. All fairly Engraven N°. 171. – London, J. Walsh (ca. 1734); Lessons by Handel. – [London, B. Goodison], (ca. 1786, p. 7–8: *Fantasia pour le Clavecin, Composee par Monsr Handel. Opera V*); A Third Set of Lessons for the Harpsichord, Composed by G. F. Handel. – [London], Arnold's edition, No. 130–131 (ca. 1793, p. 13–15: *Fantasia No. V*).

Bemerkungen

HWV 490 gehört zu jenen fünf Cembalowerken Händels (HWV 442, HWV 577, HWV 481, HWV 574 und HWV 490), die 1732 von Gerhard Fredrik Witvogel (gest. 1742), Organist an der Neuen Lutherischen Kirche in Amsterdam, unter den Opuszahlen I–V veröffentlicht und von Walsh kurz darauf (1733/34) in London nachgedruckt wurden. Diese Kompositionen stammen sämtlich aus Händels Hamburger Schaffensperiode (1703/06; zu dieser Datierung vgl. unter HWV 481).

Literatur

Best, T.: Handel's harpsichord music: a checklist. In: Music in Eighteenth-Century England. Ed. by C. Hogwood and R. Luckett, Cambridge UP 1982, S. 171ff.; Chrysander III, S. 197f.

491. Gavotte G-Dur

HHA IV/19. – Praktische Ausgabe: Stücke für Clavicembalo/Pieces for Harpsichord von/by G. F. Händel. Hrsg. von/Ed. by W. Barclay Squire/ J. A. Fuller-Maitland. – Mainz und Leipzig: B. Schott's Söhne 1928, vol. I (Nr. 6). – EZ: Hamburg (?), ca. 1705

20 Takte

Quellen
Handschriften: Autograph: verschollen.
Abschrift: *GB* Lbm (R. M. 19. a. 4., f. 17ʳ: *Gavotto,*
Kopie des Schreibers S₂, Aylesford Collection,
ca. 1732).

Bemerkungen
Der als „Gavotto" bezeichnete Satz HWV 491
wird in einer Quelle überliefert, die eine Reihe
früher Cembalowerke enthält. Infolge stilistischer
Gemeinsamkeiten mit diesen Kompositionen ist
auch HWV 491 vermutlich um 1705 entstanden.
Dem Rhythmus sowie dem einzeitigen Auftakt
nach entspricht der Satz jedoch eher dem Tanztyp
der Bourrée als dem einer Gavotte.

492. Gigue F-Dur

HHA IV/6 (Nr. 11). – EZ: London, ca. 1726

12 Takte

Quellen
Handschriften: Autograph: *GB* Cfm (30. H. 13.,
MS. 263, p. 19: *Gigue*).
Faksimile: HHA, Supplemente, Bd. 1 (Aufzeich-
nungen zur Kompositionslehre), S. 72.

Bemerkungen
HWV 492 entstand ca. 1726, wie Schrift und Papier des Autographs (WZ: Cb) erkennen lassen.

Der Satz ist vermutlich für Händels didaktische
Tätigkeit bestimmt gewesen, wie eine Reihe ande-
rer kurzer Kompositionen, die Alfred Mann (in:
HHA, Supplemente, Bd. 1, Aufzeichnungen zur
Kompositionslehre, S. 72 ff.) unter diesem Ge-
sichtspunkt zusammenfaßt und erläutert.
Beschreibung des Autographs: Cfm: Catalogue Mann,
Ms. 263, S. 208.

493ᵃ,ᵇ. Gigue g-Moll

HHA IV/5 (Anhang 6). – Praktische Ausgabe:
Stücke für Clavicembalo/Pieces for Harpsichord
von/by G. F. Händel. Hrsg. von/Ed. by W. Barclay
Squire/J. A. Fuller-Maitland. – Mainz und Leipzig:
B. Schott's Söhne 1928, vol. I (Fassung A: Nr. 21,
Fassung B: Nr. 20). – EZ: Hamburg (?),
ca. 1704/05

A.

[vgl. HWV 439 (4.)]   51 Takte

B.

[vgl. HWV 439 (4.)]   74 Takte

Quellen

Handschriften: Autograph: verschollen.

Abschriften: Fassung HWV 493^a: *GB* BENcoke (*Overtures & Lessons for the Harpsichord: of Mr Handel*, p. 69–72, Kopie von Smith senior, ca. 1721), Lbm (R. M. 19. a. 3., f. 22^v–24^r: *Giga in G♭*, *1st shorter, then much enlarged*, Kopie des Schreibers S₂, Aylesford Collection, ca. 1732), Malmesbury Collection (Ms. mit Ouverturen, datiert *Eliza. Legh August ye 30. 1722*, p. 127–130, Kopie der Schreiber RM₁ und D. Linike). – Fassung HWV 493^b: *GB* Lbm (R. M. 18. b. 4., f. 69^v–72: *Harpeggio* HWV 573 und *Gigue*^b, Kopie von Smith junior), Malmesbury Collection (Ms. mit Ouverturen, f. 87^v–88^v, Kopie von Smith senior ca. 1733).

Bemerkungen

Die beiden Fassungen der *Gigue* HWV 493 stellen zwei Frühfassungen der *Gigue* aus HWV 439 Suite VI g-Moll (Second Volume, 1733) dar, die noch vor der Entstehung von HWV 1 Almira (1704/05) komponiert wurden, wie Terence Best (s. Lit.) anhand der späteren Angleichung der Endfassung an die Arie „Du irrst dich, mein Licht" (10) aus dieser Oper nachweisen konnte.

Die kürzere Fassung HWV 493^a ist in den beiden älteren Quellen *GB* BENcoke und Malmesbury Collection mit einer Cembalotranskription der Ouvertüre zur Oper HWV 6 Agrippina verbunden; der längeren Fassung HWV 493^b geht in der Abschrift *GB* Lbm (R. M. 18. b. 4.) das *Harpeggio-Prélude* HWV 573 voraus.

Literatur

Best, T.: Handel's harpsichord music: a checklist. In: Music in Eighteenth-Century England. Ed. by C. Hogwood and R. Luckett, Cambridge UP 1982, S. 171 ff.; Best, T.: Die Chronologie von Händels Klaviermusik. In: Händel-Jb., 27. Jg. 1981, S. 79 ff.

494. Impertinence [Bourrée] g-Moll

HHA IV/17 (Nr. 31). – Praktische Ausgabe: Stücke für Clavicembalo/Pieces for Harpsichord von/by G. F. Händel. Hrsg. von/Ed. by W. Barclay Squire/J. A. Fuller-Maitland. – Mainz und Leipzig: B. Schott's Söhne 1928, vol. II (Nr. 51). – EZ: Hamburg (?), ca. 1705

20 Takte

Quellen

Handschriften: Autograph: verschollen.

Abschrift: *GB* Lbm (R. M. 18. b. 8., f. 61^r: *Impertinence*).

Bemerkungen

Das im Stil einer Bourrée gehaltene Charakterstück *Impertinence* HWV 494 findet sich in einer Abschrift von Smith junior (ca. 1728/30) der Aylesford Collection unter anderen als früh zu wertenden Sätzen, die in Händels Hamburger Zeit (ca. 1705) zu datieren sind.

Aus diesem Grunde gehört HWV 494 vermutlich ebenfalls in diese Schaffensperiode, ist aber infolge mangelnder autographer Belege nicht genau zu datieren.

495^{a, b}. Lesson [Gigue] d-Moll

ChA 48 (S. 191–193). – EZ: ca. 1705/10

[vgl. HWV 428 (6.)]

125 Takte

Quellen

Handschriften: Autograph: verschollen.
Abschriften[1]: HWV 495[a]: *D (ddr)* Bds (Mus. Ms. 30078, p. 67: Gigue)[2] – *GB* Lbm (Add. MSS. 31467, f. 49[v]–50[v]) – *US* NYp (Mus. Res. MN*, p. 113–115: Lesson)[3]. – HWV 495[b]: *GB* BENcoke (*Overtures & Lessons for the Harpsicord*, Wesley-Ms., p. 15–28, als Teil der Cembalofassung der Ouverture zu HWV 8[a] Il Pastor fido, Kopie des Schreibers H₁, ca. 1721), Malmesbury Collection (Ms. mit Ouverturen, datiert *Eliza. Legh August ye 30. 1722*, p. 29–44, als Teil der Cembalofassung der Ouverture zu HWV 8[a] Il Pastor fido, Kopie des Schreibers RM₁, ca. 1718; Ms. mit Ouverturen, f. 4–11, als Teil der Cembalofassung der Ouverture zu HWV 8[a] Il Pastor fido, Kopie von Smith senior, ca. 1728).

[1] Vgl. Frey, M.: Neue Händel-Funde. In: Die Musik, XIX. Jg., H. 9, 1927, S. 645 ff., Beilage.
[2] Olim Mus. fol. 4078 acc. Vgl. Seiffert, M.: Zu Händel's Klavierwerken. In: Sammelbände der Internationalen Musikgesellschaft, 1. Jg., 1899/1900, S. 135.
[3] Quelle für den Abdruck in ChA 48 (S. 191–193).

Bemerkungen

Der als *Lesson* bezeichnete Satz HWV 495 stellt eine Frühfassung des *Presto*-Finales (Satz 6) von HWV 428 Suite III d-Moll (*Premier Volume*, 1720) dar, die in mehreren Varianten in den Handschriften überliefert ist und von Händel in anderen Instrumentalwerken auf verschiedene Weise verarbeitet wurde[4]. Als Entstehungszeit für HWV 495[a] sind die Jahre zwischen 1705 und 1710 anzusetzen; da dieser Satz eine wesentlich andere und unausgereiftere Form aufweist als die spätere Cembalofassung in HWV 428, ist er mit einigem Recht als eigenständige Komposition zu betrachten.
Die Fassung HWV 495[b] ist als Zwischenversion anzusehen, die Händel als Grundlage für die endgültige Fassung in HWV 428 benutzte.

[4] Vgl. HWV 8[a] Il Pastor fido (1. Fassung), Ouverture (6. Satz), HWV 317 Concerto grosso op. 3 Nr. 6 (2. Satz), HWV 309 Orgelkonzert op. 7 Nr. 4 d-Moll (3. Satz).

496. Lesson a-Moll

ChA 2. – HHA IV/6 (Nr. 19). – EZ: London, ca. 1715/20

49 Takte

Quellen

Handschriften: Autograph: verschollen.
Abschriften: *GB* T (MS. 1131, 2 Ex., eines davon in g-Moll, Kopie ca. 1725)[1].
Druck: A Third Set of Lessons for the Harpsichord, Composed by G. F. Handel. – [London], Arnold's edition, No. 130–131 (ca. 1793, No. 3, p. 9–10).

[1] Depositum in *GB* Ob (Tenbury-Mss.).

Bemerkungen

Die Entstehungszeit von HWV 496 ist ungewiß; aufgrund der Überlieferung kann das Werk, das Samuel Arnold in seiner Händel-Ausgabe erstmals unter dem Titel *Lesson* veröffentlichte, auf ca. 1715/20 datiert werden, obwohl auch eine frühere Entstehung möglich scheint.
In ChA 2 (S. 140–141) ist HWV 496 ohne zwingenden Grund mit dem einzeln im Autograph überlieferten *Arpeggio-Prélude* HWV 575 verbunden.

497. Menuet C-Dur (aus HWV 19 Rodelinda, Ouverture)

HHA IV/19. – EZ: London, ca. 1725

[vgl. HWV 456[4]]

32 Takte

Quellen

Handschriften: Autograph: *GB* Cfm (30. H. 6., MS. 256, p. 77).

Abschriften: *GB* BENcoke (Lady Rivers-Ms., p. 6ʳ: *Menuet dell'Opera Rodelinda*, p. 18ᵛ, als Teil der Ouverture HWV 456⁴, Kopien ca. 1727), Lbm (Add. MSS. 31467, f. 33, in B-Dur, Transkription der Orchesterfassung der Ouverture zu HWV 19).

Drucke: A General Collection of Minuets made for the Balls at Court The Theatres and Masquerades Consisting of Sixty in Number Compos'd by Mr. Handel. To which are added Twelve celebrated Marches made on several occasions by the same Author. All curiously fitted for the German Flute or Violin Fairly Engraven and carefully corrected. – London, J. Walsh, Jos. Hare, J. Young (1729, No. 44, in G-Dur); The Basses to the General Collection of Minuets and Marches Compos'd by Mr. Handel ... – ib. (1729); Handel's Favourite Minuets from His Operas & Oratorios with those made for the Balls at Court, for the Harpsicord, German Flute, Violin or Guitar. Book I (–IV). – London, J. Walsh (1762, Book II, p. 24, in G-Dur).

Bemerkungen

Die hier als HWV 497 verzeichnete Fassung des *Menuets* aus der Ouvertüre zur Oper HWV 19 Rodelinda ist als eigenständige Komposition im Autograph überliefert; sie folgt dort der gesamten Cembalofassung der Ouverture (vgl. HWV 456⁴), deren *Menuet* (*GB* Cfm, MS. 256, p. 75–76) eine andere, vermutlich frühere Version bietet. Als Entstehungszeit für HWV 497 muß ebenfalls ca. 1725 angenommen werden. Die gedruckten Quellen stellen eine Transkription der Orchesterfassung zur Ouverture von HWV 19 Rodelinda dar.

Beschreibung des Autographs: Cfm: Catalogue Mann, MS. 256, S. 172.

498. Menuet C-Dur

HHA IV/19. – EZ: London, ca. 1710/20

20 Takte

Quellen

Handschriften: Autograph: verschollen.

Abschrift: *GB* Lbm (R. M. 18. b. 8., f. 99ᵛ)[1].

[1] Obwohl die folgenden *Menuets* in der Regel für eine instrumentale Oberstimme mit B. c. veröffentlicht wurden, mithin bis auf wenige Ausnahmen keine authentische Cembalomusik darstellen, sind sie hier unter die Musik für Tasteninstrumente aufgenommen worden, da nach

Drucke: A General Collection of Minuets (s. unter HWV 497), No. 32, in A-Dur; Handel's Favourite Minuets (s. unter HWV 497), Book I, p. 16, in A-Dur.

der zeitgenössischen Aufführungspraxis eine solche Wiedergabe vermutlich allgemein üblich war (vgl. die zahlreichen Nachweise in den Manuskripten mit Cembalowerken).

499. Menuet c-Moll (aus HWV 18 Tamerlano, Ouverture)

Ausgabe: Frey, M.: Neue Händel-Funde. In: Die Musik, XIX. Jg., H. 9, 1927, S. 645 ff., Beilage S. 8. – EZ: London, ca. 1724

[vgl. HWV 18 Tamerlano (Ouverture – Menuet)]

32 Takte

Quellen
Handschriften: Autograph: verschollen.
Abschrift: *GB* Lbm (R. M. 19. a. 1., f. 120ᵛ–121ʳ).

Bemerkungen
HWV 499 stellt eine Variante des Menuetts aus der Ouverture zur Oper HWV 18 Tamerlano (1724) dar. Von diesem Menuett existieren zwei Fassungen, die beide von Händel autorisiert sind; die erste wird im Autograph der Oper (*GB* Lbm, R. M. 20. c. 11., f. 5ᵛ) überliefert, während sich die revidierte Zweitfassung in der Direktionspartitur [*D (brd)* Hs, M $\frac{A}{1056}$] befindet (abgedruckt in ChA 69). Beide Fassungen sind auch als Cembalotranskriptionen erhalten [Fassung des Auto-

graphs: *D (brd)* DS[1], *GB* Lbm (R. M. 18. b. 8., f. 100ʳ), Malmesbury Collection (Ms. mit Ouverturen, datiert *Eliza. Legh August yᵉ 30. 1722*, p. 204; Ms. mit Ouverturen, f. 39ᵛ). – Fassung der Direktionspartitur: Handschriften: *GB* Lbm (Add. MSS. 31467, f. 11ʳ); Drucke: *A General Collection of Minuets*, No. 14; *Handel's Favourite Minuets, Book II*, p. 25].
HWV 499 kommt eine eigenständige Mittlerstellung zwischen den beiden von Händel autorisierten Versionen des „Tamerlano"-Menuetts zu; vermutlich stellt die Quelle *GB* Lbm (R. M. 19. a. 1., f. 120ᵛ–121ʳ) die einzige erhaltene Kopie von Händels erster Überarbeitung des Menuetts dar, das später in endgültiger Form in der Direktionspartitur zu HWV 18 Tamerlano erscheint.

[1] Vgl. Frey, M.: Neue Händel-Funde. In: Die Musik, XIX. Jg., H. 9, 1927, S. 645 ff., Beilage, S. 8 (Fassung des Autographs).

500. Menuet D-Dur

HHA IV/19. – Praktische Ausgabe: Stücke für Clavicembalo/Pieces for Harpsichord von/by G. F. Händel. Hrsg. von/Ed. by W. Barclay Squire/J. A. Fuller-Maitland. – Mainz und Leipzig: B. Schott's Söhne 1928, vol. I (Nr. 30). – EZ: London, ca. 1717/20

26 Takte

Quellen
Handschriften: Autograph: verschollen.

Abschrift: *GB* Lbm (R. M. 19. a. 4., f. 13ʳ: *Menuet 3*, Aylesford Collection, Kopie des Schreibers S₂, ca. 1732).

501. Menuet D-Dur

HHA IV/19. – EZ: London, ca. 1717/20

20 Takte

Quellen
Handschriften: Autograph: verschollen.
Abschrift: *GB* Lbm (R. M. 18. b. 8., f. 79ʳ).
Drucke: A General Collection of Minuets (s. unter HWV 497), No. 27; Handel's Favourite Minuets (s. unter HWV 497), Book II, p. 21; The New Flute Master for the Year 1729 ... – London,

J. Walsh (1729, p. 25); [Minuets]. – [London, J. Walsh] (ca. 1728, p. 20)[1].

[1] Vgl. Smith, Descriptive Catalogue, S. 272, mit Beschreibung dieses ohne Titelblatt überlieferten Druckes in *GB* En (Balfour 228).

502. Menuet D-Dur
(aus HWV 3
Der beglückte Florindo)

HHA IV/19. – Praktische Ausgabe: Stücke für Clavicembalo/Pieces for Harpsichord von/by G. F. Händel. Hrsg. von/Ed. by W. Barclay Squire/J. A. Fuller-Maitland. – Mainz und Leipzig: B. Schott's Söhne 1928, vol. II (Nr. 57). – EZ: Hamburg, ca. 1705/06

[vgl. HWV 3 Florindo, HWV 344]

26 Takte

Quellen

Handschriften: Autograph: verschollen.
Abschrift: *GB* Lbm (R. M. 18. b. 8., f. 79ᵛ).

Bemerkungen

HWV 502 stellt eine Cembalofassung des *Menuets* aus HWV 344 *Coro* und *Menuet* D-Dur dar, die aufgrund der Überlieferung aus der Oper HWV 3 Der beglückte Florindo (Hamburg 1706) stammen.

503. Menuet D-Dur

EZ: London, ca. 1710/17

[vgl. HWV 349 (13.), HWV 546]

24 Takte

Quellen

Handschriften: Autograph: verschollen.
Abschrift: *GB* Lbm (R. M. 18. b. 8., f. 80ʳ).

Bemerkungen

HWV 503 wurde von Händel in HWV 349 *Wassermusik*, Suite II D-Dur (Nr. 13), erstmals verwendet. Das *Menuet* ist auch in einer Fassung in A-Dur überliefert (vgl. unter HWV 546).

504. Menuet D-Dur
(aus HWV 12ᵃ Radamisto)

Ausgabe: Stücke für Clavicembalo/Pieces for Harpsichord von/by G. F. Händel. Hrsg. von/Ed. by W. Barclay Squire/J. A. Fuller-Maitland. – Mainz und Leipzig: B. Schott's Söhne 1928, vol. II (Nr. 58). – EZ: London, ca. 1720

[vgl. HWV 12 Radamisto (32., Passepied), HWV 559]

28 Takte

Quellen

Handschriften: Autograph: *GB* Lbm (R. M. 20. c. 1., f. 112ʳ–115ᵛ).
Abschrift: *GB* Lbm (R. M. 18. b. 8., f. 80ᵛ).

Bemerkungen

HWV 504 findet sich als Entwurf für den *Passepied* am Ende des III. Aktes der Oper HWV 12ᵃ Radamisto (1. Fassung) im Autograph dieser Oper; die Musik bildete auch das Thema des Schlußchores von „Radamisto" und bot das melodische Modell für den Entwurf des Einleitungschores zum Opernfragment HWV A² Genserico (Anhang 1). HWV 504 ist auch als *Passepied* in C-Dur HWV 559 überliefert.

505. Menuet D-Dur

HHA IV/19. – EZ: London, ca. 1710/20

24 Takte

Quellen
Handschriften: Autograph: verschollen.

Drucke: A General Collection of Minuets (s. unter HWV 497), No. 4; Handel's Favourite Minuets (s. unter HWV 497), Book I, p. 4.

506. Menuet D-Dur

HHA IV/19. – EZ: London, ca. 1710/20

[vgl. HWV 228³]

24 Takte

Quellen
Handschriften: verschollen.
Drucke: A General Collection of Minuets (s. unter HWV 497), No. 6; Handel's Favourite Minuets (s. unter HWV 497), Book IV, p. 63.

Bemerkungen
Auch als English Song mit dem Text „As on a sunshine summer's day" überliefert (vgl. unter HWV 228³).

507ᵃ,ᵇ. Menuet d-Moll

HHA IV/19. – EZ: London, ca. 1710/20

a.

[vgl. HWV 436 (4.)]   24 Takte

b.

24 Takte

Quellen
Handschriften: Autograph: verschollen.
Abschriften: *GB* Cfm (30. H. 15., MS. 265, p. 95–96: dreistimmiges Arrangement von Smith junior, HWV 507ᵃ), Lbm (R. M. 18. b. 8., f. 78ʳ, HWV 507ᵃ).
Drucke: HWV 507ᵇ: A General Collection (s. unter HWV 497), No. 18, in e-Moll; Handel's Favourite

Minuets (s. unter HWV 497), Book I, p. 19, in e-Moll.

Bemerkungen
Das *Menuet* stellt eine Variante des Schlußsatzes von HWV 436 Suite III d-Moll (Second Volume, 1733), 5. Menuet con 3 Var., dar.

508ᵃ,ᵇ. Menuet d-Moll/ Menuet e-Moll (aus HWV 16 Flavio)

EZ: London, ca. 1723

a.

43 Takte

b.

[vgl. HWV 16 Flavio (5.)]   16 Takte

Quellen

Handschriften: Autograph: verschollen.
Abschriften: *GB* Lbm (R. M. 18. b. 8., f. 77ᵛ–78ʳ: HWV 508ᵃ, f. 81ʳ: HWV 508ᵇ).
Drucke: HWV 508ᵃ: A General Collection of Minuets (s. unter HWV 497), Nr. 31, in e-Moll; Handel's Favourite Minuets (s. unter HWV 497), Book II, p. 28, in e-Moll.

Bemerkungen

Das *Menuet* HWV 508ᵇ entspricht in seinem melodischen Verlauf der Arie „Ah, non posso nel mio core" (5) in HWV 16 Flavio.

509. Menuet F-Dur

HHA IV/19. – EZ: London, ca. 1710/20

18 Takte

Quellen

Handschriften: Autograph: verschollen.
Abschrift: *GB* Lbm (R. M. 18. b. 8., f. 83ʳ).
Drucke: A General Collection of Minuets (s. unter HWV 497), No. 12; Handel's Favourite Minuets (s. unter HWV 497), Book III, p. 59; The New Flute Master for the Year 1729 ... – London,

J. Walsh (1729), Nr. 3, p. 22–25; [Minuets]. – [London, J. Walsh], (ca. 1728)[1], p. 21.

[1] Vgl. Smith, Descriptive Catalogue, S. 272, mit Beschreibung dieses ohne Titelblatt überlieferten Druckes in *GB* En (Balfour 228).

510. Menuet F-Dur (aus HWV 14 Floridante)

EZ: London, ca. 1721

[vgl. HWV 14 Floridante (28a.)]   20 Takte

Quellen
Handschriften: Autograph: verschollen.
Abschrift: *GB* Lbm (R. M. 18. b. 8., f. 83ᵛ).
Drucke: A General Collection of Minuets (s. unter HWV 497), No. 42, in G-Dur; Handel's Favourite Minuets (s. unter HWV 497), Book I, p. 7, in G-Dur.

Bemerkungen
Das *Menuet* entspricht der Arie „Vanne sequi'l mio desio"(28ª) in HWV 14 Floridante.

511. Menuet F-Dur

[vgl. HWV 348 (7.)]

HHA IV/19 (in D-Dur). – EZ: London, ca. 1710/17

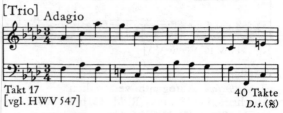

[Trio] Adagio

Takt 17
[vgl. HWV 547]

40 Takte
D. s. (𝄋)

Quellen
Handschriften: Autograph: verschollen.
Abschrift: *GB* Lbm (R. M. 18. b. 8., f. 83ᵛ–84ʳ).
Drucke: A General Collection of Minuets (s. unter HWV 497), No. 28, in D-Dur; Handel's Favourite Minuets (s. unter HWV 497), Book II, p. 32, in D-Dur; The Lady's Banquet 3ᵈ Book Being a Collection of the Newest & most Airy Lessons for the Harpsicord or Spinnet Together with the most noted Minuets, Jiggs and French Dances, Perform'd at Court the Theatre and Publick Entertainments, all Set by the best Masters. – London, J. Walsh, N°. 172 (ca. 1732). – Ausgabe: Stücke für

Clavicembalo (s. unter HWV 512), vol. II, Nr. 59 (Adagio f-Moll).

Bemerkungen
HWV 511 stellt die Cembalofassung des *Minuet* (7) aus HWV 347 Wassermusik Suite I F-Dur dar. Die Mittelstimme des *Adagio* wurde auch separat im *Minuet* HWV 547 veröffentlicht.
Die F-Dur-Melodie erscheint in zeitgenössischen Veröffentlichungen als English Song mit den Texten „Phyllis the lovely, the charming and fair" bzw. „Thyrsis, afflicted with love and despair".

512. Menuet F-Dur (aus HWV 24 Siroe, Nr. 30)

[vgl. HWV 24 Siroe (30.)]   16 (32) Takte

Ausgabe: Stücke für Clavicembalo/Pieces for Harpsichord von/by G. F. Händel. Hrsg. von/Ed. by W. Barclay Squire/J. A: Fuller-Maitland. – Mainz und Leipzig: B. Schott's Söhne 1928, vol. II (Nr. 60). – EZ: London, ca. 1728

Quellen
Handschriften: Autograph: verschollen.
Abschrift: *GB* Lbm (R. M. 18. b. 8., f. 84ᵛ).

Bemerkungen
HWV 512 entspricht in seinem melodischen Verlauf der Arie „Dolcissimo amore" (30) aus HWV 24 Siroe.

513^a,b. Menuet F-Dur/ Menuet G-Dur

HHA IV/19. – EZ: London, ca. 1710/20

a.

b.

24 Takte   24 Takte

Quellen
Handschriften: Autograph: verschollen.
Abschriften: *GB* Lbm (R. M. 18. b. 8., f. 85^v: HWV 513^a) – *US* NYp (Mus. Res. Drexel 5856, p. 56: HWV 513^b).
Drucke: HWV 513^b: A Collection of the newest Minuets Rigadoons & French Dances Perform'd at the Ball at Court on his Majesty's Birth Day 1720 Together with the new Dance & the Minuets and Rigadoons at ye late Masquerades … – London, J. Walsh, I. Hare (1720), p. 6, Nr. 1; A General Collection of Minuets (s. unter HWV 497), No. 26; Handel's Favourite Minuets (s. unter HWV 497), p. 22.

514^a,b. Menuet F-Dur/ Menuet G-Dur

HHA IV/19. – Praktische Ausgabe: Stücke für Clavicembalo/Pieces for Harpsichord von/by G. F. Händel. Hrsg. von/Ed. by W. Barclay Squire/ J. A. Fuller-Maitland. – Mainz und Leipzig: B. Schott's Söhne 1928, vol. II (Nr. 61, Nr. 63). – EZ: London, ca. 1710/20

a.

b.

24 Takte   24 Takte

Quellen
Handschriften: Autograph: verschollen.

Abschriften: *GB* Lbm (R. M. 18. b. 8., f. 86^r: HWV 514^a, f. 87^v: HWV 514^b).

515^a,b. Menuet F-Dur/ Menuet G-Dur

ChA 48 (S. 140, HWV 515^b). – HHA IV/19. – EZ: London, ca. 1710/20

a.

b.

24 Takte   12 Takte

Quellen
Handschriften: Autograph: verschollen.
Abschriften: *GB* Lbm (R. M. 18. b. 8., f. 86^r: HWV 515^a), Cfm (Barrett-Lennard-Collection vol. 10 *Miscellanys*, Mus. MS. 798: *Sinfonie diverse* No. 2, p. 238: HWV 515^b).

Drucke: HWV 515^a: A General Collection of Minuets (s. unter HWV 497), No. 8, in G-Dur; Handel's Favourite Minuets (s. unter HWV 497), Book III, p. 58, in G-Dur.

516ᵃ⁻ᶜ. Menuet F-Dur (Fassung 1–3)

ChA 2 (S. 143, HWV 516ᶜ). – HHA IV/19. – EZ: London, ca. 1710/20

a.

[vgl. HWV 315 (4.), HWV 363 (5.)]

b.

24 Takte

c.

24 Takte

24 Takte

Quellen

Handschriften: Autograph: verschollen.

Abschriften: HWV 516ᵃ: *GB* Lbm (R. M. 18. b. 8., f. 86ᵛ), Malmesbury Collection (*Pieces for the Harpsicord compos'd by Signr. G.F. Handel 1718*, aus dem Besitz von Elizabeth Legh, p. 91), Mp (MS 130 Hd4, v. 268, p. 172) – *US* NYp (Mus. Res. Drexel 5856, p. 46). – HWV 516ᵇ: *GB* Lbm (R. M. 19. a. 4., f. 18ʳ: *Menuet 2*).

Drucke: A General Collection of Minuets (s. unter HWV 497), No. 11, in D-Dur; Handel's Favourite Minuets, Book I, p. 4, in G-Dur. – HWV 516ᶜ: A Third Set of Lessons for the Harpsichord, Composed by G. F. Handel. – [London], Arnold's edition, No. 130–131 (ca. 1793), No. 7, p. 19, Men-

uet.; Lessons by Handel. – [London, B. Goodison, 1786], p. 11. – Ausgabe: HWV 516ᵇ: Stücke für Clavicembalo (s. unter HWV 517), vol. I, Nr. 9.

Bemerkungen

Das *Menuet* ist in fünf verschiedenen Fassungen überliefert (HWV 516ᵃ⁻ᶜ, HWV 315 Concerto grosso op. 3 Nr. 4 F-Dur, 4. Satz, HWV 363 Sonata op. 1 Nr. 5, 5. Satz). Der Frühdruck „A General Collection" enthält als No. 11 eine Fassung in D-Dur, die der Fassung in HWV 363 entspricht, die G-Dur-Fassung in „Handel's Favourite Minuets" dagegen korrespondiert mit dem F-Dur-Menuett in HWV 315.

517. Menuet F-Dur

HHA IV/19. – Praktische Ausgabe: Stücke für Clavicembalo/Pieces for Harpsichord von/by G. F. Händel. Hrsg. von/Ed. by W. Barclay Squire/ J. A. Fuller-Maitland. – Mainz und Leipzig: B. Schott's Söhne 1928, vol. II (Nr. 62). – EZ: London, ca. 1710/20

[vgl. HWV 315 (4.)]

16 Takte

Quellen

Handschriften: Autograph: verschollen.

Abschrift: *GB* Lbm (R. M. 18. b. 8., f. 86ᵛ).

Drucke: Handel's Favourite Minuets (s. unter HWV 497), Book I, p. 5, in G-Dur.

Bemerkungen

HWV 517 bildet in HWV 315 Concerto grosso op. 3 Nr. 4 F-Dur das Trio zum *Menuet* (Satz 4); die Melodieträger sind darin V. II, Va. und Fagotti.

518. Menuet F-Dur

HHA IV/19. – Praktische Ausgabe: Stücke für Clavicembalo/Pieces for Harpsichord von/by G. F. Händel. Hrsg. von/Ed. by W. Barclay Squire/ J. A. Fuller-Maitland. – Mainz und Leipzig: B. Schott's Söhne 1928, vol. I (Nr. 14). – EZ: London, ca. 1710/20

44 Takte

Quellen
Handschriften: Autograph: verschollen.
Abschrift: *GB* Lbm (R. M. 19. a. 4., f. 20ᵛ).

519. Menuet F-Dur

ChA 2 (S. 143, Menuetto 1). – HHA IV/19. – EZ: London, ca. 1710/20

24 Takte

Quellen
Handschriften: Autograph: verschollen.
Abschriften: *GB* BENcoke (Lady Rivers-Ms., ca. 1727, f. 9ᵛ), Lbm (R. M. 18. b. 8., f. 85ʳ).
Drucke: A General Collection of Minuets (s. unter HWV 497), No. 9; Handel's Favourite Minuets (s. unter HWV 497), Book III, p. 53; A Third Set of Lessons for the Harpsichord, Composed by G. F. Handel. – [London], Arnold's edition, No. 130–131 (ca. 1793), nach No. 4, p. 12, Minuet; Lessons by Handel. – [London, B. Goodison, 1786], p. 11.

520. Menuet F-Dur

HHA IV/19. – EZ: London, ca. 1710/20

24 Takte

Quellen
Handschriften: Autograph: verschollen.

Drucke: A General Collection of Minuets (s. unter HWV 497), No. 13; Handel's Favourite Minuets (s. unter HWV 497), Book III, p. 60.

521. Menuet G-Dur

HHA IV/19. – EZ: London, ca. 1710/20

16 Takte

Quellen
Handschriften: Autograph: verschollen.
Abschrift: *A* Wm (MS. XIV 743, f. 37ʳ).

522. Menuet G-Dur

HHA IV/19. – EZ: London, ca. 1710/20

16 Takte

Quellen
Handschriften: Autograph: verschollen.
Abschrift: *GB* Lbm (R. M. 18. b. 8., f. 87ʳ).

Drucke: A General Collection of Minuets (s. unter HWV 497), No. 7; Handel's Favourite Minuets (s. unter HWV 497), Book II, p. 34.

523. Menuet G-Dur

HHA IV/19. – EZ: London, ca. 1710/20

[vgl. HWV 313 (4.), HWV 557]   16 Takte

Quellen
Handschriften: Autograph: verschollen.
Abschrift: *GB* Lbm (R. M. 18. b. 8., f. 87ʳ).

Bemerkungen
Das *Menuet* ist in vier verschiedenen Fassungen überliefert: in HWV 523, HWV 313 Concerto grosso op. 3 Nr. 2 B-Dur (4. Satz, *Menuet*), HWV 557 Menuet B-Dur und HWV 365 Sonata op. 1 Nr. 7 C-Dur (5. Satz, *Allegro*).

524. Menuet G-Dur

HHA IV/19. – EZ: London, ca. 1710/20

12 Takte

Quellen
Handschriften: Autograph: verschollen.
Abschrift: *GB* Lbm (R. M. 18. b. 8., f. 88ʳ).
Drucke: A General Collection of Minuets (s. unter HWV 497), No. 1; Handel's Favourite Minuets (s. unter HWV 497), Book IV, p. 68; The New Flute Master for the Year 1729 ... – London, J. Walsh

(1729), p. 22, Nr. 2, in C-Dur; [Minuets]. – [London, J. Walsh], (ca. 1728)[1], p. 20.

[1] Vgl. Smith, Descriptive Catalogue, S. 272, mit Beschreibung dieses ohne Titelblatt überlieferten Druckes in *GB* En (Balfour 228).

525. Menuet G-Dur

HHA IV/19. – EZ: London, ca. 1710/20

16 Takte

Quellen
Handschriften: Autograph: verschollen.
Drucke: A General Collection of Minuets (s. unter HWV 497), No. 15; Handel's Favourite Minuets (s. unter HWV 497), Book III, p. 60; A Collection of the Newest Minuets Rigadoons & French Danc-

es Perform'd at the Ball at Court on his Majesty's Birth Day 1720 Together with the new Dance & the Minuets and Rigadoons at yᵉ late Masquerades ... – London, J. Walsh, I. Hare (1720), Nr. 2, in F-Dur.

526. Menuet G-Dur

HHA IV/19. – EZ: London, ca. 1710/20

20 Takte

Quellen
Handschriften: Autograph: verschollen.
Drucke: A General Collection of Minuets (s. unter HWV 497), No. 16; Handel's Favourite Minuets (s. unter HWV 497), Book III, p. 57; A Collection of the Newest Minuets Rigadoons & French Danc-

es Perform'd at the Ball at Court on his Majesty's Birth Day 1720 Together with the new Dance & the Minuets and Rigadoons at yᵉ late Masquerades ... – London, J. Walsh, I. Hare (1720), Nr. 5.

527. Menuet G-Dur

HHA IV/19. – EZ: London, ca. 1710/20

20 Takte

Quellen
Handschriften: Autograph: verschollen.

Drucke: A General Collection of Minuets (s. unter HWV 497), No. 19; Handel's Favourite Minuets (s. unter HWV 497), Book I, p. 18.

528. Menuet G-Dur

HHA IV/19. – EZ: London, ca. 1710/20

24 Takte

Quellen
Handschriften: Autograph: verschollen.
Drucke: A General Collection of Minuets (s. unter HWV 497), No. 21; Handel's Favourite Minuets (s. unter HWV 497), Book I, p. 18; A Collection of the Newest Minuets Rigadoons & French Dances

Perform'd at the Ball at Court on his Majesty's Birth Day 1720 Together with the new Dance & the Minuets and Rigadoons at yᵉ late Masquerades ... – London, J. Walsh, I. Hare (1720), Nr. 6.

529. Menuet G-Dur

HHA IV/19. – EZ: London, ca. 1710/20

24 Takte

Quellen
Handschriften: Autograph: verschollen.
Drucke: A General Collection of Minuets (s. unter HWV 497), No. 22; Handel's Favourite Minuets (s. unter HWV 497), Book II, p. 23; A Collection of the Newest Minuets Rigadoons & French Danc-

es Perform'd at the Ball at Court on his Majesty's Birth Day 1720 Together with the new Dance & the Minuets and Rigadoons at yᵉ late Masquerades ... – London, J. Walsh, I. Hare (1720), Nr. 4.

530. Menuet G-Dur

HHA IV/19. – EZ: London, ca. 1710/20

[vgl. HWV 228⁴]

24 Takte

Quellen
Handschriften: Autograph: verschollen.
Drucke: A General Collection of Minuets (s. unter HWV 497), No. 35; Handels's Favourite Minuets (s. unter HWV 497), Book I, p. 17.

Bemerkungen
Das *Menuet* ist auch als *English Song* mit dem Text „Bacchus one day gayly striding" überliefert (vgl. HWV 228⁴).

531. Menuet G-Dur

HHA IV/19. – Praktische Ausgabe: Stücke für Clavicembalo/Pieces for Harpsichord von/by G. F. Händel. Hrsg. von/Ed. by W. Barclay Squire/ J. A. Fuller-Maitland. – Mainz und Leipzig: B. Schott's Söhne 1928, vol. I (Nr. 28). – EZ: London, ca. 1710/20

19 Takte

Quellen

Handschriften: Autograph: verschollen.
Abschrift: *GB* Lbm (R. M. 19. a. 4., f. 12ᵛ: *Menuet 1*).

Bemerkungen

In der Handschrift *GB* Lbm ist das *Menuet* mit HWV 535ᵃ verbunden, das als *Menuet 2* folgt und thematisch an das *Menuet 1* anknüpft.

532. Menuet g-Moll

HHA IV/19. – EZ: London, ca. 1750

[vgl. HWV 70 Jephtha (Ouverture)]

34 Takte

Quellen

Handschriften: Autograph: *GB* Lbm (R. M. 20. g. 14., f. 52ʳ).

Bemerkungen

Der Satz HWV 532 stellt einen Entwurf für das Menuet der Ouverture zu HWV 70 Jephtha dar.

533. Menuet g-Moll

HHA IV/19. – EZ: London, ca. 1750

[vgl. HWV 70 Jephtha (5.)]

16 Takte

Quellen

Handschriften: Autograph: *GB* Lbm (R. M. 20. g. 14., f. 52ʳ).

Bemerkungen

Der Satz HWV 533 stellt eine Skizze für die Arie „In gentle murmurs" (5) aus HWV 70 Jephtha dar.

534^{a,b}. Menuet g-Moll (1./2. Fassung)

HHA IV/19. – EZ: London, ca. 1710/20

a.

16 Takte *D. c.* (24 Takte)

b.

24 Takte

Quellen

Handschriften: Autograph: verschollen.
Abschriften: HWV 534ᵃ: *GB* Lbm (R. M. 18. b. 8.,
f. 89ᵛ), Malmesbury Collection (*Pieces for the Harpsicord compos'd by Sign.ʳ G.F. Handel 1718*, aus dem Besitz von Elizabeth Legh, p.91), Mp [MS 130 Hd4,

v.268(2), p.171–172) – *US* NYp (Mus. Res. Drexel
5856, p. 45: *Court Menuet* 5ᵗʰ).
Drucke: HWV 534ᵇ: A General Collection of Minuets (s. unter HWV 497), No. 17; Handel's Favourite Minuets (s. unter HWV 497) Book III, p. 57;
The Lady's Banquet 3ᵈ Book ... – London,
J. Walsh, Nᵒ. 172 (ca. 1732).

535ᵃ,ᵇ. Menuet g-Moll
(The Princess Sophia's favourite Minuet)

HHA IV/19. – Praktische Ausgabe: Stücke für Cla-
vicembalo/Pieces for Harpsichord von/by G. F.
Händel. Hrsg. von/Ed. by W. Barclay Squire/
J. A. Fuller-Maitland. – Mainz und Leipzig:
B. Schott's Söhne 1928, vol. I (Nr. 29). – EZ: Lon-
don, ca. 1710/20

a.

[vgl. HWV 38 (19.)]

b.

28 Takte

28 Takte

Quellen

Handschriften: Autograph: verschollen.
Abschriften: HWV 535ᵃ: *GB* Lbm (R. M. 19. a. 4.,
f. 12ᵛ: *Menuet 2*). – HWV 535ᵇ: *D (brd) DS¹ – GB*
Lbm (R. M. 18. b. 8., f. 89ʳ), Malmesbury Collection
(*Pieces for the Harpsicord compos'd by Sign.ʳ G.F. Handel
1718*, aus dem Besitz von Elizabeth Legh, p. 90:
The Princess Sophia's favourite), Mp [MS 130 Hd4,
v. 268(2), p. 171: *The Princess Sophia's favourite Min-
uet*] – *US* Bfa (E. M. Ripin-Collection, p.66), NYp
(Mus. Res. Drexel 5856, p. 45: *Court Menuet 4*).

Bemerkungen

HWV 535ᵃ ist in der Quelle *GB* Lbm
(R. M. 19. a. 4.) mit HWV 531 (als *Menuet 1*) verbunden. HWV 535ᵇ ist in verschiedenen Quellen
als „The Princess Sophia's favourite Minuet" überliefert. Das Thema des *Menuets* wurde später als
thematisches Material für die Arie „Senza te sarebbe il mondo" (19) in der Oper HWV 38 Berenice (1737) verwendet.

¹ Vgl. Frey, M.: Neue Händel-Funde. In: Die Musik,
XIX.Jg., H. 9, 1927, S. 645 ff., Beilage, S. 7.

536. Menuet g-Moll

HHA IV/19. – Praktische Ausgabe: Stücke für Cla-
vicembalo/Pieces for Harpsichord von/by G. F.
Händel. Hrsg. von/Ed. by W. Barclay Squire/
J. A. Fuller-Maitland. – Mainz und Leipzig:
B. Schott's Söhne 1928, vol. II (Nr. 64). – EZ: Lon-
don, ca. 1710/20

16 Takte

Quellen

Handschriften: Autograph: verschollen.
Abschrift: *GB* Lbm (R. M. 18. b. 8., f. 89ᵛ).

537^{a,b}. Menuet g-Moll (1./2. Fassung)

HHA IV/19. – EZ: London, ca. 1710/20

a., b.

24 Takte

Quellen
Handschriften: Autograph: verschollen.

Abschriften: HWV 537^a: *A* Wm (MS. XIV 743, f. 36^v). – HWV 537^b: *GB* Lbm (R. M. 18. b. 8., f. 90^r).

538^{a,b}. Menuet g-Moll (1./2. Fassung)

HHA IV/19. – EZ: London, ca. 1710/17

a.

[vgl. HWV 350 (19.)]   20 Takte

b.

20 Takte

Quellen
Handschriften: Autograph: verschollen.
Abschrift: *GB* Lbm (R. M. 18. b. 8., f. 90^v).
Drucke: A General Collection of Minuets (s. unter HWV 497), No. 20; Handel's Favourite Minuets (s. unter HWV 497), Book II, p. 28.

Bemerkungen
Das *Menuet* bildet eine Variante zum *Menuet* (19) aus HWV 350 *Wassermusik* Suite III mit geänderter Baßführung. Der Satz ist auch als English Song mit den Texten „Love's a dear deceitful Juwel" bzw. „Cloe when I view thee smiling" überliefert (vgl. Smith, Descriptive Catalogue, S. 181, 258).

539^{a,b}. Menuet g-Moll (1./2. Fassung)

HHA IV/19. – EZ: London, ca. 1710/17

a.

[vgl. HWV 350 (20.)]   32 Takte *D. c.*

b.

32 Takte *D. c.*

Quellen
Handschriften: Autograph: verschollen.
Abschrift: *GB* Lbm (R. M. 18. b. 8., f. 90^v, HWV 539^a).
Drucke: A General Collection of Minuets (s. unter HWV 497), No. 24; Handel's Favourite Minuets (s. unter HWV 497), Book II, p. 22, HWV 539^b.

Bemerkungen
HWV 539 bildet eine Variante zum *Menuet* (20) aus HWV 350 *Wassermusik* Suite III mit geänderter Baßführung.

540^{a,b}. Menuet g-Moll (1./2. Fassung)

HHA IV/19. – Praktische Ausgabe: Stücke für Clavicembalo/Pieces for Harpsichord von/by G. F. Händel. Hrsg. von/Ed. by W. Barclay Squire/ J. A. Fuller-Maitland. – Mainz und Leipzig: B. Schott's Söhne 1928, vol. II (Nr. 66, HWV 540^b). – EZ: Hamburg, ca. 1704/05

a.

b.

[vgl. HWV 1 (25.), HWV 228²², HWV 603]   28 Takte   20 Takte

Quellen

Handschriften: Autograph: verschollen.
Abschriften: HWV 540^a: *A* Wm (MS. XIV 743, f. 36^r). – HWV 540^b: *GB* Lbm (R.M. 18.b.8., f. 91^v), Malmesbury Collection (Ms. mit Ouverturen aus dem Besitz von Elizabeth Legh, datiert *August ye 30. 1722,* p. 111) – *US* NYp (Mus. Res. Drexel 5856, p. 54).

Bemerkungen

Das *Menuet* wurde von Händel zuerst in der Oper HWV 1 Almira (Hamburg 1705) als Teil der Ballettmusik (Nr. 25) verwendet. Später wurde es in England mit dem Text „Who to win a woman's favour" (vgl. HWV 228²²) populär. In der Fassung HWV 540^b überliefern es alle Quellen in Verbindung mit dem *Menuet* aus HWV 434 Suite I B-Dur (*Second Volume* – Walsh-Druck 1733), das ihm in den Handschriften vorausgeht. Die Melodie wurde auch in die *Clock Music* HWV 603 (nach a-Moll transponiert) übernommen.

541. Menuet g-Moll

HHA IV/19. – EZ: London, ca. 1710/20

10 Takte

Quellen

Handschriften: Autograph: verschollen.
Abschrift: *GB* Lbm (R.M. 18.b.8., f. 92^r).
Drucke: A General Collection of Minuets (s. unter HWV 497), No. 38, in a-Moll; Handel's Favourite Minuets (s. unter HWV 497), Book III, p. 47, in a-Moll; The New Flute Master for the Year

1729 ... – London, J. Walsh (1729), Nr. 4, in a-Moll; [Minuets]. – [London, J. Walsh, 1728],[1] p. 21.

[1] Vgl. Smith, Descriptive Catalogue, S. 272, mit Beschreibung dieses ohne Titelblatt überlieferten Druckes in *GB* En (Balfour 228).

542. Menuet g-Moll

HHA IV/19. – Praktische Ausgabe: Stücke für Clavicembalo/Pieces for Harpsichord von/by G. F. Händel. Hrsg. von/Ed. by W. Barclay Squire/ J. A. Fuller-Maitland. – Mainz und Leipzig: B. Schott's Söhne 1928, vol. I (Nr. 11). – EZ: London, ca. 1710/20

16 Takte

Quellen

Handschriften: Autograph: verschollen.
Abschrift: *GB* Lbm (R.M. 19.a.4., f. 19^r).

543. Menuet g-Moll

HHA IV/19. – EZ: London, ca. 1710/20

[vgl. HWV 228²⁰]   20 Takte

Quellen
Handschriften: Autograph: verschollen.
Drucke: A General Collection of Minuets (s. unter HWV 497), No. 23; Handel's Favourite Minuets (s. unter HWV 497), Book II, p. 29.

Bemerkungen
Das *Menuet* ist auch als *English Song* mit dem Text „When I survey Clarinda's charms" überliefert (vgl. HWV 228²⁰).

544. Menuet A-Dur

HHA IV/19. – Praktische Ausgabe: Stücke für Clavicembalo/Pieces for Harpsichord von/by G. F. Händel. Hrsg. von/Ed. by W. Barclay Squire/ J. A. Fuller-Maitland. – Mainz und Leipzig: B. Schott's Söhne 1928, vol. II (Nr. 69). – EZ: London, ca. 1710/20

                                   19 Takte

Quellen
Handschriften: Autograph: verschollen.
Abschrift: *GB* Lbm (R. M. 18. b. 8., f. 94ʳ).

545. Menuet A-Dur

HHA IV/19. – Praktische Ausgabe: Stücke für Clavicembalo/Pieces for Harpsichord von/by G. F. Händel. Hrsg. von/Ed. by W. Barclay Squire/ J. A. Fuller-Maitland. – Mainz und Leipzig: B. Schott's Söhne 1928, vol. II (Nr. 70). – EZ: London ca. 1710/20

[vgl. HWV 228¹⁶]   27 Takte

Quellen
Handschriften: Autograph: verschollen.
Abschriften: *GB* Lbm (R. M. 18. b. 8., f. 94ʳ; Add. MSS. 31467, f. 31ᵛ: *Minuett vivace*, in G-Dur).

Bemerkungen
Das *Menuet* wurde auch als *English Song* mit dem Text „Phillis be kind and hear me" bekannt (vgl. HWV 228¹⁶).

546. Menuet A-Dur

HHA IV/19. – EZ: London, ca. 1710/17

[vgl. HWV 349 (13.), HWV 503]   24 Takte

Quellen
Handschriften: Autograph: verschollen.
Drucke: A General Collection of Minuets (s. unter HWV 497), No. 33; Handel's Favourite Minuets (s. unter HWV 497), Book I, p. 13.

Bemerkungen
Das Thema des *Menuets* wurde von Händel auch in HWV 349 Wassermusik Suite II D-Dur (13. *Minuet*) verwendet (vgl. auch unter HWV 503). Die Fassung HWV 546 in A-Dur findet sich mit abweichendem Baß nur in den oben angeführten Menuett-Sammlungen von Walsh; die Fassung in D-Dur ist als Menuett nur in *The Lady's Banquet* (London: J. Walsh, J. Hare, 1720) bzw. *The Lady's Banquet 3^d Book* (London, J. Walsh, N°. 172, ca. 1732) als *Lesson I: A Trumpet Minuet* überliefert und entspricht dem Satz (13) in HWV 349 Wassermusik Suite II. Mehrere zeitgenössische English Songs verwenden die Melodie zu den Texten „Love Triumphant: When I beheld Clarinda's eyes" bzw. „The Soldier's call to the War: Hark how the Trumpet Sounds" (vgl. Smith, Descriptive Catalogue, S. 258 f.).

547. Menuet a-Moll

HHA IV/19. – Praktische Ausgabe: Stücke für Clavicembalo/Pieces for Harpsichord von/by G. F. Händel. Hrsg. von/Ed. by W. Barclay Squire/ J. A. Fuller-Maitland. – Mainz und Leipzig: B. Schott's Söhne 1928, vol. II (Nr. 67). – EZ: London, ca. 1710/17

[vgl. HWV 348 (7.), HWV 511]   24 Takte

Quellen
Handschriften: Autograph: verschollen.
Abschrift: *GB* Lbm (R. M. 18. b. 8., f. 93^r).

Bemerkungen
Das *Menuet* entspricht in den Grundzügen der Mittelstimme des f-Moll-Trios *(Adagio)* zum *Menuet* HWV 511 (vgl. auch HWV 348 Wassermusik Suite I F-Dur, Nr. 7).

548. Menuet a-Moll

HHA IV/19. – Praktische Ausgabe: Stücke für Clavicembalo/Pieces for Harpsichord von/by G. F. Händel. Hrsg. von/Ed. by W. Barclay Squire/ J. A. Fuller-Maitland. – Mainz und Leipzig: B. Schott's Söhne 1928, vol. II (Nr. 68). – EZ: London, ca. 1710/20

24 Takte

Quellen
Handschriften: Autograph: verschollen.
Abschrift: *GB* Lbm (R. M. 18. b. 8., f. 93^v).

549. Menuet a-Moll

HHA IV/19. – Praktische Ausgabe: Stücke für Clavicembalo/Pieces for Harpsichord von/by G. F. Händel. Hrsg. von/Ed. by W. Barclay Squire/J. A. Fuller-Maitland. – Mainz und Leipzig: B. Schott's Söhne 1928, vol. I (Nr. 8). – EZ: London, ca. 1710/20

24 Takte

Quellen
Handschriften: Autograph: verschollen.
Abschrift: *GB* Lbm (R. M. 19. a. 4., f. 17ᵛ: *Menuet 1*).

Bemerkungen
In der Quelle GB Lbm ist HWV 549 als *Menuet 1* bezeichnet; als *Menuet 2* folgt HWV 516ᵇ, F-Dur.

550. Menuet B-Dur (aus HWV 3 Der beglückte Florindo)

HHA IV/19. – Praktische Ausgabe: Stücke für Clavicembalo/Pieces for Harpsichord von/by G. F. Händel. Hrsg. von/Ed. by W. Barclay Squire/J. A. Fuller-Maitland. – Mainz und Leipzig: B. Schott's Söhne 1928, vol. I (Nr. 24, 2. Teil), vol. II (Nr. 72). – EZ: Hamburg, ca. 1705/06

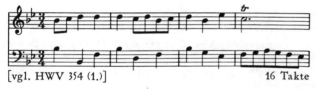

[vgl. HWV 354 (1.)]   16 Takte

Quellen
Handschriften: Autograph: verschollen.
Abschriften: *GB* Lbm (R.M.18.b.8., f.4ᵛ, f.96ʳ).

Bemerkungen
HWV 550 stellt die Cembalofassung eines Satzes dar, der vermutlich zur Ballettmusik der verschollenen Oper HWV 3 Der beglückte Florindo, Hamburg 1706, gehörte (vgl. unter HWV 354[1]).

551. Menuet B-Dur

HHA IV/19. – Praktische Ausgabe: Stücke für Clavicembalo/Pieces for Harpsichord von/by G. F. Händel. Hrsg. von/Ed. by W. Barclay Squire/J. A. Fuller-Maitland. – Mainz und Leipzig: B. Schott's Söhne 1928, vol. II (Nr. 73). – EZ: London, ca. 1710/20

16 Takte

Quellen
Handschriften: Autograph: verschollen.
Abschrift: *GB* Lbm (R. M. 18. b. 8., f. 96ʳ).

552. Menuet B-Dur

HHA IV/19. – EZ: London, ca. 1710/20

24 Takte

Quellen
Handschriften: Autograph: verschollen.
Abschrift: *GB* Lbm (R. M. 18. b. 8., f. 96ᵛ).

Drucke: A General Collection of Minuets (s. unter HWV 497), No. 5, in D-Dur; Handel's Favourite Minuets (s. unter HWV 497), Book III, p. 53, in D-Dur.

553. Menuet B-Dur

HHA IV/19. – Praktische Ausgabe: Stücke für Clavicembalo/Pieces for Harpsichord von/by G. F. Händel. Hrsg. von/Ed. by W. Barclay Squire/ J. A. Fuller-Maitland. – Mainz und Leipzig: B. Schott's Söhne 1928, vol. II (Nr. 74). – EZ: London, ca. 1710/20

16 Takte *D. s.*

Quellen
Handschriften: Autograph: verschollen.
Abschriften: *GB* BENcoke (*Harp.ᵈ Sonatas By Handel*, Walond-Ms., p. 47), Lbm (R. M. 18. b. 8., f. 96ᵛ), Malmesbury Collection (*Pieces for the Harpsicord*

compos'd by Sign.ᵗ G. F. Handel 1718, aus dem Besitz von Elizabeth Legh, p. 88) – *US* Bfa (E. M. Ripin-Collection, p. 45), NYp (Mus. Res. Drexel. 5856, p. 44: *Court Menuet 1*).

554. Menuet B-Dur

HHA IV/19. – Praktische Ausgabe: Stücke für Clavicembalo/Pieces for Harpsichord von/by G. F. Händel. Hrsg. von/Ed. by W. Barclay Squire/ J. A. Fuller-Maitland. – Mainz und Leipzig: B. Schott's Söhne 1928, vol. II (Nr. 75). – EZ: London, ca. 1710/20

16 Takte

Quellen
Handschriften: Autograph: verschollen.
Abschriften: *GB* BENcoke (*Harp.ᵈ Sonatas By Handel*, Walond-Ms., p. 48: *3ʳᵈ Minuet*), Lbm (R.M.18.b.8., f.97ʳ), Malmesbury Collection (*Pieces*

for the Harpsicord compos'd by Sign.ᵗ G. F. Handel 1718, aus dem Besitz von Elizabeth Legh, p. 88) – *US* Bfa (E. M. Ripin-Collection, p. 44), NYp (Mus. Res. Drexel 5856, p. 44: *Court Menuet 2*).

555[a,b]. Menuet B-Dur (1./2. Fassung)

HHA IV/19. – EZ: London, ca. 1710/20

a.

b.

24 Takte

12 Takte

Quellen

Handschriften: Autograph: verschollen.
Abschriften: HWV 555[a]: *GB* BENcoke (*Harp.*[d] *Sonatas By Handel*, Walond-Ms., p. 47: *2nd Minuet*), Lbm (R. M. 18. b. 8., f. 97[v]), Malmesbury Collection (*Pieces for the Harpsicord compos'd by Sign.*[r] *G. F. Handel 1718*, aus dem Besitz von Elizabeth Legh, p. 89) – *US* Bfa (E. M. Ripin-Collection, p. 44), NYp (Mus. Res. Drexel 5856, p. 45: *Court Menuet 3*). – HWV 555[b]: *GB* Lbm (R. M. 18. b. 8., f. 98[r]).

Drucke: HWV 555[b]: A General Collection of Minuets (s. unter HWV 497), No. 29, in A-Dur; Handel's Favourite Minuets (s. unter HWV 497), Book I, p. 15, in A-Dur; The New Flute Master for the Year 1729 … – London, J. Walsh (1729), Nr. 5, in C-Dur; [Minuets]. – [London, J. Walsh, 1728][1], p. 19.

[1] Vgl. Smith, Descriptive Catalogue, S. 272, mit Beschreibung dieses ohne Titelblatt überlieferten Druckes in *GB* En (Balfour 228).

556. Menuet B-Dur

HHA IV/19. – EZ: London, ca. 1710/20

10 Takte

Quellen

Handschriften: Autograph: verschollen.
Abschrift: *GB* Lbm (R. M. 18. b. 8., f. 98[r]).
Drucke: A General Collection of Minuets (s. unter HWV 497), No. 3, in D-Dur; Handel's Favourite Minuets (s. unter HWV 497), Book I, p. 8, in D-Dur; The New Flute Master for the Year

1729 … – London, J. Walsh (1729), Nr. 1, in F-Dur; [Minuets]. – [London, J. Walsh, 1728][1], p. 19.

[1] Vgl. Smith, Descriptive Catalogue, S. 272, mit Beschreibung dieses ohne Titelblatt überlieferten Druckes in *GB* En (Balfour 228).

557. Menuet B-Dur

ChA 21 (S. 44). – HHA IV/11 (S. 78). – EZ: London, ca. 1710/20

[vgl. HWV 313 (4.)]

36 Takte

Quellen

Handschriften: Autograph: verschollen.
Abschrift: *GB* Lbm (R. M. 18. b. 8., f. 98[v]).

Bemerkungen

Das thematische Material dieses *Menuets* wurde von Händel auch in HWV 313 Concerto grosso op. 3 Nr. 2 B-Dur (4. Satz, *Menuet*), in HWV 365 Sonata C-Dur (op. 1 Nr. 7) für Blockflöte und B. c. (5. Satz, *Allegro*) sowie in HWV 523 verwendet.

558. Menuet h-Moll (aus HWV 28 Poro, Nr. 31/32)

Ausgabe: Stücke für Clavicembalo/Pieces for Harpsichord von/by G. F. Händel. Hrsg. von/Ed. by W. Barclay Squire/J. A. Fuller-Maitland. – Mainz und Leipzig: B. Schott's Söhne 1928, vol. II (Nr. 71). – EZ: Rom, ca. 1707/08

16 Takte

[vgl. HWV 6 (Anhang 44), HWV 82 (5.) HWV 28 (31./32.)]

Quellen
Handschriften: Autograph: verschollen.
Abschrift: *GB* Lbm (R. M. 18. b. 8., f. 95ᵛ).

Bemerkungen
Das Thema des *Menuets* erscheint zuerst in der in Italien (ca. 1708) entstandenen Kantate HWV 82 Il

Duello amoroso: *Amarilli vezzosa* (5.–7., in e-Moll bzw. a-Moll); Händel übernahm diesen Satz dann in HWV 6 Agrippina, 1709 (Anhang 44, in d-Moll bzw. g-Moll) und bildete aus der h-Moll-Fassung des *Menuets* HWV 558 um 1730/31 schließlich Duett und Schlußchor der Oper HWV 28 Poro (31.–32.).

559. Passepied C-Dur

HHA IV/19. – Praktische Ausgabe: Stücke für Clavicembalo/Pieces for Harpsichord von/by G. F. Händel. Hrsg. von/Ed. by W. Barclay Squire/ J. A. Fuller-Maitland. – Mainz und Leipzig: B. Schott's Söhne 1928, vol. II (Nr. 76). – EZ: London, ca. 1721/22

[vgl. HWV 504]

14 Takte

Quellen
Handschriften: Autograph: *GB* Cfm (30. H. 13., MS. 263, p. 3: *Passepied Nᵒ 2*).
Abschrift: *GB* Lbm (R. M. 18. b. 8., f. 99ᵛ).
Faksimile: HHA, Supplemente, Bd. 1 (Aufzeichnungen zur Kompositionslehre), S. 16.

Bemerkungen
Der als *Passepied* bezeichnete Satz HWV 559 ist thematisch mit dem *Menuet* HWV 504 verknüpft, das als Entwurf für die Ballettmusik (*Passepied* am Ende von Atto III) und den Schlußchor (32) der Oper HWV 12ᵃ Radamisto (1. Fassung) überliefert ist[1].

Im Autograph (WZ: Cb), das ca. 1721/22 niedergeschrieben wurde, ist HWV 559 als *No. 2* mit dem als *No. 1* vorangehenden *Air* HWV 457 verbunden. Die beiden Sätze dienten zusammen mit anderen leichten Cembalostücken vermutlich didaktischen Zwecken in Händels Unterrichtstätigkeit.

Literatur
Mann, A.: Eine Kompositionslehre von Händel. In: Händel-Jb., 10./11. Jg., 1964/65, S. 35 ff.; Mann, A.: Aufzeichnungen zur Kompositionslehre (HHA, Supplemente, Bd. 1), Kassel und Leipzig 1978, S. 15 ff.
Beschreibung des Autographs: Cfm: Catalogue Mann, MS. 263, S. 207.

[1] Eine thematische Parallele findet sich auch im Entwurf für den Einleitungschor zu dem Opernfragment HWV A² Genserico (Anhang 1).

560. Passepied A-Dur

HHA IV/19. – Praktische Ausgabe: Stücke für Clavicembalo/Pieces for Harpsichord von/by G. F. Händel. Hrsg. von/Ed. by W. Barclay Squire/ J. A. Fuller-Maitland. – Mainz und Leipzig: B. Schott's Söhne 1928, vol. I (Nr. 7). – EZ: Hamburg (?), ca. 1705

16 Takte

Quellen
Handschriften: Autograph: verschollen.

Abschrift: *GB* Lbm (R. M. 19. a. 4., f. 17ᵛ: *Passepied,* Kopie des Schreibers S₂, ca. 1732, Aylesford Collection).

561. Prélude d-Moll

ChA 48 (S. 149). – EZ: Hamburg, ca. 1705/06

[=HWV 437 (1.)]

[vgl. HWV 428, HWV 565]   17 Takte

Quellen
Handschriften: Autograph: verschollen.
Abschriften: *D (brd)* B (Mus. Ms. 9164/4; Mus. Ms. 9168) – *GB* BENcoke (*Harp.*ᵈ *Sonatas By Handel,* Walond-Ms., p. 31), Cfm (Barrett-Lennard-Collection, Ms. mit Cembalowerken, verschollen)[1], Lbm (Add. Mss. 31577, f. 8ᵛ; Add. MSS. 31573, f. 33ʳ, Kopie von R. Lacy, ca. 1858, nach dem verschollenen Barrett-Lennard-Ms.), Malmesbury Collection (*Pieces for the Harpsicord compos'd by Sign.*ʳ *G. F. Handel 1718,* aus dem Besitz von Elizabeth Legh, p. 144), Mp [MS 130 Hd4, v. 268(2), p. 196] – *US* NYp (Mus. Res. Drexel 5856, p. 26–27, 2 Ex., Kopie von Smith senior, ca. 1720/21).
Drucke: Pieces à un & Deux Clavecins Composées par Mᵣ Hendel. – Amsterdam, Jeanne Roger, Nᵒ 490 (ca. 1721, p. 1); —— – ib., Michel Charles Le Cene Libraire Nᵒ 490 (ca. 1723/43).

Bemerkungen
HWV 561 stellt eine Vorform des *Prélude* zu HWV 428 Suite III d-Moll (*Premier Volume,* 1720) dar (vgl. auch unter HWV 565). Mit einer Ausnahme überliefern sämtliche handschriftlichen und gedruckten Quellen HWV 561 als *Prélude* zur Frühfassung von HWV 437 Suite Nr. 4 d-Moll (Second Volume, 1733), die vermutlich zwischen 1705 und 1710 entstanden ist. Im Manuskript *D (brd)* B (Mus. Ms. 9168) ist der Satz mit *Allemande, Courante* und *Sarabande I* aus HWV 448, mit HWV 581 als *Gigue* und zwei Menuetten verbunden.

Literatur
Kahle, S. 58: Seiffert, M.: Zu Händel's Klavierwerken. In: Sammelbände der Internationalen Musikgesellschaft, 1. Jg., 1899/1900, S. 131 ff.

[1] Vgl. ChA 48, Vorwort, S. V, und S. 149.

562. Prélude *(Harpeggio)* d-Moll

HHA IV/6 (Nr. 12). – EZ: London, ca. 1711/12

20 Takte

Quellen

Handschriften: Autograph: *GB* Cfm (30. H. 13., MS. 263, p. 31: *Harpeg.°*, fragm.).
Abschriften: *GB* Malmesbury Collection (*Pieces for the Harpsicord compos'd by Sign.ʳ G.F. Handel 1718*, aus dem Besitz von Elizabeth Legh, p. 76), Mp [MS 130 Hd4, v. 268(2), p. 166] – *US* NYp (Mus. Res. Drexel 5856, p. 119).

Bemerkungen

Nach Schrift und Überlieferungsbefund des Autographs entstand HWV 562 ca. 1711/12. Das Werk ist im Autograph (WZ: Ca) nicht ganz vollständig überliefert, so daß in HHA IV/6 (Nr. 12, S. 55) die letzten zwei Takte den zeitgenössischen Abschriften folgen.
Beschreibung des Autographs: Cfm: Catalogue Mann, MS. 263, S. 208.

563. Prélude d-Moll

HHA IV/17 (Nr. 3). – EZ: Halle (?), ca. 1700/03

23 Takte

Quellen

Handschriften: Autograph: verschollen.
Abschriften: *GB* BENcoke (*Ouvertures & Lessons for the Harpsicord: of Mʳ Handel*, Wesley-Ms., p. 85–88, Kopie von Smith senior, ca. 1721), Malmesbury Collection (*Pieces for the Harpsicord compos'd by Sign.ʳ G. F. Handel 1718*, aus dem Besitz von Eliza-beth Legh, p. 152–154), Mp [MS 130 Hd4, v. 268(2), p. 204–206].

Bemerkungen

HWV 563 wird von Terence Best (HHA IV/17) in die früheste Schaffensperiode Händels (Halle, ca. 1700/03) eingeordnet.

564. Preludio d-Moll

HHA IV/17 (Nr. 8). – Praktische Ausgabe: Stücke für Clavicembalo/Pieces for Harpsichord von/by G. F. Händel. Hrsg. von/Ed. by W. Barclay Squire/ J. A. Fuller-Maitland. – Mainz und Leipzig: B. Schott's Söhne 1928, vol. I (Nr. 10). – EZ: Hamburg (?), ca. 1705

23 Takte

Quellen

Handschriften: Autograph: verschollen.

Abschrift: *GB* Lbm (R. M. 19. a. 4., f. 18ᵛ–19ʳ, Kopie des Schreibers S₂, ca. 1732, Aylesford Collection).

565. Prélude d-Moll

Ausgabe: Stücke für Clavicembalo/Pieces for Harpsichord von/by G. F. Händel. Hrsg. von/Ed. by W. Barclay Squire/J. A. Fuller-Maitland. – Mainz und Leipzig: B. Schott's Söhne 1928, vol. II (Nr. 49). – EZ: London, ca. 1710/20

[vgl. HWV 428, HWV 561]   19 Takte

Quellen
Handschriften: Autograph: verschollen.
Abschriften: *GB* Lbm (R. M. 18. b. 8., f. 58^r, Kopie des Schreibers S$_2$, ca. 1730) – *US* Bfa (E. M. Ripin-Collection, p. 121, Kopie des Schreibers S$_1$, ca. 1730).

Bemerkungen
HWV 565 stellt eine Frühfassung des *Prélude* zu HWV 428 Suite III d-Moll (*Premier Volume,* 1720) dar (vgl. auch unter HWV 561), die vermutlich zwischen 1710 und 1720 entstand.

566. Preludio E-Dur

HHA IV/17 (Nr. 28). – EZ: London, ca. 1710/20

[vgl. HWV 430 (1.)]   32 Takte

Quellen
Handschriften: Autograph: verschollen.
Abschriften: *GB* Malmesbury Collection (Ms. mit Ouverturen, datiert *Eliza. Legh August y^e 30. 1722,* p. 176) – *US* NYp (Mus. Res. Drexel 5856, p. 57, Kopie von Smith senior, ca. 1721).

Bemerkungen
In beiden Quellen folgen dem *Prélude* HWV 566 *Allemande* und *Courante* aus HWV 430 Suite V E-Dur (*Premier Volume,* 1720). Es ist daher anzunehmen, daß HWV 566 ursprünglich als Einleitung zu dieser Suite gedacht war, zumal Händel für die spätere Fassung des *Prélude* zu HWV 430 in den ersten beiden Takten thematisches Material dieser Frühform benutzte. Als Entstehungszeit gilt daher 1710/20.
Takt 1 von HWV 566 ist identisch mit dem Beginn (T. 1) von HWV 407 *Allegro* G-Dur für Violino solo.

567. Preludium F-Dur

HHA IV/17 (Nr. 25). – Praktische Ausgabe: Stücke für Clavicembalo/Pieces for Harpsichord von/by G. F. Händel. Hrsg. von/Ed. by W. Barclay Squire/J. A. Fuller-Maitland. – Mainz und Leipzig: B. Schott's Söhne 1928, vol. II (Nr. 46). – EZ: London, ca. 1710/20

33 Takte

Quellen
Handschriften: Autograph: verschollen.
Abschrift: *GB* Lbm (R. M. 18. b. 8., f. 36^v).

568. Preludium f-Moll

HHA IV/17 (Nr. 26). – Praktische Ausgabe: Stücke für Clavicembalo/Pieces for Harpsichord von/by G. F. Händel. Hrsg. von/Ed. by W. Barclay Squire/J. A. Fuller-Maitland. – Mainz und Leipzig: B. Schott's Söhne 1928, vol. II (Nr. 47). – EZ: London, ca. 1710/20

30 Takte

Quellen
Handschriften: Autograph: verschollen.
Abschriften: *GB* Lbm (R. M. 18. b. 8., f. 37ʳ; Add. MSS. 31577, f. 22ʳ, als *Prélude* zu HWV 433).

Bemerkungen
HWV 568 bildete vermutlich ursprünglich die Einleitung *(Prélude)* zu HWV 433 Suite VIII f-Moll

(Premier Volume, 1720), wie aus der Quelle *GB* Lbm (Add. MSS. 31577) hervorgeht.[1]

[1]Vgl. andere Frühfassungen von *Préludes* zu den Suiten des *Premier Volume* (1720): HWV 566 (Suite V), HWV 570 (Suite VI), HWV 572 (Suite VII).

569. Preludium
(Arpeggio del Cook) f-Moll

EZ: London, ca. 1710/20 (Echtheit nicht verbürgt)

36 Takte

Quellen
Handschriften: Autograph: verschollen.
Abschrift: *GB* Lbm (R. M. 18. b. 8., f. 37ᵛ: *Preludium/ Arpeggio del Cook*).

Bemerkungen
HWV 569 ist in einem Sammelband überliefert, der ausschließlich Stücke von Händel enthält. Infolge der Bezeichnung „Arpeggio del Cook", die als Autorbezeichnung interpretiert werden

könnte, ist die Authentizität des Satzes nicht restlos verbürgt, zumal seine musikalische Struktur keinen stilkritischen Vergleich mit anderen Werken Händels zuläßt. Da jedoch die Überschrift der Quelle zumindest zweideutig ist – eindeutige Zuweisungen an Händel haben die Schreiber des Bandes nirgends in dieser Form ausgedrückt –, und auch als Charaktertitel zu betrachten wäre, wird HWV 569 hier als mögliche Komposition Händels eingeordnet.

570. Prélude *(Harpeggio)*
fis-Moll

HHA IV/6 (Nr. 15). – EZ: London, ca. 1717/18

5 (21) Takte

Quellen

Handschriften: Autograph: *GB* Lbm (R. M. 20. g. 14., f. 62ᵛ: *Harp.*).

Abschriften: *GB* Lbm (Add. MSS. 31577, f. 20ᵛ–21ʳ, jeweils am unteren Blattrand nachträglich in die letzten beiden Notensysteme geschrieben), Malmesbury Collection (*Pieces for the Harpsicord compos'd by Sign.ʳ G. F. Handel 1718*, aus dem Besitz von Elizabeth Legh, vor p. 1, ohne Paginierung) – *US* NYp (Mus. Res. Drexel 5856, p. 70).

Bemerkungen

In den drei Abschriften ist das *Prélude* HWV 570 jeweils als Einleitung zu HWV 431 Suite VI fis-Moll (Premier Volume, 1720) überliefert, während es im Autograph (WZ: Bb₂, ca. 1717/18) auf die Rückseite des Blattes mit der Gigue dieser Suite notiert ist. Händel plante daher vermutlich, es zunächst als Einleitung für HWV 431 zu verwenden, entschied sich jedoch kurz vor der Veröffentlichung des *Premier Volume* für die bekannte Neufassung, die damit anstelle von HWV 570 in den Druck aufgenommen wurde.

Beschreibung des Autographs: Lbm: Catalogue Squire, S. 47.

571. Prélude e Capriccio G-Dur

ChA 48. – HHA IV/17 (Nr. 4). – EZ: Hamburg (?), ca. 1703/06

1. Prelude

20 Takte

2. Capriccio

67 Takte

Quellen

Handschriften: Autograph: verschollen.

Abschriften: *D (brd)* B (Mus. Ms. 9161, Heft 2: *Suite par Mons. Händel, Preludio, Allegro*) – *GB* Cfm (Barrett-Lennard-Collection, Ms. mit Cembalowerken, verschollen¹; 30 H. 15., MS. 265, p. 1–7: *Toccata. Per Cembalo: Del Sigr. Giorgio Federico Hendel*, ohne *Prélude*), Lbm [R. M. 19. a. 3., f. 29ᵛ–31ᵛ: *Cappr(i)cio*, ohne *Prélude*, Kopie des Schreibers S₂, ca. 1732, Aylesford Collection; Add. MSS. 14248, f. 32ʳ–33ᵛ: *Toccata. Del Sassone. Finis² a dì 18 Gen.º 1732*, ohne *Prelude*³; Add. MSS. 31573, f. 43ᵛ–46ʳ, Kopie von R. Lacy, ca. 1858, nach dem verschollenen Barrett-Lennard-Ms.], Malmesbury Collection (*Pieces for the Harpsicord compos'd by Sign.ʳ G. F. Handel 1718*, aus dem Besitz von Elizabeth Legh, p. 65–69: *Capriccio*, ohne *Prélude*) – *I* Gi(l) (MS. A. 7ᵇ. 63 Cass., f. 97ᵛ–103ᵛ: *Toccata 3ª, Hendel*, ohne *Prélude*), Mc (Fonds Noseda L 24–35, p. 12–13: *Del Sig. Sassone/Toccata*, ohne *Prélude*), Nc (MS. 71, Item 3, f. 13ʳ ff., ohne *Prélude*) – *US* Bfa (E. M. Ripin-Collection, p. 67–71: *Cappricio*, ohne *Prélude*, Kopie des Schreibers RM₁, ca. 1717), NYp (Mus. Res. Drexel 5856, p. 116–118: *Capriccio*, ohne *Prélude*, Kopie von Smith senior, ca. 1721).

Drucke: Ausgabe: The Pianoforte, its origin, progress, and construction, London 1860, S. 340 bis 343.

---

¹ Vgl. ChA 48, Vorwort, S. V, und S. 166–169.

² Kopistendatum über die Beendigung der Abschrift.

³ Das Werk wird von L. Hoffmann-Erbrecht (a. a. O., S. 102, Themat. Verzeichnis, S. 141) als Werk von J. A. Hasse angesehen.

Bemerkungen

HWV 571 wird in älteren deutschen Handschriften [*D (brd)* B und *GB* Cfm[4]] als *Preludio* und *Allegro* überliefert und ist aufgrund von stilistischen Merkmalen auf ca. 1703/06 zu datieren. Einige italienische Manuskripte (*GB* Cfm, MS. 265, Lbm, Add. MSS. 14248, *I* Gi, Mc und Nc) nennen das Werk *Toccata* (ohne *Prélude*), während die Kopien englischer Provenienz den Titel *Capriccio* bevorzugen. Ob die Zusammenstellung von *Prélude* und

[4] Kopie von R. Lacy s. *GB* Lbm, Add. MSS. 31573, f. 43[v] bis 46[r].

Capriccio (Allegro) auf Händel selbst zurückgeht, ist zweifelhaft.

Literatur

Hoffmann-Erbrecht, L.: Deutsche und italienische Klaviermusik zur Bachzeit, Leipzig 1954, S. 102 (HWV 571 wird hier als Werk J. A. Hasses betrachtet); Pestelli, G.: Haendel e Alessandro Scarlatti. In: Rivista Italiana di Musicologia, vol. VIII, 1972, S. 103 ff.

572. Prélude g-Moll

HHA IV/6 (Nr. 21). – EZ: London, ca. 1710/17

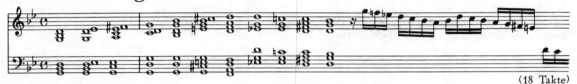

(18 Takte)

Quellen

Handschriften: Autograph: verschollen.
Abschriften: *GB* Lbm. (Add. MSS. 31577, f. 25[v]), Malmesbury Collection (*Pieces for the Harpsicord compos'd by Sign.[r] G. F. Handel 1718*, aus dem Besitz von Elizabeth Legh, p. 14), Mp [MS 130 Hd4, v. 268(2), p. 162] – *US* Bfa (E. M. Ripin-Collection, p. 62), NYp (Mus. Res. Drexel 5856, p. 17).
Druck: Pieces à un & Deux Clavecins Composées par Mr Hendel. – Amsterdam. Jeanne Roger N° 490 (ca. 1721, p. 6, als *Prélude* für HWV 432, Satz 2 und 3, in a-Moll).

Bemerkungen

HWV 572 ist in der Quelle *GB* Lbm (Add. MSS. 31577, p. 25[v]–27[v]) als Prélude zu HWV 432 Suite VII g-Moll überliefert, die hier in einer Frühfassung mit anderer Satzfolge vorliegt. In allen anderen Abschriften (außer *GB* Mp) und im Roger-Druck folgen HWV 572 die Sätze *Andante* und *Allegro* aus HWV 432, in a-Moll bei Roger, in g-Moll in den anderen Quellen.
Vermutlich bildeten diese drei Sätze ursprünglich eine unabhängige Suite, bevor Händel sie in den *Premier Volume* der *Suites de Pieces* (1720) einarbeitete und die Suite VII um die restlichen Sätze ergänzte, wobei HWV 572 ausgeschieden wurde.

573. Prélude *(Harpeggio)* g-Moll

HHA IV/17 (Nr. 27). – Praktische Ausgabe: Stücke für Clavicembalo/Pieces for Harpsichord von/by G. F. Händel. Hrsg. von/Ed. by W. Barclay Squire/J. A. Fuller-Maitland. – Mainz und Leipzig: B. Schott's Söhne 1928, vol. I (Nr. 19). – EZ: Hamburg (?), ca. 1705

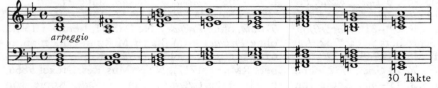

arpeggio

30 Takte

Quellen

Handschriften: Autograph: verschollen.
Abschrift: *GB* Lbm (R. M. 18. b. 4., f. 69[v]: *Harpeggio*, gefolgt von HWV 493[b]).

Bemerkungen

Dem *Prélude* HWV 573 folgt in der Quelle die längere Version der g-Moll-Gigue (HWV 493[b]), die aus der frühen Hamburger Zeit Händels stammt. Die Verbindung beider Sätze legt auch für HWV 573 eine Entstehungszeit um 1705 nahe.

574. Preludio ed Allegro *(Sonata)* pour le Clavecin g-Moll

ChA 2. – HHA IV/6 (Nr. 4). – Praktische Ausgabe: Stücke für Clavicembalo/Pieces for Harpsichord von/by G. F. Händel. Hrsg. von/Ed. by W. Barclay Squire/J. A. Fuller-Maitland. – Mainz und Leipzig: B. Schott's Söhne 1928, vol. I (Nr. 31, Allegro). – EZ: Hamburg (?), ca. 1705

1. Preludio

8 Takte

2. Allegro

74 Takte *D. s.*

Quellen

Handschriften: Autograph: verschollen.

Abschriften: *D (brd)* HVs (Livre de Notte pour G.E. de Schoulenbourg: *Allegro*, datiert *Hannovre le 12ᵉ d'Aout 1734*, ohne *Preludio*) – *GB* BENcoke (Lady Rivers-Ms., ca. 1727, f. 16ᵛ–17ʳ: *Sonatina*, ohne *Preludio*; Einzelblatt mit *Sonata del Sig. Hendell*, ohne *Preludio*, ca. 1730).

Drucke: Preludio et Allegro pour le Clavecin Composée Par Monsieur Hendel. Opera quarta. – Amsterdam, Gerhard Fredrik Witvogel N° 10 (ca. 1732); The Lady's Banquet Fifth Book; Being a Choice Collection of the newest and most Airy Lessons for the Harpsicord or Spinnet: Together with several Opera Aires, Minuets, & Marches Compos'd by Mʳ Handel. Perform'd at Court, the Theatres, and Publick Entertainments: Being a most delightfull Collection, and proper for the Improvement of the Hand on the Harpsicord or Spinnet. All fairly Engraven … N° 171. – London, J. Walsh (ca. 1734).

Bemerkungen

HWV 574 gehört zu jenen fünf Cembalowerken, die 1732 von dem Amsterdamer Organisten Witvogel gedruckt wurden und aus Händels früher Jugend (ca. 1705) stammen sollen (zur Datierung vgl. unter HWV 481 und 490). Das *Preludio* ist nur durch diesen Druck überliefert, während das *Allegro* – in den handschriftlichen Quellen auch als *Sonata* oder *Sonatina* bezeichnet – in mehreren Abschriften vorliegt, die vor dem Erstdruck entstanden.

Literatur

Chrysander III, S. 197 ff.

575. Prélude *(Harpeggio)* a-Moll

ChA 2 (S. 140, verbunden mit HWV 496). – HHA IV/6 (Nr. 18). – EZ: London, ca. 1717/18

(40) Takte

Quellen

Handschriften: Autograph: *GB* Lbm (R. M. 20. g. 14., f. 60ʳ: *Harp.*).

Bemerkungen

In ChA 2 (S. 140) ist das *Prélude* HWV 575 mit dem *Lesson* HWV 496 verbunden, obwohl dies durch keine Quellen belegt ist. Für Chrysander war vermutlich die Tonartengleichheit maßgebend, das einzeln überlieferte Arpeggio-Prélude mit einer weiteren Komposition zu einem längeren Werk zu vereinen.

Das Autograph (WZ: Bb₂) wurde ca. 1717/18 niedergeschrieben.

Beschreibung des Autographs: Lbm: Catalogue Squire, S. 47.

576. Preludio ed Allegro a-Moll

HHA IV/17 (Nr. 18). – Praktische Ausgabe: Stücke für Clavicembalo/Pieces for Harpsichord von/by G. F. Händel. Hrsg. von/Ed. by W. Barclay Squire/J. A. Fuller-Maitland. – Mainz und Leipzig: B. Schott's Söhne 1928, vol. I (Nr. 17–18). – EZ: Hamburg (?), ca. 1705/06

1. Prelude

20 Takte

2. Allegro

60 Takte

[vgl. HWV 287 (4.), HWV 291 (2.), HWV 390 (4.)]

Quellen

Handschriften: Autograph: verschollen.
Abschriften: *GB* Lbm (R.M.18.b.4., f.67^r–68^v, Kopie des Schreibers S₁, ca. 1730) – *US* Bfa (E.M. Ripin-Collection, p. 131–133, nur *Allegro*, Kopie des Schreibers S₁, ca. 1730).

Bemerkungen

Das Thema des *Allegro* gehört zu den von Händel mehrfach wiederverwendeten melodischen Modellen, die sich in Werken unterschiedlicher Entstehungszeit nachweisen lassen. Aufgrund von stilistischen Merkmalen und der thematischen Substanzgemeinschaft mit frühen Werken Händels ist HWV 576 ebenfalls auf ca. 1705/06 zu datieren.

Entlehnungen:
2. Satz, *Allegro*
　HWV 287 Oboenkonzert g-Moll: 4. Satz, *Allegro* (Hamburg, ca. 1703/05)
　HWV 390 Triosonate op. 2 Nr. 5 g-Moll: 4. Satz, *Allegro* (ca. 1718)
　HWV 291 Orgelkonzert op. 4 Nr. 3 g-Moll: 2. Satz, *Allegro* (ca. 1735)
Eine modifizierte Version des Themas bieten:
　HWV 387 Triosonate op. 2 Nr. 2 g-Moll: 4. Satz, *Allegro* (Halle, ca. 1700)
　HWV 362 Sonate a-Moll für Blockflöte und B. c.: 4. Satz, *Allegro* (ca. 1725/26)
　HWV 408 *Allegro* c-Moll für Violine und B. c. (ca. 1725)

577. Sonata *(Fantasie)* pour le Clavecin C-Dur

ChA 2. – HHA IV/6 (Nr. 2). – EZ: Hamburg (?), ca. 1703/05

100 Takte

Quellen

Handschriften: Autograph: verschollen.
Abschriften: *A* Sm (Mn 106, p. 49–52: *Sonata No. 11*) – *CH* Zz (Car. XV 249: Nr. 1 der 12 *Fantasien*)[1] – *D (brd)* B (Mus. Ms. 9181: Nr. 1 der 12 *Fantasien*) – *D (ddr)* Bds (Mus. Ms. 30078, p. 44)[2].

[1] Kopie von Hermann Nägeli aus dem frühen 19. Jahrhundert.
[2] Olim Mus. fol. 4078.

Drucke: Sonata pour le Clavecin Composée Par Monsieur Hendel. Opera Seconda – Amsterdam, Gerhard Fredrik Witvogel no: 4 (ca. 1732); The Lady's Banquet Fifth Book; Being a Choice Collection of the newest & most Airy Lessons for the Harpsichord or Spinnet: Together with several Opera Aires, Minuets, & Marches Compos'd by Mr Handel ... N° 171. – London, J. Walsh (ca. 1734).

Bemerkungen

HWV 577 gehört zu jenen fünf Cembalowerken Händels, die von dem Amsterdamer Organisten Witvogel um 1732 gedruckt wurden und zu seinen frühesten Werken für Tasteninstrumente gehören sollen (zur Datierung vgl. unter HWV 481 und HWV 490). Um 1755 wurde das Werk in der Sammlung *A Collection of Lessons ... by Dr. Greene,* vol. II, in London ohne Angabe von Händels Autorschaft nachgedruckt.

Literatur

Chrysander III, S. 197 ff.; Seiffert, M.: Zu Händel's Klavierwerken. In: Sammelbände der Internationalen Musikgesellschaft, 1. Jg., 1899/1900, S. 131 ff.

578. Sonata con Trio e Gavotta C-Dur für eine Spieluhr

ChA 2. – HHA IV/6 (Nr. 17). – EZ: London, ca. 1750

1. Sonate
Allegro

[vgl. HWV 277]

2. Trio
Larghetto

77 Takte   [vgl. HWV 467]

3. Gavotte
Non troppo presto

24 Takte   [vgl. HWV 318 (4.)]

30 Takte

Quellen

Handschriften: Autograph: *GB* Cfm (30. H. 11., MS. 261, p. 45–49: *Sonata allegro,* Kompositionsexemplar), Lbm (R. M. 20. g. 13., f. 40ʳ–42ʳ: *Sonata,* autographe Reinschrift).
Faksimile: Satz 1 in: HHA, Supplemente, Bd. 1 (Aufzeichnungen zur Kompositionslehre), S. 78.

Bemerkungen

Die *Sonata* HWV 578, nach dem Überlieferungsbefund der beiden Autographe (WZ: Cz) auf ca. 1750 zu datieren, wurde von Händel vermutlich zunächst nicht als Werk für Cembalo, sondern für eine Spieluhr komponiert, da es auf zwei Systemen jeweils mit Violinschlüssel notiert ist (vgl. HWV 473, HWV 587–604). Aus dem Kompositionsautograph (*GB* Cfm) ist zu ersehen, daß Händel zunächst die Noten des unteren Systems nur bis c' geführt hat, um den Tonumfang eines solchen mechanischen Musikinstruments[1] einzuhalten; erst später änderte er den unteren Part und führte ihn bis zum g hinunter, was in der autographen Reinschrift (*GB* Lbm) neben anderen Änderungen berücksichtigt ist, so daß die Komposition jetzt auch für ein Tasteninstrument attraktiver wurde und als Beispiel einer Bearbeitung für Cembalo (bzw. für Orgel) gelten kann.

[1] Aus den „for a musical clock" bestimmten Stücken HWV 587–604 geht hervor, daß der Tonumfang einer solchen mechanischen Uhr c'–c''' betrug.

Entlehnungen:
1. Satz, *Allegro*
   HWV 277 *Halleluja* F-Dur
2. Satz, Trio *(Larghetto)*
   HWV 467 Air *(Lentement)* g-Moll
3. Satz, Gavotte *(Non troppo presto)*
   HWV 318 Concerto grosso C-Dur: 4. Satz *(Andante non presto).*

Literatur
Best, T.: Handel's harpsichord music: a checklist. In: Music in Eighteenth-Century England. Ed. by C. Hogwood and R. Luckett. Cambridge UP 1982, S. 171 ff.; Chrysander III, S. 199.
Beschreibung der Autographe: Cfm: Catalogue Mann, MS. 261, S. 200. – Lbm: Catalogue Squire, S. 45.

579. Sonata für zweimanualiges Cembalo G-Dur
(Sonata for a Harpsichord with double keys)

HHA IV/6 (Nr. 22). – Praktische Ausgabe: Stücke für Clavicembalo/Pieces for Harpsichord von/by G. F. Händel. Hrsg. von/Ed. by W. Barclay Squire/ J. A. Fuller-Maitland. – Mainz und Leipzig: B. Schott's Söhne 1928, vol. II (Nr. 35). – EZ: Italien (?), ca. 1707/09

[vgl. HWV 7a Rinaldo (28.), HWV 442 (1a.)]   Takt 7   123 Takte

Quellen
Handschriften: Autograph: verschollen.
Abschriften: *CH* Zz (Car. XV 249)[1] – *GB* Lbm (R. M. 18. b. 4., f. 12r–20v: *Sonata*).
Drucke: Pieces à un & Deux Clavecins Composées par Mr. Hendel. – Amsterdam, Jeanne Roger No. 490 (ca. 1721, p. 60–68: *Sonata for a Harpsicord with Double Keys*); —— – ib., Michel Charles Le Cene Libraire No. 490 (ca. 1723/43, dto.).

Bemerkungen
HWV 579 wurde von Händel ausdrücklich für ein Instrument mit zwei Manualen[2] geschrieben. Infolge des verschollenen Autographs läßt sich die *Sonata* nicht genau datieren, doch dürfte wegen der thematischen Substanzgemeinschaft mit anderen frühen Werken eine Entstehung in Italien (ca. 1707/09) anzunehmen sein.
Das Thema des Werkes verwendete Händel in folgenden anderen Werken:
HWV 46a Il Trionfo del Tempo e del Disinganno: 10. Sinfonia (Rom 1707)
HWV 5 Vincer se stesso (Rodrigo): 27. Qua rivolga gli orribili acciari (Florenz 1707)
HWV 7a Rinaldo (1. Fassung): 28. Vo' far guerra (London 1710/11)

HWV 442 *Prelude*[a] (von W. Babell) zur *Chaconne* G-Dur mit 62 Var. (1732 von Witvogel gedruckt)
HWV 262 This is the day (Wedding Anthem): 8. We will remember thy name (London 1734)

Wie Lothar Hoffmann-Erbrecht nachweisen konnte[3], entlehnte auch Christoph Graupner das Thema der *Sonata* von Händel für den Marsch einer Suite in G-Dur (XI/12)[4] für Cembalo (ca. 1740).

Literatur
Best, T.: Handel's harpsichord music: a checklist. In: Music in Eighteenth-Century England. Ed. by C. Hogwood and R. Luckett, Cambridge UP 1982, S. 171 ff.

[3] In: Die Musikforschung (Rezension von HHA IV/5,6), 26. Jg. 1973, S. 412.
[4] Vgl. Hoffmann-Erbrecht, L.: Deutsche und italienische Klaviermusik der Bachzeit, Leipzig 1954, S. 50 ff., Quelle in *D(brd)* DS (Ms. Mus. 4133a, sog. *Darmstädter Klavierbuch*, Suite Nr. 12, f. 90v–93v), Neudruck in: Ch. Graupner, 8 Partiten, hrsg. von L. Hoffmann-Erbrecht, Mitteldeutsches Musikarchiv I, Heft 2, Leipzig 1954, Nr. 7, S. 58 ff.

[1] Kopie von Hermann Nägeli aus dem Anfang des 19. Jahrhunderts.
[2] In der Quelle *GB* Lbm (R. M. 18. b. 4.) werden die beiden Manuale auf vier Notensystemen notiert.

580. Sonata g-Moll

HHA IV/17 (Nr. 22). – Praktische Ausgabe: Stücke für Clavicembalo/Pieces for Harpsichord von/by G. F. Händel. Hrsg. von/Ed. by W. Barclay Squire/J. A. Fuller-Maitland. – Mainz und Leipzig: B. Schott's Söhne 1928, vol. I (Nr. 32). – EZ: Italien (?), ca. 1707/09

Larghetto

[vgl. HWV 250 a, b (1.), HWV 288 (1.), HWV 302 a (3.), HWV 396 (1.)]

19 Takte

Quellen

Handschriften: Autograph: verschollen.
Abschrift: *GB* Lbm (R. M. 18. b. 8., f. 10ᵛ–11ʳ: *Sonata. Mʳ Handel,* Kopie des Schreibers S₂, ca. 1730).

Bemerkungen

Vermutlich stellt die *Sonata* HWV 580 die Cembalotranskription eines Satzes für ein Soloinstrument (Violine) und B. c. dar, wie Terence Best (HHA IV/17, Vorwort, S. IX) vermutet, und dürfte in Italien (ca. 1707/09) entstanden sein. Das Thema der Sonata gehört zu den mehrfach von Händel verarbeiteten Themen; es findet sich in abgewandelter Form auch in folgenden Werken:

HWV 288 *Sonata a 5* B-Dur für Violine und Orchester: 1. Satz, *Andante* (Italien 1706/07)
HWV 302ᵃ Konzert B-Dur für Oboe und Streichorchester: 3. Satz, *Andante* (ca. 1718)
HWV 250ᵃ,ᵇ I will magnify thee (Anthem V): 1. Symphony (1. Satz)/1. Air „I will magnify thee" (ca. 1718)
HWV 396 Triosonate op. 5 Nr. 1 A-Dur: 1. Satz, *Andante* (ca. 1737/38)
HWV 61 Belshazzar: 50ᵃ,ᵇ. I will magnify thee, *Ritornello* (1744).

Literatur

Best, T.: Handel's harpsicord music: a checklist. In: Music in Eighteenth-Century England. Ed. by C. Hogwood and R. Luckett, Cambridge UP 1982, S. 171 ff.

581. Sonatina d-Moll

ChA 48. – HHA IV/17 (Nr. 13). – EZ: Hamburg (?), ca. 1705

41 Takte

Quellen

Handschriften: Autograph: verschollen.
Abschriften: *D (brd)* B (Mus. Ms. 9168: *Gigue*) – *GB* BENcoke (*Harp.*ᵈ *Sonatas by Handel,* Walond-Ms., p. 62–63), Cfm (Barrett-Lennard-Collection, Ms. mit Cembalowerken, verschollen)[1], Lbm

[1] Vgl. ChA 48, Vorwort, S. Vf., und S. 150–151.

(Add. MSS. 31573, f. 33ᵛ–34ʳ, Kopie von R. Lacy, ca. 1858, nach dem verschollenen Barrett-Lennard-Ms.; Add. MSS. 31577, f. 11ʳ⁻ᵛ), Malmesbury Collection (*Pieces for the Harpsicord by Sign.ʳ G. F. Handel 1718,* aus dem Besitz von Elizabeth Legh, p. 150–151), Mp [MS 130 Hd4, v. 268(2), p. 202–203] – *US* NYp (Mus. Res. Drexel 5856, p. 32).

Bemerkungen

Der quellenmäßigen Überlieferung nach gehörte HWV 581 (entstanden ca. 1705) ursprünglich als Finalsatz zu HWV 437 Suite IV d-Moll (*Second Volume*, 1733), da die meisten Handschriften (*GB* Cfm, Lbm, Malmesbury Collection, Mp und *US* NYp) diese *Sonatina* mit der genannten Suite in Verbindung bringen[2]. Die *Sonatina* wurde im Roger-Druck der Suite HWV 437 (ca. 1721) ausgelas-sen und auch von Walsh (1727/1733) nicht wieder aufgenommen.

Takt 1 der *Sonatina* weist eine thematische Verbindung mit den Giguen aus HWV 439 Suite VI g-Moll (*Second Volume*, 1733) und HWV 454 Partita A-Dur aus.

Literatur

Best, T.: Handel's harpsichord music: a checklist. In: Music in Eighteenth-Centura England. Ed. by C. Hogwood and R. Luckett, Cambridge UP 1982, S. 171 ff.

[2] In Quelle *D(brd)* B erscheint HWV 587 als Finalsatz *(Gigue)* für die Suite HWV 448.

582. Sonatina *(Fuga)* G-Dur

HHA IV/6 (Nr. 13). – Praktische Ausgabe: Stücke für Clavicembalo/Pieces for Harpsichord von/by G. F. Händel. Hrsg. von/Ed. by W. Barclay Squire/ J. A. Fuller-Maitland. – Mainz und Leipzig: B. Schott's Söhne 1928, vol. II (Nr. 50). – EZ: London, ca. 1722

19 Takte

Quellen

Handschriften: Autograph: *GB* Cfm (30. H. 13., MS. 263, p. 5).
Abschrift: *GB* Lbm (R. M. 18. b. 8., f. 58ᵛ: *Fuga Sign. Handel*).
Faksimile: HHA, Supplemente, Bd. 1 (Aufzeichnungen zur Kompositionslehre), S. 17.

Bemerkungen

Während im Autograph die *Sonatina* ohne jegliche Titelbezeichnung überliefert wird, erscheint HWV 582 in der zeitgenössischen Kopie als *Fuga*. Als Entstehungszeit ist nach dem Überlieferungsbefund des Autographs (WZ: Cb) ca. 1722 anzunehmen; Händel hat den Satz vermutlich für didaktische Zwecke geschrieben und in seinem Unterricht verwendet (vgl. Alfred Mann, Aufzeichnungen zur Kompositionslehre, S. 16 ff.).
Den Titel *Sonatina* erhielt der Satz als editorische Bezeichnung erstmals in HHA IV/6 (Nr. 13).
Beschreibung des Autographs: Cfm: Catalogue Mann, MS. 263, S. 207.

583. Sonatina g-Moll

HHA IV/17 (Nr. 21). – Praktische Ausgabe: Stücke für Clavicembalo/Pieces for Harpsichord von/by G. F. Händel. Hrsg. von/Ed. by W. Barclay Squire/J. A. Fuller-Maitland. – Mainz und Leipzig: B. Schott's Söhne 1928, vol. I (Nr. 27). – EZ: London, ca. 1722

A tempo giusto

25 Takte

Quellen
Handschriften: Autograph: verschollen.
Abschrift: *GB* Lbm (R. M. 18. b. 8., f. 6ᵛ–7ʳ: *a tempo giusto del Sgᵣ Handel*).

Bemerkungen
In der Abschrift *GB* Lbm geht dem hier als *Sonatina* bezeichneten Satz die *Toccata* HWV 586 voran. Ob beide Sätze eine Einheit bilden sollten, läßt sich aus der quellenmäßigen Überlieferung

nicht klären. Als Entstehungszeit kann 1710/20 angenommen werden.
Motivisch ist HWV 583 (besonders T. 3–5 und 22–24) mit folgenden Werken verknüpft:
HWV 145 „Oh Numi eterni": 3. Alla salma infedel
HWV 255 The Lord is my light (Anthem X):
   7. They are brought down
HWV 324 Concerto grosso op. 6 Nr. 6 g-Moll:
   2. Satz *(A tempo giusto).*

584. Sonatina a-Moll

HHA IV/17 (Anhang 2). – Praktische Ausgabe: Stücke für Clavicembalo/Pieces for Harpsichord von/by G. F. Händel. Hrsg. von/Ed. by W. Barclay Squire/J. A. Fuller-Maitland. – Mainz und Leipzig: B. Schott's Söhne 1928, vol. II (Nr. 44). – EZ: Italien, ca. 1706/08 (Echtheit nicht verbürgt)

84 Takte

Quellen
Handschriften: Autograph: verschollen.
Abschriften: *GB* Lbm (R. M. 18. b. 8., f. 23ʳ–24ʳ: *Sonatina del Sgᵣ Hendel*) – *US* Bfa (E. M. Ripin-Collection, p. 126–130, Kopie des Schreibers S₁, ca. 1730).

Bemerkungen
Die Authentizität der *Sonatina* HWV 584, die von Terence Best, dem Hrsg. des Bandes HHA IV/17,

infrage gestellt wird, scheint durch die beiden verläßlichen Kopien gesichert[1].
In T. 45–56 wird ein Motiv zitiert, das sich auch in T. 21 der Arie „Sprich vor mir ein süßes Wort" (33) der Oper HWV 1 Almira (Hamburg, 1705) findet.
Als Entstehungszeit kann 1706/08 angenommen werden.

[1] Die Abschrift in *GB* Lbm (R. M. 18. b. 8.) stammt von Smith junior.

585. Sonatina B-Dur

ChA 2. – HHA IV/6 (Nr. 14). – EZ: London, ca. 1722

19 Takte

Quellen
Handschriften: Autograph: *GB* Cfm (30. H. 13., MS. 263, p. 7: *Sonatina*).
Abschrift: *GB* BENcoke (Lady Rivers-Ms., ca. 1727, f. 7ʳ).
Faksimile: HHA, Supplemente, Bd. 1 (Aufzeichnungen zur Kompositionslehre), S. 18.

Bemerkungen
Das auf ca. 1722 zu datierende Autograph (WZ: Cb) von HWV 585 gehörte vermutlich zu den Materialien (vgl. Alfred Mann, Aufzeichnungen zur Kompositionslehre, S. 16 ff.), die Händel als Unterrichtsliteratur verwendete.
Beschreibung des Autographs: Cfm: Catalogue Mann, MS. 263, S. 207.

586. Toccata g-Moll

HHA IV/17 (Nr. 20). – Praktische Ausgabe: Stücke für Clavicembalo/Pieces for Harpsichord von/by G. F. Händel. Hrsg. von/Ed. by W. Barclay Squire/J. A. Fuller-Maitland. – Mainz und Leipzig: B. Schott's Söhne 1928, vol. I (Nr. 26). – EZ: London, ca. 1710/20

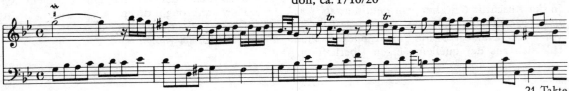

21 Takte

Quellen
Handschriften: Autograph: verschollen.
Abschrift: *GB* Lbm (R. M. 18. b. 8., f. 5ᵛ–6ʳ: *Toccato Mʳ Handel*).

Bemerkungen
Der als *Toccato* bezeichnete Satz HWV 586 geht in der Abschrift *GB* Lbm der *Sonatina* HWV 583 voraus. Ob beide Sätze infolge der Tonartengleichheit eine Einheit bilden sollten, ist aus der quellenmäßigen Überlieferung nicht zu klären. Als Entstehungszeit von HWV 586 kann 1710/20 angenommen werden.

587.–604. 18 Stücke für eine Spieluhr

Set 1: *10 (11) Tunes for Clay's Musical Clock*
HHA IV/19. – EZ: London, ca. 1730/40

587. [Air] F-Dur

588. [Voluntary] C-Dur

[vgl. HWV 600]

589. [Gigue] C-Dur

590. [Aria] Dell'opera Sosarmes C-Dur

[vgl. HWV 30 (22.)]

22 Takte

21 Takte

22 Takte

54 Takte

591. [Aria] F-Dur

Allegro

[vgl. HWV 13 (1.)]   44 Takte

592. [Aria] Dell'opera Ottone C-Dur

[vgl. HWV 15 (18.)]   41 Takte

593. [Aria] Opera Ariadne C-Dur

[vgl. HWV 32 (4.)]   22 Takte

594. [Air] G-Dur

Allegro

[vgl. HWV 20 (Ouverture, 3. Satz), HWV 377 (1.)]   44 Takte

595. [Aria] Dell'opera Ottone C-Dur

[vgl. HWV 15 (13.)]   22 Takte

596. [Aria] Opera Sosarmes C-Dur

[vgl. HWV 30 (21.)]   34 Takte

597. [Aria] C-Dur

[vgl. HWV 32 (28.)]

21 Takte

Quellen

Handschriften: Autographe: verschollen.
Abschriften: *GB* Lbm (R. M. 19. a. 1., f. 160^v–171^r: *Ten*[1] *Tunes for Clay's Musical Clock*, Titel von Charles Jennens, Kopie des Schreibers S$_2$, ca. 1738, Aylesford Collection, f. 160^v–161^r: HWV 587, f. 161^v–162^r: HWV 588, f. 162^v–163^r: HWV 589, f. 164^r–165^r: *Dell'opera Sosarmes* HWV 490, f. 165^v–166^r: *All°* HWV 591, f. 166^v: *Dell'opera Otone* HWV 592, f. 167^r: *Opera Ariadne* HWV 593, f. 167^v–168^r: *All°* HWV 594, f. 168^v–169^r: *Dell'opera Ottone* HWV 595, f. 169^v–170^r: *Opera Sosarmes* HWV 596, f. 170^v–171^r: HWV 597).
Drucke: Ausgabe: Squire, W. B.: Handel's Clock Music. In: The Musical Quarterly, vol. V, 1919, S. 540–549.

Bemerkungen

Wie W. Barcley Squire nachwies, schrieb Händel zwischen 1730 und 1740 eine Reihe von kurzen Spielstücken für ein mechanisches Musikinstrument[2], die in der vorliegenden Folge – nach dem Vermerk von Charles Jennens in der einst in seinem Besitz befindlichen Abschrift *GB* Lbm (R. M. 19. a. 1.) – für eine Spieluhr des englischen Uhrmachers und Mechanikers Charles Clay (gest. 1740) bestimmt gewesen sein sollen. Aus der Struktur der Sätze HWV 587–597 geht hervor, daß sie für eine Flötenuhr bestimmt waren, deren Pfeifenwerk aus mindestens 29 diatonisch angeordneten Tönen (c–h', jeweils mit fis, fis', b, b', c''–c''', mit cis'', fis'' und b'') bestehen mußte und Notenwerte bis zu Vierundsechzigsteln sowie unterschiedliche Ornamente (Triller und Mordente), Vor-, Nachschläge und Appogiaturen ausführen konnte. Daß Charles Clay derartige Uhren hinterlassen hat, wird durch die Literatur und mehrere

[1] Insgesamt enthält die Handschrift jedoch 11 Stücke.
[2] Vgl. auch HWV 578.

zeitgenössische Dokumente bezeugt; ebenso ist belegt, daß Clays Spieluhren Walzen mit Kompositionen Händels enthielten[3].
Ob die vorliegende Folge HWV 587–597 (wie auch HWV 598–604) jemals in einem der Werke Clays erklungen ist, konnte durch die bisher vorliegenden Untersuchungen nicht geklärt werden (vgl. Squire, S. 538ff.). Die Sätze stellen kurze Spielstücke bzw. Bearbeitungen von Opernarien dar, die jeweils im Thematischen Verzeichnis identifiziert werden. HWV 588 ist eine andere Fassung von HWV 600 *(A Voluntary or a flight of Angels)*[4]; der Satz enthält (ebenso wie HWV 587 und HWV 589) eine Unterstimme im Baßsystem, die vermutlich dazu diente, diese Stücke auch auf einem umfangreicher disponierten Spielwerk oder einem Tasteninstrument ausführbar zu machen.

Literatur

Britten, F. J.: Old Clocks and Watches and their Makers, London ³/1911, S. 359f.; Clark, J. E. T.: Musical Boxes. A History and an Appreciation, London ²/1952, S. 149ff.; Croft Murray, E.: The Ingenious Mr. Clay. In: *Country Life*, 31. 12. 1948; Protz, A.: Mechanische Musikinstrumente, Kassel ²/1948; Simon, E.: Mechanische Musikinstrumente früherer Zeiten und ihre Musik, Wiesbaden 1960, S. 44ff.; Squire, W. B.: Handel's Clock Music. In: The Musical Quarterly, vol. V, 1919, S. 538ff.

[3] Vgl. Croft-Murray, a. a. O. In diesem Artikel wird als Beispiel (aus: Lyson's Collectanea, 31 December, 1743) folgendes Werk von Clay mit seiner Musik beschrieben: „The Temple of the Four Grand Monarchies of the World ... The Musick consists of an agreeable Variety of Pieces, Composed by the three great Masters Geminiani, Handel, and Corelli ...“ (Den Hinweis auf diese Publikation vermittelte freundlicherweise Terence Best, Brentwood/England). Vgl. auch Squire, S. 538.
[4] Der Satz weist motivische Verbindungen mit HWV 475 *Allegro* d-Moll auf (T. 1–2).

Set 2: *Sonata by Mr. Handel for a Musical Clock* (Nr. 1–7)
HHA IV/19. – EZ: London, ca. 1730/40

598. Sonata C-Dur

28 Takte

599. [Gigue] C-Dur

12 Takte

600. A Voluntary or a Flight of Angels C-Dur

[vgl. HWV 588]

21 Takte

601. [Air] C-Dur

15 Takte

602. [Menuet] a-Moll

25 Takte

603. Menuet a-Moll

[vgl. HWV 1 (25.), HWV 540, HWV 228²²]   28 Takte

604. Air a-Moll

14 Takte

Quellen

Handschriften: Autograph: verschollen.
Abschriften: *GB* Lbm (R.M.18.b.8., f.59ʳ–60ᵛ, Kopie des Schreibers S₂, ca. 1732, f. 59ʳ: *Sonata by Mr: Handel For a Musical Clock* HWV 598, f. 59ʳ: HWV 599, f. 59ᵛ: *A Voluntary or a flight of Angels* HWV 600, f.60ʳ: HWV 601, HWV 602, f.60ᵛ: *Menuet* HWV 603, *Air* HWV 604).
Drucke: Ausgaben: Squire, W. B.: Handel's Clock Music. In: The Musical Quarterly, vol. V, 1919, S. 549–552; Suite for a Musical Clock for the Organ, ed. by R.Purvis, New York: Flammer 1952.

Bemerkungen

Die unter HWV 598–604 zusammengefaßten Sätze soll Händel (vermutlich ca. 1730) nach der Überschrift der Quelle *GB* Lbm „for a Musical Clock" (eine mechanische Spieluhr) komponiert haben. Ob darunter – wie bei HWV 587–597 – ebenfalls ein Werk des Londoner Uhrmachers Clay verstanden wurde, ist fraglich. Die Sätze erfordern einen Tonumfang von 15 Tönen (in diatonischer Folge von c′–c‴ reichend) und verzichten (bis auf 3 vereinzelte Mordente) weitgehend auf Ornamentik; als kleinste Notenwerte sind Sechzehntelnoten verwendet. Aus der musikalischen Struktur der Sätze geht hervor, daß sie sowohl für eine Glocken- als auch für eine Saiten-Spieluhr, möglicherweise auch für eine kleinere Flötenuhr bestimmt waren (vgl. E.Simon, S.45f.). Insgesamt

erscheinen diese Stücke einfacher und in ihrer vorwiegend diatonischen Anlage (in a-Moll ohne Leitton gis′) harmonisch weitaus primitiver angelegt als die Sätze HWV 587–597.
Einige der Sätze weisen motivische Substanzgemeinschaft mit anderen Werken Händels auf:
HWV 600 *A Voluntary or a flight of Angels* C-Dur
    (vgl. auch HWV 588)
    HWV 475 Allegro d-Moll (T. 1–2)
HWV 602 [Air] a-Moll
    HWV 432 Suite VII g-Moll: 3.Satz, *Allegro* (T. 1 bzw. T.3–4)
HWV 603 *Menuet* a-Moll
    HWV 1 Almira: 25. *Menuet* g-Moll[1].

Literatur
Simon, E. Mechanische Musikinstrumente früherer Zeiten und ihre Musik, Wiesbaden 1960, S. 44ff.; Squire, W. B.: Handel's Clock Music. In: The Musical Quarterly, vol. V, 1919, S.538ff.

[1] Vgl. auch HWV 540ᵃ und HWV 228²² (English Song: *Who to win a woman's favour*).

Fugen

605.–610. Six Fugues or Voluntarys for the Organ or Harpsichord op. 3

605. Fuge Nr. 1 g-Moll

ChA 2. – HHA IV/6. – EZ: London, ca. 1711/16

Fuga I

[vgl. HWV 54 (7.)]   70 Takte

Quellen

Handschriften: Autograph: *GB* Lbm (R. M. 20. g. 14., f. 23ʳ–24ᵛ).

Abschriften: *A* Sm (Mn 106, p. 27–30), Wn (Cod. 18979, f. 1ᵛ–3ᵛ; Cod. 19054, f. 84ᵛ–87ᵛ) – *D (brd)* B (Mus. Ms. 9160, f. 59ᵛ–61ʳ; Mus. Ms. 9069, 25; Mus. Ms. 9172; Mus. Ms. P. 203) – *D (ddr)* LEm (Ms. 2, Sammlung Scheibner, p. 54–62: Fugen HWV 609, 610, 607, 605, J. S. Bach zugeschrieben[1]) – *GB* Lbm (R. M. 18. b. 8., f. 40ʳ–41ʳ: *Fuga 2ᵈᵃ*; R. M. 19. a. 3., f. 51ʳ–52ᵛ: *Fuga 2ᵈᵃ*), Malmesbury Collection (*IIX Fuge's for an Organ or Harpsicord compos'd by George Fred.ᵏ Handel Esq.ʳ*, ca. 1727/30, *No. 2*) – *I* Bc (2 Ex.).

Drucke: Six Fugues or Voluntarys for the Organ or Harpsicord Compos'd by G. F. Handel. Troisieme Ovarage. – London, J. Walsh, N.ᵒ 543 (1735); Six Fugues Pour le Clavecin oú L'Orgue. Par G. F. Handel, Troisieme Ouvrage. – Paris, M.ᵈ Boivin, M.ᵉ le Clerc (ca. 1738); Six Fugues or Voluntarys for the Organ or Harpsicord Compos'd by G. F. Handel. Troisieme Ovarage. – London, H. Wright (ca. 1785); —— – ib., Preston (ca. 1810); Six Fugues, or Voluntaries, For the Organ or Harpsichord. Composed by M.ʳ Handel. – London, Harrison and C.ᵒ (1784); VI Fugen von Hendel für Componisten, Organisten und Liebhaber der höhern Musik. – Darmstadt, s. n., 1787; Quatorze Fugues Pour Clavecin ou Piano composées Par G: F: Handel. – Paris, J. J. Imbault (ca. 1790,

Nr. 1–6)[2]; Six Fugues or Voluntary's For the Organ or Harpsichord Compos'd by G. F. Handel. – [London], Arnold's edition, No. 131 (ca. 1793).

Bemerkungen

Als dritte Sammlung mit Musik Händels für Tasteninstrumente veröffentlichte Walsh 1735 die „Six Fugues or Voluntarys for the Organ or Harpsicord", die im Druck mit der Opuszahl 3 versehen wurden, da es der dritte Band mit Klaviermusik war, den Walsh für Händel herausgab.[3] Da bereits die 6 Concerti grossi vom Jahre zuvor als *Opera terza* auf den Markt kamen (als dritte Veröffentlichung von Ensemblemusik nach den Sonaten für ein Soloinstrument und B. c. sowie den 6 Triosonaten op. 2), sind aus Händels Gesamtwerk zwei Sammlungen von je 6 Werken als op. 3 überliefert, wenngleich diese Bezeichnungsweise nur verlegerische Gründe hatte und nicht vom Autor ausging.

Obwohl erst 1735 veröffentlicht, entstanden die 6 Fugen bereits früher; aus dem Überlieferungsbefund der Autographe geht hervor, daß sie vermutlich in zwangloser Folge zwischen 1716 und 1718 komponiert wurden, einzelne möglicherweise sogar früher (vgl. dazu unter HWV 606 und HWV 610). Die Autographe lassen keine chronologische Folge erkennen, doch scheint das Papier von

---

[1] S. BWV Anhang 103–106. Die Sammlung hat den Titel „VI wohlausgeführte Fugen di Jen. Seb. Bach", Kopist war vermutlich J. A. G. Wechmar ca. 1780. Vgl. Krause, P.: Handschriften und ältere Drucke der Werke Georg Friedrich Händels in der Musikbibliothek der Stadt Leipzig, Leipzig 1966, S. 36, Nr. 89. HWV 605 (BWV Anhang 106) ist nur fragmentarisch (T. 1–63) in dieser Abschrift überliefert.

[2] Die letzten acht Fugen stammen aus folgenden Werken: Nr. 7–9: HWV 329 op. 6 Nr. 11, 2. Satz *(Allegro)*, HWV 324 op. 6 Nr. 6, 2. Satz *(A tempo giusto)*, HWV 319 op. 6 Nr. 1, 4. Satz *Allegro*, Nr. 10–14: HWV 427, 4. Satz *(Allegro)*, HWV 428, 2. Satz *(Allegro)*, HWV 429, 1. Satz *(Allegro)*, HWV 431, 3. Satz *(Allegro)*, HWV 433, 2. Satz *(Allegro)*.

[3] Als erschienen angekündigt in: *Country Journal: or, The Craftsman* vom 23. August 1735. Vgl. Smith, Descriptive Catalogue, S. 236.

HWV 605 und HWV 610 (WZ: Ca, Wappen mit 4 Querstreifen, 1711/13) als zeitlich frühester Beleg den anderen Autographen voranzugehen. Aus den abschriftlichen Quellen sind zwei unterschiedliche Anordnungen der Fugen ersichtlich: Während die Abschriften englischer Provenienz (Aylesford Collection *GB* Lbm, R. M. 18. b. 8. und R. M. 19. a. 3., vom Schreiber S₂ ca. 1730/32 kopiert, Malmesbury Collection, vom Schreiber Hb₁ ca. 1727/29 kopiert) gegenüber der späteren Druckausgabe die Fugen in der Reihenfolge VI – I – III – II – V – IV anordnen, bevorzugen österreichische Kopisten [Muffats Exemplar *D (brd)* B Mus. Ms. 9160, sowie *A* Wn, Cod. 19054] die Reihenfolge VI – II – III – V – I – IV. Daran fällt auf, daß die c-Moll-Fuge HWV 610 (Nr. VI) jeweils als erstes Werk angeführt ist, was von der Überlieferung her nicht abwegig erscheint. Da die Anordnung der Autographe in dem Sammelband *GB* Lbm (R. M. 20. g. 14.) ohnehin in der von anderen Werken unterbrochenen Bindefolge I – VI – II – III – IV – V einen durchaus zufälligen Eindruck macht, könnte diejenige handschriftliche Überlieferung, die nicht auf der Kopie des Walsh-Druckes beruht, sondern vor 1735 abgeschlossen wurde, einen Hinweis auf eine mögliche chronologische Folge der sechs Fugen bieten.
HWV 605, im Walsh-Druck 1735 als Fuge I veröffentlicht, wurde aufgrund der Papierbeschaffenheit des Autographs zwischen 1711 und 1716 komponiert[4]. Am Ende des Autographs notierte

[4] Papier mit dem Wasserzeichen Ca ist in Händels autographen Handschriften zwar nur von ca. 1711 bis 1713 belegt, in Abschriften (vgl. *GB* Lbm, R. M. 19. d. 5., „Ri-

Händel die Taktzahl 70. Bei der Themengestaltung bediente er sich einer älteren Vorlage und entlehnte den maßgeblichen thematischen Gedanken sowie auch die Motivik des Kontrasubjekts der *Toccata Prima* d-Moll aus Georg Muffats Sammlung *Apparatus Musico-organisticus* (Salzburg 1690)[5].
Später bildete Händel aus HWV 605 den Chor „He smote all the firstborn of Egypt" (7) für HWV 54 Israel in Egypt (1738).

Literatur

Best, T.: Handel's harpsichord music: a checklist. In: Music in Eighteenth-Century England. Ed. by C. Hogwood and R. Luckett, Cambridge UP 1982, S. 171 ff.; Chrysander III, S. 200 ff.; Hoffmann-Erbrecht, L.: Deutsche und italienische Klaviermusik zur Bachzeit, Leipzig 1954, S. 28 ff.; Leichtentritt, S. 838 ff.; Pauly, P. G.: G. F. Händels Klavierfugen. Ein Beitrag zur Geschichte der Fuge in der 1. Hälfte des 18. Jahrhunderts, Saarbrücken 1961.
Beschreibung des Autographs: Lbm: Catalogue Squire, S. 46.

naldo"-Kopie von D. Linike) jedoch bis ca. 1716/17 nachweisbar, so daß für HWV 605 und HWV 610 ein Entstehungsdatum innerhalb dieses Zeitraumes angenommen werden kann.
[5] Vgl. Monson, C. A.: Eine neuentdeckte Fassung einer Toccata von Muffat. In: Die Musikforschung, XXV. Jg., 1972, S. 465 ff. (mit Notenbeispielen und Faksimile von Muffats Toccata). Zu weiteren motivischen Parallelen mit Werken P. Cornets und J. Kuhnaus vgl. Seiffert, M.: Geschichte der Klaviermusik, Leipzig 1899, S. 254.

606. Fuge Nr. 2 G-Dur

ChA 2. – HHA IV/6. – EZ: London, ca. 1715/17

Fuga II

[vgl. HWV 314 (3.)]   124 Takte

Quellen

Handschriften: Autograph: *GB* Lbm (R. M. 20. g. 14., f. 30ʳ–32ᵛ, autographe Reinschrift).
Abschriften: *A* Sm (Mn 106, p. 22–26), Wn (Cod. 18979, f. 3ᵛ–7ʳ; Cod. 19054, f. 74ʳ–78ʳ) – *D (brd)* B (Mus. Ms. 9160, f. 52ᵛ–55ʳ; Mus. Ms. 9069,25: Nr. 6; Mus. Ms. 9172; Mus. Ms. P. 203) – *GB* Lbm (R. M. 18. b. 8., f. 45ᵛ–47ᵛ: *Fuga 5ᵗʰ*; R. M. 19. a. 3., f. 55ʳ–58ᵛ: *Fuga 4*), Malmesbury Collection (*IIX Fuge's for an Organ or Harpsicord compos'd by George Fred.ᵏ Handel Esq.ʳ*, ca. 1727/30, *No. 6*) – *I* Bc (2 Ex.).
Drucke: S. unter HWV 605.

Bemerkungen

HWV 606, im Walsh-Druck von 1735 als Fuge II veröffentlicht, ist in einer autographen Reinschrift (WZ: Bb₂) erhalten, die auf einem älteren Kompositionsautograph beruht, das verlorengegangen ist. Vermutlich komponierte Händel die Fuge schon ca. 1715 und schrieb sie später (um 1717) noch einmal ab, wie schon Chrysander vermutete.
Das Werk diente als Vorbild für das Finale von HWV 314 Concerto grosso op. 3 Nr. 3 G-Dur (3. Satz, *Allegro*), doch dürfte die in vielen Einzelheiten ungeschickte und zum Teil fehlerhafte Or-

chestertranskription des Klavierwerkes (u. a. wurde im HWV 314 der Takt 81 der Fuge irrtümlich ausgelassen, so daß die Orchesterfassung nur 123 Takte zählt) nicht auf Händel selbst zurückgehen; vielmehr wurde sie vermutlich von einem Kopisten auf Verlangen des Verlegers Walsh hergestellt.[1]

[1] Vgl. Burrows, D.: Walsh's editions of Handel's Opera 1–5: the texts and their sources. In: Music in Eighteenth-Century England. Ed. by C. Hogwood and R. Luckett, Cambridge UP 1982, S. 79ff., besonders S. 87ff.

Literatur
Best, T.: Handel's harpsicord music: a checklist. In: Music in Eighteenth-Century England. Ed. by C. Hogwood and R. Luckett, Cambridge UP 1982, S. 171ff.; Chrysander III, S. 200ff.; Leichtentritt, S. 838f.; Pauly, P. G.: G. F. Händels Klavierfugen, Ein Beitrag zur Geschichte der Fuge in der 1. Hälfte des 18. Jahrhunderts, Saarbrücken 1961, passim.
Beschreibung des Autographs: Lbm: Catalogue Squire, S. 46.

607. Fuge Nr. 3 B-Dur

ChA 2. – HHA IV/6. – EZ: London, ca. 1717/18

Fuga III

[vgl. HWV 48 (Sinfonia), HWV 313 (3.)]

78 Takte

Quellen

Handschriften: Autograph: *GB* Lbm (R. M. 20. g. 14., f. 33ʳ–34ʳ).
Abschriften: *A* Sm (Mn 106, p. 39–42), Wn (Cod. 18979, f. 7ᵛ–9ᵛ; Cod. 19054, f. 78ᵛ–81ʳ) – *D (brd)* B (Mus. Ms. 9160, f. 55ᵛ–57ʳ; Mus. Ms. 9069,25: Nr. 4; Mus. Ms. 9172; Mus. Ms. 9175; Mus. Ms. P. 203) – *D (ddr)* LEm (Ms. 2, Sammlung Scheibner, J. S. Bach zugeschrieben[1]) – *GB* Lbm (R. M. 18. b. 8., f. 41ᵛ–42ʳ: *Fuga 3ᵈ;* R. M. 19. a. 3., f. 53ʳ–54ᵛ: *Fuga 3*), Malmesbury Collection (*IIX Fuge's for an Organ or Harpsicord compos'd by George Fred.ᵏ Handel Esq.ʳ,* ca. 1727/30: *No. 3*) – *I* Bc (2 Ex.).
Drucke: S. unter HWV 605.

Bemerkungen

HWV 607, im Walsh-Druck von 1735 als Fuge III veröffentlicht, entstand ca. 1717/18 (WZ des Autographs: Bb₂). Als Vorlage für die Fuge diente der zweite Teil der *Sinfonia* zur Brockes-Passion HWV 48. Diese Orchesterfassung verwendete Händel später nochmals in HWV 313 Concerto grosso op. 3 Nr. 2 B-Dur (3. Satz, *Allegro*).
Daß die Fuge als Transkription der Orchesterfassung entstand, ergibt sich aus den beiden Autographen: Während das der Fuge eine Reihe von Änderungen und Korrekturen nach Lesarten der Orchesterfassung aufweist und zudem 78 Takte

[1] BWV Anhang 105: Vgl. unter HWV 605.

umfaßt, macht das Autograph der Orchesterfassung (mit einem um 10 Takte kürzeren Text)[2] den Eindruck einer im wesentlichen zügig niedergeschriebenen Reinschrift, die das Vorhandensein einer älteren, heute nicht mehr nachweisbaren Vorlage voraussetzt.

Literatur
Best, T.: Handel's harpsicord music: a checklist. In: Music in Eighteenth-Century England. Ed. by C. Hogwood and R. Luckett, Cambridge UP 1982, S. 171ff.; Chrysander III, S. 200ff.; Leichtentritt, S. 839; Pauly, P.G.: G. F. Händels Klavierfugen. Ein Beitrag zur Geschichte der Fuge in der 1. Hälfte des 18. Jahrhunderts, Saarbrücken 1961, passim.
Beschreibung des Autographs: Lbm: Catalogue Squire, S. 46.

[2] *GB* Lbm (R. M. 20. g. 13., f. 19ʳ–21ᵛ). Vgl. auch unter HWV 313.

608. Fuge Nr. 4 h-Moll

ChA 2. – HHA IV/6. – EZ: London, ca. 1717/18

Fuga IV

186 Takte

Quellen

Handschriften: Autograph: *GB* Lbm (R.M. 20. g. 14., f. 35ʳ–36ʳ).

Abschriften: *A* Sm (Mn 106, p. 43–48),* Wn (Cod. 18979, f. 9ᵛ–13ʳ; Cod. 19054, f. 88ʳ–92ᵛ) – *D (brd)* B (Mus. Ms. 9160, f. 61ᵛ–64ʳ; Mus. Ms. 9069,25: Nr. 5; Mus. Ms. 9172; Mus. Ms. P. 203) – *GB* Lbm (R.M. 18. b. 8., f. 53ʳ–55ᵛ: *Fuga 9ᵗʰ*; R.M. 19. a. 3., f. 60ᵛ–63ʳ: *Fuga 6),* Malmesbury Collection (*IIX Fuge's for an Organ or Harpsicord compos'd by George Fred.ᵏ Handel Esq.ʳ,* ca. 1727/30: *No. 9)* – *I* Bc (2 Ex.).
Drucke: S. unter HWV 605.

Bemerkungen

HWV 608, im Walsh-Druck als Fuge IV veröffentlicht, entstand ca. 1717/18. Bereits 1720 muß sie in Deutschland bekannt gewesen sein, denn Mattheson zitiert sie 1721 (in: *Critica musica,* I, Hamburg 1721, S. 45) als eine „von seinen neuesten Fugen". Das Autograph (WZ: Bb₂) ist in Doppeltakten notiert und stellt mit 186 Takten (= 93 Doppeltakte) die längste von Händels Fugen dar.

Literatur

Chrysander III, S. 200 ff.; Leichtentritt, S. 839; Pauly, P. G.: G. F. Händels Klavierfugen. Ein Beitrag zur Geschichte der Fuge in der 1. Hälfte des 18. Jahrhunderts, Saarbrücken 1961, passim.
Beschreibung des Autographs: Lbm: Catalogue Squire, S. 46.

609. Fuge Nr. 5 a-Moll

ChA 2. – HHA IV/6. – EZ: London, ca. 1717/18

Fuga V

Largo

[vgl. HWV 54 (2.)]

73 Takte

Quellen

Handschriften: Autograph: *GB* Lbm (R.M. 20. g. 14., f. 41ʳ–42ʳ).

Abschriften: *A* Sm (Mn 106, p. 31–34), Wn (Cod. 18979, f. 13ʳ–15ʳ; Cod. 19054, f. 81ᵛ–84ᵛ) – *D (brd)* B (Mus. Ms. 9160, f. 57ᵛ–59ʳ; Mus. Ms. 9069,25: Nr. 2; Mus. Ms. P. 203) – *D (ddr)* LEm (Ms. 2, Sammlung Scheibner, J. S. Bach zugeschrieben[1]) – *GB* Lbm (R.M. 18. b. 8., f. 48ʳ–49ᵛ: *Fuga 6ᵗʰ*; R.M. 19. a. 3., f. 58ʳ–60ʳ: *Fuga 5),* Malmesbury Collection (*IIX Fuge's for an Organ or Harpsicord compos'd by George Fred.ᵏ Handel Esq.ʳ,* ca. 1727/30: *No. 8)* – *I* Bc (2 Ex.).
Drucke: S. unter HWV 605.

Bemerkungen

HWV 609, im Walsh-Druck von 1735 als Fuge V veröffentlicht, entstand ca. 1717/18 (WZ des Autographs: Bb₂). Händel versah sie als einzige der 6 Fugen mit einer Vortragsbezeichnung *(Largo).* 1738 entwickelte Händel aus der Fuge den Chor „They loathed to drink of the river" (2) in HWV 54 Israel in Egypt.
Wie Max Seiffert[2] nachweisen konnte, bediente sich Händel bei der Erfindung des Fugenthemas eines melodischen Modells, das in der deutschen Orgel- und Cembalomusik des ausgehenden 17. Jahrhunderts eine besonders reiche Ausprägung erfahren hatte und vermutlich auf Johann Pachelbel zurückgeht.[3]

Literatur

Chrysander III, S. 208 f.; Leichtentritt, S. 839; Pauly, P. G.: G. F. Händels Klavierfugen. Ein Beitrag zur Geschichte der Fuge in der 1. Hälfte des 18. Jahrhunderts, Saarbrücken 1961, passim.
Beschreibung des Autographs: Lbm: Catalogue Squire, S. 46.

[1] BWV Anhang 103. Vgl. unter HWV 605.

[2] Geschichte der Klaviermusik, Leipzig 1899, S. 206 ff.

[3] Magnificat-Fugen octo toni, u. a. in *GB* Lbm (Add. MSS. 31221). Notenbeispiel bei Seiffert, a. a. O., S. 206. Vgl. auch Fuga d-Moll, in: DTB VI/1, Leipzig 1903, S. 42

610. Fuge Nr. 6 c-Moll

ChA 2. – HHA IV/6. – EZ: London, ca. 1711/16

Fuga VI

63 Takte

[vgl. HWV 400 (2.)]

Quellen

Handschriften: Autograph: *GB* Lbm (R. M. 20. g. 14., f. 28ʳ–29ʳ).
Abschriften: *A* Sm (Mn 106, p. 1–4), Wn (Cod. 18979, f. 15ᵛ–17ʳ; Cod. 19054, f. 71ʳ–73ᵛ) – *D (brd)* B (Mus. Ms. 9160, f. 50ᵛ–52ʳ; Mus. Ms. 9069,25: Nr. 3; Mus. Ms. 9172; Mus. Ms. 9175; Mus. Ms. P. 203), Hs [Cod. hans. IV. 42., Kopie Johann Matthesons)[1] – *D (ddr)* LEm (Ms. 2, Sammlung Scheibner, J. S. Bach zugeschrieben[2]) – *GB* Lbm (R. M. 18. b. 8., f. 38ᵛ–39ʳ: *Fuga 1ˢᵗ*; R. M. 19. a. 3., f. 49ʳ–50ᵛ: *Fuga 1*), Malmesbury Collection (*IIX Fuge's for an Organ or Harpsicord compos'd by George Fred.ᵏ Handel Esq.ʳ,* ca. 1727/30: *No. 1*) – *I* Bc (2 Ex.).
Drucke: S. unter HWV 605.

Bemerkungen

HWV 610, im Walsh-Druck von 1735 als Fuge VI veröffentlicht, entstand vermutlich zusammen mit HWV 605 (WZ des Autographs: Ca, Wappen mit 4 Querstreifen) zwischen 1711 und 1716.
Wie Hans Joachim Marx nachweisen konnte, existiert eine Kopie Johann Matthesons von dieser Fuge, die aus dessen Nachlaß stammt und sehr frühen Datums sein soll [vgl. im Quellenverzeichnis *D (brd)* Hs].

[1] In *D(ddr)* Bds aufbewahrt.
[2] BWV Anhang 104. Vgl. unter HWV 605.

Marx datiert die Abschrift aufgrund diplomatischer Befunde[3] auf etwa 1704/06, so daß Händel das Werk noch während seines Hamburger Aufenthalts komponiert haben müßte. Diese Vermutung widerspricht jedoch dem Befund des erhaltenen Händelschen Autographs, das keine Reinschrift, sondern ein Kompositionsexemplar darstellt, dessen Text im übrigen mit der Abschrift Matthesons (bis auf die Oktavversetzung des letzten Baßtons in T. 25) übereinstimmt. Vermutlich hat Mattheson seine Kopie von HWV 610 doch später (oder jedenfalls auf länger in seinem Besitz befindlichem Papier) angefertigt, als es zunächst den Anschein hat.
1738 arbeitete Händel die Fuge zum zweiten Satz für HWV 400 Triosonate op. 5 Nr. 5 g-Moll um.

Literatur

Chrysander III, S. 200 ff.; Leichtentritt, S. 839 f.; Marx, H. J.: Unbekannte Kompositionen aus Johann Matthesons Nachlaß. In: New Mattheson Studies, ed. by G. F. Buelow and H. J. Marx, Cambridge UP 1983, S. 213 ff.
Beschreibung des Autographs: Lbm: Catalogue Squire, S. 46.

[3] Für die ausführliche Information über die Quelle sei H. J. Marx gedankt.

611. Fuge F-Dur

HHA IV/17 (Nr. 15). – Praktische Ausgabe: Stücke für Clavicembalo/Pieces for Harpsichord von/by G. F. Händel. Hrsg. von/Ed. by W. Barclay Squire/J. A. Fuller-Maitland. – Mainz und Leipzig: B. Schott's Söhne 1928, vol. II (Nr. 48). – EZ: Hamburg (?), ca. 1705

66 Takte

Quellen

Handschriften: Autograph: verschollen.
Abschriften: *GB* DRc [Mus. MS. E. 24 (XII), f. 45, fragm. nur 18½ Takte], Lbm (R.M. 18. b. 8., f. 49ᵛ bis 50ᵛ: *Fuga* 7ᵗʰ), Malmesbury Collection (*IIX Fuge's for an Organ or Harpsicord compos'd by George Fred.ᵏ Handel Esq.ʳ,* ca. 1727/30: *No. 12*).

Bemerkungen

HWV 611, ist in zwei authentischen Abschriften überliefert und gehört vermutlich zu den schon um 1705 in Hamburg entstandenen Werken. Aufgrund des Fehlens autographer Belege kann eine sichere Datierung der Komposition nicht gegeben werden, doch deutet ihr Stil in die frühe Schaffenszeit Händels.

612. Fuge E-Dur

HHA IV/19. – EZ: London, ca. 1717/20, überarbeitet ca. 1748/50 (Echtheit nicht verbürgt)

48 (45) Takte

Quellen

Handschriften: Autograph: verschollen.
Abschrift: *GB* Lco (Ms. mit 64 *Organ Voluntaries* verschiedener Autoren, ohne Signatur, p. 97–98).

Bemerkungen

HWV 611 wurde von H. Diack Johnstone in einem Manuskriptband mit 64 *Organ Voluntaries* verschiedener Autoren entdeckt und auf ca. 1748/50 datiert.
Die Händel zugeschriebene Fuge gehört zu *Voluntary 26*, das aus drei Sätzen besteht; Satz 1 und 2 stammen aus John Stanleys op. 6 Nr. 9 (*1. Voluntary* e-Moll), als 3. Satz erscheint die Fuge HWV 612. Zu *Voluntary 26* heißt es im Index des Manuskripts: „Mͬ Stanley & Handel".

Der Beginn der Fuge ähnelt der Fuge in der Ouverture zu HWV 348 *Wassermusik* Suite I F-Dur. Die letzten drei Takte von HWV 612 sind vermutlich nicht original; ab 3. Viertel von T. 45 hat der Kopist des Werkes einen eigenen Schluß hinzugefügt, der möglicherweise als Emendation einer defekten oder unvollständigen Vorlage diente. Die Autorschaft Händels an dem Werk ist nicht eindeutig.

Literatur

Johnstone, H. D.: An unknown book of organ voluntaries. In: The Musical Times, vol. 108, 1967, S. 1003 ff.

Anhang

Pasticci und Opernfragmente
37 Menuets nach Opernarien

A¹. L'Elpidia, ovvero Li rivali generosi

Dramma per musica in tre atti (Pasticcio)

nach einem Libretto von Apostolo Zeno (Venedig 1697)

Textfassung: Niccolò Francesco Haym (?)
Musikalische Bearbeitung: Georg Friedrich Händel

Besetzung: Soli: Soprano (Elpidia), Mezzosoprano (Olindo), 2 Alti (Ormonte, Rosmilda), Tenore (Vitige), Basso (Belisario). Instrumente: Ob. I, II; Trba. I, II; V. I, II; Va. I, II; Cont.
UA: London, 11. Mai 1725, King's Theatre, Haymarket

Sinfonia. Ob I, II; Trba. I, II; V. I, II; Va.; Cont.

(fragm.)

Atto I
Scena 1–2 fragm.
Scena 3
1. Duetto. Olindo; Ormonte; V. I, II unis.; Va.; Cont.

Andante

Ormonte: Il va- - lor... Olindo: Il vi- - gor di que- sto braccio— à 2
32 Takte (fragm.)

Scena 5.
2. Aria. Elpidia; Ob.; V. I, II; Va.; Cont.

Un poco Andante

De- a tri- for- me,— a- stro fe-con- do,— che dal ciel— stil- lan-do u-mo-ri,
60 Takte *D. s.*

Scena 6.
3. Accompagnato. Vitige; V. I, II; Va.; Cont.

Già per- du- ta è Ra-ven-na,   e vin-ta ce- de   la Go- ti- ca for- tu- na;   Vi-

ti- ge,   e tu che pen- si?

15 Takte

Scena 7.
4. Aria. Vitige; V. I, II; Va.; Cont.
Andante

Per ser- bar- ti   e legno e Ono- re   dal va- lo- re—— impa-rì il co- re,
114 Takte *D. c.*

Scena 8.

5a. Aria. Rosmilda; V. I, II; Va.; Cont.

Andante

Si può ma sol per po-co ce- lar {dell' i-ra il} fo- co e dir_ nol {d'a-more il}
sen- to, e dir nol sen- to,

55 Takte *D. c.*

5b. Aria. Rosmilda; V. I, II; Va.; Cont.

Sor-ge qual luc-cio-let- ta___, lu-cio-let- ta, in mez-zo a fos-co or-ro-re

93 Takte *D. c.*

Scena 9.

6a. Aria. Vitige; V. I, II; Va.; Cont.

Se non tro-vo il ca- ro be- ne cer-cando io va-do al fon- te,

134 Takte *D. c.*

6b. Aria. Vitige; V. I, II unis.; Va.; Cont.

Andante

A- mor, deh, la-scia mi, tut- ta dell' a- ni-ma___ la li- ber- -tà___

[vgl. A[3] Ormisda (16.)]

62 Takte *D. c.*

Scena 10.

7. Aria. Elpidia; Ob. I, II; V. I, II; Va.; Cont.

D'al-ma luce___ fla vil- la-te, o di Cin- tia argenti ra- i, l'aure in-
fau- -ste a di-le-guar___

8. Aria. Elpidia;
Ob. I, II, V. I, II; Va.; Cont.

28 Takte

A-
man- te___ tuo co- -stante, il cor mai___ non sa- rà, tu sei spie-ta-to in-gra-to, non

Scena 11.

9. Aria. Belisario; V. I, II unis.; Va.; Cont.

ho per_ te pie- tà,___

37 Takte *D. c.*

Do-po il vento e il turbe i-ra- to bel- la calma puoi spe-rar

114 Takte

10a. Aria. Ormonte; V. I, II unis.; Cont.

Allegro

Men_ su- per-ba an- drà_ la sor- te più che for-te la dis- prez-za

(fragm.)

10b. Aria. Ormonte; V. I, II; Va.; Cont.

Ahi,___ ne- mi- co è al no-stro af-fet- to, un in-giu-sto è avver- so fa- to che ti-

Scena 13.

11. Aria. Olindo; V. I, II; Va.; Cont.

ran- no af-fli- ge il cor,

25 Takte *D. c.*

Un vento lusinghier

(fragm.)

Atto II

Scena 2.

12. Duetto. Elpidia; Olindo; Cont.

Lento

Olindo

Elpidia: Deh, ca- ro O- lin- do, non mi tra- dir. E dol- ce mor- te per cui tu vi- vi,

29 Takte

13. Aria. Elpidia; V. I, II con sordino; Va. I, II; Cont.

Affettuoso

Par- to, bel I- dol mi- o, ma già co- nosco, oh Di- o,

79 Takte *D. c.*

Scena 3.

14. Aria. Ormonte, V. I, II; Va.; Cont.

Par- te il piè, ma te- co re- sta il cor mi- o, pe- gno di fè

93 Takte *D. c.*

15. Marcia. Ob. I, II; V. I, II; Cont.

18 Takte

Scena 4.

16. Aria. Elpidia; V. I, II; Va.; Cont.

Andante

Dol- - ce or- ror che vez- - -ze- gian- - - - - - -do

43 Takte *D. c.*

Scena 5.

17. (Sinfonia). Ob. I, II; V. I, II; Cont.

Allegro

Tutti

12 Takte

18. Accompagnato. Vitige; V. I, II; Va.; Cont.

Sa- zia- ti, sa- zia- ti, i- ni- qua sor- te,

to- gli- mi e fi- glia, e reg- no,

19. Aria. Vitige; V. I, II; Va.; Cont.

Al mio te- so- ro

14 Takte

di- rò che pe- no, di- rò che mo- ro e ch'ab- bia al- me- no

39 Takte *D. c.*

Scena 6.

20. Aria. Olindo; V. I, II; Va.; Cont.

Andante larghetto

Ad- dio dil- le, dil- le ad-di- o, e da' quel labbro al mio cor__ che dà me par- te,

41 Takte *D. c.*

Scena 7.
21. Accompagnato. Elpidia; V. I, II; Va.; Cont.

M'ingan- na- te,   o pu- pille,_____ O-lindo è quel- lo   de'mie ti-   mo-   ri

Takt 6   13 Takte

22. Aria. Elpidia; V. I, II unis.; Va.; Cont.

Allegro

[autogr.:Un tuono sopra] Pu- pil- let- te____ vez- zo- set- te, pur dor- men-to____ noi splen- de- te

81 Takte D. c.

Scena 8.
23. Aria. Olindo; V. I, II; Va.; Vc.; Cont.

Allegro spiritoso

Di pur ch'io sono in- gra- to, in- gra- to, che giusto è il mio sof-   fri- re

113 Takte D. c.

Scena 9.
24. Aria. Elpidia; V. I, II unis.; Va.; Cont.

Andante

Bell'al- ma, ver gl'er- ran-ti   ne-mici o non a-   -manti,   lascia d'es-ser pie- to- sa

(91)85 Takte D. c.

Atto III
Scena 3.
25. Aria. Belisario; V. I, II; Va.; Cont.

Di quel crudel gl'in- gan- ni,   di quel crudel gl'in   gan- ni   an-drò cauto sco-

pren- do   e poi vol-to a suoi dan- ni l'ar-di- re io pu- ni- rò_____

56 Takte D. c.

26a. Aria. Ormonte; V. I, II unis.; Va.; Cont.

Andante ma non presto

Ad_____ a- -mar   la_____ tua bel- ta- de

(fragm.)

26b. Aria. Ormonte; V. I, II.; Va.; Cont.

Va- do costan te a mor- te,   con- ser- va- mi tu so- la

34 Takte D. c.

Scena 5.

27a. Aria. Rosmilda; V. I, II; Va.; Cont.

Già sen-te il co-re_____ che que-sto è a-mo-re___

81 Takte *D. c.*

27b. Aria. Rosmilda; V. I, II; Va.; Cont.

Con no-di più te- na-ci, con fiamme più vi- va-ci ci stringa e ri- ac- cen- (da)

98 Takte *D. c.*

Scena 6.

28. Aria. Olindo; Ob. I, II; V. I, II; Va.; Cont.

Bar- ba- ra mi scherni- sci e questa è fe- de, e questa è fe- de, Ti- ran- na,

26 Takte *D. c.*

Scena 7.

29. Aria. Elpidia; Ob. I, II; V. I, II; Va.; Cont.

Tor- to- -ra__ che il suo be- -ne cer- ca__ dal__ bos-co al pra- to

se____ lo ri- tro- -va in- gra- -to ne- mi- ca__

112 Takte *D. s.*

Scena 9. (ultima)

30. Aria. Vitige; V. I, II; Cont.

Van- ne e__ spe- ra, lu- sin- ghie- ra___ la spe- ran- za__ co- sì di- ce,

111 (102) Takte *D. s.*

31. Coro. Elpidia; Olindo; Ormonte / Rosmilda; Vitige / Belisario; Ob. I, II; V. I, II; Va.; Cont.

Stringi al sen ca- -ro un' am- plesso, spo-so tuo... T'ab- brac- cio, o ca- ra.

100 Takte

Quellen

Handschriften: Direktionspartitur: *GB* Lbm (Add. MSS. 31606).

Drucke: Four Overtures in Seven Parts for two Hautboys, two Violins, a Tenor and two Basses, out of the latest Operas, viz. Elpidia, Tamerlane, Scipio and Alexander. – [London], Benj. Cooke (1727); The Quarterly Collection of Vocal Musick, Containing The Choicest Songs for the last Three Months October November & December being the Additional Songs in Elpidia Compos'd by several of the most eminent Authors. – London, In° Walsh and Ios. Hare (ca. 1726).

Libretto: L'Elpidia, overo Li Rivali Generosi. Drama per Musica. Da Rappresentarsi nel Regio Teatro di Hay-Market, Per la Reale Accademia di

Musica. The Words compos'd by Signor Apostolo Zeno. The Musick by Signor Leonardo Vinci, except some few Songs by Signor Gioseppe Orlandini. – London: The Opera-Office, MDCCXXV [Ex.: *GB Lbm*].

Bemerkungen

Die Textgrundlage für da Pasticcio „L'Elpidia overo li rivali generosi" bildete das Libretto zu der Oper „I rivali generosi" von Apostolo Zeno (vertont von Marc Antonio Ziani, Venedig 1697). Vermutlich bearbeitete Niccolò Francesco Haym den Text für Händel, der die Rezitative in gekürzter Form und – wie Strohm vermutet – die beiden Duette (1, 12) und zwei Accompagnati (3, 18) des Originaltextes neu vertonte sowie möglicherweise den Schlußsatz der Sinfonia (vgl. unter *Drucke*) schrieb.

Der überwiegende Anteil der Arientexte sowie deren Musik entstammen venezianischen Opern der Spielzeit 1724/25. Im einzelnen lassen sich (nach Strohms Identifizierung) die Nummern von „L'Elpidia" folgenden Werken zuordnen:

Atto I

Sinfonia – L. Vinci: „Eraclea", Neapel 1/24¹

1. Il valor / Il vigor – im Libretto L. Vinci zugeschrieben
2. Dea triforme – L. Vinci: „Ifigenia in Tauride", Venedig 1725
3. Già perduta è Ravenna – ? Händel
4. Per serbati – G. M. Orlandini: „Berenice", Venedig 1725
5ᵃ. Si può ma sol – L. Vinci: „La Rosmira fedele", Venedig 1725
5ᵇ. Sorge qual luccioletta – D. Sarri: „Arsace", Neapel 1718
6ᵃ. Se non trovo il caro bene – im Libretto F. Peli zugeschrieben
6ᵇ. Amor, deh, lasciami – G. Orlandini²: „Lucio Papirio" (= „Sì, sì, lasciatemi"), Bologna 1718
7. D'alma luce flavillate – L. Vinci: „Ifigenia in Tauride"
8. Amante tuo costante – L. Vinci: „La Rosmira fedele" (= „Amante ch'incostante")
9. Dopo il vento – A. Lotti: „Teofane" (= „Le profonde vie dell'onde"), Dresden 1719
10ᵃ. Men superba andrà la sorte – L. Vinci: „La Rosmira fedele"

10ᵇ. Ahi, nemico è al nostra affetto – ? G. Giacomelli: „Impermestra" (= „Dal tuo sdegno e dal tuo amore"), Venedig 1724
11. Un vento lusinghier (nur fragm. erhalten) – im Libretto D. Sarri zugeschrieben („Merope", Neapel 1716)

Atto II

12. Deh, caro Olindo – ? Händel
13. Parto, bell'idol mio – im Libretto St. A. Fiorè zugeschrieben (= „Dimmi bell'idol mio", für Olindo)
14. Parte il piè³ – G. Giacomelli: „Ipermestra"
15. Marcia – ? Händel
16. Dolce orror – L. Vinci: „Ifigenia in Tauride"
17. Sinfonia – ? L. Vinci
18. Saziati, iniqua sorte – ? Händel
19. Al mio tesoro – L. Vinci: „La Rosmira fedele"
20. Addio dille – G. M. Orlandini: „Berenice"
21. M'ingannate, o pupille – ? L. Vinci: „Ifigenia in Tauride"
22. Pupillette vezzosette – L. Vinci: „Ifigenia in Tauride"
23. Di pur ch'io sono ingrato – im Libretto L. Vinci zugeschrieben
24. Bell'alma, ver gl'erranti – L. Vinci: „Ifigenia in Tauride"

Atto III

25. Di quel crudel gl'inganni⁴ – A. Lotti: „Teofane" (= „Del minacciar del vento")
26ᵃ. Ad amar la tua beltade – G. M. Orlandini: „Berenice" (= „Ad amar varia beltade")
26ᵇ. Vado costante a morte – G. M. Capelli: „Venceslao", Parma 1724
27ᵃ. Già sente il core – L. Vinci: „Ifigenia in Tauride"
27ᵇ. Con nodi più tenaci – ? D. Sarri: „Alessandro Severo", Neapel 1719
28. Barbara mi schernisci – L. Vinci: „La Rosmira fedele"
29. Tortora che il suo bene – L. Vinci: „La Rosmira fedele"
30. Vanne e spera – L. Vinci: „La Rosmira fedele"
31. Stringi al sen – L. Vinci: „Ifigenia in Tauride"

Die Besetzung der Uraufführung war: Elpidia: Francesca Cuzzoni, Olindo: Francesco Bernardi detto Senesino, Ormonte: Andrea Pacini, Rosmilda: Benedetta Sorosina⁵, Vitige: Francesco Bo-

---

¹ Mit neuem Schlußsatz der – wenn nicht von Händel, wie Hell, a.a.O., S.452f. meint – in der Verbindung mit Vincis nicht erhaltener Sinfonia zu „Ifigenia in Tauride" (Venedig 1725) zu sehen wäre (Strohm, Pasticci, S.213).
² Nach Clausen (S.138): L. Leo: „Arianna e Teseo" (= „Sì lusingatemi"), Neapel 1721, Einlage von Orlandinis Arie in das von L. Leo arrangierte Pasticcio. Vgl. Strohm, Italienische Opernarien II, S.268.

³ Ersetzte in der Spielzeit 1725/26 „Qual senza stelle" aus „Venceslao" von G. M. Capelli (Parma 1724).
⁴ Vor Nr. 25 war in Scena 2 (laut Strohm) die Arie für Elpidia „Più non so dirti spera" aus „Trionfo di Camilla" (= „Più non so finger sdegni") von L. Vinci (Parma 1725) eingelegt worden, die in der Partitur nicht nachweisbar ist.
⁵ Deutsch (S.181) führt fälschlich Leonora d'Ambreville in dieser Partie an.

rosini, Belisario: Giuseppe Maria Boschi. Insgesamt erlebte das Werk 12 Aufführungen bis zum Ende der Spielzeit am 19. Juni 1725. Auch in der folgenden Saison wurde „L'Elpidia" wieder gespielt: vom 30. November bis zum 14. Dezember 1725 erfolgten nochmals fünf[6] Wiederholungen. Für die inzwischen aus dem Ensemble ausgeschiedenen Sänger Pacini, Sorrosina und Borosini sangen jetzt Antonio Baldi (Ormonte), Anna Dotti

[6] A. Hicks (in: The New Grove, 1982, Works, S. 123) vermerkt nur vier Wiederholungen.

(Rosmilda) und Luigi Antinori (Vitige), für die Händel die Alternativfassungen der Arien einfügte.

Literatur
Burney, History IV, S. 733.; Chrysander II, S. 130 ff.; Clausen, S. 136 ff.; Hell, H.: Die neapolitanische Opernsinfonie in der ersten Hälfte des 18. Jahrhunderts (= Münchner Veröffentlichungen zur Musikgeschichte, Bd. 19), Tutzing 1971, S. 452 ff.; Strohm, Pasticci, S. 212 ff.; Strohm, Italienische Opernarien II, S. 273.

A². Genserico

Opernfragment

nach dem Libretto „Il Genserico" von Niccolò Beregani (Venedig 1669)

Textfassung: Niccolò Francesco Haym (?)

Besetzung: Soli: 3 Soprani (Eudossia, Placidia, Flacilla), Mezzosoprano (Onorico), Alto (Olibrio), 2 Bassi (Genserico, Elmige). Instrumente: Ob. I, II; Cor. I, II; V. I, II, III; Va.; Cont.
EZ: London, Ende 1727/Anfang 1728 (nur Teile von Atto I vertont)

Ouverture. Ob. I, II; V. I, II; Va.; Cont.

[= HWV 25. Tolomeo (Ouverture)]

Ob. I, II; Cor. I, II; V. I, II; Va.; Cont.

2. Allegro

Takt 14   81 Takte

Scena 1. Strada di Roma con arco Trionfale per dove entra Genserico intorniato da ambe le parti da guardie Vandale; la destra guidata da Onorico suo figlio, e la sinistra da Elmige con soldati che portano spoglie e bandiere spiegate.

1. Coro. Onorico (Sopr.); Olibrio (Alto); Genserico/Elmige (Bassi);
Ob. I, II; Cor. I, II; V. I, II; Va.; Cont.

Andante

[vgl. HWV 25. Tolomeo (31.)]

col Ob. I

Ap-plau-da ogn' u— no l'E-

Takt 17

ro- e so- vra- no, che do- po vin- to— l'A- fri- ca al- te- ra

32 Takte (fragm.)

2. Aria. Genserico; V. I, II unis.; Cont.

(col V. unis. all'ottava)

Quan-do con- ten- to di

[vgl. HWV 24. Siroe (2.)]

Takt 13

stra- -gi io si- a,   vuo' che si di- a_____ qualche mo-men- to an- che all'a-mor,

59 Takte *D. s.*
(parte Genserico con il seguito, restano Onorico ed Elmige.)

Scena 3. Onorico ed Elmige.
Recitativo. Elmige; Onorico.

Elmige: Tu non ti affretti, o Prence,
    a veder quelle stelle
    che sono lo splendor
    di questa Reggia?...
(Text von Händel nicht vertont)

3. Aria. Onorico; V. I, II; Va.; Cont.

Andante
V. unis.
Va.

[vgl. HWV 24 Siroe (4.)]

Di pur se il cor si pie- ga a' pianti_ ed a' la- men- ti: Fol-le, non ti rammenti quan-

Takt 14

tò ir-ri-ta- sti a-mor,

94 Takte *D. s.*

Scena 4. Gabinetto.
Flacilla da una parte,
e Placidia dall'altra.
Recitativo. Flacilla; Placidia.
Flacilla: Hai veduto, o Placidia,
    il vandalo monarca?...
(Text von Händel nicht vertont)

Scena 5. Olibrio e detti.
Recitativo. Olibrio; Flacilla; Placidia.

Olibrio: Eudossia, o Principesse,
    ad incontrarvi attende
    il vincitor Regnante...
(Text von Händel nicht vertont)

4. Aria. Placidia; V. I, II unis.; Cont.

Allegro

Ho_ nel se- -no un certo co- re,

[vgl. HWV 23, Riccardo I^mo (Anhang 26.), HWV 24. Siroe (9.)]

Takt 13

ch'or_ ri- cet- ta or fug- ge a-mo- re,

73 Takte *D. s.*

Scena 6. Olibrio e Flacilla.
Recitativo. Olibrio; Flacilla.

Olibrio: Non ha giammai riposo
    un core amante
    se non possiede il ben
    che tanto brama...
(Text von Händel nicht vertont)

5. Aria. Olibrio; V. I, II unis.; Va.; Cont.

[vgl. HWV 24. Siroe (8.)]   Takt 13

Sti-mo fe-de-le l'a-ma-to_ be-ne, ma la mia spe-me par che_ si tur-bi, nè so_ di che,

90 Takte *D. s.*

6. Aria. Flacilla; Ob. I, II; V. I, II; Va.; Cont.

Scena 7. Flacilla sola.

Recitativo. Flacilla:
Flacilla, che farai?
Sei d'Onorico amante,
e tu ben sai
ch'egli è contrario
a ogni amoroso affetto...
(Text von Händel nicht vertont)

Allegro
Tutti unis.
Va.

[vgl. HWV 24. Siroe (3.)]

Son come un ar-bo-scel-lo, che da due venti è scos-so e in fran-ger_ si non sa,

Takt 10   65 Takte *D. s.*

Scena 8. Sala Regia.
Mentre dall' una delle parti entrano Genserico,
Onorico ed Elmige con guardie, vengono dal fondo del Teatro Eudossia
e Placidia con seguito di Damigelle, e guardie Romane.

Recitativo. Eudossia; Genserico;
Placidia; Onorico; Elmige.
Eudossia: Dell' oppresso Tiranno
              io grazie rendo, Signor,
              al tuo valore
              liberasti la madre,
              e in un' le figlie...
(Text von Händel nicht vertont)

Scena 9. Onorico e Placidia.
Recitativo. Placidia; Onorico.
Placidia: Prencipe, a te la pace
              qui si contenderà:
              Si brilla in volto
              la maestà d'un amoroso ardore...
(Text von Händel nicht vertont)

7. Aria. Onorico; V. I, II, III; Va.; Cont.

[vgl. HWV 88 Care selve (2.)]

È già stan- ca l'al- -ma al- -te- -ra di por- tar nell'o- -tio il pie- -de,

Takt 17   109 Takte *D. c.*

Anhang.

(1.) **Coro.** Ob. I, II; Cor. I, II; V. I, II; Va.; Cont.

senza H. et V. 1/2

[vgl. HWV 12a. Radamisto (32.), HWV 504; HWV 559]   (fragm.)

Quellen

Handschriften: Autograph: *GB* Lbm (R. M. 20. d. 1., HWV 25 Tolomeo, f. 1ʳ–4ᵛ: *Ouvertüre* und Beginn von Atto I, Scena 1; R.M. 20. c. 9., HWV 24 Siroe, f. 29ʳ–36ᵛ: Atto I, Scena 5–8, Rezitative ohne Musik), Cfm (30. H. 8., MS. 258, p. 61–80: Atto I, Scena 2–5, 8–9, Rezitative ohne Musik).

Bemerkungen

Ende des Jahres 1727 oder Anfang 1728 arbeitete Händel an einem Opernprojekt, das nach dem Titel der Hauptperson unter „Genserico"[1] bekannt wurde. Über die direkte textliche Vorlage sowie Händels Textbearbeiter ist nichts bekannt; Strohm nennt als Textquellen das Libretto „Il Genserico" von Niccolò Beregani (Musik: M. A. Cèsti, Venedig 1669) und Christian Heinrich Postels Oper „Der große König der Africanischen Wenden Gensericus" (Musik: Johann Georg Conradi, Hamburg 1693)[2], der ersteres als Vorlage diente. Eine italienische Zwischenfassung könnte somit für Händels Text, der zu beiden genannten Libretti Verbindungen aufweist, die Anregung gegeben haben (vgl. Strohm, S. 126).
Händel hat die mit der Ouverture begonnene Partitur nur bis zur 9. Szene des I. Aktes weitergeführt; während der Einleitungschor und die sechs Arien dieser Szenen voll ausinstrumentiert sind, blieben sämtliche Seccorezitative, von denen nur die Texte zwischen die Notenlinien eingetragen wurden, ohne Noten. Die Besetzung der Partien

ergibt sich aus der Schlüsselung (vgl. Übersicht im Titel).
Weshalb Händel die Oper nicht weiter komponierte, ist ungeklärt. Die bereits vorhandene Musik gliederte er – zum Teil nur unter textlicher Parodierung, zum Teil wesentlich umgearbeitet – in HWV 24 Siroe und HWV 25 Tolomeo ein. Darin liegt auch der Grund, warum in den Autographen beider Opern Fragmente aus „Genserico" zu finden sind. Die erhaltenen und umgearbeiteten Sätze daraus verteilen sich auf die beiden Opern wie folgt:
Ouverture – HWV 25 Tolomeo: *Ouverture*
1. Applaudo ogn'uno l'Eroe sovrano – HWV 25 Tolomeo: 31. Applauda ogn'uno il nostro fato (Schlußcoro), Umarbeitung
2. Quando contento di stragi – HWV 24 Siroe: 2. Se il mio paterno amore, Umarbeitung
3. Di pur se il cor si piega – HWV 24 Siroe: 4. Se il labbro amor ti giura, Umarbeitung
4. Ho nel seno un certo core – HWV 24 Siroe: 9. Or mi perdo di speranza[3], Parodie
5. Stimo fedele – HWV 24 Siroe: 8. Chi è più fedele, Parodie
6. Son come un arboscello – HWV 24 Siroe: 3. D'ogni amator la fede, Umarbeitung

Literatur

Chrysander II, S. 180 f.; Dahnk-Baroffio, E.: Die Völkerwanderungsopern und Händels „Olibrio". In: Göttinger Händelfestspiele 1969, Programmheft, Göttingen 1969, S. 29 ff.; Strohm, R.: Händel und seine italienischen Operntexte. In: Händel-Jb., 21./22. Jg., 1975/76, S. 101 ff., besonders S. 125 ff.
Beschreibung der Autographe: Cfm: Catalogue Mann, MS. 258, S. 178 ff. – Lbm: Catalogue Squire, S. 80 f., 90.

---

[1] Nach Ch. Burneys irreführender Eintragung auf f. 29ʳ des „Siroe"-Autographs (vgl. Catalogue Squire, S. 80) hielt man das Fragment für eine Fassung des „Flavio Olibrio" von A. Zeno, da der Beginn der Partitur (s. Autograph zu „Tolomeo") keinen Titel aufweist. Mit Zenos Text steht Händels Fragment jedoch in keinem Zusammenhang.
[2] Auf diesem Libretto beruht auch G. Ph. Telemanns „Sieg der Schönheit" (1722).

[3] Vgl. auch HWV 23 Riccardo I. (Anhang 26.).

A³. Ormisda

Dramma per musica in tre atti (Pasticcio)

nach einem Libretto von Apostolo Zeno (Bologna 1722)

Textfassung: Giacomo Rossi (?)
Musikalische Bearbeitung: Georg Friedrich Händel

Besetzung: Soli: Soprano (Artenice), Mezzosoprano (Cosroe), 2 Alti (Arsace, Palmira), Tenore (Ormisda), Basso (Erismeno). Instrumente: Ob. I, II; Trba. I, II; V. I, II; Va.; Cont.
UA: London, 4. April 1730, King's Theatre, Haymarket

A. Ouverture (Sinfonia). Ob. I, II; V. I, II; Va.; Cont.

B. Ouverture. Ob. I, II, V. I, II; Va.; Cont.

Atto I

Scena 1.

1. Sinfonia. Ob. I, II; Trba. I, II; V. I, II; Va.; Cont.

Allegro

16 Takte

Scena 3.

2. Aria. Artenice; Ob. I, II; V. I, II; Va.; Cont.

Allegro 23

Pu- pil- let- te   vez- -zo- set- te dell' a- ma- to— mio te- so- ro,
103 Takte *D. s.*

Scena 4.

3a. Aria. Cosroe:
Sino alla goccia... (nicht erhalten)

3b. Aria. Cosroe; Ob. I, II; V. I, II; Va.; Cont.

Ri- cor- - - -da- -ti

Andante
V. I, II   V. II   V. I   V. I, II

—,   ri- -cor- -da- -ti— ch'è mi- -o   quel cor— pro- -mes- se a   me,
125 Takte *D. c.*

Scena 5.

4. Aria. Palmira; Ob. I, II; V. I, II; Va.; Cont.
20

In- fe- li- ce   ab- ban- do- na- ta,
(140) 138 Takte *D. s.*

Scena 6.

5. Aria; Ormisda;
Ob. I, II; V. I, II; Va.; Cont.
Andante e spiritoso
7

Se non sa   qual

Scena 7.
6a. Aria. Artenice; V. I, II; Va.; Cont.

vento il guida · spe - ra in van fol - le nocchie-ro___
56 Takte *D. c.*

(O ca - ro mio te - -so-ro)

6b. Aria.; Artenice;Ob. I, II; V. I, II; Va.; Cont.

Moderato

(fragm.)

Non ti confonder, no, vol- gi quei lu - mia me___,
36 Takte *D. c.*

Scena 11.
7. Aria. Arsace; Ob. I, II; V. I, II; Va.; Cont.

Adagio   Allegro

Ta- ce- rò, ta- ce- rò, se tu lo bra- mi, se tu lo bra- mi,
39 Takte *D. c.*

Scena 12.
8a. Aria. Ormisda; V. I, II unis.; Va.; Cont.

Andante

(Se non pensi al dovere)   (fragm.)

8b. Aria. Ormisda; V. I, II; Va.; Cont.

Allegro

Non fulmina an- co-ra di

Scena 13.
9a. Aria. Cosroe; Ob.; V. I, II unis; Va.; Cont.

Andante

Neme- si il cie- lo,
88 Takte *D. c.*

(Vede quel pastorello)   (fragm.)

9b. Aria. Cosroe; V. I, II; Va.; Cont.

Andante ma non presto

È

quella la bel- la ch'a- do- ra co- stan-te
114 Takte *D. c.*

Scena 14.
10. Aria. Palmira; Ob. I, II; V. I, II; Va.; Cont.

Se___ quel cor con no-bil van-to
65 Takte *D. s.*

Atto II

Scene 1.
11. Accompagnato Ormisda; V. I, II; Va.; Cont.

O Nu- me, al- ma del mondo, il

no- stro fier ne- mi- co sol per te cad- de:

12. Aria. Artenice:

Se d'aquilon…
(nicht erhalten)

Scena 6.
13a. Aria. Cosroe; V. I, II; Va.; Cont.

Fiero

Va!
(Leon feroce)   (fragm.)

13b. Aria. Cosroe; V. I, II; Va.; Cont.

Larghetto

Reo mi bra- mi e reo sa- rà è il cor mio ben che innocen-te

Allegro

Takt 66 Ma se dall'em- pie- tà il ciel mi salve- rà, 84 Takte *D. c.*

Scena 7.
14. Aria. Erismeno; V. I, II; Va.; Cont.

Co-me l'on- da

fu- ri- bonda d'or- go- glio- so fiume on- do- so, 155 Takte *D. s.*

Scena 8.
15. Aria. Palmira; V. I, II; Va.; Cont.

La speran-za lu-sin- ghie- ra
Nel tuo amor, a dol- ce spo-so
77 Takte

Scena 9.
16. Aria. Ormisda; Ob. I, II; V. I, II; unis.; Va.; Cont.

Andante

(vgl. A 1 Elpidia (6b.)) Sì, sì, las- cia- te- mi, tut- ta dell'a- ni- ma la li- ber- tà 67 Takte *D. s.*

Scena 13.
17a. Aria. Arsace; V. I, II unis.; Va.; Cont.

La-sciami, a-mi- co fa- to, o- prar con co- re
(fragm.)

17b. Aria. Arsace; V. I, II unis.; Va.; Cont.

Presto

Tuo- na il

ciel, tre- ma o- gni co- -re, 134 Takte *D. c.*

18. Aria. Palmira; Ob. I, II; V. I, II; Va.; Cont.

Ti- mido pel- legrin, ch'il

Scena 14.
19. Aria. Artenice; Ob. I, II; V. I, II; Va.; Cont.

Andante

suo cammin smarrì, 55 Takte *D. s.*

Sen-tir- si di- re dal ca- -ro be- ne 117 Takte *D. c.*

Atto III
Scena 3.
20a. Aria. Cosroe: Fia tuo sangue...
(nicht erhalten)

20b. Aria. Cosroe; V. I, II unis.; Va.; Cont.

Di mia co- -stan- za ar- ma- to

per tuo co- mando an- drò, 117 Takte *D. c.*

Scena 6.
21. Aria. Arsace; Ob. I, II; V. I, II; Va.; Cont.

Con spirito assai

Io scor-ro pie- to- so con

al- ma fe- de- le da morte cru- de- le quel pro-de a sal- var, 114 Takte *D. s.*

Scena 7.
22a. Aria. Ormisda:
Ti sento amor di padre...
(nicht erhalten)

22b. Aria. Ormisda; V. I, II; Va.; Cont.

Allegro

Spe- ran- -ze del mio cor, 62 Takte *D. c.*

Scena 12.
23. Aria. Artenice; V. I, II; Va.; Cont.
Moderato

Pas- sag- gier che in sel- va os- cu- ra muove er- ran- do

61 Takte *D. c.*

Scena 14.
24. Aria. Palmira; V. I, II; Va.; Cont.
Allegro e con molto spirito

Se mi to- glie il tuo fu- ro- re, il tuo fu- ro- re

143 Takte *D. c.*

Scena 16.
25a. Aria. Artenice:
Amico il fato...
(nicht erhalten)

25b. Aria. Artenice; Ob. I, II; V. I, II; Va.; Cont.
Allegro assai con spirito

A- gi- ta- ta dal ven- to e dall'on- da, dal ven- to e dall' on- da,

70 Takte *D. s.*

26a. Coro. C.; A.; T.; B.; Ob. I, II; V. I, II; Va.; Cont.

D'app-lau- so e giu- bi- lo l'a- ria ri- - suo- na, e al nuo- vo re- ge

(fragm.)

26b. Coro.; C.; A.; T.; B.; Ob. I, II; V. I, II; Va.; Cont.

Tut- to ri- da in sì bel gior- no

60 Takte

Quellen

Handschriften: Direktionspartitur: *GB* Lbm (Add. MSS. 31551). – Cembalopartitur: *D (brd)* Hs (M $\frac{1}{1036}$). – Arien: *GB* BENcoke.

Drucke: The favourite Songs in the Opera call'd Ormisda. – London, J. Walsh, Ioseph Hare (1730); Parthenope For a Flute The Ariets with their Symphonys for a single Flute and the Duet for two Flutes of that Celebrated Opera Compos'd by M: Handel. To which is added the most Favourite Songs in the Opera of Ormisda ... – London, John Walsh (1730).

Libretto: Ormisda. Drama. Da Rappresentarsi nel Regio Teatro D'Hay-Market. – London, A. Campbell, MDCCXXX [Ex: *GB* Lbm]

Bemerkungen

Das Pasticcio „Ormisda" beruht auf dem Libretto der gleichnamigen Oper von Apostolo Zeno (Musik: Giuseppe Maria Orlandini, Bologna 1722). Aus Orlandinis Vertonung stammen vermutlich die Rezitative, die Händel weitgehend übernommen zu haben scheint, sowie vier Arien. Text und Musik aller anderen Nummern gehen auf Werke verschiedener Komponisten zurück. Die Direktionspartitur enthält zwei Instrumentaleinleitungen; die zuerst vorgesehene, dann aber noch vor der Uraufführung gestrichene *Sinfonia* geht auf Leonardo Vinci zurück (nach Strohm aus „Flavio Anicio Olibrio", Neapel 1728, zusammengesetzt

aus dem 1. Satz der Oper „Gismondo", Rom 1727, und einem neapolitanischen Oratorium), die später als Ersatz aufgenommene *Ouverture* soll nach einem Vermerk in der Cembalopartitur[1] von Francesco Bartolomeo Conti stammen.

Wie Strohm vermutet, ist die Auswahl der Arien größtenteils durch die Sänger beeinflußt worden. Händel entschied sich für folgende Zusammenstellung (Identifizierung der Arien nach Strohm, S. 243ff.):

Atto I
Sinfonia – ? L. Vinci: „Flavio Anicio Olibrio", Neapel 1728
Ouverture – ? F. B. Conti

1. Sinfonia – ?
2. Pupillette vezzosette – J. A. Hasse: „Tigrane", Neapel 1729 (= „Pupillette sdegnosette")
3ᵃ. Sino alla goccia – G. M. Orlandini: „Ormisda", Bologna 1722
3ᵇ. Ricordati ch'è mio – G. M. Orlandini: „Adelaide", Venedig 1729 (= „Ricordati ben mio")
4. Infelice abbandonata – L. Vinci: „Flavio Anicio Olibrio", Neapel 1728 (= „Tu m'offendi")
5. Se non sa qual vento – ?
6ᵃ. O caro mio tesoro – L. Vinci: „La Caduta dei Decemviri", Neapel 1727 (= „Del caro mio tesoro")

---

[1] *Ouverture del S: Conti.*

6[b]. Non ti confonder, no – J. A. Hasse: „La Sorella amante", Neapel 1729

7. Tacerò, se tu lo brami – ? (Text aus „Didone abbandonata" von P. Metastasio)

8[a]. Se non pensi al dovere – ?

8[b]. Non fulmina ancora – G. M. Orlandini: „Lucio Papirio", Bologna 1718

9[a]. Vede quel pastorello – G. M. Orlandini: „Ormisda"

9[b]. È quella la bella – G. M. Orlandini: „Adelaide" (= „Tiranna ma bella")

10. Se quel cor con nobil vanto – ? J. A. Hasse: „L'Ulderica", Neapel 1729 (= „Pria di darmi un sì bel vanto")

Atto II

11. O Nume, alma del mondo – ? G. M. Orlandini: „Ormisda"

12. Se d'aquilon – ? N. Porpora[2]: „Semiramide Regina dell' Assiria", Neapel 1724

13[a]. Leon feroce – ? G. M. Orlandini: „Ormisda"

13[b]. Reo mi brami – ?

14. Come l'onda furibonda – St. A. Fiorè: „Sesostri Re d'Egitto", Turin 1717 (= „Mira l'onda furibonda")

15. La speranza lusinghiera – G. M. Orlandini: „Antigona", Bologna 1727
Nel tuo amor, o dolce sposo[3] (= „Le pupille tue vezzose")

16. Sì, sì, lasciatemi[4] – G. M. Orlandini: „Lucio Papirio", Bologna 1718

17[a]. Lasciami, amico fato – G. Porta zugeschrieben

17[b]. Tuona il ciel – L. Leo: „Argeno", Venedig 1728

18. Timido pellegrin – ? G. A. Giay: „Publio Cornelio Scipione", Turin 1726

19. Sentirsi dire dal caro bene – L. Vinci: „Semiramide riconosciuta", Rom 1729

Atto III

20[a]. Fia tuo sangue – G. M. Orlandini: „Ormisda"

20[b]. Di mia costanza – G. M. Orlandini: „Adelaide" (= „Vedrò più liete")

21. Io corro pietoso – ? G. M. Schiassi zugeschrieben

22[a]. Ti sento amor di padre – ? (Text aus „Alessandro severo" von A. Zeno)

22[b]. Speranze del mio cor – G. Giacomelli: „Zidiana", Mailand 1728

23. Passaggier che in selva oscura – J. A. Hasse: „Il Sesostrate", Neapel 1726

24. Se mi toglie il tuo furore – J. A. Hasse: „Attalo Re di Bitinia", Neapel 1728(= „Tu svenasti il mio tesoro")

25[a]. Amico il fato – D. Sarri: „Siroe Re di Persia", Neapel 1727

25[b]. Agitata dal vento[5] – ?

26[a]. D'applauso e giubilo – ?

26[b]. Tutto rida in sì bel giorno – ?

Die Besetzung der Uraufführung war: Artenice: Anna Maria Strada del Pò, Arsace: Francesca Bertolli, Palmira: Antonia Margherita Merighi, Cosroe: Antonio Bernacchi, Ormisda: Annibale Pio Fabri detto Balino, Erismeno: Johann Gottfried Riemschneider. Vom 4. April bis zum Ende der Spielzeit im Juni 1730 fanden insgesamt 14 Aufführungen statt, unter denen eine Benefizvorstellung am 21. April 1730 für Anna Strada herausragt, bei der eine Anzahl neuer Einlagen erfolgte, die als Alternativfassungen verzeichnet sind[6]. In der folgenden Spielzeit wurde „Ormisda" am 24. November 1730 erneut in den Spielplan aufgenommen und bis zum Jahresende insgesamt fünfmal gespielt. Für die inzwischen aus dem Ensemble ausgeschiedenen Sänger Bernacchi und Riemschneider sangen Senesino die Partie des Cosroe und Giovanni Commano die des Erismeno. Senesino erhielt dabei vier neue Arien (Alternativfassungen b.), die sämtlich aus Orlandinis „Adelaide" stammen, in der dieser Sänger 1729 in Venedig aufgetreten war, und durch die er die ursprünglichen Arien Bernacchis ersetzen ließ.

Literatur
Burney, History IV, S. 766 f.; Chrysander II, S. 239; Clausen, S. 184 ff.; Strohm, Pasticci, S. 215 ff.; Strohm, Italienische Opernarien II, S. 279.

[5] Im Libretto als „The last song" angeführt, d. h. *aria finale* für die Benefizvorstellung am 21. April 1730.
[6] Vgl. das Libretto in *GB* Lbm [11714. a. a. 20. (1.)], in dem auf einem Extrablatt alle Einfügungen verzeichnet sind und durch einen handschriftlichen Vermerk Stradas Benefizvorstellung zugeschrieben werden.

[2] Clausen (S. 186): N. Porpora: „Siface", Neapel 1726 – Einlage aus „Semiramide". Vgl. Strohm, Italienische Opernarien II, S. 205.
[3] Später unterlegter Text.
[4] Vgl. unter A[1] Elpidia (6[b]).

A⁴. Venceslao

Dramma per musica in tre atti (Pasticcio)

nach einem Libretto von Apostolo Zeno (Parma 1724)

Textfassung: Giacomo Rossi (?)
Musikalische Bearbeitung: Georg Friedrich Händel

Besetzung: Soli: Soprano (Erenice), Mezzosoprano (Casimiro), 2 Alti (Lucinda, Ernando), Tenore (Venceslao), 2 Bassi (Alessandro, Gismondo). Chor: C.; A.; T.; B. Instrumente: Ob. I, II; Fag. I, II; Cor. da caccia I, II; Trba.; V. I, II; Va.; Cont.
UA: London, 12. Januar 1731, King's Theatre, Haymarket

Sinfonia. Ob. I, II; V. I, II; Va.; Cont.

Atto I

Scena 1.

1. Aria. Ernando; Ob. I, II; V. I, II; Va.; Cont.

Scena 3.

2. Aria. Vencestao; Ob. I, II; V. I, II; Va.; Cont.

Scena 4.

3. Accompagnato: Casimiro; V. I, II; Va.; Cont.

4. Aria. Casimiro; Ob. I, II; V. I, II; Va.; Cont.

Scena 6.

5. Aria. Lucinda; Ob. I, II; V. I, II; Va.; Cont.

Allegro

La-scia il li- do e il ma-re in- fi- do, a sol- -car torna il noc- chie-ro

155 Takte *D. c.*

Scena 8.

6. Aria. Erenice; Ob. I, II; V. I, II; Va.; Cont.

Allegretto

Io sen- to, io sen-to al cor dardi d'a- mor, lu- sin-ghe di bel- tà

145 Takte *D. c.*

Scena 9.

7. Aria. Venceslao; Ob. I, II; V. I, II; Va,; Cont.

Allegro

Ec- co l'al- ba d'un giorno se- re- no, e la cal- ma d'un pla- ci- do ma- -(re)

113 Takte *D. s.*

Scena 11.

8. Aria. Lucinda; Ob. I, II; V. I, II; Va.; Cont.

Andante

Per mia ven- det- ta, in- gra- to, og-gi al mio piè sve- na- to, ca- dra- i,

Fiero

Scherni- ta è poi tra- di- ta del re-gno e del cor mi- o pu- nir in te vogl' i- o,

57 Takte *D. c.*

Scena 12.

9. Aria. Erenice; Ob. I, II; V. I, II; Va.; Cont.

Son belle in ciel le stel- le col fiam- me giante ar- dor

80 Takte *D. c.*

Scena 13.

10. Aria. Casimiro; Ob. I, II; V. I, II; Va.; Cont.

Allegro

D'i- ra ar- ma- to il brac- cio for- te da cru- del sven-tu- ra op pres- so

Atto II

110 Takte *D. c.*

Scena 1.

11. Accompagnato. Lucinda; V. I, II; Va.; Cont.

In questa, o sommi Dei, fatale a- -re-na

senza Cemb.   Takt 5   9 Takte

Scena 4.

12. Aria. Venceslao, Ob. I, II; V. I, II; Va.; Cont.

Nel se- ren di quel sem- bian- te

115 Takte *D. c.*

Scena 5.

13. Aria. Lucinda; Ob. I, II; Cor. da Caccia I, II; V. I, II; Va.; Cont.

Con bel-la spe- me giungo a go- de- re del bel pia-ce- re d'un ca- ro a- mor,

78 Takte *D. s.*

Scena 9.

14. Aria. Erenice; Ob. I, II; V. I, II; Va.; Cont.

Spiritoso

Lascia ca- dermi in vol- to u- no de' rag-gi tuo- i che forse an-

Scena 10.

15. Aria. Casimiro; Ob. I, II; V. I, II; Va.; Cont.

Andante

cor tu puoi,

138 Takte *D. s.*

Par- to; e mí sen-to mancar il cor, perchè sde-

Scena 12.

16. Aria. Lucinda; V. I, II; Va.; Cont.

Allegro

gna- to ti las-cio, a-mato mio ge-ni- tor

51 Takte *D. c.*

La

va- ga luc-cio- -let- ta sembra che in o- gni lo- co por-ti con es-sa il

Scena 13.

17. Aria. Ernando; Ob. I, II; V. I, II; Va.; Cont.

Allegro

fo- co, e fo- co pur non è,

51 Takte *D. c.*

Vuò rit- rar dal- la tem-pe- sta

quel bel cor ch'in mez-zo all' on- de si sommerge e si con fon-de,

55 Takte *D. s.*

Scena 14.

18. Accompagnato. Casimiro; V. I, II; Va.; Cont.

O- ve sie- te? che fa- te, spir- ti di Ca- si- mi- ro?

7 Takte

19. Sinfonia. (fragm.)

7 Takte

Scena 17.

20. Aria. Casimiro; V. I, II; Va.; Cont.

Allegro

Va- do co- stan- te del- la mia mor- te saziar la sor- te s'il tuo bel

Scena 18.

21. Aria. Erenice; Ob. I, II; V. I, II; Va.; Cont.

Allegro

pian- -to

127 Takte *D. c.*

Co- me na-

-ve in ria tem- pe- sta

85 Takte *D. c.*

Atto III

Scena 1.

22. Accompagnato. Lucinda; Fag. I, II; V. I, II; Va.; Cont.

Cor-re-te a ri-vi, a fiumi, a-mo-re, la- cri-me;

Takt 6   29 Takte

23. Aria. Lucinda; V. I, II; Va.; Cont.

Presto assai

Cor-ro, vo-lo,   e do-ve, oh
Takt 10

Adagio   Presto

Di- o?   tu sei morto,   i-do-lo mi-o,   Ah! qual fiam- - - - -(ma)
71 Takte D. s.

Scena 2.

24. Aria. Ernando; Ob. I, II; Cor. I, II; V. I, II; Va.; Cont.

Spero al- fin__ che il cielo i- ra- - - - - - - - - -to,

Già quel cor co- sì a- gi- ta- - - - -ta
Takt 108   154 Takte D. s.

Scena 4.

25. Aria. Casimiro; Ob. I, II; V. I, II; Va.; Cont.

Larghetto

Da te se__ mi di- vi- de   quel fa- to, che__ m'uc-ci- de,   cru-

Scena 7.
26. Aria. Venceslao; Ob. I, II; V. I, II; Va.; Cont.
Allegro assai e con spirito

del,   crudel, non par-ti- rò,   Ba- le- nar con giu- -sta
34 Takte D. c.

Scena 8.
27. Aria. Erenice; Ob. I, II; V. I, II; Va.; Cont.
Andantino

leg- -ge del mio braccio e di mia spa-da   Del ca- ro spo-so a
75 Takte D. c.   nel

te __ l'as- pet- ta,   far la vendet- ta   nel pu- -nir l'empio,   da- rai l'e- sem- pio
bion- -do cri- ne,   il Dio ben_da-to   di fa- -ce ar- ma-to   in questo co- re

Scena 9.

28. Coro. C.; A.; T.; B.; Ob. I, II; V. I, II; Va.; Cont.

Fau- sti Nu- mi, a Ca- si- mi- ro

co- -sì glo- rio -so
go- de- ràal fi- -ne

65 Takte *D. c.*

17 Takte

Scena 10. (ultima)

29. Aria. Casimiro; V. I, II unis.; Va.; Cont.

Allegro

Fi- -do a- -mor____, non più la- - men- ti

121 Takte *D. c.*

30. Coro.C.; A.; T.; B.; Ob. I, II; Trba.; V. I, II; Va.; Cont.

Di____ Re giu- sto vi- -va il fi- glio, vi- -va spo-so, e vi- va Re,

32 Takte *D. s.*

Quellen

*Handschriften:*Direktionspartitur:*D (brd)* Hs (M $\frac{A}{1061}$;

M $\frac{A}{189}$, Cembalopartitur mit obligater Instrumentalstimme).

Druck: The Favourite Songs in the Opera call'd Venceslaus. – London, J. Walsh, Ioseph Hare (1731).

Libretto: Venceslao. Drama. Da Rappresentarsi nel Regio Teatro di Hay-Market. Done into English by Mr. Humphreys. – London, Tho. Wood, MDCCXXXI [Ex.: *GB* Lbm].

Bemerkungen

Text und Musik des Pasticcio „Venceslao" stellte Händel (sicherlich mit Hilfe Giacomo Rossis oder Samuel Humphreys, der eine englische Übersetzung des Librettos vornahm) Ende 1730 aus verschiedenen Opern zusammen. Als Textgrundlage diente dabei das bereits 1703 entstandene, im Original fünfaktige Libretto „Venceslao" von Apostolo Zeno, das für die Londoner Fassung in drei Akte zusammengezogen wurde. Nach Ansicht Strohms bot es in der Vertonung von Giovanni Maria Capelli[1] (Parma 1724)[2] die textliche Grundlage für Händels Bearbeitung, der vermutlich auch die Rezitative (oder mindestens Teile davon) neu in Musik setzte, da die Reduzierung des Textes von fünf auf drei Akte notwendigerweise zu Eingriffen in den originalen Szenenaufbau führen mußte. Aus der Direktionspartitur läßt sich diese Annahme jedoch bis auf wenige Bleistiftanmerkungen Händels nicht direkt belegen. Der überwiegende Anteil der Arien jedoch stammt aus an-

deren Opern. Insgesamt lassen sich folgende Entlehnungen, zum Teil unter stärkerer textlicher Parodierung, nachweisen[3]:

Sinfonia – Unbekannte Vorlage
Atto I

1. Se a danni miei – L. Vinci: „Stratonica" (Pasticcio), Neapel 1727[4]
2. Se tu vuoi dar legge al mondo – ?
4. Quell'odio che in mente – L. Vinci: „Medo", Parma 1728 (= „Quel fiume che in monte")
5. Lascia il lido – ? N. Porpora: „Amare per regnare", Neapel 1723
6. Io sento al cor – G. Giacomelli: „Lucio Papirio Dittatore", Parma 1729 (= „Tornate ancor")
7. Ecco l'alba – ? unbekannte Vorlage
8. Per mia vendetta – G. M. Orlandini: „Antigona" (La fedeltà coronata), Bologna 1727 (= „Se morir deggio ingrato")
9. Son belle in ciel – G. Porta: „Ulisse", Venedig 1725
10. D'ira armato il braccio forte. – L. Vinci: „Medo" (= „Vengo a voi, funesti orrori")

Atto II

12. Nel seren di quel sembiante – ? (= Pasticcio „Venceslao", Venedig 1722)
13. Con bella speme – J. A. Hasse: „Attalo Re di Bitinia", Neapel 1728 (= „Con dolce frode")
14. Lascia cadermi in volto – J. A. Hasse: „Artaserse", Venedig 1730
15. Parto, e mi sento[5] – L. Vinci: „Medo" (= „Taci, o di morte non mi parlar")

---

[1] Capelli war schon 1722 an einem venezianischen Pasticcio auf der Grundlage dieses Librettos beteiligt gewesen. Vgl. Strohm, Italienische Opernarien, II, S. 156.

[2] Partitur dieser Fassung in *GB* Lbm (Add. MSS. 15993).

[3] Vgl. Strohm, Pasticci, S. 246–247, und Clausen, S. 247 bis 248, mit Abweichungen.

[4] Vgl. Strohm, Italienische Opernarien II, S. 283. Später parodiert zu „Se già di Marte".

[5] Parodietext von Händel mit Bleistift an dieser Stelle in der Direktionspart. angemerkt.

16. La vaga luccioletta – J. A. Hasse: „Attalo Re di Bitinia"
17. Vuò ritrar della tempesta – unbekannte Vorlage
20. Vado costante della mia morte[6] – L. Vinci: „Medo" (= „Nella foreste leone invitto")
21. Come nave in ria tempesta – N. Porpora: „Semiramide Regina dell' Assiria", Neapel 1724

Atto III

23. Corro, volo, e dove – J. A. Hasse: „Attalo Re di Bitinia"
24. Spero al fin che il cielo irato – J. A. Hasse: „Gerone Tiranno di Siracusa", Neapel 1727 (= „Sappi poi che il cielo irato")
25. De te se mi divide – A. Lotti: „Alessandro Severo", Venedig 1717 (= „Da te tu mi dividi")
26. Balenar con giusta legge – ? (= Pasticcio „Venceslao", Venedig 1722)
27. Del caro sposo[7] – G. M. Capelli: „Venceslao", Parma 1724
29. Fido amor, non più lamenti – A. Lotti: „Alessandro Severo" (= „Fidi amori, or sì dolenti")

Ob die Chöre und Accompagnati von Händel selbst vertont oder ebenfalls aus anderen Werken entlehnt wurden, läßt sich aus dem Quellenbefund nicht erkennen. Strohm vermutet, daß die Arien Nr. 12 und Nr. 26 sowie mindestens zwei der Accompagnati aus dem gleichnamigen Pasticcio (Venedig 1722) stammen; hinsichtlich der Sinfonia wäre auch Händels Beteiligung (mindestens am Schlußsatz) denkbar. Die vermutliche Besetzung Händels läßt sich aus dem Londoner Ensemble der Spielzeit 1731/32 erschließen; aus dem Libretto ist nicht ersichtlich, wer die Sänger der einzelnen Partien waren, doch kommt folgende Verteilung der Rollen in Betracht: Erenice: Anna Maria Strada del Pò, Casimiro: Senesino, Lucinda: Antonia Margherita Merighi, Ernando: Francesca Bertolli, Venceslao: Annibale Pio Fabri detto Balino, Alessandro und Gismondo: Giovanni Commano[8].

„Venceslao" erlebte nur vier Vorstellungen am Haymarket Theatre; die letzte Aufführung fand am 23. Januar 1732 statt.

Literatur
Chrysander II, S. 243; Clausen, S. 246 ff.; Pečman, R.: Apostolo Zeno und sein Libretto „Il Venceslao" zu dem gleichnamigen Pasticcio von G. F. Händel. In: G. F. Händel und seine italienischen Zeitgenossen. Bericht über die wiss. Konferenz zu den 27. Händelfestspielen der DDR, Halle 1979, S. 66 ff.; Strohm, Pasticci, S. 220 ff.; Strohm, Italienische Opernarien II, S. 185, 270.

---

[6] Laut Libretto ersetzt durch Capellis Originalarie „Vado costante a morte". Vgl. HWV A[1] Elpidia (26[b]).
[7] Da diese Arie zunächst für den II. Akt (14) vorgesehen war, ist sie textlich parodiert worden; nach ihrer Umstellung in den III. Akt wurde wieder der Originaltext herangezogen (vgl. Strohm, Pasticci, S. 222).

[8] Commano sang beide Rollen; da Alessandro in Atto I Scena 7 getötet wird, konnte der Sänger auch die Partie des Gismondo (ab Atto I, Scena 10) übernehmen, Commano ist von Händel stets nur in Rezitativen eingesetzt worden.

A[5]. Titus l'Empereur (Tito)

Opernfragment

nach der Tragödie „Berenice" von Jean Racine (Paris 1670)

Libretto: Verfasser unbekannt

Besetzung: Soli: Soprano (Berenice), Mezzosoprano (Tito), 3 Alti (Antioco, Dalinda, Arsete), Tenore (Paulino), Basso (Oldauro). Instrumente: Ob. I, II; Cor. I, II; V. I, II, III; Va.; Cont.
EZ: London, Herbst 1731 (nur Teile von Atto I vertont)

Ouverture. Ob. I, II; Fag.;
V. I, II; Va.; Cont.

[= HWV 29. Ezio (Ouverture)]

2. Allegro

Takt 10

77 Takte

A tempo di Gavotta.

46 Takte

Atto I

Scena 1.

Piazza Imperiale. Tito sul trono, Paulino ed Oldauro con seguito di soldati e del popolo.

1. Coro. Berenice (Sopr.); Dalinda / Antioco (Alti); Paulino / Oldauro (Tenori);
Ob. I, II; Cor. I, II; V. I, II, III; Va.; Cont.

Andante allegro

Tutti

Numi ec- cel- si a noi — d'in- tor- no di- scen- de- — te, di- scen- de- te in sì — bel gior-

Cont.
Takt 9

Recitativo. Tito; Oldauro; Paulino; Cont.

Tito (nel discender dal trono)

- — -no,

Si sospen- dan le vo- ci di giu- bi- lo, e di lo- di,

34 Takte

2. Aria. Tito; Ob. I, II; V. I, II unis.; Cont.

Andante

Al- tra leg- -ge nell' a- ma- -re non co- nosce un no- bil co- re, che la leg- ge dell' a-

Tutti

mo- re di co- stan- za e fe- -del- tà,

Scena 2. Antioco ed Arsete.

Recitativo. Antioco; Arsete; Cont.

An- dia- mo, Ar- se- te, s'egli è ver che Ti- to co- ro-

83 Takte *D. s.*

nar Be- re- ni- ce og- gi de- sti- na.

17 Takte

3. Aria. Antioco; V. I, II unis.; Cont.

Andante

Mi re- sta-no le la- gri-me di- rei dell' al- ma i—

Takt 9

vo- ti,   ma i Dei resi ho impla-ca-bi-li   e non m'a- -scol- ta il ciel, e non___

56 Takte *D. s.*

Scena 3. Berenice; Antioco; Arsete.
Recitativo. Berenice; Antioco; Arsete; Cont.
  Berenice (sovragiunge nell' atto di partirsi Antioco).

Do- ve,   An- ti- o- co,   do- ve?   E per-chè mai   t'in- vo- li a Be- re- ni- ce?

16 Takte (fragm.)

Quellen

Handschriften: Autograph: *GB* Lbm (R. M. 20. a. 12.,
f. 1ʳ–4ᵛ: *Ouverture pour l'Opera Titus l'Empereur,*
Atto I, Scena 1; R. M. 20. d. 2., f. 53ʳ–56ᵛ: Atto I,
Scena 1, Fortsetzung, Scena 2–3).

Bemerkungen

Vermutlich im Laufe des Jahres 1731 plante Händel eine Oper mit dem Titel „Titus l'Empereur",
wie der autographe Vermerk am Beginn des erhaltenen Fragments beweist. Strohm konnte nachweisen, daß als literarische Vorlage für diese geplante italienische Oper die französische Tragödie
„Berenice" von Jean Racine (1670) zu gelten hat,
die Händel möglicherweise ohne Zwischenbear-
beitung als Opernlibretto benutzen wollte, ebenso
wie bei den Oratorienstoffen „Esther" und „Athalia" (1732/33), die er kurz darauf nach Dramen Ra-
cines bearbeiten ließ.
Von dem geplanten Werk sind allerdings nur drei
Szenen erhalten, und man muß annehmen, daß
auch kein weiterer Text vertont wurde, da die
dritte Szene mit einem nicht in Musik gesetzten
Rezitativtext abbricht. Welche Gründe Händel
zur Aufgabe des „Titus"-Projekts veranlaßten, ist
ungeklärt; Strohm sieht vorrangig künstlerische
Ursachen als maßgeblich an und vermutet, daß
Händels ungenannter Librettist an der Umwand-
lung der französischen Vorlage in einen italienischen Operntext gescheitert sei.
Während Händel die *Ouverture* später als Einleitung zur Oper HWV 29 Ezio verwendete, um die
bereits geschriebene Musik nicht ungenutzt zu
lassen, blieben – anders als beim „Gense-

rico"-Fragment – die drei gleichfalls fertig vorliegenden Vokalsätze weitgehend unberücksichtigt.
Lediglich die Arie „Mi restano le lagrime" (3) bot
mit ihrem motivischen Material die Vorlage für
die Altarie „Peni tu per un ingrata" (25) in „Ezio".
Zur Vermutung Chrysanders, daß noch andere
Teile des Fragments in „Ezio" verwertet sein
könnten, ergeben sich aus den vorliegenden musikalischen Sätzen keine Anhaltspunkte. Es läßt
sich lediglich nachweisen, daß der Text „Mi restano le lagrime" später (1735) in HWV 34 Alcina
(35) übernommen wurde, wo ihn Händel jedoch
völlig neu vertonte.

Literatur

Burney IV, S. 770; Chrysander II, S. 248; Strohm,
R.: Händel und seine italienischen Operntexte. In:
Händel-Jb., 21./22. Jg., 1975/76, S. 101 ff., beson-
ders S. 131 f.; Strohm, R.: Handel, Metastasio, Ra-
cine: the case of „Ezio". In: The Musical Times,
vol. 118, 1977, S. 901 ff.; Knapp, J. M./Dahnk-Ba-
roffio, E.: Titus l'Empereur. In: Festschrift der
Händel-Festspiele Göttingen 1970, S. 27 ff.
Beschreibung des Autographs: Lbm: Catalogue Squire,
S. 30, 94.

A⁶. Lucio Papirio Dittatore

Dramma per musica in tre atti von Geminiano Giacomelli

nach einem Libretto von Apostolo Zeno (in der Bearbeitung von Carlo Innocenzio Frugoni, Parma 1729)

Textfassung: Giacomo Rossi (?)
Musikalische Bearbeitung: Georg Friedrich Händel

Besetzung: Soli: Soprano (Papiria), 2 Mezzosoprani (Quinto Fabio, Cominio), 2 Alti (Rutilia, Servilio), Tenore (Lucio Papirio), Basso (Marco Fabio). Chor: C. I, II; A.; T.; B. Instrumente: Ob. I, II; Cor. I, II; Trba. I, II; V. I, II; Va.; Cont.
UA: London, 23. Mai 1732, King's Theatre, Haymarket

Sinfonia. Ob. I, II; Trba. I, II; V. I, II; Va.; Cont.

Atto I

Scena 1.
1. Accompagnato. Lucio Papirio; V. I, II; Va.; Cont.

Scena 2.
2. (Sinfonia.) Cor. I, II; V. I, II; Va.; Cont.

Scena 3.
3. Aria. Lucio Papirio; Ob. I, II; V. I, II; Va.; Cont.

Scena 4.
4. Aria. Marco Fabio; V. I, II unis.; Va.; Cont.

Scena 6.
5. Aria. Papiria; Ob. I, II; V. I, II; Va.; Cont.

Scena 7.

6. Aria. Cominio; Ob. I, II; V. I, II; Va.; Cont.

Scena 8.

7. Aria. Servilio; Ob. I, II; V. I, II; Va.; Cont.

Scena 9.

8. Aria. Rutilia; V. I, II; Va.; Cont.

9. (Sinfonia). Trba. I, II; V, I, II; Va .; Cont.

Scena 13.

10. Aria. Quinto Fabio; Ob. I, II; V. I, II; Va.; Cont.

Affettuoso

Scena 16.

11. Aria. Papiria; Ob. I, II; V. I, II; Va.; Cont.

Atto II

Scena 3.

12. Aria. Servilio; Ob. I, II; V, I, II; Va.; Cont.

Scena 4.

13. Aria. Marco Fabio; V. I, II; Va.; Cont.

Scena 5.

14. Aria. Papiria; Ob. I, II; V. I, II; Va.; Cont.

15. Aria. Rutilia; Ob. I, II; V. I, II; Va.; Cont.

Scena 7.
16. Aria. Quinto Fabio; Ob. I, II; V. I, II; Va.; Cont.

Que' begli oc-chi e que' bei sguardí fan di me_____ quel che lor pia-ce,

126 Takte *D. c.*

Scena 10.
17. Aria. Lucio Papirio; Ob. I, II; V. I, II: Va.; Cont.

Fra le scu-ri san-gui-no-se, pa-dre in-giusto, ar-di-to fi-glio,

116 Takte *D. c.*

Scena 11.
18. Aria. Quinto Fabio; V. I, II unis.; Va.; Cont.

Spe- - - - - - - - - - -ra, spera,

sì, pre-sa-go in pet-to, cor do-len-te, che pur vai

46 Takte *D. c.*

Atto III
Scena 1.
19. Coro di Popolo. C.; A.; B.; V. I, II; Va.; Cont

Di tri- on- fo e non di mor-te de-gno è il for-te, è il vin-ci-

Scena 3.
20. Tromba in scena. Trba. I, II

tor_____, è il vin-ci- tor,

49 Takte   11 Takte

Scena 4.
21. Aria. Servilio; Ob. I, II; V. I, II; Va.; Cont.

Sor- -ge dal mon-te fon- -te__ che ap-pe- na po- ve-ro

Scena 5.
22. Aria. Rutilia; Ob. I, II; V. I, II; Va.; Cont.

d'on-da lam- -be__ l'a- -re- na   Cor di vil-tà nu- -dri-to

128 Takte *D. c.*

un bel__ va- -lor tra- dì, d'un bel va- lor tra- -di- -to sa- rai tu il di-fen- sor,

116 Takte *D. c.*

Scena 7.
23. Aria. Lucio Papirio; Ob. I, II; V. I, II; Va.; Cont.

Sul- la tom-ba co- -ro- na- ta ver-sar__ pianti e sparger__ lo- di

43(58) Takte *D. c.*

Scena 8.

24. Aria. Quinto Fabio; Ob. I, II; V. I, II; Va.; Cont.

Que- sta fron-te e que- -sto pet- to cen- to vol- te in guer- ra ar- ma- -(to)

153 Takte *D. c.*

Scena 9.

25. Aria. Marco Fabio; Ob. I, II; V. I, II; Va.; Cont.

Andante

Al- ma tra miei ti- mo-ri pla- cida in sen ri- po- -

Allegro

- sa, Ma se calcar si sen- ti a vendi- car- - - -(si)

76 Takte *D. c.*

Scena 10.

26. Accompagnato. Papiria; V. I, II; Cont.

Adagio

Ven-go, dove mi chiami, a te mi por-to,

o mio tradi-to a-mor,

18 Takte

27. Aria. Papiria; Ob. I, II; V. I, II; Va.; Cont.

(ex F)

Ven- go a dar-ti, a- ni-ma bel-la,

Scena 12.

28. Coro. C. I, II, A.; B.; Ob. I, II; V. I, II; Va.; Cont.

quanto in ter- ra an- cor m'a-vanza

61 Takte *D. c.*

Basso

O grande, o gene- ro- so, o di consi- glio pie- no

Takt 6   13 Takte

29. Terzetto. Papiria; Quinto Fabio; Marco Fabio; Cont. Spo- so, ti stringa al se- no,

Affettuoso   Pap.

Qu. Fab. Tor-na, mia ca- ra spo- sa, mia ca- ra, spo- sa,

Cont.   M. Fab.

Vie- ni, sal-va-to fi- glio,

17 Takte

30. Coro „O grande" rep.

31. Coro. C. I, II; A.; T.; B. e Stromenti

Papiria

Vi- va, Ro-ma e- ter-no, vi- va, nell'e- ro- e che sag-gio impe-ra

57 Takte

Quellen

Handschriften: D *(brd)* Hs (M $\frac{1}{1029}$, Cembalopart. mit Instrumentalpartien).

Libretto: Lucio Papirio Dittatore. Drama. Da Rappresentarsi Nel Regio Teatro di Hay-Market. – London, T. Wood, MDCCXXXII. [Ex.: *GB* Lbm].

Bemerkungen

Zur Verbesserung seiner Einnahmen für die Spielzeit 1731/32 ließ Händel seiner Neubearbeitung des Oratoriums HWV 50ᵇ Esther die italienische Oper „Lucio Papirio Dittatore" von Geminiano Giacomelli am 23. Mai 1732 folgen. Das Werk, nach einem Libretto von Apostolo Zeno, war vom Hofpoeten Carlo Innocenzo Frugoni für Parma bearbeitet und dort im Mai 1729 in der Vertonung von Giacomelli uraufgeführt worden, wo es Händel vermutlich selbst gehört hatte.

Für seine eigene Londoner Aufführung übernahm Händel die Musik Giacomellis fast vollständig und änderte nur Teile der Rezitative bzw. ließ die Arien durch Transpositionen den Stimmlagen der Sänger seines eigenen Ensembles anpassen, so daß die Londoner Fassung des „Lucio Papirio" eigentlich kein Pasticcio im strengen Sinne darstellt. Händels Direktionspartitur, die verschollen ist, gründet sich auf eine Londoner Kopie[1] der Oper Giacomellis aus dem Besitz von Sir John Buckworth, 1726 einer der Direktoren der Royal Academy of Music und 1733 dem Direktorat der

„Opera of the Nobility" angehörend[2], mit dem Händel in Kontakt stand. Über die Einzelheiten der durchgeführten Änderungen berichten Clausen (S. 171) und Strohm (Pasticci, S. 226 f.). Von den 28 Arien in Giacomellis Partitur behielt Händel 21 bei, wobei das Ritornell einer weiteren Arie („Fiume altier") als Sinfonia „ a la battaglia" (9) für den Auftritt des Quinto Fabio (Atto I, Scena 13) Verwendung fand. Nur zwei der Arien (für Montagnana in der Rolle des Marco Fabio) stammen aus anderen Werken:

4. Chi del fato e della sorte – N. Porpora: „Siface", Rom 1730 (= „Agitato rassomiglio")
25. Alma tra miei timori – N. Porpora: „Poro", Turin 1731 (= „O sugli estivi ardori").

Die Besetzung der Partien erfolgte mit folgenden Sängern: Papiria: Anna Maria Strada del Pò, Rutilia: Francesca Bertolli, Quinto Fabio: Senesino, Cominio: Antonio Campioli, Servilio: Anna Bagnolesi, Lucio Papirio: Giovanni Battista Pinacci, Marco Fabio: Antonio Montagnana. Die Inszenierung erlebte nur vier Vorstellungen bis zum 6.Juni 1732 und wurde auch in der nächsten Spielzeit nicht wiederholt.

Literatur

Burney IV, S. 776; Chrysander II, S. 252; Clausen, S. 170 f.; Strohm, Pasticci, S. 224 ff.

[1] *GB* Lam (MS.71), datiert „Parma a dì 15 maggio 1729", kopiert von F. Faelli (vgl. Strohm, Pasticci, S. 225).

[2] Deutsch, S. 199 und S. 303 f. Zu Buckworth vgl. auch Strohm, a. a. O.

A⁷. Catone

Dramma per musica in tre atti (Pasticcio)

nach dem Libretto „Catone in Utica" von Pietro Metastasio (Rom 1728, in der Fassung Venedig 1729, Musik: Leonardo Leo)

Textfassung: Bearbeiter unbekannt
Musikalische Bearbeitung: Georg Friedrich Händel

Besetzung: Soli: 2 Soprani (Marzia, Emilia), Mezzosoprano (Catone), Alto (Arbace), Basso (Cesare). Instrumente: Ob. I, II; Cor. I, II; Trba. I, II; V. I, II; Va.; Cont.
UA: London, 4. November 1732, King's Theatre, Haymarket

Sinfonia. Ob. I, II, Trba. I, II; V. I, II; Va.; Cont.

Atto I

Scena 1.
1. Arioso. Catone; Ob. I, II; Cor. da caccia I, II; V. I, II; Va.; Cont.

Con sì bel nome in fron-te· com-bat-te-rai più for-te

49 Takte

Scena 2.
2. Aria. Marzia.; V. I, II; Va.; Cont.

Non ti mi-nac-cio_sde-gno, non ti promet-to a-mor, no, non ti promet-to a-mor,

52 Takte D. c.

Scena 3.
3. Aria. Arbace; Ob. I, II; V. I, II; Va.; Cont.

Un raggio di_speme for-ie-ra di_pa-ce già par-mi che splenda e'l

Scena 5.
4. Aria. Catone; Ob. I, II; V. I, II; Va.; Cont.

Allegro con spiritoso

co-re m'ac-cen-da

92 Takte D. c.

Pen-sa di chi sei fi-glia, e d'esser forse ap-

Scena 6:
5. Aria. Cesare; Ob. I, II; V. I, II; Va.; Cont.

pren-di, Ce-sa-re, e tu m'in-ten-di,

52 Takte D. c.

Non pa- ven-ta del mar_

Scena 7.
6a. Aria. Emilia; V. I, II unis.; Cont.

Adagio ma non troppo

le procel-le

84 Takte D. c.

La cer-

vet-ta ti-mi-det-ta, ti-mi-det- - - -ta_ co- - -re al fon-te

101 Takte D. s.

6b. Aria. Emilia; Ob. I, II; V. I, II; Va.; Cont.

Allegro

Pri-va del ca- -ro, ca- -ro, spo-so la_tor-to-ra si la-gna,

Scena 11.
7a. Aria. Emilia; Ob.; V. I, II; Va.; Cont.

Allegretto

non_tro-va mai ri- po-so,

132 Takte D. c.

Va-ghe_lab-bra, voi fin-ge-te, ma_ben_

7b. Aria. Emilia; Ob. I, II; V. I, II; Va.; Cont.

Allegretto

so_ che_nascon-de- te

125 Takte D. s.

Chi_ mi to-glie il mio dol-ce com-

pa-gno, il mio dol- ce com-pa-gno, par_ che di-ca in sua me-sta_ fa- -vel-la

58 Takte D. c.

Scena 13.
8. Aria. Marzia; Ob. I, II; V. I, II; Va.; Cont.
Allegro
È fol-lia se na-scon-de-te fi-di aman-ti il vo-stro fo-co
69 Takte D. c.

Atto II
Scena 2.
9. Aria; Catone; V. I, II; Va.; Cont.
Str.   Str.
Takt 6   Mi co-nosci? Sai chi sono?   Ve-di E-
Presto
ro- e che mi con-si-glia, che mi con-si-glia. Van-ne, e ab-bas-sa, e ab-bas-sa al vuol le ci- glia
58 Takte D. c.

Scena 3.
10. Aria. Arbace; V. I, II; Va.; Cont.
Va-ghe lu-ci—, lu-ci bel-le,— lu-ci— bel-le, a— cui por-ta in-vi-dia— il gior-no
56 Takte D. c.

Scena 5.
11. Aria. Cesare; V. I, II; Va.; Cont.
Allegro e staccato
A- -gi-ta- to da— più ven-ti e— lon-ta- no dal- la sponda
245 Takte D. c.

Scena 7.
12 a. Aria.; Emilia;
V. I, II unis; Va. I, II; Cont.
Andante   (Alto)
Va. I, II
con. sord.   Takt 18
Ca- re fa- -ci, ca- re fa- ci del ben mi- o,

12 b. Aria. Emilia; V. I, II con sord.; Va.; Cont.
V. I, II
con sord.
seb-ben sie-te a me lon- ta-ne
112 Takte D. c.
Sen- to in ri- va a l'a- -tre spon- de l'in-fe- li- ce che mi di- ce
Takt 13
126 Takte D. S.

Scena 10.
13. Aria. Cesare; Ob. I, II; V. I, II; Va.; Cont.
Allegro
So che na- scon- - - -di li- vo-re in se- no e sempre abbando- ni
117 Takte D. c.

Scena 12.
14. Aria.; Catone; Ob. I, II; V. I, II; Va.; Cont.
Do- vea svenarti all' o- ra che a- pristi al dì le ci- glia
116 Takte D. c.

Scena 13.
15. Aria.; Marzia; Ob. I, II; V. I, II;
Cont.
So, so

che go-den-do vai— del duol che— mi tor-men-ta, del duol che— mi tor- men- ta,
55 Takte D. s.

Scena 14.

16. Aria. Emilia; V. I, II; Va.; Cont.

Fra tan-ti pen-sie-ri e d'o-dio e d'a-mo-re

122 Takte *D. c.*

Atto III

Scena 2.

17. Aria. Marzia; Ob. I, II; V. I, II; Va.; Cont.

Con-fu-sa, smarri-ta, spie-gar-ti vor-re-i,

56 Takte *D. c.*

Scena 3.

18. Aria. Arbace; Ob. I, II; V. I, II; Va.; Cont.

Quando piom-ba im-prov-vi-sa spet-ta e del pi-no tutt' ar-de la fron-da

64 Takte *D. c.*

Scena 4.

19. Aria. Cesare; V. I, II; Va.; Cont.

Allegretto

È ver che all' a- - - -mo in-ter-no l'a-bi-ta-tor dell' on-da,

55 Takte *D. c.*

Scena 10.

20. Aria. Emilia; V. I, II; Va.; Cont.

Allegro

[vgl. HWV A 12 Didone (22)] Ve-de il nocchier la sponda, co-nosce il march'è infi-do, co-nosce il march'è infi-do,

Scena 12.

21. Aria. Catone: V. I, II; Va.; Cont.

Adagio ma poco

Takt 88   Ah! per mia pe-na anch' i-o   sebben son sfor-tu-na-ta   Per

120 Takte *D. c.*

dar-vi al-cun pegno di af-fet-to il mio co-re   vi las-cia u-no sdegno,   vi la-scia un'amo-re

37 Takte *D. c.*

22. (Sinfonia). Ob.; Trba. I, II; V. I, II; Va.; Cont.

Allegro assai

14 Takte

Scena 13.

23. Accompagnato. Cesare; V. I, II; Va.; Cont.

Ah, se co-star-mi de-ve   i gior-ni di Ca-to-ne   il ser-to,   il tro-no,

6 Takte

24a. Aria. Marzia:

Soffre talor...

(nicht erhalten)

24b. Aria. Marzia; Ob. I, II; V. I, II; Va.; Cont.

Andante

Vo' sol-cando un mar crude-le sen-za ve-le, e sen-za sar- - - - - -(te).

[vgl. HWV A 10 Arbace (9a.)]

145 Takte *D. c.*

Quellen

Handschriften: Direktionspartitur: *D (brd)* Hs (M $\frac{A}{1012}$).

Druck: The Favourite Songs in the Opera call'd Cato. – London, J. Walsh (1732).

Libretto: Catone. Drama. Da Rappresentarsi Nel Regio Teatro d'Hay-Market. Done into English by Mr. Humphreys. – London, T. Wood, MDCCXXXII [Ex.: *GB* Lbm].

Bemerkungen

Zu Beginn der Spielzeit 1732/33 griff Händel wiederum auf ein Pasticcio zurück, das auf dem Libretto „Catone in Utica" von Pietro Metastasio beruht. Händel lernte den Stoff vermutlich in der Vertonung von Leonardo Leo während seiner Italienreise 1729 kennen, wo Leos Oper in der Karnevalsspielzeit 1729 am Teatro San Giovanni Grisostomo mit Carlo Broschi detto Farinelli in der Titelrolle gegeben wurde, der damit in Venedig debütierte[1]. Leos Werk bildete auch für Händels Londoner Bearbeitung die Grundlage, wie die aus dem Besitz von Sir John Buckworth[2] stammende Partitur[3] von Leos Oper beweist, die Händel bei der Vorbereitung seiner Fassung benutzte und mit Bleistifteintragungen über Kürzungen und Änderungen der Rezitative sowie zur Eliminierung der in London nicht besetzten Rolle des Fulvio versah. Diese Anmerkungen Händels dienten dem Textbearbeiter und dem Kopisten bei der Anfertigung der Direktionspartitur als Hinweise, an welchen Stellen Händel Änderungen vornehmen wollte. Diese Änderungen erstreckten sich auf Neufassung von Rezitativen sowie auf Transposition, Austausch und Einfügung von Arien anderer Komponisten, die er ebenfalls mit Bleistift anschließend auch in die Direktionspartitur eintrug. Händel war dabei anscheinend bemüht, möglichst viel von Leos Vertonung in seiner Fassung beizubehalten; u. a. sind wesentliche Teile des Rezitativs, die Sinfonia[4] und 9 Arien aus der Vorlage übernommen worden, drei weitere[5] wurden erst während der Vorbereitungen der Direktionspartitur gestrichen oder ausgetauscht. Folgende Arien des Londoner Pasticcio stammen von anderen Komponisten[6]:

[1] Vgl. Strohm, Italienische Opernarien II, S. 185.
[2] Zu Buckworth vgl. unter HWV A⁶ Lucio Papirio Dittatore.
[3] *GB* Lam (MS. 75). Faksimile: Italian Opera 1640–1770. Series II/70, New York 1983.
[4] Sie stammt vermutlich nicht von Leo. Vgl. dazu Hell, H.: Die neapolitanische Opernsinfonie in der ersten Hälfte des 18. Jahrhunderts, Tutzing 1971, S. 462 ff.
[5] Es sind dies „Di tenero affetto", „Sarebbe un bel delitto" und „Soffre talor". Vgl. Clausen, S. 127.
[6] Identifizierung nach Strohm, Pasticci, S. 249–250, und Clausen, S. 127–128.

Atto I

3. Un raggio di speme – J. A. Hasse: „Dalisa", Venedig 1730 (= „Un raggio di stella")
5. Non paventa del mar – N. Porpora: „Siface", Rom 1730
6ᵃ. La cervetta timidetta – A. Vivaldi: Giustino, Rom 1724
6ᵇ. Priva del caro sposo – N. Porpora: „Germanico in Germania", Rom 1732
7ᵃ. Vaghe labbra, voi fingete – J. A. Hasse: „L'Ulderica", Neapel 1729 (= „Vaghe labbra, voi ridete")
7ᵇ. Chi mi toglie – J. A. Hasse: „Attalo Re di Bitinia", Neapel 1728

Atto II

10. Vaghe luci, luci belle – ? A. Vivaldi: „Ipermestra", Florenz 1727
11. Agitato da più venti – Vorlage unbekannt
12ᵃ. Care faci del ben mio – Vorlage unbekannt
12ᵇ. Sento in riva – J. A. Hasse: „Attalo Re di Bitinia"
13. So che nascondi – A. Vivaldi: „Orlando", Venedig 1727 (= „Benchè nasconda")
16. Fra tanti pensieri – J. A. Hasse: „Il Demetrio", Venedig 1732

Atto III

18. Quando piomba improvvisa spetta – N. Porpora: „Poro", Turin 1731
19. È ver che all'amo – N. Porpora: „Poro"
20. Vede il nocchier la sponda – J. A. Hasse: „Euristeo", Venedig 1732
24ᵇ. Vo' solcando un mar crudele[7] – L. Vinci: „Artaserse", Rom 1730.

Händels Ensemble setzte sich aus folgenden Sängern zusammen: Marzia: Anna Maria Strada del Pò, Emilia: Celeste Gismondi, Catone: Senesino, Arbace: Francesca Bertolli, Cesare: Antonio Montagnana. „Catone" wurde nur fünfmal zwischen dem 4. und 18. November 1732 aufgeführt. Zur dramaturgischen und musikalischen Bedeutung von Händels Londoner Fassung vgl. Strohm (Pasticci, S. 228 ff.).

Literatur

Burney IV, S. 777; Chrysander II, S. 252; Clausen, S. 126 ff.; Strohm, Pasticci, S. 227 ff.; Strohm, Italienische Opernarien II, S. 185, 270. Faksimile: Italian Opera 1640–1770. Series II, No. 71. Introduction by H. M. Brown, New York 1983. – Libretto: Garland Series Italian Opera Librettos: 1640–1770, vol. XII (F).

[7] Diese Arie gehörte auch in HWV A¹⁰ Arbace (9ᵃ) zum ursprünglichen Bestand der Direktionspartitur.

A⁸. Semiramide riconosciuta

Dramma per musica in tre atti (Pasticcio)

nach einem Libretto von Pietro Metastasio (Rom 1729, Musik: Leonardo Vinci)

Textfassung: Bearbeiter unbekannt
Musikalische Bearbeitung: Georg Friedrich Händel

Besetzung: Soli: 4 Soprani (Tamiri, Scitalce, Mirteo, Sibari), Mezzosoprano (Semiramide), Alto (Ircano). Chor: C. I, II; A.; B. Instrumente: Ob. I, II; Cor. I, II; Trba. I, II; Timp.; V. I, II; Va.; Cont.
UA: London, 30. Oktober 1733, King's Theatre, Haymarket

Sinfonia. Ob. I, II; Cor. I, II; Trba. I, II; Timp.; V. I, II; Va.; Cont.

Atto I
Scena 3.
1. Aria. Semiramide; Ob. I, II; V. I, II; Va.; Cont.

Scena 4.
2. Aria. Scitalce; Ob. I, II; V. I, II; Va.; Cont.

Scena 5.
3. Aria. Tamari; Ob. I, II; V. I, II; Va.; Cont.

Scena 6.
4. Aria. Ircano; Ob. I, II; V. I, II; Va.; Cont.
[vgl. HWV A 9 (11.), HWV 12 (28.)]

Scena 7.
5a. Aria. Mirteo; Ob. I, II; V. I, II; Va.; Cont.
[Ex D♯ un mezzo tono più Basso]

Scena 7.
5b. Aria. Mirteo; Ob. I, II; V. I, II; Va.; Cont. (1733)

Scena 8.
6. Aria. Sibari; V. I, II unis.; Cont.

Andante

Pen- sa ad a- -ma- re non t'in- gan- na- re col- vano og- get- to-

Scena 10.
7. Aria. Scitalce; V. I, II; Va.; Cont.

Andante moderato

di- quel af- -fet- -to- Dal lab- -bro tuo vez-

89 Takte D. s.

zo- so pen- -de la sor- te mi- -a, pen- -de la sor- te mi- -a,

110 Takte D. s.

Scena 11.
8. Aria. Tamiri; Ob. I, II; V. I, II; Va.; Cont.

Moderato

Ti cre- do a me pie- to- so non- men che- ge- ne- -ro- so,

83 Takte D. s.

Scena 12.
9. Aria. Semiramide; Ob. I, II; V. I, II; Va.; Cont.

Voi non sa- -pe- te quanto- gio- vi a de- star fa- -vil- -la

97 Takte D. c.

Scena 14.
10a. Aria. Mirteo; V. I, II unis.; Cont.

Andante

[Ex C]

Ron- di- nel- la- cui ra- -pi- ta

158 Takte D. c.

10b. Aria. Mirteo; V. I, II unis.; Cont. 1733)

(Andante)

Ron- di- nel- la-

cui ra- -pi- ta fu la- dol- ce- sua com- pagna vola in- cer- ta va- smar- ri- ta

158 Takte D. c.

Atto II
Scena 2.
11. Sinfonia. Ob. I, II; Trba.; V. I, II; Va.; Cont.

Ob; Trba.

Str.

7 Takte

12. Aria. Tamiri; V. I, II; Va.; Cont.

Allegro assai

Mi dis- prezzi ingra- to co- re, ma ve- drai ch'il mio- fu- ro- re, il

mio- fu- ro- re

100 Takte D. s.

13a. Aria. Scitalce; V. I, II; Va.; Cont.

Allegro e con spirito

(fragm.)

Scena 3.

13b. Aria. Scitalce; Ob. I, II; V. I, II; Va.; Cont. (1733)

Il cor che sdeg-na-to nel pet-to mi fre-me, nel pet-to mi fre-me pe-

Scena 4.

14. Aria. Ircano; Ob. I, II; V. I, II; Va.; Cont. (1733: Alto)

ri-gli non te-me spa-ven--to non ha,   Sa-per bra-ma-te tut-to il mio

137 Takte D. c.

co-re?   Non vi_ sde-gna-te_ lo_ spie- -ghe-rò___, lo_ spie- -ghe-rò.

64 Takte D. c.

Scena 5.

15a. Aria. Mirteo; Ob. I, II; V. I, II; Va.; Cont.

Allegro

[Ex B]   Sa- rà pia-cer_ non pe- na la ser- vi- tù d'A- mo-re,

100 Takte D. c.

15b. Aria. Mirteo; Ob. I, II; V. I, II; Va.; Cont. (1733)

Sa- rà pia-cer_ non pe- na la ser- vi- tù d'A- mo- re,

100 Takte D. c.

Scena 6.

16. Aria. Sibari; Ob. I, II; V. I, II; Va.; Cont.

D'a- mor, d'a- mor trafit-to sei, trafit-to se- i, e pur, e pur non ve- di

60 Takte D. c.

Scena 8.

17. Aria. Mirteo; Ob. I, II; V. I, II; Va.; Cont.

Lento

[Ex F]   Fiumi- -cel che s'ode ap- pe- na mor-mo- ran_____ fra l'erbe e fio- ri,

Scena 10.

18. Aria. Tamiri; V. I, II con sord.; Va.; Cont.

Ven- ti- cel che appe- na svi- ate   Tor-to__ rel- la ab-

Takt 100   132 Takte D. s.

Scena 11.

19. Aria Semiramide;

V. I, II; Va.; Cont.

Presto

-ban-do- na- ta dal di- -let-to ca- -ro a- -man-te   Tra-

134 Takte D. c.

di- ta, sprezza-ta che pian-go, che par-lo, se pie-no d'or-goglio non cre- de il do- lor__

57 Takte D. c.

Scena 12.

20a. Aria. Scitalce; Passagier che su la sponda...(nicht erhalten)

20b. Aria. Scitalce; Ob. I, II; V. I, II; Va.; Cont. (1733)

Pe- re- grin, che in erma a-re-na ti- gre scor-ge a se d'avan- te,

per- de i sen- si e pal-pi- tan-te Takt 62 Co- sì anch' io dell' in-fe- de- le

93 Takte *D. c.*

Atto III

Scena 3.

21. Aria. Ircano; Ob. I, II; Cor. I, II; V. I, II; Va.; Cont.

Qual noc- chier___ che va- - na ogn' op- ra re- se con-tro la pro- cel- la

159 Takte *D. c.*

Scena 4.

22a. Aria. Mirteo; Ob. I, II; Cor. I, II; Trba. I, II; V. I, II; Va.; Cont.

[Ex C]

In brac-cio a mil-le fu- ri- e sen- to che l'al- ma fre- - - - - me

82 Takte *D. c.*

22b. Aria. Mirteo; Ob. I, II; V. I, II; Va.; Cont.

In braccio a mil-le furie sen-to che l'alma fre- - - - - (me)

82 Takte *D. c.*

Scena 5.

23. Aria. Sibari; V. I, II; Va.; Cont.

A- vezzo al-la ca- te- na le- ón che prigio- nie-ro, le- ón che prigio- nie-ro

91 Takte *D. c.*

Scena 7.

24. Aria. Semiramide; Ob. I, II; V. I, II; Va.; Cont.

Fuggi da-gli oc-chi mie- i, per-fi-do in-gan-na- -tor___

134 Takte *D. c.*

Scena 9.

25. Aria. Scitalce; Ob. I, II; Cor. I, II; Trba.; V. I, II; Va.; Cont.

Se in campo ar- ma- -to, se in campo arma- - - - -

-to vuoi ci- men- tar- mi

Del-le tue la- gri-me___, del___ tuo do- lo- re

Takt 55

82 Takte *D. c.*

Scena 10.
26. Aria. Tamiri; Ob. I, II; V. I, II; Va.; Cont.

Per far che ri- splenda nel cor d'un a- -man- te d'a-

mo-re la— stel-la ar- di- re fa- vel-la sol far- -lo non può,

95 Takte *D. c.*

Scena 13. (ultima)
27. Aria. Scitalce; Ob. I, II; V. I, II; Va.; Cont.

Allegro

Un' au- ra pla- - - - - - - - - -ci- da

di bel-la spe- me, di bel-la spe-me spi- ra se- con- da al cor che ge- me

167 Takte *D. c.*

28. Coro. C. I, II; A.; B.; Ob. I, II; Trba.; V. I, II; Va.; Cont.

Vi- va lie- -ta e sia— Re- i- na chi fin- or' fu no- stro Re.

40 Takte

Quellen

*Handschriften:*Direktionspartitur:D*(brd)*Hs$(M\frac{1}{1051})$
– *GB* Cfm (52. B. 1., 5 Arien, Kopie von Smith senior).
Libretto: Semiramis Riconosciuta. Drama. Da Rappresentarsi nel Regio Teatro d'Hay-Market. – London, T. Wood, MDCCXXXIII. [Ex.: *GB* Lbm].

Bemerkungen

Für die Spielzeit 1733/34 bereitete Händel drei neue Pasticci vor, denen jeweils römische Opern der Jahre 1729 bis 1732 als Vorlagen dienten. Da durch den Konkurrenzkampf mit der „Opera of the Nobility" Händel infolge Abwerbung der Sänger ein neues Ensemble zusammenstellen mußte, waren für die Bearbeitung der neuen Werke teilweise größere Änderungen erforderlich, die sich in den Direktionspartituren widerspiegeln.
Händel legte „Semiramide riconosciuta" das Libretto Pietro Metastasios in der Vertonung von Leonardo Vinci (Rom, Karneval 1729) zugrunde; während die *Sinfonia* und der überwiegende Teil der Arien aus anderen Opern entlehnt wurde, schrieb Händel nahezu sämtliche Rezitative neu, änderte auch teilweise die Struktur einzelner Szenen (z. B. Atto II, Scena 2, vgl. Strohm, Pasticci, S. 236) und komponierte einige Arien der Vorlage für seine Sänger um (vgl. die Arie des Ircano „Saper bramate", Nr. 14, in der Bearbeitung für Gustav Waltz, abgedruckt bei Strohm, Pasticci, S. 259–267, in der Gegenüberstellung mit Vincis Original für Alt). Neben einer Reduzierung der Arien-Anzahl wurden diese selbst auch durch Striche innerhalb des musikalischen Verlaufs gekürzt.

Die Besetzung der Partien war wohl zunächst noch offen; u. a. sollte ursprünglich Waltz den Ircano singen, was dann aber vermutlich aus künstlerischen Gründen dahingehend geändert wurde, daß die ursprüngliche Altlage der Partie beibehalten und diese mit einer Sängerin besetzt wurde. Die Rollen wurden schließlich folgenden Sängern übertragen:
Semiramide: Margherita Durastanti, Tamiri: Anna Strada del Pò, Scitalce: Giovanni Carestini, Mirteo: Carlo Scalzi, Sibari: Rosa Negri, Ircano: Maria Caterina Negri.
Folgende Arien und Instrumentalsätze stammen nicht aus Vincis Vertonung der „Semiramide"[1]:

Sinfonia –L. Vinci: „Artaserse", Rom 1730
Atto I
2. Scherza il nocchier – F. Corselli[2]
4. Trovo ch'è gran follia[3] – J. A. Hasse: „Cajo Fabricio", Rom 1732 (=„Non sempre oprar") bzw. „Demetrio", Venedig 1732 (=„Non fidi al mar").
6. Pensa ad more – ? Händel nach einem unbekannten Modell[4]

[1] Identifizierung nach Strohm, Pasticci, S. 251–252, und Clausen, S. 228–230.
[2] Vermerk des Kopisten S_1 in der Direktionspartitur, f. 20: *Del Sig.ʳ Fran.ᶜᵒ Corselli.*
[3] Die Arie (für Alt) ersetzte die ursprünglich für Waltz geplante Originalarie „Maggior follia", für den auch das vorangehende Rezitativ (im Baßschlüssel) gedacht war.
[4] Teile dieser Arie sind in Händels eigenhändiger Niederschrift in der Direktionspartitur überliefert: ab T. 35 ist das Ritornell von ihm geschrieben.

7. Dal labbro tuo vezzoso – J. A. Hasse: „L'Erminia", Neapel 1729[5]

8. Ti credo a me pietoso – J. A. Hasse: „Arminio", Mailand 1730 (= „Potressi esser pietoso")

Atto II

11. *Sinfonia* – ? Händel[6] nach einer unbekannten Vorlage

12. Mi disprezzi ingrato core – J. A. Hasse: „Arminio" (= „Dolce rida nel mio core")

13[b]. Il cor che sdegnato – F. Feo: „Ipermestra", Rom 1728

15[a,b]. Sarà piacer non pena – L. Leo: „Il Demetrio", Neapel 1732

16. D'amor trafitto sei – L. Leo: „Argeno", Venedig 1728 (= „Mio cor tradito sei")[7]

18. Tortorella abbandonata – D. Sarri: „Artemisia", Neapel 1731

20[b]. Peregrin che in erma arena – J. A. Hasse: „Attalo", Neapel 1728

Atto III

21. Qual nocchier – F. Feo: „Andromaca", Rom 1730

23. Avezzo alla catena – J. A. Hasse: „Demetrio", Venedig 1732 (= „Non sembra ardito e fiero")

25. Se in campo armato – L. Vinci: „Catone", Rom 1728

26. Per far che risplenda – J. A. Hasse: „Tigrane", Neapel 1729 (= „Se brami che splenda")

27. Un' aura placida – ? G. Porta: „Gianguir", Mailand 1732

Literatur
Burney IV, S. 782; Chrysander II, S. 333 f.; Clausen, S. 227 ff.; Schoelcher, S. 160 ff.; Strohm, Pasticci, S. 231 ff.; Strohm, Italienische Opernarien II, S. 282.

[5] Vgl. Strohm, Italienische Opernarien II, S. 181. In Strohm, Pasticci (S. 251), wird diese Arie für J. A. Hasses „Antigone", Mailand 1732, in Anspruch genommen.
[6] Vgl. Strohm, Pasticci, S. 236.
[7] Auch als Einlage für Farinelli in L. Vincis „Medo", Parma 1728, belegt (Clausen, S. 230). Vgl. Strohm, Italienische Opernarien II, S. 232.

A⁹. Caio Fabbricio

Dramma per musica in tre atti (Pasticcio)

nach einem Libretto von Apostolo Zeno (Rom 1732, Musik: Johann Adolf Hasse)

Textfassung: Bearbeiter unbekannt
Musikalische Bearbeitung: Georg Friedrich Händel

Sinfonia.

Besetzung: Soli: 4 Soprani (Sestia, Pirro, Volusio, Cinea), Mezzosoprano (Bircenna), Alto (Turio), Basso (Caio Fabbricio). Instrumente: Ob. I, II; Cor. I, II; V. I, II; Va.; Cont.
UA: London, 4. Dezember 1733, King's Theatre, Haymarket

Atto I
Scena 1.
1. Aria. Turio; Ob. I, II; V. I, II; Va.; Cont.

Scena 3.
2. Aria. Pirro; Ob. I, II; V. I, II; Va.; cont.

Scena 4.
3. Aria. Sestia; Ob. I, II; V. I, II; Va.; Cont.

Scena 5.
4. Aria. Bircenna; Ob. I, II; V. I, II; Va.; Cont.

Scena 6.
5a. Aria. Volusio. Cor. I, II; V. I, II; Va.; Cont.

5b. Aria. Volusio. Ob. I, II; V. I, II; Va.; Cont.

Scena 7.
6a. Aria. Pirro; Reca la pace ... (nicht erhalten)
6b. Aria. Pirro; V. I, II; Va.; Cont.

Scena 9.
7. Aria. Sestia; Ob. I, II; V. I, II; Va.; Cont.

Atto II

Scena 1.

8. Aria. Bircenna; V. I, II; Va.; Cont.

Allegro ma non troppo

A- mo-re a lei__ giu-ra-sti e le giu-ra-sti fè

Takt 27 e poi di fè man-ca-sti,

107 Takte *D. c.*

Scena 3.

9. Aria. Pirro; Ob. I, II; V. I, II; Va.; Cont.

Allegro assai e con brio

Non ha più pa- ce l'a-mor ge- lo- so,__ l'amor ge- lo- so, non ha ri- po- so

l'alma smarri- ta.

Lento

L'a- ma- to__ be- -ne non sa- rà mi- o, son sen-za spe-ne

Takt 189

213 Takte *D. c.*

Scena 5.

10. Aria. Cinea; Ob. I, II; V. I, II; Va.; Cont.

Allegro

Gio-va-ni co- ri a- man- ti, tan-ti__ so- spi-ri e tan- ti per-chè in a-

mor spar- ge- -te

143 Takte *D. c.*

[Scena 7.]

(11.) Aria. Caio Fabbricio; Ob. I, II; V. I, II; Va.; Cont.

Presto e con spirito

[Non sempre oprar...]

[vgl. HWV A8 Semiramide (4.), HWV A12 (28.)]

(fragm.)

Scena 9.

11. Aria. Volusio; V. I, II; Va.; Cont.

Allegro

Trop-pa fie- re e dis-de- -gno-se quan-to va-ghe ed a- -mo-ro- se

131 Takte *D. c.*

Scena 11.

12. Aria. Pirro; V. I, II; Va.; Cont.

Andante

Al fo-co del mio a- more, del mio a-mo- re m'ar- de nel pet- to il co- re l'a-

Scena 12.

13. Aria. Sestia; Ob. I, II; V. I, II; Va.; Cont.

Allegro

Non mi chiamar, cru-de- -le, dim- mi, pieto-so a-

-ni-ma mia si__ sfa- ce

49 Takte *D. s.*

man- te, dim- mi, pietoso a- man- te, ti se-gui- rò_____, fe-de- le

68 Takte *D. c.*

Scena 13.

14. Aria. Volusio; Ob. I, II; Cor. I, II; V. I, II; Va.; Cont.

Allegro assai

Nocchier che te- me as- sor- to ve- de-re il suo pe- riglio

93 Takte *D. c.*

Atto III
Scena 1.
15. Aria. Turio; Ob. I, II; V. I, II; Va.; Cont.

È grande e bel·la quel·la mer- ce- de che la— tua fe- de, che la tua fe- de,

che la tua fe- de pro- met-te—— al cor,   65 Takte *D. c.*

Scena 2.
16. Aria. Bircenna; Cor. I, II, V. I, II; Va.; Cont.
Allegro ma non presto

Vol- gi a me gl'af- fet- -ti

Scena 4.
17. Aria. Caio Fabbricio; Ob. I, II, V. I, II; Va.; Cont.
Più tosto grave

tuo- i che tro- vare, oh Di- o, non po- i,   200 Takte *D. c.*

Quel- la è mia fi- glia,

il mio sangue ri- spet-ta in le- i,   tuo ge- ni-tor son i- o   sai quel che de vi a me   42 Takte *D. s.*

Scena 7.
18. Aria. Pirro; Ob. I, II; V. I, II; Va.; Cont.
Adagio

Ve- -drai— mo- rir— co- stan- te l'og- get- to del tuo a- mo- re   132 Takte *D. c.*

Scena 12.
19. Aria. Sestia; V. I, II con sordino; Va.; Cont.
Allegrissimo e con spiani

Lo spo-so va a morte, il padre il con- dan- na, che bar- ba- ra

Scena 13.
20. Aria. Volusio; Ob. I, II; V. I, II; Va.; Cont.
Allegretto

sor- te, che sor- te ti- ran- na   61 Takte *D. c.*   Var- che- rò la fle- bil

on- da dell'o- scu- ro e pi- gro Le- te, veg- go già che sul- le sponde   129 Takte *D. c.*

Scena 15. (ultima).
21. Aria. Pirro; Ob. I, II; V. I, II; Va.; Cont.

Vor- rei da lac- - - -ci sciogliere quest' al- ma pri- gio- -nie-ra   139 Takte

22. Coro. S.; A.; B.; Ob. I, II; V. I, II; Va.; Cont.

Con la pa- ce le gra- zie ed il pia- ce- re bat- ta l'a- li fe- sto- se— l'a- mo- re   22 Takte

Quellen
Handschriften: Direktionspartitur: *D (brd)* HS
(M $\frac{A}{1011}$).

Libretto: Caio Fabbricio. Drama. Da Rappresentarsi nel Regio Teatro d'Hay-Market. – London, T. Wood, MDCCXXXIII [Ex.: *GB* Lbm].

Bemerkungen
Für „Caio Fabbricio" (nach dem Libretto von Apostolo Zeno) wählte Händel als Vorlage die Vertonung des Textes von Johann Adolf Hasse (Rom 1732).[1] Im wesentlichen behielt er die Musik der Originalpartitur für die Arien bei, die nur den Erfordernissen seines Ensembles entsprechend transponiert und eingerichtet werden mußten, was – wie Strohm (Pasticci, S. 234) vermutet – infolge Zeitmangels nicht immer korrekt in der Direktionspartitur vermerkt ist. Fast sämtliche Rezitative jedoch wurden von Händel neu vertont und eigenhändig in die Direktionspartitur eingetragen. Die *Sinfonia,* die in der Direktionspartitur nur als Continuo-Direktionsstimme überliefert ist, entstammt einer unbekannten Vorlage und konnte bisher nicht identifiziert werden; sie wurde nachträglich in die Partitur eingefügt. Das Pasticcio „Caio Fabbricio" enthält folgende Arien fremder Komponisten:

Sinfonia – unbekannte Vorlage
Atto I

2. Fissa ne sguardi miei[2] – J. A. Hasse: „L'Ulderica", Neapel 1729
4. Vezzi lusinghe e sguardi[3] – J. A. Hasse: „Il Tigrane", Neapel 1729
5b. Per amor se il cor sospira – L. Vinci: „Astianatte", Neapel 1725
6b. Quando verrà quel giorno – unbekannte Vorlage

Atto II

11. Troppo fiere e disdegnose – unbekannte Vorlage[4]
12. Al foco del mio amore – unbekannte Vorlage[5]

Atto III

15. È grande e bella quella mercede – Arie eines

unbekannten Verfassers, Neapel ca. 1725 (= „Non sempre torna com'egli crede")[6]
21. Vorrei da lacci sciogliere – L. Leo: „Il Demetrio", Neapel 1732
22. Con la pace le grazie – unbekannte Vorlage

Die Besetzung der Partien war folgende: Sestia: Anna Maria Strada del Pò, Pirro: Giovanni Carestini, Volusio: Carlo Scalzi, Bircenna: Margherita Durastanti, Cinea: Rosa Negri, Turio: Maria Caterina Negri, Caio Fabbricio: Gustavus Waltz. „Caio Fabbricio" erlebte in Händels Bearbeitung nach der Erstaufführung am 4. Dezember 1733 im Haymarket Theatre lediglich 3 Wiederholungen und wurde dann von anderen Werken Händels abgelöst.

Literatur
Burney IV, S. 782; Chrysander II, S. 333 f.; Clausen, S. 124 ff.; Schoelcher, S. 161; Strohm, Pasticci, S. 231 ff.; Strohm, Italienische Opernarien II, S. 270.

[6] Vgl. Strohm, Pasticci, S. 254, Clausen, S. 126.

[1] Eine Fassung für Venedig 1731, wie bei Clausen, S. 125, erwähnt wird, ist nicht belegt. Vgl. Strohm, Italienische Opernarien II, S. 172–182.
[2] Anstelle der im Libretto genannten Arie „Vedi l'amata figlia" aus „Caio Fabbricio".
[3] Anstelle der im Libretto genannten Arie „Non ti ricuso" aus „Caio Fabbricio".
[4] Der Text stammt aus „Venere placata" von Francesco Corselli, Venedig 1731.
[5] Der Text stammt aus „La fortezza al cimento" von Tommaso Albinoni, Mailand 1729.

A¹⁰. Arbace

Dramma per musica in tre atti (Pasticcio)

Besetzung: Soli: 4 Soprani (Mandane, Arbace, Artaserse, Megabise), Mezzosoprano (Artabano), Alto (Semira). Chor: C. I, II; T. Instrumente: Ob. I, II; Fag.; Cor. I, II; Trba.; V. I, II; Va.; Cont.
UA: London, 5. Januar 1734, King's Theatre, Haymarket

nach dem Libretto „Artaserse" von Pietro Metastasio (Rom 1730, Musik: Leonardo Vinci)

Textfassung: Bearbeiter unbekannt
Musikalische Bearbeitung: Georg Friedrich Händel

Scena 12.

7. Aria. Mandane; V. I, II; Va.; Cont.

Presto

13

Im- pal- li- di- sce in- gra-to quel volto tuo fe- ro- ce

72 Takte *D. s.*

Scena 14.

8. Accompagnato. Arbace; V. I, II; Va.; Cont.

Per- do l'a-mi- co m'in- sul- ta la ger-ma- na

15 Takte

9a. Aria. Arbace; Cor. I, II; V. I, II; Va.; Cont.

[Vo' sol- cando un mar cru- de- le...]
[vgl. HWV A7 Catone (24b.)]

(fragm.)

9b. Aria. Arbace; Cor. I, II; V. I, II; Va.; Cont.

Allegro

16

Son qual na- -ve che a- -gi- ta- -ta da più sco- gli in mezzo all'on- de

106 Takte *D. c.*

Atto II

Scena 1.

10. Aria. Artaserse; Ob. I, II; Trba.; V. I, II; Va.; Cont.

Allegro

16

Rendi-mi il ca- ro a-mi- co, par-te dell' al- ma mi- a

104 Takte *D. c.*

Scena 2.

11a. Aria. Arbace; Ob. I, II; V. I, II; Va.; Cont.

Allegro

11

Mi

tr *tr*

scac- ci sde- gna- to, mi sgri- di se- ve-ro, pie- to-so, pla- ca-to, ve- der- - -ti non spero

106 Takte *D. c.*

11b. Aria. Arbace; V. I, II con sordino; Va.; Cont.

Adagio

7

Ca- -ro pa- dre, ca-ro padre, ah, forse è questo il fu- ne- sto estremo addi- o

42 Takte *D. c.*

Scena 4.

12. Aria. Megabise; Ob. I, II; V. I, II; Va.; Cont.

26

tr *tr*

Non te- mer ch'io mai ti di- ca al-ma in fi- -da in- gra-to co- re

116 Takte *D. c.*

Scena 6.

13. Aria. Mandane; Ob. I, II; V. I, II; Va.; Cont.

A tempo giusto

7

Se d'un amor ti- ran- no cre- dei di tri- on- far , lasciami nell' in-

gan- no, las- cia-mi lu- sin- -gar

43 Takte *D. c.*

Scena 10.

14. Aria. Arbace; V. I, II; Va.; Cont.

Adagio

3

Per

quel pa- ter-no am- ples-so,   per questo e- stremo addi- o   con- ser- va- mi te stes-so pla-

- -ca- mi l'i-dol mi-o,   ad- di- o,   Va-do a morir be- a- te se del- la Per-sia il fa- to

Takt 30   37 Takte *D. c.*

Scena 11.

15. Aria. Mandane; V. I, II; Va.; Cont.

Più tosto lento e più staccato

Par- to se vuoi- co- sì,___   par- to se vuoi- co- sì___   ma questa crudel- tà

Scena 12.

16. Aria. Semira; V. I, II unis.; Cont.

Allegro

for- se ti co- ste- rà

80 Takte *D. c.*

Per quell'af- fet- to___   che l'in- ca- te-

na l'i- ra de- po- ne___   la tig- re arme- na   la-scia il le- o- ne___   la cru-del-

Scena 13.

17. Aria. Artaserse; Ob. I, II; V. I, II; Va.; Cont.

Allegro ma non presto

tà___   Po- tes- si al mi- o___   di- let- to

Scena 14(15).

18. Aria. Artabano; Ob. I, II; V. I, II; Va.; Cont.

Allegro

nar- rar- le il mi- -o do- lo- re

136 Takte *D. s.*   Co-sì stupisce e ca- de pal- li-

do e smorto in vi- so   al ful-mine improv- vi- so   l'at- to- ni- to pa- stor,

58 Takte *D. c.*

Atto III

Scena 1.

19. Arioso. Arbace; V. I, II; Va.; Cont.

Grave e staccato

Perchè tarda è mai la mor-te,   quando è termine al mar- tir,   quando è ter- - -

20. Aria. Artaserse; V. I, II unis.; Va.; Cont.

Allegro

- - - - - mi-ne al martir   25 Takte   Se l'amor tuo___ mi ren- di,

se più fe- del___ sa- ra- -i son vendi- -ca- to as- sa- i più non de- sio da te

131 Takte *D. s.*

Scena 2.

21. Aria. Arbace; Cor. I, II; V. I, II; Va.; Cont.

L'onda dal mar di- vi- sa ba- gna___ la val- le il mon- te

156 Takte *D. c.*

Scena 3.

22. Aria. Artabano; Ob. I, II; V. I, II; Va.; Cont.

Scena 4.

23. Aria. Mandane; V. I, II; Va.; Cont.

Scena 5.

24. Duetto. Mandane; Arbace; V. I, II unis.; Va.; Cont.

Scena 6.

25. Accompagnato; Artaserse; V. I, II; Cont.

Scena 9 (ultima)

26 a. Coro. C. I, II; T.; Ob. I, II; Cor. I, II; Trba.; V. I, II; Va.; Cont.

26 b. Aria. Arbace; V. I, II; Va.; Cont.

Quellen

Handschriften: Direktionspartitur: *D (brd)* Hs (M $\frac{A}{1004}$)

– *GB* Cfm (52. B. 1., 2 Arien, Kopie von Smith senior).

Druck: The Favourite Songs in the Opera call'd Arbaces 499. – London, J. Walsh, № 285 (1734)

Bemerkungen

Als Textgrundlage für sein drittes Pasticcio der Spielzeit 1733/34 wählte Händel Pietro Metastasios Libretto „Artaserse", das er in der Vertonung von Leonardo Vinci[1] (Rom 1730) seiner Londoner Fassung zugrundelegte. Infolge der Neubesetzung mit seinem *primo uomo* Carestini, der nicht die ursprüngliche Titelrolle des Artaserse, sondern – wie schon in Rom bei der Uraufführung des Werkes von Vinci – die Rolle des Arbace sang, nannte

[1] Dies war die erste Vertonung des Librettos. Vgl. Strohm, Italienische Opernarien II, S. 233 f. Zur Identifikation von Vincis Vertonung als Händels Vorlage, die in London damals durchaus schon bekannt war, vgl. Deutsch, S. 361 f.

Händel seine Fassung abweichend vom Originallibretto nach der Partie seines ersten Protagonisten, um der Rollenhierarchie auch äußerlich zu genügen.

Ursprünglich plante Händel vermutlich, möglichst wenig an der Partitur von Vinci zu ändern und ließ zunächst auch die Rezitative (in gekürzter Form) kopieren. Dieser Zustand der Direktionspartitur läßt sich vor allem in den ersten Szenen von Atto I noch erkennen; die Partie des Artabano z.B., die zunächst mit dem Bassisten Waltz besetzt werden sollte, wurde dann als Hosenrolle von Margherita Durastanti übernommen. Daher sind ihre Rezitative und ihre erste Arie (6) noch im Baßschlüssel notiert und wurden aus Zeitgründen nicht mehr umgeschrieben. Erst danach erscheint die Partie auch in der Partitur dem tatsächlichen Besetzungsverhältnis entsprechend in der Mezzosopranlage. Ähnliches gilt für den Austausch der Rolle der Semira zwischen Durastanti (Mezzosopran, zunächst im Sopranschlüssel notiert einschließlich Arie Nr. 4) und Maria Caterina Negri (Alt, spätere Rezitative im Altschlüssel notiert).

Erst als sich herausstellte, daß Änderungen wegen der Stimmlage der einzelnen Sänger (vor allem Carlo Scalzis in der Titelrolle) erforderlich waren, schrieb Händel die Rezitative neu und ließ den Kopisten Smith senior nur die Texte weiter kopieren. So sind fast sämtliche Rezitative in der Direktionspartitur autograph. Weitere Änderungen ergaben sich durch Wünsche der Sänger nach Favoritarien, die anstelle der Originale eingelegt werden mußten. Bis auf zwei Accompagnati (8, 25), die er beibehielt, komponierte Händel alle anderen Rezitativtexte *in stilo semplice* von neuem. Da die *Sinfonia* aus Vincis „Artaserse" bereits von Händel im Pasticcio „Semiramide riconosciuta" als Einleitung verwendet worden war, fügte er eine *Sinfonia* nach einer unbekannten Vorlage ein.

Folgende Sätze anderer Komponisten sind in „Arbace" nachweisbar[2]:

Sinfonia – unbekannte Vorlage

Atto I

7. Impallidisce ingrato – J. A. Hasse: „Issipile", Neapel 1732 (= „Impallidisce in campo")
9[b]. Son qual nave ch'agitata – ? J. A. Hasse: „Artaserse", Lucca 1730[3]

Atto II

11[b]. Caro padre, ah, forse è questo – G. Porta: „Lucio Papirio Dittatore", Rom 1732
15. Parto se vuoi così[4] – J. A. Hasse: „Issipile"

---

[2] Identifizierung nach Strohm, Pasticci, S. 255–256, bzw. Clausen, S. 110–111.
[3] Autorschaft Hasses fraglich.
[4] Eine Einfügung für die Strada, die später wieder gestri-

Atto III

17. Potessi al mio diletto – J. A. Hasse: „Dalisa", Venedig 1730 (= „Se fosse il mio diletto")
20. Se l'amor tuo mi rendi – J. A. Hasse: „Siroe Re di Persia", Bologna 1733
26[b]. Di te degno non sarei – G. Porta: „Lucio Papirio Dittatore"[5]

Die Besetzung der acht Aufführungen, die „Arbace" zwischen Januar und März 1734 erlebte, war folgende: Mandane: Anna Maria Strada del Pò, Arbace: Giovanni Carestini, Artaserse: Carlo Scalzi, Megabise: Rosa Negri, Artabano: Margherita Durastanti, Semira: Maria Caterina Negri.

Literatur

Burney IV, S. 783; Chrysander II, S. 333 f.; Clausen, S. 109 ff.; Schoelcher, S. 161 f.; Strohm, Pasticci, S. 231 ff.; Strohm, Italienische Opernarien II, S. 267.

---

chen und bei der Aufführung nicht berücksichtigt wurde.
[5] Ob diese Einfügung als *aria finale* – im Gegensatz zu der üblichen italienischen Opernpraxis der Zeit weisen Händels Pasticci mehrfach zugkräftige Schlußarien für den Protagonisten auf (als *last song* bezeichnet) – wirklich den Schlußchor ersetzen sollte, ist nach Clausen (S. 110, Fußnote 4) aus der Direktionspartitur nicht zu ersehen.

A^{11}. Oreste

Dramma per musica in tre atti
(Pasticcio aus Werken G. F. Händels)

nach einem Libretto von Giovanni Gualberto Barlocci (Rom 1723)

Textfassung: Bearbeiter unbekannt
Musikalische Bearbeitung: Georg Friedrich Händel

Besetzung: Soli: 2 Soprani (Ifigenia, Ermione), Mezzosoprano (Oreste), Alto (Filotete), Tenore (Pilade), Basso (Toante). Chor: C.; A.; T.; B. Instrumente: Ob. I, II; Cor. I, II; V. I, II, III; Va.; Liuto; Cont.
EZ: London, Herbst 1734. – UA: London, 18. Dezember 1734, Theatre Royal, Coventgarden
ChA 48 (Ouverture, S. 102–103)

Ouverture. Ob. I, II; V. I, II; Va.; Cont.

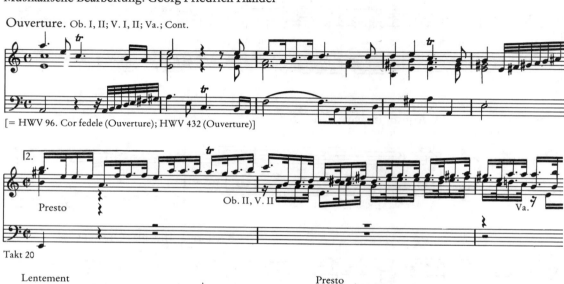

[= HWV 96. Cor fedele (Ouverture); HWV 432 (Ouverture)]

Presto

Ob. II, V. II   Va.

Takt 20

Lentement   Presto

Takt 39   Takt 47   D. c.

Atto I

Scena 1.

1. Arioso. Oreste; Ob. solo; V. I, II unis.; Cont.

V. unis.

[vgl. HWV 6. Agrippina (35.)]   Takt 10

Ob. solo

Pen- sie- ri,   pen- sie- ri,   voi mi tor- men- ta- - - - - -[te]

Takt 18   p   37 Takte

Recitativo. Oreste; Cont.

O tu del gràn To- nante   pu- dica e-ter-na   fi- glia,

2. Accompagnato. Oreste; V. I, II; Va.; Cont.

Ma   tu non m'odi an- co- ra?   Ohi-me! ch'io sen- to;   Sen-to l'ultri- ci

Takt 9

Scena 2.
3. Arioso. Ifigenia; Cont.

Larghetto

Fu- rie

19 Takte   [vgl. HWV 162. Siete rose (1.)]

Bella cal- ma   sento all'

Takt 3

Recitativo. Ifigenia; Oreste; Cont.

al- ma,   nè so dir an- cor per-chè

12 Takte

Sul Ti- ran- no To-an- te   mai'l

4. Aria. Oreste; Ob. I, II; V. I, II; Va.; Cont.

fol- go-re ca- drà?

Allegro   12   𝄋

32 Takte   [vgl. HWV 23. Riccardo I. (8.)]   A- gi- ta- - - - -[to da fiere tempeste]   77 Takte D. s.

Scena 3.
Recitativo. Ifigenia; Filotete; Cont.

Filotete

D'Argo è costui? Chi sa... Bella Ifigenia mi-a,

22 Takte

5. Aria. Ifigenia; V. I, II; Liuto; Cont.

Largo e piano   14   𝄋

senza Liuto   [= HWV 15. Ottone (21ᵇ.)]   Dir-ti vor- re- i

non son cru- de- le,

(78) 69 Takte D. s.

Scena 4.
Recitativo. Filotete; Cont.

U-disti, Fi- lo-te- te?   al-la tua cu- ra   I- fi-ge- nia com-mi- si,

6 Takte

6. Aria. Filotete; V. I, II unis.; Cont.

Allegro

[= HWV 26. Lotario (11.)]   Or- go- glio- set-to   va' l'au- gel- let-to,

124 Takte *D. s.*

Scena 5.
Recitativo. Ermione; Cont.

Ec- co al fi- ne son giun- ta   al- le tan- to bra- ma- te spiag-gie di Tau- ri,

7 Takte

7. Aria, Ermione; Ob. I, II; V. I, II; Va.; Cont.

Andante

[= HWV27. Partenope (13.)]   Io spe- rai di veder il tuo vol- to,   ca- ro sposo, ma va- na è la spene,

43 Takte *D. s.*

Scena 6.
Recitativo. Pilade; Cont.

Er- mio- ne,   e quando mai   al- le que-re- le tu- e fi- ne por-rai?

Scena 7.
Recitativo. Filotete; Ermione; Pilade; Cont.

O voi,   che a questi Li- di   in mal pun- to giun- ge- te:

Scena 8.
(Recitativo). Toante; Ermione; Pilade; Filotete; Cont.

(Co- stei quan-to è leg- gia- dra!)   Di- te- mi,   o voi, chi sie- te?

Takt 25   47 Takte

8. Aria. Pilade; Ob. I, II; V. I, II; Va.; Cont.

Andante

Vado in- tre- pi- do al- la___ mor- te__,   sol m'af- flig- ge te__ la- sciar,

[= HWV 30. Sosarme (15.)]   137 Takte *D. s.*

Scena 9.
Recitativo. Toante; Ermione; Cont.

Ermione

Bel- la,   non lacrimar.   Non vuoi ch'io pianga?

32 Takte

9. Aria. Toante; Ob. I, II; V. I, II unis.; Va.; Cont.

Allegro

Pen-sa ch'io so- no   un Rege a- mante

[= HWV 14. Floridante (9.)]   108 Takte *D. c.*

Recitativo. Ermione; Cont.

In que- ste piaggie a- pri- che   mi pro- met- te- va il ciel qual-che ri- sto- ro;

6 Takte

10. Aria. Ermione; V. I, II III; Va.; Cont.

Adagio   Allegro

[= HWV 30. Sosarme (11.)] Di- te pa- ce,   e ful- mi- na- - - [te]

69 Takte *D. c.*

Balli. Ob. I, II; V. I, II unis.; Va.; Cont.

11. (Gavotte)

Va.

[= HWV 402 op. 5 Nr. 7 (5.)]   24 Takte

12. Allegro

[= HWV 26 Lotario (Gavotte der Ouverture)]   17 Takte

13.

12 Takte

Atto II

14. Sinfonia; Ob. I, II; V. I, II; Va.; Cont.

Allegro

[= HWV 24. Siroe (19.)]   22 Takte

Scena 1.

Recitativo. Oreste; Cont.

Questo è pur l'Atrio che additommi

quel- la   sì leggia- dra don- zel- la;

Scena 2.

(**Recitativo.**) **Oreste; Pilade;** Cont.

Non è Pi- la- de quegli   che in ferri è trat-to, ahi!

Takt 4

Scena 3.
(Recitativo.) Filotete; Oreste; Pilade; Cont.

Co- sì tra- e- te al sa- cri- fi-cio il Re- o?

Takt 25

Scena 4.
(Recitativo.) Filotete; Toante; Cont.

Un vil stranie- ro, Si- re, o- sa col

Takt 37

15. Accompagnato. Oreste; V. I, II; Va.; Cont.

fer- ro vie- tar Sì, ve- ni- te, io vi at- ten- do con fer- mo piè

41 Takte

7 Takte

16. Aria. Oreste; V. I, II; Va.; Cont.

Allegro
16

Empio, se mi dai vi- ta,

[vgl. HWV. 12ᵇ. Radamisto (30.)] 123 Takte D. c.

Scena 5.
Recitativo. Ifigenia; Oreste; Toante; Cont.

Non osi al- cu- no di macchiar le ma- ni nel san- gue di co- stui:

Scena 6.
(Recitativo.) Ifigenia; Filotete; Cont.

Con- ce- di- mi ch'io pos- sa brev' o- ra fa- vel- lar so- la a co- stui,

Takt 23

38 Takte

17. Aria. Ifigenia; V. I, II unis.; Cont.

Allegro
24

Se il ca- ro fi- glio ve- de in pe- ri- glio

[= HWV 24. Siroe (20.)] 118 Takte D. s.

Scena 7.
Recitativo. Filotete; Cont.

As- col- ta- mi, ben

mio... oi- me, che le mie vo- ci

Scena 8.
(Recitativo.) Pilade; Oreste; Cont.

Par- tir si de- ve: ahi fie- ra par- ten- za

Takt 9

15 Takte

18. Arioso. Pilade; V. I, II; Va.; Cont.

Larghetto

Caro a- mi- co, a mor-te io vò,

[= HWV 18. Tamerlano (39.)] 18 Takte

Scena 9.
Recitativo. Oreste; Cont.

In- giu- sti Nu- mi, an- co- ra del- le sventu- re mi- e sa- zi nonsie- te?

19. Aria. Oreste; V. I, II; Cont.
Ardito ma non presto

13

Un' in-ter- rot-toaf- fet- to

[= HWV 15. Ottone (28 d.)]   110 Takte *D. c.*

20. Aria. Filotete; V. I, II unis.; Cont.
Andante allegro

Qual' -or— tu pa- ga se- i

[= HWV 27. Partenope (28 a.)]   34 Takte *D. c.*

dio- so car- cernonmi scor- ge- te?

18 Takte

Sen- to— nell' al- ma un te- -nero a- mor,

32 Takte *D. c.*

li- beroio so- no

5 Takte

Scena 10.
Recitativo. Filotete; Ifigenia; Cont.

Bella I- fi- ge- nia, il pri- gio-nier quia-vrai.

9 Takte

Scena 11.
Recitativo. Ifigenia; Oreste; Cont.
Ifigenia   Oreste

Pal- pita in seno il cor . . . Perchè nell'o-

21. Aria. Ifigenia; Ob. I, II; V. I, II; Va.; Cont.
Allegro ma non troppo

3   3

[vgl. HWV 5. Rodrigo (36 a.)]

Scena 12.
Recitativo. Oreste; Cont.

Grazie al- li som- mi De- i,

22. Aria. Oreste; Ob. I, II; V. I, II; Va.; Cont.

11

Do- po l'or- ro- re d'un ciel— tur- ba- to

[vgl. HWV 15. Ottone (19.)]   95 Takte *D. c.*

Scena 13.
Recitativo; Ermione; Oreste; Cont.

Oh mio di- let- to spo- so! ah, sei pur des- so o m'ingan- -na il de- si- o?

9 Takte

23. Aria; Ermione ; V. I, II; Cont.

Allegro

Vo- la_ l'au-gel- lo_ del ca-ro_ ni- -do,

[= HWV 30. Sosarme (22.)]   63 Takte *D. s.*

Scena 14.

Recitativo. Toante; Oreste; Ermione; Cont.

Tan-to ar-dir,   tan-ta au- da- cia!   nel-la mia stes-sa   re- gia

                                                                12 Takte

Scena 15.

Recitativo. Oreste; Ermione; Cont.

Oreste   Ermione   à 2   Ermione

Er- mi- one! Spo-so!   o   De- i! Dunque ap-pe- na ti   tro- vo,   O- re-ste mi- o,

                                                                7 Takte

24. Duetto. Ermione; Oreste; V. I, II; Va.; Cont.

Largo   Oreste

Ah, mia ca- ra,   ah mia cara, se tu   re- sti,

[vgl. HWV 14. Floridante (12.)]   97 Takte *D. s.*

25. Prélude. Ob. I, II; V. I, II; Va.; Cont.

Larghetto

[= HWV 8 b. Terpsicore (4.)]

                                    12 Takte

26. Air. Ob. I, II; V. I, II; Va.; Cont.

[= HWV 8 b. Terpsicore (10.)]

                                                    44 Takte

27. (Ballo). V. I, II; Cont.

[vgl. HWV 8 b. Terpsicore (12.); HWV 402 op. 5 Nr. 7(6)]

                    48 Takte

Atto III

28. Sinfonia; Ob. I, II; V. I, II; Va.; Cont.

Allegro

[= HWV 26. Lotario (25.)]

                                    13 Takte

Scena 1.

Recitativo. Toante; Cont.

Si gui-di a me   la   pri-gio-niera Er- mio-ne.

Scena 2.

(Recitativo.) Ermione; Toante; Cont.

Ermione

Ec- comi a cen- ni tuoi.

(Takt 3)

Toante

Me-co t'as- si- di.   Mol-to

                    36 Takte

29. Aria. Toante; V. I, II unis.; Cont.

Allegro ma non troppo

Tu di pie- tà mi_____   spo-gli,

[vgl. HWV 24. Siroe (15.)]   121 Takte *D. c.*

Scena 3.
Recitativo. Ermione; Cont.

A mor-te va lo spo-so!

6 Takte

stes-sa pian-go an-co- ra,

38 Takte *D. s.*

31. Aria. Filotete; Ob. I, II; V. I, II unis.; Cont.

3

Mo- strate- vi se- re-ne a que-sto amante cor,

36 Takte *D. c.*

[= HWV 22. Admeto (Add. song 17 b.)]

Scena 5.
Recitativo. Ifigenia; Cont.

Vo- lesse il ciel che fi- ne a- ves-se pur quest' o- di- o-sa vi- ta

7 Takte

32. Aria. Ifigenia; V. I, II; Cont.

Larghetto andante

5

Mi lag- ne- rò ta- cen- do del mio desti- no a- ma- ro,

46 Takte *D. s.*

[= HWV 24. Siroe (11.)]

Scena 6.
Recitativo. Toante; Ifigenia; Cont.

O- la, più non si in- du- gi, vo'che mo- ra co- stui;

Scena 7.
(Recitativo.) Ermione; Toante; Oreste; Ifigenia; Cont.

Ah sos- pen- di quel col- po, o in me lo vi- bra i- spie-ta- ta don- zel- la

Takt 11

37 Takte

33. Aria. Ermione; Ob. I, II; V. I, II; Va.; Cont.

Allegro

16

Non sempre in- ven- di- ca- to si_ re- ste- rà il mio cor,

[= HWV 26. Lotario (26.)]

147 Takte *D. c.*

30. Aria. Ermione; V. I, II; Va.; Cont.

Largo   5

Piango dolente il spo- so, me

[vgl. HWV 23. Riccardo I. (33.)]

Scena 4.
Recitativo. Filotete; Ifigenia; Cont.

Bella I-fi- ge- nia, in va- no cer-chi d'oppor-ti

15 Takte

Scena 8.

Recitativo. Pilade; Toante; Ifigenia; Filotete; Oreste; Ermione; Cont.

34. Coro e

Sinfonia. Oreste; Pilade; C.; A.; T.; B.(di dentro); Ob. I, II; V. I, II; Va.; Cont.

35. Aria. Pilade; Ob. I, II; V. I, II; Va.; Cont.

Scena 9 (ultima).
Recitativo. Oreste; Cont.

36. Aria. Oreste; V. I, II unis.; Cont.

Balli.

37. Gavotte. Ob. I, II; V. I, II unis.; Va.; Cont.

38. (Menuet.) Ob. I, II; V. I, II unis.; Va.; Cont.

39. (Menuet.) V. I, II unis.; Cont.

40. Gavotte; Ob. I, II; V. I, II unis.; Va.; Cont.

41. Musette. Ob. I, II; V. I, II unis.;
Va.; Cont.

Un peu lentement

12 Takte

[= HWV 32. Arianna (35.); HWV 34.
Alcina (Ouverture/Musette)]

42. (Menuet). V. I, II unis.;
Cont.

(Allegro).

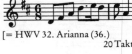

[= HWV 32. Arianna (36.)
20 Takte

43. Coro. C.; A.; B.; Ob. I, II; Cor. I, II;
V. I, II; Va.; Cont.

Bel- la sor- ge la spe- ran- za

[= HWV 32. Arianna (31.)]
20 Takte

(The 2ᵈ time the Chorus without the repetitions)

Quellen

Handschriften: Autograph: verschollen.

Abschriften: *D (brd)* Hs (Direktionspartitur: M $\frac{A}{1034}$;

Cembalopartitur: M $\frac{A}{1034^a}$) – *GB* Lbm (Add. MSS.
31555, f. 113ʳ–125ᵛ, Auszüge aus der Direktionspart., kopiert von R. Lacy, ca. 1860), Mp [MS 130
Hd4, v. 26(3): Ouverture, Nr. 1, 2, 11–14, 15, 21,
28, 34, 3].

Drucke: Six Overtures for Violins &c. in Eight
Parts, as they are Perform'd at the King's Theatre
in the Operas of Xerxes Pharamond Alexander Se-
verus Alexander's Feast Berenice Orestes Com-
pos'd by Mʳ Handel. Seventh Collection ... – Lon-
don, J. Walsh, Nᵒ 644 (4 verschiedene Ausgaben
1738–1760); A Second Set of XXIV Overtures for
Violins &c. in Eight Parts from the Operas and
Oratorios of Samson ... Orestes ... Sosarmes. –
London, J. Walsh (ca. 1757/58; A Second Set of
XX Overtures From Mʳ Handel's Operas & Orato-
rios for Violins in four Parts viz Messiah
Nᵒ ₌ XXV ... Orestes XXXVI ... Arminius
XLIV ... – London, J. Walsh (1760); Solos For a
German Flute a Hoboy or Violin With a Thorough
Bass for the Harpsicord or Bass Violin Being all
choice pieces Compos'd by Mr. Handel, Curiously
fitted to the German Flute. Vol. II. Part VII. –
London, John Walsh, Nᵒ 394 (1735, p. 13, 2 Men-
uets); —— – ib., Nᵒ 394 (dto.); Sonatas or chamber
Aires for a German Flute, Violin or Harpsicord ...
vol. II. Part 7ᵗʰ. – London, J. Walsh Nᵒ 549 (dto.);
—— – ib., (ca. 1740, dto.); The Lady' Banquet, Sixth
Book. Being a Collection of all the Sarabands,
Jiggs, Gavots, Minuets and Marches Perform'd in
all the late Operas, Compos'd by Mʳ Handel. Set
for the Violin or Harpsicord ... – London,
J. Walsh, Nᵒ 548 (1735, p. 5, 9, 11, 3 Menuets).
Libretto: Orestes. An Opera; As it is Perform'd at
the Theatre Royal in Covent Garden. – London,
T. Wood, MDCCXXXIV. [Ex.: *F* Pc].

Bemerkungen

„Oreste" stellte Händel aus eigenen Opern verschiedener Spielzeiten zusammen, fügte Ballettmusik an allen drei Aktschlüssen in Form von
zum Teil ebenfalls erprobten Sätzen aus anderen
Bühnenwerken hinzu und vertonte nur die Rezitative neu. Das so gewonnene Pasticcio ordnet

sich in die mit Chor und Ballettsätzen ausgestatte-
ten Opernaufführungen des Jahres 1734 ein, die
bei John Rich am Coventgarden Theatre stattfanden und Händels drittes Opernunternehmen (zusammen mit HWV 8ᵇ·ᶜ Terpsicore/Il Pastor fido
und HWV 32 Arianna) eröffneten. Diese Schaf-
fensepoche Händels ist gekennzeichnet von der
Auseinandersetzung mit der sogenannten „Opera
of the Nobility", die jetzt das Haymarket Theatre
beherrschte und italienische Sänger und Komponisten gegen Händel aufbot.
Als Textvorlage zu „Oreste" diente Händel das
gleichnamige Libretto von Giovanni Gualberto
Barlocci, das in der Vertonung von Benedetto Mi-
cheli 1723 in Rom aufgeführt worden war[1]. Das
verhältnismäßig unbekannte Libretto konnte Händel auf zweierlei Wegen erhalten haben: da es der
Gattin des Marchese Ruspoli gewidmet ist, der
Händel 1707/08 bei seinem ersten Italienaufenthalt protegierte, kann dieser es 1729 nach seinem
erneuten Besuch Roms von dorther mitgebracht
haben, oder es wurde Händel durch Giovanni Carestini empfohlen, der 1723 bereits in „Oreste"
von Barlocci/Micheli mitgewirkt hatte und nun
von Händel für die Titelrolle vorgesehen war[2]. Bei
der Vorbereitung der Partitur zu „Oreste" ließ
Händel von seinem Londoner Textbearbeiter das
Libretto überarbeiten[3], aus dem nur die Rezitative
(in gekürzter Form) übernommen wurden; die
meisten Arientexte wurden in geänderter Form
bereits vorliegenden Arien unterlegt, so daß keine
von Barloccis ursprünglichen Arien in Händels
„Oreste" aufgenommen wurde[4].
Auch die Ouverture ist nicht neu; Händel benutzte dafür als Vorlage die Einleitung zur Kan-

---

[1] Vgl. Strohm, Italienische Opernarien II, S. 309.
[2] Vgl. Strohm, Händel und seine italienischen Operntexte, S. 137f.
[3] Beispiele für die Parodierung von Arientexten Barlo-
cis durch Händels Textbearbeiter gibt Strohm, a. a. O.,
S. 138.
[4] Übersicht über die textliche Neufassung der Arien und
ihre Vorlagen bei Clausen, S. 182 f. Aus den Nachweisen
bei den Arien im Thematischen Verzeichnis lassen sich
die Vorlagen ebenfalls erschließen, so daß hier aus
Raumgründen auf eine vergleichende Liste verzichtet
werden kann.

tate HWV 96 „Cor fedele"[5]. Dagegen scheint nur einer der Tanzsätze (Nr. 13) neu für „Oreste" geschrieben worden zu sein, jedoch keine Arien, wie in der älteren Händel-Literatur mehrfach behauptet wird[6].

[5] Vgl. Ewerhart, R.: Die Händel-Handschriften der Santini-Bibliothek in Münster. In: Händel-Jb., 6. Jg., 1960, S. 129 f. Diese Ouvertüre wurde zwischenzeitlich von Händel für HWV 432 Suite VII g-Moll (1720) überarbeitet.
[6] Nach Schoelchers Behauptung (in: Catalogue, chronological and raisonné, of Handel's Works, *GB* Lbm, R. M. 18. b. 2.) übernahmen Chrysander (in: ChA 48, Vorwort S. II) und Deutsch (S. 377) die irrtümliche Angabe, drei der Arien in „Oreste" seien neue Kompositionen gewesen, und Chrysander sah vor, sie in dem nicht erschienenen Bd. 49 seiner Ausgabe zu veröffentlichen. Zu diesen Irrtümern gehört auch Schoelchers und anderer Autoren Behauptung, von „Oreste" hätte sich das Autograph in der Sammlung der Direktionspartituren erhalten, was von Clausen (S. 182, Fußnote 1) richtiggestellt wurde.

Die Partien waren mit folgenden Sängern besetzt: Ermione: Anna Maria Strada del Pò, Ifigenia: Cecilia Young, Oreste: Giovanni Carestini, Filotete: Maria Caterina Negri, Pilade: John Beard, Toante: Gustavus Waltz.

Die Tänze wurden von Marie Sallè und ihrer Truppe ausgeführt; der als „The Grecian Sailor" bezeichnete Tanz[7] scheint aus der Folge Nr. 11–13 am Ende von Atto I bestanden zu haben.

„Oreste" blieb ohne rechten Erfolg, obwohl die Uraufführung in Anwesenheit des Königspaares „with great Applause"[8] gefeiert wurde; nur drei Aufführungen (18., 21. und 28. Dezember 1734) sind belegbar.

Literatur

Burney IV, S. 788; Chrysander II; S. 368 f.; Strohm, R.: Händel und seine italienischen Operntexte. In: Händel-Jb., 21./22. Jg., 1975/76, S. 101 ff.

[7] Vgl. Deutsch, S. 377, 387.
[8] Deutsch, S. 377.

A¹². Didone abbandonata

Dramma per musica in tre atti (Pasticcio)

nach einem Libretto von Pietro Metastasio (Rom 1726, Musik: Leonardo Vinci)

Textfassung: Bearbeiter unbekannt
Musikalische Bearbeitung: Georg Friedrich Händel

Besetzung: Soli: 2 Soprani (Didone, Enea), Mezzosoprano (Jarba), 2 Alti (Selene, Osmida), Tenore (Araspe). Instrumente: Ob. I, II; Cor. I, II; Trba. I, II; V. I, II; Va. I, II; Cont.
UA: London, 13. April 1737, Theatre Royal, Coventgarden

Sinfonia. Ob. I, II; Cor. I, II; V. I, II; Va.; Cont.

50 Takte

13 Takte

68 Takte

Atto I

Scena 2.

1. Aria. Enea; Ob. I, II; V. I, II; Va.; Cont.

Largo

Ahi las- so, ahi las- so vor- rei mi sen-to mo-rir,

Allegro

La gloria, l'a-mo-re più
Takt 12

fie- ro do- lo- re può dar- si del mi- o?
87 Takte *D. c.*

Scena 3.

2. Aria. Selene; V. I, II; Va.; Cont.

Allegro 8

Dirò che fi- da

sei___, che fi- -da, fi- -da sei___, su la mia fè ri- po- sa, su la mia fé ri-

po- sa, sarò per te pie- to- sa, pie-to- sa,
46 Takte *D. c.*

Scena 4.

3. Aria. Didone; Ob. I, II; V. I, II; Va.; Cont.

Allegro 28

Son re- i- na

e sono a- -mante, e l'im- pe- ro io so- -la vo- -glio del mio soglio e del mio cor
146 Takte *D. c.*

Scena 5.

4. Aria. Osmida; V. I, II unis.; Cont.

Allegro 8

Gra- to ren- de il fiu-mi- cel- - lo, mentre len-to_ il pra- to in- gom-bra
79 Takte *D. c.*

Scena 6.

5. Aria. Jarba; V. I, II; Va.; Cont.

6

Fra lo splendor del tro- no bel- le le col- pe so- no, per- de l'orror l'ingan- no

tut- to sì fa vir- tù
39 Takte *D. c.*

Scena 7.

6. Aria. Araspe; Ob. I, II; V. I, II; Va.; Cont.

Andante 9

Se_ dal- le stel- le tu non sei___ gui- da,

fra___ le pro- cel- le dell' on- -da in- fi- da mai per quest'al- ma___ cal- ma non v'è,
67 Takte *D. c.*

Scena 9.

7. Aria. Ernea; V. I, II; Va.; Cont.

3

Quan- do sa- prai chi so- no, sì, fie- ro non sa- ra- i,

nè par- le- rai co- sì, co- sì, co- sì, nè par- le- rai, nè par- le- rai co- sì
38 Takte *D. c.*

Scena 12.

8. Aria. Jarba; Ob. I, II; V. I, II; Va.; Cont.

Son quel fiu-me che gon-fio— d'u- mo — — — — -ri quando il sge·lo sí

scioglie in tor- ren — — — — — — — -[te]
173 Takte *D. c.*

Scena 16.

9. Aria. Didone; V. I, II; Va.; Cont.

Non
ha ra- gione in- gra-to, in- gra-to, un co- re abban-do- na- to da chi giu-rò gli fè
111 Takte *D. c.*

Scena 17.

10. Aria. Enea; Ob. I, II; Cor. I, II; V. I, II; Va.; Cont.

Tra fie- ri oppo-sti ven- ti son po- co men che assor-to e mentre cer-co il
por — — — -to più mel contrasta il mar
77 Takte *D. c.*

Atto II

Scena 2.

11. Aria. Jarba; Ob. I, II; V. I, II; Va.; Cont.

Le- on ch'erran-do va- da per la na-tia— con- tra- da se un'
ag- nel-li— ri- mi- ra non si— commuova all' i- -ra nel— ge- ne- -ro- so— cor.

Ma se us-cir si ve- de or- ri- da ti- -gre in fac-cia
Takt 28   41 Takte *D. c.*

Scena 3.

12. Aria. Selene; V. I, II unis.; Va.; Cont.

Tan- to a- -mor

Scena 4.

13. Aria. Araspe; V. I, II unis.; Cont.

A-mor che

si— bel-la fe- de in ti- -mor non— sia d'in- -gan-no
101 Takte *D. c.*
na- sce col la— spe- ran-za dol- ce s'a- -van-za nè se n'av- ve- de l'a-man-te il cor
107 Takte *D. c.*

Scena 5.
21. Aria. Osmida; Ob. I, II; V. I, II; Va.; Cont.

Quan-do l'on-da che na- sce dal mon- te al- tro fon- te ri- tor- ni, ri-

tor- -ni dal pra- to

94 Takte *D. c.*

Scena 6.
22. Aria. Enea; Ob. I, II; V. I, II; Va.; Cont.

Allegro

[vgl. HWV A 7 Catone (20.)]

A tri- on- far mi chia- ma un

bel de- sio d'o- no- re, un bel de- sio d'o- no- re e già sopra il mio co-

- - -re comincio a tri- - on- far ,

Takt 88   Con ge- ne- ro- sa bra- ma

Scena 7.
23. Aria. Selene; V. I, II; Va.; Cont.

Allegro

fra i ri-schi e le ru- i- ne

120 Takte *D. c.*

Ch'io re- sti!   Ch'io

vi- va!   Ma co- me? Se par- ti mio be- ne quest' al- -ma a te

Scena 8:
24. Arioso. Didone; V. I, II; Va.; Cont.

Largo

vie- ne sull' a- -le d'a- -mor

54 Takte *D. c.*

Va cre- scen- do il mio tor- mento

28 Takte

Scena 11.
25. Recitativo accompagnato. Didone; V. I, II; Va.; Cont.

I miei casi in- fe- li- ci fa- vo- lo- se me- morie un dì sa- ran- no

10 Takte

Scena 12.
26. Aria. Didone; V. I, II; Cont.

Allegro

Già si desta la tempe- - - - - - - -sta ai ne-

mi- ci i ven-ti e l'on- de, i ven- ti e l'on- de,

59 Takte

Scena 13.
Recitativo. Jarba (con guardie); Didone; Cont.

27. Recitativo accompagnato. Didone
V. I, II; Va.; Cont.

28. Aria. Jarba; Ob. I, II; V. I, II; Va.; Cont.

Presto e con spirito

[vgl. HWV A 8 (4.), HWV A 9 (11.)]

Scena 14 (ultima).
Recitativo. Didone; Cont.

29. Recitativo accompagnato. Didone; V. I, II; Va.; Cont.

30. Recitativo accompagnato. Didone; V. I, II; Va.; Cont.

31. Recitativo accompagnato. Didone; V. I, II; Va.; Cont.

[Fine dell' opera]

Takt 13

Quellen

Handschriften: Direktionspartitur: *GB* Lbm (Add. MSS. 31607: *La Didone. Musica/Del Sig.ʳ Leonardo Vinci./Napolitano,* aus dem Besitz von Samuel Arnold) – *US* Cn.

Libretto: Didone abbandonata. Drama da rappresentarsi nel Real Teatro di Covent Garden. – London, T. Wood, 1737 [Ex. in *D (brd)* Hs und *GB* Lbm].

Bemerkungen

Die Gründe, die Händel dazu veranlaßten, neben Pasticci aus eigenen Werken (vgl. „Oreste" und „Alessandro Severo") mit „Didone abbandonata" wieder auf ein Werk italienischer Autoren zurückzugreifen, als er vom Haymarket Theatre zu John Rich nach Coventgarden übergewechselt war, hat Strohm (Pasticci, S. 237f.) erläutert. Vorlage für das neue Pasticcio war die Oper „Didone abbandonata" von Pietro Metastasio in der Vertonung von Leonardo Vinci (Rom 1726), die Händel zunächst möglichst originalgetreu zur Aufführung bringen wollte, vermutlich vor allem wegen des tragischen Schlusses in der ungewöhnlichen Form seiner ausgedehnten Accompagnati.

Die Vorbereitung der Aufführungspartitur geschah wiederum in mehreren Phasen; wie aus einer Notiz Samuel Arnolds in der einst in seinem Besitz befindlichen Direktionspartitur hervorgeht[1], wurde zunächst eine (ebenfalls Arnold gehörende und heute verschollene) Cembalopartitur

(„half score") angefertigt, in die Händel die Rezitative in der für London üblichen Kürzung neu vertont eintrug und einige Arien darin umkomponierte[2]. Anschließend wurde die Direktionspartitur geschrieben und mit Teilen der Cembalopartitur vereinigt. Händels autographe Hinzufügungen wurden in die Cembalopartitur eingebunden (bis auf zwei autographe Rezitative jeweils in den Schlußszenen des II. und III. Aktes[3]) und sind mit dieser verschollen.

Im wesentlichen behielt Händel die Musik Vincis für die Arien bei, änderte nur durch Austausch von Arien zwischen einzelnen Partien entsprechend der Rollenhierarchie die Abfolge und fügte neun Arien anderer Komponisten hinzu, denen teilweise der Originaltext unterlegt wurde[4]. Eine der Einlagen für Annibali, den Darsteller des Jarba, ist in der Direktionspartitur nicht mehr nachweisbar; es handelte sich dabei um „Quel pastor che udendo al suono" von Giovanni Alberto Ristori, die vermutlich zu den Dresdner Präsentationsarien Annibalis gehörte, der Anfang Oktober 1736 von Dresden nach London kam[5]. Text- und Notenincipit dieser Arie befinden sich in Händels Niederschrift auf den bereits von Chrysander[6] er-

[1] Im wesentlichen korrekt zitiert von Clausen, S. 134 (Fußnote 2).

[2] Laut Arnolds Vermerk lag u.a. die Fassung der Arie „Se vuoi ch'io mora" (14, Direktionspart. f. 76ʳ) in der verschollenen Cembalopartitur in Händels autographer Umarbeitung vor. Kürzungen von Arien sind für Nr. 1, 2, 4, 16, 22, 28 belegt.

[3] Direktionspart., f. 97ᵛ und 145ʳ (vgl. auch Arnolds Bemerkungen bei Clausen, a. a. O.).

[4] So bei Nr. 16, 22 und 28.

[5] Deutsch, S. 416.

[6] Chrysander II, S. 246f.

wähnten Notizen im Fitzwilliam Museum, Cambridge[7], die er im Zusammenhang mit HWV 28 Poro kommentierte (vgl. auch ChA 79, Vorwort und S. 98 ff.).

Folgende Arien anderer Komponisten sind von Händel in „Didone" eingelegt worden[8]:

Atto I

1. Ahi lasso vorrei mi sento morir – unbekannte Vorlage
10. Tra fieri opposti venti – unbekannte Vorlage

Atto II

12. Tanto amor sì bella fede – L. Vinci: „Semiramide riconosciuta", Rom 1729 (= „Ei d'amor quasi delira")
16. Sono intrepido nell'alma[9] – G. Giacomelli: „Annibale", Rom 1731 (= „Per te perdo il mio contento")
18. Ritorna a lusingarmi – A. Vivaldi: „Griselda", Venedig 1735

Atto III

20. Mi tradì l'infida – unbekannte Vorlage
22. A trionfar mi chiama[10] – J. A. Hasse: „Euristeo", Venedig 1732 (= „Vede il nocchier la sponda")
23. Ch'io resti! Ch'io viva – J. A. Hasse: „Issipile", Neapel 1732 (= „Ch'io speri! Ma come?")
28. Cadrà fra poco in cenere[11] – J. A. Hasse: „Caio Fabricio", Rom 1723 (= „Non sempre oprar da forte")[12]

„Didone abbandonata" wurde in folgender Besetzung aufgeführt: Didone: Anna Maria Strada del Pò, Enea: Gioacchino Conti detto Gizziello, Jarba: Domenico Annibali, Selene: Francesca Bertolli, Osmida: Maria Caterina Negri, Araspe: John Beard.

Die Inszenierung erlebte nur vier Aufführungen[13] zwischen dem 13. April und 1. Juni 1737. Händel, der am Tage der Erstaufführung durch eine Lähmung des rechten Armes infolge eines apoplektischen (oder, wie neuerdings behauptet wurde, eines rheumatischen) Anfalls gesundheitlich stark behindert wurde, konnte die Aufführungen selbst nicht leiten.

Literatur

Burney IV, S. 809; Chrysander, S. 401 ff.; Clausen, S. 134 ff.; Strohm, Pasticci, S. 237 ff.; Strohm, Italienische Opernarien, S. 272; Strohm, R.: Die italienische Oper im 18. Jahrhundert, Wilhelmshaven 1979, S. 171 ff. (Metastasio/Vinci: „Didone abbandonata").

[13] Vgl. Deutsch, S. 431 f.

[7] *GB* Cfm (30. H. 8., MS. 258, p. 89–91). Die Eintragung für die betr. Arie (p. 89) lautet: „Aria 5. Quel Pastor che udendo al suono dolce canto o danza snella ... dal Sig. Gio. Alberto Ristori ward gegeben von Sign. Annibali in der Opera Didone im Anfang des 3 Actes, ex A." Das Notenincipit befindet sich auf p. 90 zusammen mit Musikpassagen anderer Einlagearien. Vgl. auch *Catalogue Mann*, S. 180 f., sowie Clausen, S. 136 (Fußnote 1).

[8] Identifizierung nach Strohm, Pasticci, S. 256–258

[9] Text aus „Didone" von Metastasio/Vinci.

[10] Text aus „Didone" von Metastasio/Vinci. Die Vorlagearie hatte Händel bereits in HWV A[7] Catone (20) verwendet.

[11] Text aus „Didone" von Metastasio/Vinci. Die Vorlagearie hatte Händel bereits in HWV A[8] Semiramide riconosciuta (4. Trovo ch'è gran follia) und in HWV A[9] Cajo Fabricio (11. Non sempre oprar) verwendet.

[12] Auch in Hasses „Il Demetrio" (= Non fidi al mar), Venedig 1732. Vgl. Clausen, S. 135, 229.

A^{13}. Alessandro Severo

Dramma per musica in tre atti
(Pasticcio aus Werken G. F. Händels)

nach einem Libretto von Apostolo Zeno (Venedig 1717, in der Fassung Mailand 1723)

Textfassung: Bearbeiter unbekannt
Musikalische Bearbeitung: Georg Friedrich Händel

Besetzung: Soli: 3 Soprani (Sallustia, Alessandro, Claudio), Mezzosoprano (Albina), Alto (Giulia), Basso (Marziano). Chor: C.; A.; T.; B. Instrumente: Fl. trav. I, II; Ob. I, II; Fag.; Cor. I, II; V. I, II, III; Va.; Cont. (Cemb. I, II)
EZ: London, Anfang 1738. – UA: London, 25. Februar 1738, King's Theatre, Haymarket
ChA 48 (Ouverture, S. 104–107)

Ouverture. Ob. I, II; V. I, II; Va.; Cont.

66 Takte

48 Takte   [= HWV 37. Giustino (1.)]

16 Takte

Atto I
Scena 1.
Recitativo. Marziano; Alessandro; Sallustia; Claudio; Cont.

2. Aria. Marziano;
Ob. I, II; Fag.; V. I, II; Va.; Cont.

9. Aria. Claudio; Ob. I, II; V. I, II unis.; Va.; Cont.

Andante

[= HWV 35. Atalanta (2.)]   La- scia ch'io par- ta lie- to   e tu — ri- -manti, o bel- la,

145 Takte *D. s.*

Scena 12.

Recitativo. Albina; Sallustia; Cont.

Mi- se- ra Al- bi- na... Au- gu- sta, io son tra-di- ta,

8 Takte

10. Aria. Albina; V. I, II unis.; Cont.

Allegro ma non presto

Niente spero,   tut- to cre-do,

[vgl. HWV 36. Arminio (16.)]   61 Takte *D. s.*

Scena 13.

Recitativo. Giulia; Sallustia; Cont.

Chi non ebbe al-ma sag-gia   in fau-sta sor- te,

36 Takte

11. Aria. Giulia; V. I, II; Va.; Cont.

Allegro

Sì, fa- rò   sì, fa- rò che'l figlio a- vrà

[= HWV 36. Arminio (14.)]   154 Takte *D. c.*

on- da   e mi ra-pis- ce?

19 Takte

Scena 14.

Recitativo. Sallustia; Marziano; Cont.

Qual turbi-ne di ma- li   m'in-

12. Aria. Sallustia; V. I, II unis.; Cont.

(Allegro)

Ch'io mai vi   pos-sa   las-ciar d'a- ma- re,

[= HWV 24. Siroe (25.)]   144 Takte *D. s.*

Atto II
Scena 1.

13. Sinfonia. Ob. I, II; V. I, II; Va.; Cont.

(Andante)

[= HWV 36. Arminio (11.)]   16 Takte

Recitativo. Alessandro; Sallustia; Cont.

Sal- lus- tia?   ahi- me!   qual vi- sta!

15 Takte

Scena 2.

Recitativo. Giulia; Sallustia; Alessandro; Cont.

Ecco-mi, o figlio,   in tuo soc- cor- so.

24 Takte

14. Aria. Sallustia; V. I, II; Cont.

[= HWV 35. Atalanta (3.)]

S'è tuo pia-cer ch'io va- da, va-do in e- sig-lio, o spo- -so,

40 Takte *D. c.*

Scena 3.
Recitativo; Alessandro; Giulia; Cont.

Ma- dre, piè- tà. Col tor- ti dal fian- co di co- stei t'u- so pie-ta- te.

24 Takte

15. Aria. Alessandro; Ob. I, II; V. I, II; Va.; Cont.

Se si van-ta il cie- co Di- o Ei mi spinge al fa- to ri- -o,

[vgl. HWV 37. Giustino (14.)]

105 Takte *D. c.*

Scena 4.
Recitativo. Marziano; Claudio; Albina;

Ne osserva al- cu- no? Siam so- li.

27 Takte

Scena 5.
Recitativo. Claudio; Albina; Cont.

A- mistà che non puoi? Claudio! (Importu- na!)

7 Takte

16. Aria. Claudio; V. I, II unis.; Cont.

Ve- di l'a- pe, ve- di l'a- pe ch'inge-gno-sa su quel fior vola e ri- po- sa

[= HWV 38. Berenice (2.)]

94 Takte *D. c.*

Scena 6.
Recitativo. Albina; Cont.

Va pur, so le tue tra-me. Ho in man la mia ven-det- ta.

17. Aria. Albina; Ob. I, II; V. I, II; Va.; Cont.

Van- ne, van- ne pur, in- fi- -do, va, che per te non ho_____ pie- tà,

[vgl. HWV 37. Giustino (16.(]

67 Takte *D. c.*

Scena 7.
Recitativo. Sallustia; Cont.

A quest'uf-fi-zio vi- le Au-gu-sta mi con- dan-na.

Scena 8.
(Recitativo). Albina; Sallustia; Cont.

Im -pie-to- si- to di tue

Takt 7

pe- ne   è il fa- to!

17 Takte

Scena 9.
Recitativo. Giulia; Alessandro; Marziano; Sallustia; Cont.

Al- la men-sa, alla mensa,   è'l gaudio so- lo   con-di- sca

65 Takte

18. Aria. Giulia; V. I, II unis.; Cont.

Allegro

Se l'ar- ca- no sco- pri- re   vor-ra- i____, spe- ra- re po-tra- i d'a- ve- re l'Imper

[= HWV 36. Arminio (12.)]   76 Takte D. c.

Scena 10.
Recitativo. Alessandro; Marziano; Cont.

Siam so- li,   Marzia- no: ec-co-ne il tem-po   di racqui- star   la mia di- let- ta spo-sa,

18 Takte

19. Aria. Marziano; Ob. I, II; V. I, II; Va.; Cont.

Andante allegro

12

Nasce al bosco in roz-   -za cu- na

[vgl. HWV 29. Ezio (19.)]   78 Takte D. s.

Recitativo. Alessandro; Cont.

Spe- ra, spe- ra,   o mio co- re,

4 Takte

20. Aria. Alessandro; V. I, II; Va.; Cont.

Allegro

12

Sal- da_quercia inerta bal- - - - - - - - - - - - - - - za

[vgl. HWV 32. Arianna (11.)]   73 Takte D. c.

Atto III

Scena 1.
21. Sinfonia Ob. I, II; V. I, II; Va.; Cont.

(Allegro)

[= HWV 37. Giustino (18.)]   18 Takte

Recitativo. Giulia; Alessandro; Sallustia; Cont.

Con quest'al- ma o-sti- na- ta   so- no pre- ghi e mi- nac- cie ar- mi impo- ten- ti

Scena 2.
(Recitativo). Alessandro; Sallustia; Cont.

Sal- lu- stia. Ah! mio A- les- san- dro, forz' è ch'io se- gua Au- gu- sta

Takt 9   22 Takte

22. Aria. Alessandro; Ob. I, II; V. I, II; Va.; Cont.

(Larghetto e staccato)

[vgl. HWV 37. Giustino (26.)]

Sull' al- tar di questo nu- me ne- ghe- ran- no i tuoi bei ra- i

91 Takte D. s.

Scena 3.
Recitativo. Albina; Claudio; Cont.

Ben sol- le- ci- ta fo- sti in a- dem- pir il con- cer- ta- to im- pe- gno.

39 Takte

23. Aria. Albina; V. I, II unis.; Cont.

Allegro

[vgl. HWV 37. Giustino (24.)]

Sven- tu- ra- -ta na- vi- -cel- la,

50 Takte D. c.

Scena 4.
Recitativo. Claudio; Cont.

Qual a- mor, qual costan- za e qual bel- ta- de tra- di- ste af- fet- ti mie- i?

7 Takte

24. Aria. Claudio; Ob. I, II; V. I, II; Va.; Cont.

Allegro ma non troppo

[= HWV 38. Berenice (9.)]

Quell' og- get- to scherni- to e sprez- za- to de- ve pure es- ser ca- ro al mio cor,

55 Takte D. c.

Scena 5.
25. Accompagnato. Giulia; V. I, II; Va.; Cont.

Un in- co- gni- to af- fan- no, u- na sma- nia se- gre- ta mi strac- cia e mi di- vo- ra,

18 Takte

Voci di dentro
Claudio

Scena 6.
Recitativo. Sallustia; Giulia; Cont.

Albina

Au- gu- sta... in che- to son- no

Mo- ra, Giu- lia, mo- ra, mo- ra!

Marziano

Takt 15

Scena 7.
Recitativo. Giulia; Marziano; Sallustia; Cont.

Giulia   Marziano

Ahime! qua i vo-ci? A tut-ti ed a Ce-sa-re stesso si divie-ti l'in gresso.

66 Takte

26. Aria. Marziano; V. I, II unis.; Cont.

Andante allegro

Im-pa-ra, in-gra-ta, im-pa- -ra ad es-ser men cru-de-le,

[= HWV 35. Atalanta (4.)]

128 Takte D. c.

Scena 8.
Recitativo. Sallustia; Giulia; Cont.

Au-gu-sta, or ch'a miei vo-ti ar-ri-se il cie-lo;

17 Takte

27. Duetto. Sallustia; Giulia; V. I, II unis.; Cont.

Andante allegro

Gli di- -rai...

[vgl. HWV 38. Berenice (28.)]

Giulia: Di-rò che a-mo-re co-me il cor mi le-ga il piè,

48 Takte D. c.

Scena 9.
Recitativo. Sallustia; Cont.

Or di Pa-dre in-fe-li-ce il per-do-no s'im-pe-tri

7 Takte

28. Aria. Sallustia; Ob. I, II; V. I, II; Va.; Cont.

Allegro

O ca- -re pa- -ro ‰ let- te, o dol-ci sguardi,

[= HWV 31. Orlando (13.)]

47 Takte D. s.

Scena ultima
29. Sinfonia. Ob. I, II; V. I, II; Va.; Cont.

Allegro

[= HWV 38. Berenice (31.)]

24 Takte

Recitativo. Alessandro; Giulia; Sallustia; Cont.

Sal-va, o Madre, t'abbraccio, e ap-pe-na il cre-do.

22 Takte

30. Aria. Alessandro; V. I, II; Va.; Cont.

Allegro

[= HWV 33. Ariodante (9.)]

Con l'a-li di co-stan-za al-za il suo vo-lo a-mor,

76 Takte D. s.

Recitativo. Albina; Sallustia; Alessandro; Claudio; Marziano; Cont.

Se- gui- mi, non te- mer;   Si- re, al tuo a- spet- to

17 Takte

31. Coro. Sallustia, Claudio; Alessandro, Albina, Giulia; Marziano;

Ob. I, II; V. I, II; Va.; Cont.

Sallustia solo

Dol- cis- si- mo a- mo- re ogn' al-ma, ogni co- re,

[= HWV 24. Siroe (30.)]   91 Takte *D. s.*

Quellen

Handschriften: Autograph: *GB* Cfm (30. H. 8., MS. 258, p. 9–12: Ouverture, fragm., T. 1–32 verschollen).

Abschriften: *D (brd)* Hs (M $\frac{A}{1000}$, Cembalopartitur) – *GB* BENcoke (Ouverture, 4 St. für V. I, II, Va., B. c., Kopie des Schreibers S₂ aus der Aylesford Collection), Lbm (Add. MSS. 31569, Direktionspartitur; R. M. 19. a. 1., f. 115ᵛ–116ᵛ: Nr. 25, f. 134ʳ–140ʳ: Ouverture, Part., f. 140ᵛ–144ᵛ: Ouverture für Cembalo).

Drucke[1]: Six Overtures for Violins &c. in Eight Parts, as they are Perform'd at the King's Theatre in the Operas of Xerxes Pharamond Alexander Severus … Compos'd by Mr. Handel. Seventh Collection … – London, J. Walsh, N⁰. 644 (4 verschiedene Ausgaben 1738–1760); Six Overtures fitted to the Harpsicord or Spinnet viz. Xerxes Pharamond Alexander Severus … Compos'd by Mr. Handel. Being all proper Pieces for the Improvement of the Hand on the Harpsichord or Spinnet. Seventh Collection … – London, J. Walsh, N⁰. 650 (1739); — – ib. (ca. 1749); Handel's Overtures in Score From all his Operas and Oratorios viz. Alexander Severus Page 1 … N. B. The same Overtures may be had for Violins in 7 Parts, or Set for the Harpsichord by way of Lessons … – London, J. Walsh, N⁰. 676 (1740); A Second Set of XXIV Overtures for Violins &c. in Eight Parts from the Operas and Oratorios of Samson, … Alexander Severus, … Sosarmes. – London, J. Walsh (ca. 1758); Handel's Sixty Overtures From all his Operas & Oratorios for Violins in

8 Parts … – London, J. Walsh (ca. 1758), A Second Set of XX Overtures From Mr. Handel's Operas & Oratorios for Violins in four Parts viz Messiah N⁰. XXV … Alexander Severus XXXIII … – London, J. Walsh (1760); Sonatas or Chamber Aires for a German Flute Violin or Harpsicord Being the most Celebrated Songs and Ariets Collected out of all the late Operas Compos'd by Mr. Handel. vol. III. Part 6ᵗʰ. – London, J. Walsh, N⁰. 651 (ca. 1741).

Libretto: Alessandro Severo. Drama per musica da rappresentarsi nel Regio Teatro di Hay-Market. – London, J. Chrichley, MDCCXXXVIII [Ex.: *F* Pc].

Bemerkungen

„Alessandro Severo" gehört neben HWV 39 Faramondo und HWV 40 Serse zu den drei Auftragswerken, die Händel für John Jacob Heidegger 1737/38 schrieb, der das verbliebene Personal der beiden bankrotten Londoner Opernunternehmen zu einem neuen Ensemble für das Haymarket Theatre zusammengestellt und dazu den berühmten Kastraten Gaetano Majorano detto Caffarelli gewonnen hatte. Um Zeit zu sparen, baute Händel das Werk als Pasticcio aus eigenen Arien älterer Opern auf; der Text basiert auf dem gleichnamigen Libretto von Apostolo Zeno (Venedig 1717), das Händel vermutlich in einer für Mailand 1723 bearbeiteten Fassung (Musik: Giuseppe Maria Orlandini)[2] zur Verfügung stand. Händel komponierte für dieses Pasticcio lediglich eine neue Ouverture mit Menuett, deren Autograph zum Teil erhalten ist, sowie die Rezitative. Sämtliche Arien entnahm er früheren Opern, deren Musik mehrfach mit Textparodien versehen und auf diese Weise mit dem Inhalt von Zenos Libretto in Einklang gebracht werden mußte oder so ausgesucht wurde, daß Text und Musik in die Handlung paßten[3]. Lediglich Kürzungen oder Transpositionen

---

[1] Von der durch Walsh in der „London Daily Post, and General Advertiser" vom 8. und 11. März 1738 angezeigten Ausgabe *The Favourite Songs in the Opera call'd Alexander Severo, in Score. By Mr. Handel* bzw. *The Favourite Songs in the Opera call'd Alexander Severo. Taken from the Operas of Justin, Arminio, Atalanta, &c.* ist kein Exemplar nachweisbar (vgl. Chrysander II, S. 448, Smith, Descriptive Catalogue, S. 15).

[2] Vgl. Strohm, Händel und seine italienischen Operntexte, S. 146.

[3] Dies geschah bei 14 Nummern des Pasticcios. Eine

aufgrund der Ensemblezusammensetzung sind dabei nachweisbar – die Struktur der Musik blieb im wesentlichen unangetastet. Die Besetzung der einzelnen Partien im Libretto ist folgende[4]: Alessandro: Caffarelli, Sallustia: Elisabeth Duparc detta La Francesina, Claudio: Margherita Chimenti detta La Droghierina, Albina: Maria Antonia Marchesini detta La Lucchesina, Giulia Mammea: Antonia Margherita Merighi, Marziano: Antonio Montagnana.

„Alessandro severo" erlebte zwischen dem 25. Februar und 30. Mai 1738 nur insgesamt sechs Aufführungen und teilt damit den unbefriedigenden Erfolg mit „Faramondo" und „Serse".

Übersicht über die Arien und ihre Parodien findet sich bei Clausen, S. 99–100. Aus den Nachweisen bei den Arien im Thematischen Verzeichnis lassen sich sämtliche Vorlagen erschließen, so daß an dieser Stelle auf eine nochmalige Gegenüberstellung der Texte verzichtet werden konnte.

[4] Die bei Deutsch, S. 451, angegebene Besetzung ist mit Sicherheit in wenigstens drei Fällen zu korrigieren.

Literatur
Burney IV, S. 821; Chrysander II, S. 447 f.; Clausen, S. 99 ff.; Strohm, R.: Händel und seine italienischen Operntexte. In: Händel-Jb., 21./22. Jg., 1975/76, S. 101 ff., besonders S. 145 f.
Beschreibung des Autographs: Cfm: Catalogue Mann, MS. 258, S. 175.

A[14]. Jupiter in Argos

Composizione drammatica in tre atti (Pasticcio aus eigenen Werken und Neukompositionen G. F. Händels)

nach dem Libretto „Giove in Argo" von Antonio Maria Lucchini (Dresden 1719)

Textfassung: Bearbeiter unbekannt
Musikalische Bearbeitung: Georg Friedrich Händel

Besetzung: 3 Soprani (Iside, Diana, Calisto), Tenore (Arete), 2 Bassi (Erasto, Licaone). Chor: S.; A.; T.; B. Instrumente: Fl. trav. I, II; Ob. I, II; Fag.; Cor. I, II; V. I, II, III; Va.; Cont.
EZ: London, beendet am 24. April 1739. – UA: London, 1. Mai 1739, King's Theatre, Haymarket

Atto I.

Scena 1. Luogo boscareccio con capanne, ruscelli, ed amenità di colline.

1. Coro. S.; A.; T.; B.; Ob. I, II; Cor. I, II; V. I, II; Va.; Cont.

[= HWV 49b. Acis and Galatea (21 a.)]   92 Takte *D. c.*

Ca- re, sel- ve, da- -te al cor,

Recitativo. Licaone; Cont.
Imbel- li De- i, su via sca- glia- te il vo- stro più fa- -ta- -le ri- gor? Non pa- ve l'al- ma.
14 Takte

2. Aria. Licaone; V. I, II; Va.; Cont.
Andante allegro
[= HWV 49b. Acis and Galatea (Anhang 5.)]   Af- fan- no ti- -ran- no, che m'a- gi- -ti il se- no,
67 Takte *D. s.*

Scena 2. Diana colle sue Ninfe e Coro di Cacciatori.

3. Coro. S.; A.; T.; B.; Ob. I, II; Fag.; Cor. I, II; V. I, II; Va.; Cont.
[= HWV 73. Il Parnasso in festa (18.)]   Oh,____ oh quanto bel- la glo- - - - - - - -ria
86 Takte

Recitativo. Diana; Cont.

Del- la gran cac-cia, o fi- de,   al fi-ne è giun-to   il so-spi-ra- to   gior-no,

7 Takte

4. Aria. Diana; Ob. I, II; V. I, II; Va.; Cont.

Andante

[vgl. HWV 41. Imeneo (8 b.)]

Non in-gan- nar- -mi, ca- ra spe- ran- -za, dol- ce con-

Takt 9

for- -to   di que-sto cor,

102 Takte D. c.

5. Coro. S.; A.; T.; B.; Ob. I, II; Fag.; Cor. I, II; V. I, II; Va.; Cont.

[vgl. Nr. 3]

Oh quanto bel-la glo - - -(ria)

30 Takte

Scena 3. Iside sola.

6. Arioso. Iside; Cont.

Largo

Vc.

[vgl. HWV 41. Imeneo (11.)]

Deh! m'a-ju- ta- te, oh De- i,

Takt 7

23 Takte

Recitativo. Iside; Cont.

Fra il si-len- zio   di   queste ombro-se sel- ve   ho il fle-bi- le con-ten-to   di nu-

7. Arioso. Iside; V. I, II; Va.; Cont.

Largo

V. I

V. II

Va.

Vie- ni,

drir co' la- men- ti   il mio tor- men- to.

16 Takte

vie- - -ni,   o dei vi- ven-ti,   dol-ce quie- te, al-mo ri- po- so,

18 Takte

Scena 4. Arete ed Iside che dorme.

Recitativo. Arete; Cont.

I- si- de qui fra dol- ce sonno im- mer-sa? dor-mi, dor-mi, sì, sì, va- go sem-bian- te,

5 Takte

8. Aria. Arete; Fl. trav. I, II; V. I, II; Va.; Cont.

Largo

Deh! v'a- pri- te, oh lu- -ci_____ bel- le,_____

[vgl. HWV 9. Teseo (27.)]

23 Takte D. c.

Recitativo. Iside; Arete; Cont.

Iside (sta ammirandola quando essa si risveglia con impeto).

Arete

O- là?   Chi mi soc- cor- re?   Io son tra- di- ta!   Mio ben, che di fu- ne- sto?

38 Takte

9. Aria. Iside; V. I, II; Cont.

Allegro

(col V. unis. *p*)

V. unis.

Ta- ci,   e spe- ra,   ti ba- sti co- sì,

Takt 9

(col V. unis. *p*)

spe- ra,   e ta- ci,   di più_____ non cer- car,

55 Takte D. s.

Scena 5. Calisto sola.

10. Arioso. Calisto; V. I, II; Va.; Cont.

Largo

Tut- ta raccol- ta ancor   nel pal-pi- tan- te cor

[= HWV 20. Scipione (15.)]

21 Takte

Recitativo. Calisto; Cont.

Ab- bi, pie- to- so cie- lo,   pie- tà d'un in- no- cen- te!

8 Takte

Scena 6. Erasto; Calisto.

Recitativo. Erasto; Calisto; Cont.

Al- fin ec- comi a quella

me- ta de' miei so- spi- ri,   che so- la mi chia- mò sin dall' E- git- to.

21 Takte

11. Aria. Calisto; Ob. I, II; V. I, II, III; Va.; Cont.

Scena 7. Erasto; Arete.

Recitativo. Erasto; Arete; Cont.

12. Aria. Arete; Ob. I, II; V. I, II; Cont.

Scena 8. Erasto solo.
Recitativo. Erasto; Cont.

13. Aria. Erasto; V. I, II; Va.; Cont.

Scena 9 Iside sola.
Recitativo. Iside; Cont.

14. Aria. Iside; V. I, II; Va.; Cont.

15. Coro. S.; A.; T.; B. Ob. I, II; Trba.; V. I, II; Va.; Cont.

Lie- to e- sulti il cor, gio- je ve- nite an- cor,

[= HWV 49b. Acis and Galatea (13.)]   36 Takte

Atto II.

Scena 1. Diana, Calisto, Coro di pastori.

16. Coro; S.; A.; T.; B.; Ob. I, II; V. I, II; Va.; Cont.   Recitativo. Diana; Calisto.

Diana: Dell' Arcade feroce
dunque Calisto sei...
(Musik verschollen)

Cor- re vo- la qui'l pia- -ce- re

[= HWV 37. Giustino (8.)]   30 Takte

17. Aria. Calisto; V. I, II; Va.; Cont.

Già sai che l'u- signol can- tan- -do ge- me fra
(col V. I unis. p)

lac- -ci suoi____ la li- -bertà smarri- -ta,

Recitativo: Calisto; Diana.
Calisto: Ma s'alfin mi piegassi...
(Musik verschollen)

25 Takte D. c.

18. Aria. Diana   Coro Nr. 16 da capo   Scena 2. Arete; Calisto.
Diana: Io parto lieta sulla tua tede...   Recitativo. Arete; Qual mai rara beltà
[= HWV 39. Faramondo (12.)]   m'accende il core?...
                                                                                     (Musik verschollen)

Scena 3. Calisto; Iside; Arete.   **19. Aria. Arete;** V. I, II; Cont.
Recitativo. Calisto; Iside; Arete.   Andante
Calisto: Semini nell' arena...
(Musik verschollen)

Sempre dol- ci, ed a- mo- ro- se

[= HWV 38. Berenice (13.)]   142 Takte D. c.

20. Aria. Calisto; Ob. I, II; V. I, II; Va.; Cont.

Scena 4. Iside; Erasto; Calisto.   Allegro
Recitativo. Erasto; Iside; Calisto.

Erasto: Ecco l'infida...
(Musik verschollen)

Tor- na- mi va- gheg- giar____,

[= HWV 34. Alcina (15.)]   105 Takte D. c.

Scena 5. Erasto; Iside.
Recitativo. Erasto: Che vuoi di più, crudele?...   **21. Aria. Erasto:** Col tuo sangue smorzare vorrei...
(Musik verschollen)   (Musik verschollen)
                                                     [? HWV 36. Arminio (12.)]

22. Accompagnato. Iside; Erasto; V. I, II; Va.; Cont.

Iside: Sve- nato il ge- ni- tor, per- du- to il re- gno, l'i- ra mia inven- di- ca- ta, da un pasto- re scherni- ta; V. I, II unis. Ec- co già la mia scuo- te sul- fu- rea fa- -ce. de- stra Vivo a tor- men- ti, e a spe- me sol son mor- ta. Erasto Dall' e- stre- mo do- lor for- se de- li- ra?

Takt 14

Takt 25

Scena 6. Iside.
23. Accompagnato.*⁾ Iside; V. I, II; Va.; Cont.

Larghetto e staccato
V. I, II unis.

I- si- de, do- ve se- i? Qual funesto appa- ra- to di spa- ven- to e di lut- to?

Va.

*) In *GB* Mp Bemerkung von Ch. Jennens: *Not Handel's.*

43 Takte

24. Aria. Iside; Ombra, che pallida...

(Musik verschollen)
[? HWV 34. Alcina (28.)]

25. Coro. S.; A.; T.; B.; Ob. I, II; V. I, II; Va.; Cont.

Andante allegro

Viver, e non amar, a- mar' e non languir,

[= HWV 49b. Acis and Galatea (22.)]

Atto III.

Scena 1. 26. Coro: Oggi udirannosi…
(Musik verschollen)
[? HWV 35. Atalanta (10.)]

Recitativo. Licaone; Calisto.
Licaone:Dovunque io volga il passo… (Musik verschollen)

27. Aria. Calisto : Combattuta da più venti…
[HWV 39. Faramondo (18.)]

Scena 2. Calisto; Arete; Iside.
Recitativo. Arete; Calisto; Iside.
Arete : Che risolvi, o Calisto…
(Musik verschollen)

28. Aria. Iside: Questa d'un fido amore…
(Musik verschollen)

29. Duetto. Calisto; Arete; Fl. trav.; V. I, II; Va.; Cont.

Vado e_ vivo con__ la spe-ran-za,
[= HWV 39. Faramondo (22.)]　　　　144 Takte
D. c.

Scena 3. Arete; Calisto.
Recitativo. Arete; Calisto
Arete : Deh! vezzoso mio ben,
t' arrendi…
(Musik verschollen)

30. Aria. Diana; V. I, II; Va.; Cont.

[vgl. HWV 41. Imeneo (22.)]

Scena 4. Calisto; Diana.
Recitativo. Diana; Calisto.
Diana : Conversar co' Pastori…
(Musik verschollen)

In braccio al tuo spavento di lascio, e fra mo-men-to at-ten-di il mio rigor,
(col. V. I, II unis. p)
50 Takte D. s.

Scena 5. Calisto; Diana e Ninfe.
31. Accompagnato. Calisto; V. I, II; Va.; Cont.

Pri-va d'o-gni con-for-to, in-ven-di-ca-to il Pad-re, dunque de-vo mo-rir?
21 Takte

32. Aria. Calisto; V. I, II; Va.; Cont.

Ah! non son_ io che par-lo,
[= HWV 29. Ezio (30.)]　　　　74 Takte D. s.

Scena 6. Erasto solo.
Recitativo. Erasto: Agitato, confuso…
(Musik verschollen)

33. Aria. Erasto; V. I, II; Cont.

Co-sì suo-le a rio vi-ci-na
[= HWV 39. Faramondo (25.)]　　　　124 Takte D. c.

Scena 7. Calisto, Coro di Ninfe.
34. Accompagnato. Calisto; V. I, II; Va.; Cont.

Non è d'un al-ma

35. Coro. S.; A.; T.; B.; Ob. I, II; Fag.; V. I, II; Va.; Cont.

Largo

S'u-nisce al tuo mar-tir, al tuo mar-tir pie-tà,

[= HWV 73. Il Parnasso in festa (23.)]

16 Takte   18 Takte

Scena 8. Iside; Erasto; Licaone; Calisto.
Recitativo. Iside; Erasto; Licaone; Calisto.
Iside: Ah! che mal mi difendo!...
(Musik verschollen)

Scena ultima. Diana; Arete; Erasto; Iside; Calisto.
Recitativo. Diana; Arete; Erasto; Iside; Calisto.
Diana: Ancor vive?...
(Musik verschollen)

36. Aria. Iside; V. I, II unis.; Cont.

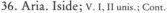

Allegro

V. unis. colla parte *p*

Al gaudio, al riso, al can-to si volga il

Takt 19

37. Coro. S.; A.; T.; B.; Ob. I, II; V. I, II; Va.; Cont.

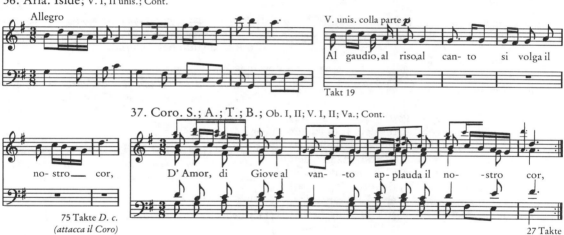

no-stro cor,

D'Amor, di Giove al van-to ap-plauda il no-stro cor,

75 Takte *D. c.*
(attacca il Coro)

27 Takte

Quellen

Handschriften: Autographe: *GB* Cfm (30. H. 8., MS. 258, p. 35–53, fragm., Entwurf für Atto I und Atto III, Scena 5, 7, 9, mit Hinweisen auf die einzufügenden Sätze aus anderen Werken, p. 87–88: Nr. 17.; 30. H. 12., MS. 262, p. 59: Nr. 14, nur Vokalstimme), Lbm (R. M. 20. d. 2., f. 15ʳ–16ʳ: Nr. 4). Abschriften: *GB* Lbm (R. M. 19. d. 11., f. 99ʳ–139ᵛ: *Songs in Jupiter Argol. Handel,* mit Anmerkungen von der Hand Chrysanders), Mp [MS 130 Hd4, v. 187(2): *Songs in Jupiter in Argos,* Kopie des Schreibers S₂, ca. 1739, Aylesford Collection, vermutlich Vorlage für die vorangehende Abschrift), Shaftesbury Collection (E 27, Auszüge, Kopie des Schreibers S₄, vermutlich im Inhalt identisch mit den beiden vorangehenden Abschriften).
Libretto: Jupiter in Argos. A Dramatical Composition, As it is perform'd at the King's Theatre in The Hay-Market. – London: Printed by T. Wood, and are to be Sold at the King's Theatre in the Hay-Market. MDCCXXXIX. [Ex.: *GB* En].

Bemerkungen

„Jupiter in Argos", im Libretto und den Pressevorankündigungen[1] als „Dramatical Composition", im Autograph von Händel selbst als „Opera" bezeichnet[2], entstand im Frühjahr 1739. Händel notierte im Autograph (*GB* Cfm, MS. 258, p. 53) als Datum der Beendigung der Komposition: *Fine dell' opera Jupiter in Argos / April 24/1739.*
Händels Textvorlage bildete das *Melodrama Pastorale* „Giove in Argo" von Antonio Maria Lucchini (Musik: Antonio Lotti), das 1717 für Dresden ge-

[1] Vgl. Deutsch, S. 484.
[2] Gattungsmäßig ist es der *festa teatrale* zuzurechnen. Vgl. Strohm, a. a. O., S. 147.

schrieben und dort 1719 wiederholt wurde[3], wobei Händel vermutlich einer dieser Aufführungen beiwohnte und ein Exemplar des Librettos erwerben konnte.[4]

Im äußeren Umriß hielt sich Händels Londoner Fassung relativ eng an die Dresdner Vorlage, ersetzte allerdings fast sämtliche Arien und Chöre durch Sätze, die aus früher komponierten Werken mit vorwiegend pastoralem Akzent entnommen wurden. Die Personen des Dresdner Librettos sind (bis auf die beiden *servi*[5] von Iride und Licaone) von Händel wörtlich in ihrer dramaturgischen Funktion übernommen worden. Das Londoner Libretto Händels gibt die *attori* folgendermaßen wieder:

Aretes, a Shepherd, but found afterwards to be Jupiter.

Isis (in the Habit of a Shepherdess) Daughter of Inachus and promised in Marriage to Osiris King of Egypt.

Erastus. A Shepherd, but discover'd to be Osiris King of Egypt.

Diana[6].

Calisto, Daughter of Lycaon.

Lycaon, disguis'd as a Shepherd, Tyrant of Arcadia.

Chorus of Hunters.

Chorus of Shepherds.

Chorus of Nymphs.

Mit welchen Sängern diese Partien jedoch besetzt wurden, ist nicht angegeben. Aus dem Händel zur Verfügung stehenden Ensemble ist lediglich zu schließen, daß vermutlich die drei männlichen Partien von John Beard (Tenor), Gustavus Waltz und Thomas Reinhold (Baß), die drei Sopranpartien von Elisabeth Duparc detta La Francesina, Maria Antonia Marchesini detta La Lucchesina und der neu in London eingetroffenen Constanza Piantanida detta La Posterla[7] gesungen wurden. Mutmaßungen über die Verteilung der Baß- und Sopranpartien wären jedoch reine Spekulation.

Das Quellenmaterial zu „Jupiter in Argos" ist nicht vollständig und erlaubt keine bis ins Einzelne gehende Rekonstruktion der verschollenen Aufführungspartitur[8]. Händels Autograph (*GB* Cfm, MS. 258, p. 35–42) zeigt die Umrisse seines originalen Planes für Atto I, die als Hinweise für den Kopisten zu gelten haben, der die Direktionspartitur anfertigen sollte. Das gedruckte Libretto der Aufführung beweist jedoch eine spätere Revision der ursprünglichen Konzeption, indem die zuerst festgelegte Abfolge der Arien umgestoßen, einige davon in Atto III verlegt und andere ersetzt oder neu eingefügt wurden. Ein zweiter erhaltener Teil des Autographs (*GB* Cfm, MS. 258, p. 43–53) überliefert den originalen Plan für die Szenen 5 und 7 in Atto III einschließlich der vollständigen Autographe für drei Nummern in diesem Akt (30, 31, 34) sowie für das datierte Finale.

Nach diesem Plan Händels sollte Atto I ursprünglich außerdem folgende Arien enthalten[9], die teilweise mit ihren Parodietexten angegeben werden:

Scena 2

(4.) Aria Diana: *Non ingannarmi, no, conforto del mio sen Faramondo ex G*[10] *poi replica una parte* (del Coro O quanto bella gloria).

Scena 3

(6.) *Iside/uscita ex Tolomeo dite dov'è, che fà, selvaggi Deita, l'ombra diletta*[11] (mit Wiederholung nach dem Rezitativ).

Scena 4

(9.) *Seque l'Aria d'Iside Da tuoi begl'occhi impara ex Giustino*[12] *poi il Duetto Vado e vivo colla speranza ex Faram.*[13] *ex A♯* (= als Nr. 29 nach Atto III).

Scena 6

(11.) Aria Calisto: *Mio caro amato padre ex Giustino*[14]

Scena 9

(14.) Aria Iside: *Combattuta da due venti ex Faramondo*[15] (= als Nr. 27 nach Atto III).

---

[3] Vgl. Fürstenau, M.: Zur Geschichte der Musik und des Theaters am Hofe der Kurfürsten von Sachsen und Könige von Polen, Bd. 2, Dresden 1862, S. 115–139. S. auch Spitz, Ch.: Antonio Lotti in seiner Bedeutung als Opernkomponist, Borna–Leipzig, 1918, S. 66 ff.

[4] Für die freundliche Hilfe bei der Beschaffung des Librettos und der beiden Partituren der Dresdner Fassung des „Giove in Argo" von Lucchini / Lotti sei Frau Dr. O. Landmann, Sächsische Landesbibliothek Dresden, Musikabteilung, herzlich gedankt.

[5] Vespetta, Damigella d'Iside und Milo, Servo di Licaone, die auch in 3 Intermezzi auftreten. Eine Wiedergabe der Dresdner Besetzung findet sich bei Coopersmith, a. a. O., S. 290 f.

[6] Im Dresdner Libretto mit der Bezeichnung *Dea delle Selve.*

[7] Deutsch, S. 483.

[8] Eine im Auftrag der BBC London nach einem Libretto von A. G. Latham 1935 von J. Herbage und R. Greaves vorgenommene Neufassung wurde am 8. Oktober 1935 unter dem Titel „Perseus and Andromeda" gesendet (Dirigent: Sir Adrian Boult) und im Kl. A. (Oxford University Press, London 1935) veröffentlicht. Vgl. Deutsch, S. 484.

[9] Nur die vom Librettoverlauf abweichenden Nummern sind hier verzeichnet. Eine zusammenfassende Beschreibung des Autographs bietet Catalogue Mann, S. 176–178.

[10] HWV 39 Faramondo (16.).

[11] HWV 25 Tolomeo (17. Dite, che fa, dov' è l'idolo mio?).

[12] HWV 37 Giustino (3.).

[13] HWV 39 Faramondo (22.).

[14] HWV 37 Giustino (17. Mio dolce amato sposo).

[15] HWV 39 Faramondo (18.)

Ein drittes autographes Fragment (*GB* Lbm, R. M. 20. d. 2., f. 15–16) enthält die Parodiefassung einer Arie aus HWV 41 Imeneo (8ᵇ) auf den Text „Non ingannarmi, cara speranza, dolce conforto di questo cor" für Diana (Nr. 4 in „Jupiter in Argos"). Ursprünglich sollte diese Arie in Atto II, Scena 1 des Pasticcio (Nr. 17) stehen, doch entschloß sich Händel später, sie anstelle der zuerst geplanten „Faramondo"-Arie mit dem gleichen Textincipit einzufügen und letztere zu streichen (vgl. Atto I, Scena 2). Ein viertes autographes Blatt (*GB* Cfm, MS. 258, p. 87–88) gibt die Arie „Già sai che l'usignol" (17) wieder, die in den Abschriften (*GB* Lbm, Mp) zusammen mit anderen Sätzen aus „Jupiter in Argos" überliefert ist und zweifellos in den ursprünglichen Kontext von Händels Fassung gehört¹⁶. Die in Atto II, Scena 1, danach vorgesehene Arie „Io parto lieta su la tua fede" ist aus HWV 39 Faramondo (12) entlehnt.
Die „Songs in Jupiter in Argos" [*GB* Lbm, R. M. 19. d. 11., Mp, v. 187(2)] enthalten frühe Kopien einer neu komponierten (Nr. 17) und einer später parodierten Arie („Se potessero i sospir miei" aus HWV 41 Imeneo, in „Jupiter in Argos" parodiert als 14. Nel passar da un laccio all'altro¹⁷), vier Rezitative¹⁸, den Schlußchor sowie sechs weitere Sopranarien (zwei für Diana¹⁹, vier für Iside²⁰). Die Kopie in *GB* Mp [v. 187(2)] aus der Aylesford Collection weist bei dem *Accompagnato* „Iside, dove sei?" (23) einen handschriftlichen Vermerk ihres Besitzers Charles Jennens („Not Handel's") auf, der wohl als authentisch zu werten ist. Merkwürdigerweise erscheint der Text dieses Satzes weder im Originallibretto des „Giove in Argo" (im Gegensatz zu den meisten anderen von Händel vertonten Rezitativen²¹) noch in Lottis Vertonung des Textes, so daß nicht zu klären ist, woraus Händel diesen Satz entlehnte, falls er wirklich nicht von ihm komponiert wurde. Folgende Arientexte entstammen dem Vorlagelibretto:
7. Vieni, vieni, o dei viventi (= Atto I, Scena 3)
17. Già sai che l'usignol (= Atto II, Scena 1)
30. In braccio al tuo spavento (Atto III, Scena 4).
Eine Ouverture Händels ist nicht überliefert.

„Jupiter in Argos", uraufgeführt am 1. Mai 1739 im Haymarket Theatre („acted" als „Dramatical Composition" und „intermix'd with Chorus's, and two Concerto's on the Organ"²²) teilte den Mißerfolg mit Händels anderen Pasticci und erlebte nur 2 Aufführungen (1. und 5. Mai).

Literatur
Burney IV, S. 826; Chrysander II, S. 453; Coopersmith, J. M.: The Libretto of Handel's „Jupiter in Argos'. In: Music & Letters, vol. XVII, 1936, S. 289ff.; Flower, N.: George Frideric Handel, his personality and his times, London ⁵/1972, S. 259; Flower, N.: Händels „Jupiter in Argos". In: Händel-Jb., 1. Jg., 1928, S. 60ff.; Harris, E.: Handel and the Pastoral Tradition, London 1980, S. 264f.; Schoelcher, S. 224f.; Serauky III, S. 201f.; Smith, W. C.: Handeliana. In: Music & Letters, vol. XXXI, 1950, S. 125ff.; Strohm, R.: Händel und seine italienischen Operntexte. In: Händel-Jb., 21./22. Jg., 1975/76, S. 101ff., besonders S. 147f.
Beschreibung der Autographe: Cfm: Catalogue Mann, MS. 258, S. 176ff., MS. 262, S. 205. – Lbm: Catalogue Squire, S. 93.

²² Anzeige in der „London Daily Post" vom 1. Mai 1739, vgl. Deutsch, S. 484. Die beiden Orgelkonzerte waren vermutlich die kurz zuvor entstandenen Werke HWV 295 und HWV 296.

---

¹⁶ Im Dresdner Libretto „Giove in Argo" zählt diese Arie in Atto II, Scena 1, zur Partie der Diana und ist auch von Händel für diese Scene vorgesehen worden.
¹⁷ Vgl. die autographe Vorlage für den Kopisten in *GB* Cfm (MS. 262, p. 59).
¹⁸ Nr. 22, 23, 31, 34.
¹⁹ Nr. 4, 30.
²⁰ Nr. 6, 7, 9, 36.
²¹ Nicht im Dresdner Vorlagelibretto enthalten sind die in Händels Vertonung überlieferten Rezitative Atto I, Scena 2, Scena 5, Scena 7, Atto II, Scena 6, Atto III, Scena 5, Scena 7.

A^{15}. 37 Menuets nach Opernarien etc. für eine instrumentale Oberstimme und Basso continuo

Quellen

Drucke: A General Collection of Minuets made for the Balls at Court The Operas and Masquerades Consisting of Sixty in Number Compos'd by Mr Handel. To which are added Twelve celebrated Marches made on several occasions by the same Author. All curiously fitted for the German Flute or Violin Fairly Engraven and carefully corected. – London, J. Walsh, Jos. Hare, J. Young (1729); The Basses to the General Collection of Minuets and Marches Compos'd by Mr Handel. Fairly Engraven and carefully Corected. – London, J. Walsh, Jos. Hare, J. Young (1729); Handel's Favourite Minuets from His Operas & Oratorios with those made for the Balls at Court, for the Harpsichord, German Flute, Violin or Guitar. Book I (– Book IV). – London, J. Walsh (1762).

1. Menuet e-Moll (aus HWV 8^a Il Pastor fido, 1. Fassung, Ouverture, 6. Satz, 1712)
Ausgabe: HHA IV/19 (Anhang Nr. 1)

Quellen
Druck: Handel's Favourite Minuets, Book III, p. 46.

18 Takte

2. Menuet G-Dur (aus HWV 49^a Acis and Galatea, 1. Fassung: 14. Would you gain the tender creature, 1718)
Ausgabe: HHA IV/19 (Anhang Nr. 2)

Quellen
Drucke: A General Collection of Minuets, No. 60; Handel's Favourite Minuets, Book III, p. 50.

32 Takte

3. Menuet G-Dur (aus HWV 12^b Radamisto, 2. Fassung: 11. Segni di crudeltà, 1720)
Ausgabe: HHA IV/19 (Anhang Nr. 3)

Quellen
Drucke: A General Collection of Minuets, No. 51; Handel's Favourite Minuets, Book III, p. 49.

16 Takte

4. Menuet D-Dur (aus HWV 12^a Radamisto, 1. Fassung: 28. Alzo al volo, 1720)
Ausgabe: HHA IV/19 (Anhang Nr. 4)

Quellen
Drucke: A General Collection of Minuets, No. 40; Handel's Favourite Minuets, Book I, p. 20.

16 Takte

5. Menuet G-Dur (aus HWV 13 Muzio Scevola: 12ᵃ. A chi vive di speranza, 1721)
Ausgabe: HHA IV/19 (Anhang Nr. 5)

Quellen
Drucke: A General Collection of Minuets, No. 36; Handel's Favourite Minuets, Book I, p. 14.

30 Takte

6. Menuet e-Moll (aus HWV 14 Floridante: 9. Finchè lo strale, 1721)
Ausgabe: HHA IV/19 (Anhang Nr. 6)

Quellen
Drucke: A General Collection of Minuets, No. 58; Handel's Favourite Minuets, Book III, p. 44.

32 Takte

7. Menuet A-Dur (aus HWV 14 Floridante: 23ᵃ. No, non piangete, 1721)
Ausgabe: HHA IV/19 (Anhang Nr. 7)

Quellen
Drucke: A General Collection of Minuets, No. 30; Handel's Favourite Minuets, Book II, p. 32; For the Flute The Newest Minuets Rigadoons & French Dances for the Year 1723 Several of them perform'd at Court on the Prince's Birthday ... The tunes proper for yᵉ Violin & Hoboy ... – London, J. Walsh, Iⁿᵒ. & Ioseph Hare (1722), p. 8. (vgl. auch unter HWV 228⁸).

[vgl. HWV 228 (8.)]   18 Takte

8. Menuet a-Moll (aus HWV 14 Floridante: 24. Se risolvi abbandonarmi, 1721)
Ausgabe: HHA IV/19 (Anhang Nr. 8)

Quellen
Drucke: A General Collection of Minuets, No. 37; Handel's Favourite Minuets, Book I, p. 20.

28 Takte

9ª Menuet Es-Dur (aus HWV 14 Floridante: 28ᶜ. O cara speme, 1722)
Ausgabe: HHA IV/19 (Anhang Nr. 9ª)

Quellen
Handschriften: Autograph: verschollen.
Abschriften: *GB* Cfm (24. F. 18., MS. 57, f. 6, in F-Dur), Lbm (R. M. 18. b. 8., f. 82ʳ, in Es-Dur).
Drucke: A General Collection of Minuets, No. 25; Handel's Favourite Minuets, Book II, p. 29.

16 Takte

9ᵇ. Menuet G-Dur (aus HWV 14 Floridante: 28ᶜ. O cara speme, 1722)
Ausgabe: HHA IV/19 (Anhang Nr. 9ᵇ)

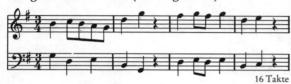

16 Takte

10. Menuet G-Dur (aus HWV 15 Ottone: 18. Alla fama, dimmi il vero, 1722)
Ausgabe: HHA IV/19 (Anhang Nr. 10)

Quellen
Drucke: A General Collection of Minuets, No. 52; Handel's Favourite Minuets, Book II, p. 31.

16 Takte

11. Menuet h-Moll (aus HWV 15 Ottone: 31ᵇ. Benchè mi sia crudele, 1722)
Ausgabe: HHA IV/19 (Anhang Nr. 11)

Quellen
Drucke: A General Collection of Minuets, No. 57; Handel's Favourite Minuets, Book II, p. 27.

24 Takte

12. Menuet G-Dur (aus HWV 15 Ottone: 33. Gode l'alma consolata, 1722)
Ausgabe: HHA IV/19 (Anhang Nr. 12)

Quellen
Drucke: A General Collection of Minuets, No. 59; Handel's Favourite Minuets, Book II, p. 37.

16 Takte

13. Menuet G-Dur (aus HWV 16 Flavio: 8. Che bel contento sarebbe amore, 1723)
Ausgabe: HHA IV/19 (Anhang Nr. 13)

Quellen
Drucke: A General Collection of Minuets, No. 53; Handel's Favourite Minuets, Book III, p. 48.

24 Takte *D. c.*

14. Menuet a-Moll (aus HWV 16 Flavio: 15. Chi può mirare, 1723)
Ausgabe: HHA IV/19 (Anhang Nr. 14)

Quellen
Drucke: A General Collection of Minuets, No. 49; Handel's Favourite Minuets, Book IV, p. 77.

16 Takte

15. Menuet G-Dur (aus HWV 16 Flavio: 17. Non credi instabile, 1723)
Ausgabe: HHA IV/19 (Anhang Nr. 15)

Quellen
Drucke: A General Collection of Minuets, No. 54; Handel's Favourite Minuets, Book III, p. 48.

16 Takte

16. Menuet G-Dur (aus HWV 17 Giulio Cesare in Egitto: 26. Venere bella, per un istante, 1723)
Ausgabe: HHA IV/19 (Anhang Nr. 16)

Quellen
Drucke: A General Collection of Minuets, No. 45; Handel's Favourite Minuets, Book IV, p. 72.

32 Takte

17. Menuet h-Moll (aus HWV 20 Scipione: 5. La-mentandomi corro a volo, 1726)
Ausgabe: HHA IV/19 (Anhang Nr. 17)

Quellen
Drucke: A General Collection of Minuets, No. 56; Handel's Favourite Minuets, Book III, p. 41.

16 Takte

18. Menuet G-Dur (aus HWV 20 Scipione:
10. Dimmi, cara, dimmi: tu dei morir, 1726)
Ausgabe: HHA IV/19 (Anhang Nr. 18)

Quellen
Drucke: A General Collection of Minuets, No. 43;
Handel's Favourite Minuets, Book I, p. 13.

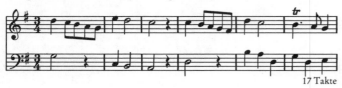

17 Takte

19. Menuet G-Dur (aus HWV 20 Scipione:
16ᵇ. Pensa, oh bella, alla mia speme, 1726)
Ausgabe: HHA IV/19 (Anhang Nr. 19)

Quellen
Drucke: A General Collection of Minuets, No. 41;
Handel's Favourite Minuets, Book III, p. 46.

28 Takte

20. Menuet A-Dur (aus HWV 20 Scipione:
27ᵇ. Già cessate è la procella, 1726)
Ausgabe: HHA IV/19 (Anhang Nr. 20)

Quellen
Drucke: A General Collection of Minuets, No. 46;
Handel's Favourite Minuets, Book I, p. 16.

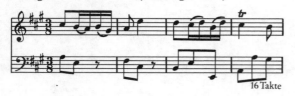

16 Takte

21. Menuet D-Dur (aus HWV 20 Scipione:
29: Gioia sì speri, 1726)
Ausgabe: HHA IV/19 (Anhang Nr. 21)

Quellen
Drucke: A General Collection of Minuets, No. 39;
Handel's Favourite Minuets, Book I, p. 17.

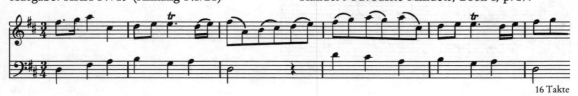

16 Takte

22. Menuet A-Dur (aus HWV 21 Alessandro:
30. Dica il falso, dica il vero, 1726)
Ausgabe: HHA IV/19 (Anhang Nr. 22)

Quellen
Drucke: A General Collection of Minuets, No. 55;
Handel's Favourite Minuets, Book II, p. 39.

32 Takte

23. Menuet G-Dur (aus HWV 22 Admeto: 38. Sì, caro, sì, 1726)
Ausgabe: HHA IV/19 (Anhang Nr. 23)

Quellen
Drucke: A General Collection of Minuets, No. 48; Handel's Favourite Minuets, Book II, p. 26.

32 Takte

24. Menuet g-Moll (aus HWV 22 Admeto: 5ᵇ. Spera, sì, mio caro bene, 1728)
Ausgabe: HHA IV/19 (Anhang Nr. 24)

Quellen
Drucke: A General Collection of Minuets, No. 47; Handel's Favourite Minuets, Book II, p. 26.

24 Takte

25. Menuet G-Dur (aus HWV 23 Riccardo I.: 15. Caro, vieni a me, 1727)
Ausgabe: HHA IV/19 (Anhang Nr. 25)

Quellen
Druck: Handel's Favourite Minuets, Book III, p. 43.

22 Takte

26. Menuet a-Moll (aus HWV 24 Siroe: 13. Sgombra dell'anima, 1728)
Ausgabe: HHA IV/19 (Anhang Nr. 26)

Quellen
Drucke: A General Collection of Minuets, No. 50; Handel's Favourite Minuets, Book IV, p. 80.

24 Takte

27. Menuet A-Dur (aus HWV 24 Siroe: 20. Se il caro figlio vede in periglio, 1728)
Ausgabe: HHA IV/19 (Anhang Nr. 27)

Quellen
Drucke: A General Collection of Minuets, No. 34; Handel's Favourite Minuets, Book I, p. 14.

16 Takte

28. Menuet g-Moll (aus HWV 25 Tolomeo: 15. Il mio core non apprezza, 1728)
Ausgabe: HHA IV/19 (Anhang Nr. 28)

Quellen
Drucke: A General Collection of Minuets, No. 2; Handel's Favourite Minuets, Book IV, p. 68.

16 Takte

29. Menuet e-Moll (aus HWV 26 Lotario: 11. Orgogliosetto và l'augelletto, 1729)
Ausgabe: HHA IV/19 (Anhang Nr. 29)

Quellen
Druck: Handel's Favourite Minuets, Book III, p. 55.

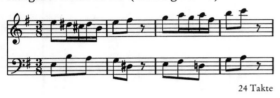

24 Takte

30. Menuet D-Dur (aus HWV 27 Partenope: 10. Sei mia gioia, 1730)
Ausgabe: HHA IV/19 (Anhang Nr. 30)

Quellen
Druck: Handel's Favourite Minuets, Book IV, p. 73.

24 Takte

31. Menuet G-Dur (aus HWV 27 Partenope: 45a. Sì, scherza, sì, 1730)
Ausgabe: HHA IV/19 (Anhang Nr. 31)

Quellen
Druck: Handel's Favourite Minuets, Book II, p. 34.

26 Takte

32. Menuet G-Dur (aus HWV 37 Giustino: 38. Sollevar il mondo appresso, 1736)
Ausgabe: HHA IV/19 (Anhang Nr. 32)

Quellen
Druck: Handel's Favourite Minuets, Book IV, p. 76.

26 Takte

33. Menuet D-Dur (aus HWV 39 Faramondo:
12. Mi parto lieta, 1737)
Ausgabe: HHA IV/19 (Anhang Nr. 33)

Quellen
Druck: Handel's Favourite Minuets, Book III,
p. 52.

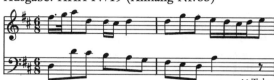

16 Takte

34. Menuet D-Dur (aus HWV 39 Faramondo:
22. Vado e vivo con la speranza, 1737)
Ausgabe: HHA IV/19 (Anhang Nr. 34)

Quellen
Druck: Handel's Favourite Minuets, Book IV,
p. 69.

24 Takte

35. Menuet D-Dur (aus HWV 40 Serse: 5. Va godendo vezzoso e bello, 1738)
Ausgabe: HHA IV/19 (Anhang Nr. 35)

Quellen
Druck: Handel's Favourite Minuets, Book I, p. 6.

24 Takte

36. Menuet e-Moll (aus HWV 40 Serse: 18. Se
l'idol mio, 1738)
Ausgabe: HHA IV/19 (Anhang Nr. 36)

Quellen
Druck: Handel's Favourite Minuets, Book III,
p. 49.

14 Takte

37. Menuet D-Dur (aus HWV 42 Deidamia:
28. Quanto ingannata è quella, 1740)
Ausgabe: HHA IV/19 (Anhang Nr.37)

Quellen
Druck: Handel's Favourite Minuets, Book II,
p. 37.

11 Takte

Alphabetisches Verzeichnis der Textanfänge in den Pasticci und Opernfragmenten

A trionfar mi chiama – HWV A^{12} (22)
Ad amar la tua beltade – HWV A^1 (26^a)
Addio dille – HWV A^1 (20)
Affanno, tiranno, che m'agiti il seno – HWV A^{14} (2)
Agitata dal vento e dall'onda – HWV A^3 (25^b)
Agitato da fiere tempeste – HWV A^{11} (4)
Agitato da più venti – HWV A^7 (11)
Ah mia cara, se tu resti – HWV A^{11} (24)
Ah! non son io che parlo – HWV A^{14} (32)
Ah, se costar mi deve – HWV A^7 (23)
Ahi lasso vorrei – HWV A^{12} (1)
Ahi, nemico è al nostro affetto – HWV A^1 (10^b)
Al foco del mio amore – HWV A^9 (12)
Al gaudio, al riso, al canto – HWV A^{14} (36)
Al mio tesoro dirò che peno – HWV A^1 (19)
Al par della mia sorte – HWV A^{14} (13)
Alma tra miei timori – HWV A^6 (25)
Altra legge nell'amare – HWV A^5 (2)
Amante tu costante – HWV A^1 (8)
Amico il fato – HWV A^3 (25^a)
Amor che nasce colla speranza – HWV A^{12} (13)
Amor, deh, lasciami – HWV A^1 (6^b)
Amore a lei giurasti – HWV A^9 (8)
Applauda ogn'uno l'Eroe sovrano – HWV A^2 (1)
Avezzo alla catena – HWV A^8 (23)

Balenar con giusta legge – HWV A^4 (26)
Barbara mi schernisci – HWV A^1 (28)
Bel piacer saria d'un core – HWV A^8 (5^{a,b})
Bell'alma, ver gl'erranti nemici – HWV A^1 (24)
Bella calma sento all'alma – HWV A^{11} (3)
Bella sorge la speranza – HWV A^{11} (43)
Bramar di perdere – HWV A^{10} (4)

Cadrà fra poco in cenere – HWV A^{12} (28)
Care faci del ben mio – HWV A^7 (12^a)
Care selve, date al cor – HWV A^{14} (1)
Caro amico, a morte io vò – HWV A^{11} (18)
Caro padre, ah, forse è questo – HWV A^{10} (11^b)
Caro sposo, amato oggetto – HWV A^9 (7)
Ch'io mai vi possa lasciar d'amare – HWV A^{13} (12)
Ch'io resti! ch'io viva! Ma come? – HWV A^{12} (23)
Che farò? me infelice! – HWV A^4 (3)
Che follia pregar d'affetto – HWV A^6 (8)
Che posso dir, o cara – HWV A^{13} (7)
Che quel cor, quel ciglio altero – HWV A^8 (3)

Chi del fato e della sorte – HWV A^6 (4)
Chi mi toglie il mio dolce compagno – HWV A^7 (7^b)
Chi sa dirti, o core amante – HWV A^{13} (5)
Chiamami pur così – HWV A^{12} (17)
Col tuo sangue smorzare vorrei – HWV A^{14} (21)
Combattuta da più venti – HWV A^{14} (27)
Come l'onda furibonda – HWV A^3 (14)
Come nave in ria tempesta – HWV A^4 (21)
Con belle speme giungo a godere – HWV A^4 (13)
Con l'ali di costanza – HWV A^{13} (30)
Con la pace le grazie ed il piacere – HWV A^9 (22)
Con nodi più tenaci – HWV A^1 (27^b)
Con sì bel nome in fronte – HWV A^7 (1)
Confusa, smarrita, spiegarti vorrei – HWV A^7 (17)
Conservati fedele – HWV A^{10} (1)
Consigliando un bell'orgoglio – HWV A^6 (11)
Cor di viltà nudrito – HWV A^6 (22)
Corre vola qui'l piacere – HWV A^{14} (16)
Correte a rivi, a fiumi, amore – HWV A^4 (22)
Corro, volo, e dove, oh Dio? – HWV A^4 (23)
Così stupisce e cade – HWV A^{10} (18)
Così suole a rio vicina – HWV A^{14} (33)

D'alma luce flavillate – HWV A^1 (7)
D'Amor, di Giove al vanto – HWV A^{14} (37)
D'amor trafitto sei – HWV A^8 (16)
D'applauso e giubilo l'aria risuona – HWV A^3 (26^a)
D'ira armato il braccio forte – HWV^4 (10)
Da te se mi divide – HWV A^4 (25)
Dal labbro tuo vezzoso – HWV A^8 (7)
Dall'alta tua spira – HWV A^6 (3)
Dea triforme, astro fecondo – HWV A^1 (2)
Deh, caro Olindo, non mi tradir – HWV A^1 (12)
Deh! m'ajutate, oh Dei – HWV A^{14} (6)
Deh! respirar lasciatemi – HWV A^{10} (5)
Deh! v'aprite, oh luci belle – HWV A^{14} (8)

Del caro sposo $\left\{ \begin{array}{l} \text{a te l'aspetta} \\ \text{nel biondo crine} \end{array} \right.$ – HWV A^4 (27)

Del fasto di quell'alma – HWV A^{11} (35)
Di mia costanza armato – HWV A^3 (20^b)
Di pur ch'io sono ingrato – HWV A^1 (23)
Di pur se il cor si piega – HWV A^2 (3)
Di quel crudel gl'inganni – HWV A^1 (25)
Di Re giusto viva il figlio – HWV A^4 (30)
Di te degno non sarei – HWV A^{10} (26^b)
Di trionfo e non di morte – HWV A^6 (19)
Dirò che amore come il cor – HWV A^{13} (27)
Dirò che fida sei – HWV A^{12} (2)
Dirti vorrei non son crudele – HWV A^{11} (5)
Dite pace e fulminate – HWV A^{11} (10)
Dolce orror che vezzeggiando – HWV A^1 (16)
Dolcissimo amore – HWV A^{13} (31)
Dopo il vento e il turbe irato – HWV A^1 (9)

Dopo l'orrore d'un ciel turbato – HWV A^{11} (22)
Dove a svenarti all'ora – HWV A^7 (14)

E dolce morte per cui tu vivi – HWV A^1 (12)
È follia se nascondete – HWV A^7 (8)
È già stanca l'alma altera – HWV A^2 (7)
È grande e bella quella mercede – HWV A^9 (15)
È quella la bella ch'adora costante – HWV A^3 (9^b)
E v'è tanta viltà nel petto mio? – HWV A^{12} (31)
È ver che all'almo interno – HWV A^7 (19)
Ecco l'alba d'un giorno sereno – HWV A^4 (7)
Empio, se mi dai vita – HWV A^{11} (16)

Fausti Numi – HWV A^4 (28)
Fia tuo sangue – HWV A^3 (20^a)
Fido amor, non più lamenti – HWV A^4 (29)
Figlio, se più non vivi – HWV A^{10} (22)
Fissa ne'sguardi miei – HWV A^9 (2)
Fiumicel che s'ode appena – HWV A^8 (17)
Fra cento affanni e cento palpito – HWV A^{10} (2)
Fra le scuri sanguinose – HWV A^6 (17)
Fra lo splendor del trono – HWV A^{12} (5)
Fra tanti pensieri – HWV A^7 (16)
Fuggi dagli occhi miei – HWV A^8 (24)

Già perduta è Ravenna – HWV A^1 (3)
Già sai che l'usignol – HWV A^{14} (17)
Già sento il core – HWV A^1 (27^a)
Già si desta la tempesta – HWV A^{12} (26)
Giovani cori amanti – HWV A^9 (10)
Giusto Re, la Persia adora – HWV A^{10} (26^a)
Grato rende il fiumicello – HWV A^{12} (4)

Ho nel seno un certo core – HWV A^2 (4)

I miei casi infelici – HWV A^{12} (25)
Il cor che sdegnato – HWV A^8 (13^b)
Il trono, il regno, che m'offre in dono – HWV A^9 (3)
Il valor/Il vigor di questo braccio – HWV A^1 (1)
Impallidisce ingrato – HWV A^{10} (7)
Impara, ingrata, impara – HWV A^{13} (26)
In braccio a mille furie – HWV A^8 (22^{a,b})
In braccio al tuo spavento – HWV A^{14} (30)
In così lieto giorno – HWV A^9 (1)
In mille dolci modi – HWV A^{11} (36)
In questa, o sommi Dei, fatale arena – HWV A^4 (11)
Infelice abbandonata – HWV A^3 (4)
Io corro pietoso con alma fedele – HWV A^3 (21)
Io parto lieta sulla tua fede – HWV A^{14} (18)
Io sento, io sento al cor – HWV A^4 (6)
Io sperai di veder il tuo volto – HWV A^{11} (7)
Io sposa d'un tiranno – HWV A^{12} (27)
Iside, dove sei? – HWV A^{14} (23)

L'onda dal mar divisa – HWV A^{10} (21)
La cervetta timidetta – HWV A^7 (6^a)
La speranza lusinghiera – HWV A^3 (15)

La vaga luccioletta – HWV A^4 (16)
Lascia cadermi in volto – HWV A^4 (14)
Lascia ch'io parta lieto – HWV A^{13} (9)
Lascia il lido e il mare infido – HWV A^4 (5)
Lascia la spina – HWV A^{14} (11)
Lasciami, amico fato – HWV A^3 (17^a)
Lascio Gian e sieguo Marte – HWV A^{13} (2)
Leon ch'errando vada – HWV A^{12} (11)
Leon feroce – HWV A^3 (13^a)
Lieto esulti il cor – HWV A^{14} (15)
Lo sdegno del mio cor – HWV A^{13} (4)
Lo sposo va a morte – HWV A^9 (19)
Lucido Dio, per cui l'april fiorisce – HWV A^{10} (25)

M'ingannate, o pupille – HWV A^1 (21)
Ma tu non odi ancora – HWV A^{11} (2)
Men superba andrà la sorte – HWV A^1 (10^a)
Mi conosci? Sai chi sono? – HWV A^7 (9)
Mi credi, spietata – HWV A^{10} (23)
Mi disprezzi ingrato core – HWV A^8 (12)
Mi lagnerò tacendo – HWV A^{11} (32)
Mi restano le lagrime – HWV A^5 (3)
Mi scacci sdegnato – HWV A^{10} (11^a)
Mi tradì l'infida sorte – HWV A^{12} (20)
Mora il tiranno – HWV A^{11} (34)
Mostratevi serene – HWV A^{11} (31)

Nasce al bosco in rozza cuna – HWV A^{13} (19)
Nel passar da un laccio all'altro – HWV A^{14} (14)
Nel seren di quel sembiante – HWV A^4 (12)
Nel tuo amor, o dolce sposo – HWV A^3 (15)
Niente spero, tutto credo – HWV A^{13} (10)
Nocchier che teme assorto – HWV A^9 (14)
Non è d'un alma grande – HWV A^{14} (34)
Non fulmina ancora – HWV A^3 (8^b)
Non ha più pace – HWV A^9 (9)
Non ha ragione ingrato – HWV A^{12} (9)
Non ho più affanni, no – HWV A^{13} (3)
Non ingannarmi, cara speranza – HWV A^{14} (4)
Non mi chiamar, crudele – HWV A^9 (13)
Non paventa del mar – HWV A^7 (5)
Non sempre invendicata – HWV A^{11} (33)
Non sempre oprar – HWV A^9 (11)
Non so se più t'accendi – HWV A^8 (1)
Non temer ch'io mai ti dica – HWV A^{10} (12)
Non ti chiedo questa vita – HWV A^6 (10)
Non ti confonder, no – HWV A^3 (6^b)
Non ti minaccio sdegno – HWV A^7 (2)
Non ti son padre – HWV A^{10} (6)
Numi eccelsi a noi d'intorno – HWV A^5 (1)

O care parolette – HWV A^{13} (28)
O caro mio tesoro – HWV A^3 (6^a)
O grande, o generoso – HWV A^6 (28)
O Nume, alma del mondo – HWV A^3 (11)
O terror della terra – HWV A^6 (1)
Oggi udirannosi – HWV A^{14} (26)
Oh quanto bella gloria – HWV A^{14} (3, 5)

Ombra, che pallida – HWV A^{14} (24)
Orgogliosetto va' l'augelletto – HWV A^{11} (6)
Ove siete? che fate – HWV A^4 (18)
Ovunque io miro mi vien – HWV A^{12} (29)

Parte il piè, ma teco resta – HWV A^1 (14)
Parto, bel Idol mio – HWV A^1 (13)
Parto, e mi sento mancar il cor – HWV A^4 (15)
Parto se vuoi così – HWV A^{10} (15)
Passaggier che in selva oscura – HWV A^3 (23)
Pensa ad amare non t'ingannare – HWV A^8 (6)
Pensa ch'io sono – HWV A^{11} (9)
Pensa di chi sei figlia – HWV A^7 (4)
Pensieri, voi mi tormentate – HWV A^{11} (1)
Per amor se il cor sospira – HWV A^9 (5^b)
Per darvi alcun pegno – HWV A^7 (21)
Per dolce mio riposo – HWV A^6 (5)
Per far che risplenda nel cor – HWV A^8 (26)
Per mia vendetta, ingrato – HWV A^4 (8)
Per pietà, bell'idol mio – HWV A^{10} (3)
Per quel paterno amplesso – HWV A^{10} (14)
Per quell'affetto – HWV A^{10} (16)
Per serbarti e legno e onore – HWV A^1 (4)
Per te già forte – HWV A^6 (6)
Perchè tarda è mai la morte – HWV A^{10} (19)
Perdo l'amico m'insulta – HWV A^{10} (8)
Peregrin che in erma arena – HWV A^8 (20^b)
Peregrin che sulla sponda – HWV A^8 (20^a)
Piango dolente il sposo – HWV A^{11} (30)
Porto nel core – HWV A^6 (12)
Potessi al mio diletto – HWV A^{10} (17)
Priva d'ogni conforto – HWV A^{14} (31)
Priva del caro sposo – HWV A^7 (6^b)
Pupillette vezzosette dell'amato mio tesoro –
    HWV A^3 (2)
Pupillette vezzosette, pur dormento – HWV A^1
    (22)

Qual nocchier che vana ogn'opra – HWV A^8 (21)
Qual'or tu paga sei – HWV A^{11} (20)
Quando contento di stragi io sia – HWV A^2 (2)
Quando l'onda che nasce dal monte – HWV A^{12}
    (21)
Quando piomba improvvisa spetta – HWV A^7
    (18)
Quando saprai chi sono – HWV A^{12} (7)
Quando verrà quel giorno – HWV A^9 (6^b)
Que'begli occhi – HWV A^6 (16)
Quell'odio che in mente – HWV A^4 (4)
Quell'oggetto schernito e sprezzato – HWV A^{13}
    (24)
Quella è mia figlia – HWV A^9 (17)
Questa d'un fido amore – HWV A^{14} (28)
Questa fronte e questo petto – HWV A^6 (24)

Reca la pace – HWV A^9 (6^a)
Rendimi il caro amico – HWV A^{10} (10)
Reo mi brami – HWV A^3 (13^b)
Ricordati ch'è mio – HWV A^3 (3^b)

Ritorna a lusingarmi – HWV A^{12} (18)
Rondinella cui rapita – HWV A^8 (10^{a,b})

S'è tuo piacer ch'io vada – HWV A^{13} (14)
S'unisce al tuo martir – HWV A^{14} (35)
Salda quercia in erta balza – HWV A^{13} (20)
Saper bramate tutto il mio core? – HWV A^8 (14)
Sarà piacer non pena – HWV A^8 (15^{a,b})
Saziati, iniqua sorte – HWV A^1 (18)
Scherza il nocchier talora – HWV A^8 (2)
Scherza talor – HWV A^9 (5^a)
Scostati, nè più mio – HWV A^6 (13)
Se a danni miei voi congiurate – HWV A^4 (1)
Se d'aquilon – HWV A^3 (12)
Se d'un amor tiranno – HWV A^{10} (13)
Se dalle stelle tu non sei guida – HWV A^{12} (6)
Se il caro figlio vede in periglio – HWV A^{11} (17)
Se in campo armato vuoi cimentarmi – HWV A^8
    (25)
Se l'amor tua mi rendi – HWV A^{10} (20)
Se l'arcano scoprire vorrai – HWV A^{13} (18)
Se mi toglie il tuo furore – HWV A^3 (24)
Se non pensi al dovere – HWV A^3 (8^a)
Se non sa qual vento il guida – HWV A^3 (5)
Se non trovo il caro bene – HWV A^1 (6^a)
Se quel cor con nobil vanto – HWV A^3 (10)
Se si vanta il cieco Dio – HWV A^{13} (15)
Se ti ferisce amor – HWV A^6 (7)
Se tu vuoi dar legge al mondo – HWV A^4 (2)
Se vuoi ch'io mora – HWV A^{12} (14)
Semplicetto! a donna credi? – HWV A^{14} (12)
Sempre dolci, ed amorose – HWV A^{14} (19)
Sentirsi dire dal caro bene – HWV A^3 (19)
Sento in riva a l'altre sponde – HWV A^7 (12^b)
Sento nell'alma – HWV A^{11} (21)
Sì, farò, che'l figlio avrà – HWV A^{13} (11)
Sì, sì, lasciatemi, tutta dell'anima – HWV A^3 (16)
Si può ma sol per poco celar – HWV A^1 (5^a)
Sì, venite, io vi attendo – HWV A^{11} (15)
Sino alla goccia – HWV A^3 (3^a)
So che godendo vai – HWV A^7 (15)
So che nascondi livore in seno – HWV A^7 (13)
Soffre talor – HWV A^7 (24^a)
Son belle in ciel le stelle – HWV A^4 (9)
Son come un arboscello – HWV A^2 (6)
Son qual nave che agitata – HWV A^{10} (9^b)
Son quel fiume che gonfio d'umori – HWV A^{12} (8)
Son reina e sono amante – HWV A^{12} (3)
Sono intrepido nell'alma – HWV A^{12} (16)
Sorge dal monte fonte – HWV A^6 (21)
Sorge qual luccioletta – HWV A^1 (5^b)
Spera, sì, presago in petto – HWV A^6 (18)
Speranza del mio cor – HWV A^3 (22^b)
Spero al fine che il cielo irato – HWV A^4 (24)
Stimo fedele l'amato bene – HWV A^2 (5)
Stringi al sen caro un'amplesso – HWV A^1 (31)
Sull'altar di questo nume – HWV A^{13} (22)
Sulla tomba coronata – HWV A^6 (23)
Svenato il genitor – HWV A^{14} (22)

Sventurata navicella – HWV A[13] (23)

Tacerò, se tu lo brami – HWV A[3] (7)
Taci, e spera, ti basti così – HWV A[14] (9)
Tanto amor sì bella fede – HWV A[12] (12)
Ti credo a me pietoso – HWV A[8] (8)
Ti lascio m'involo – HWV A[6] (14)
Ti sento amor di padre – HWV A[3] (22[a])
Timido pellegrin – HWV A[3] (18)
Torna, mia cara sposa – HWV A[6] (29)
Tornami vagheggiar – HWV A[14] (20)
Tortora che il suo bene – HWV A[1] (29)
Tortorella abbandonata – HWV A[8] (18)
Tra fieri opposti venti – HWV A[12] (10)
Tradita, sprezzata che piango – HWV A[8] (19)
Troppo fiere e disdegnose – HWV A[9] (11)
Trovo ch'è gran follia – HWV A[8] (4)
Tu di pietà mi spogli – HWV A[11] (29)
Tu vuoi ch'io viva – HWV A[10] (24)
Tuona il ciel, trema ogni core – HWV A[3] (17[b])
Tutta raccolta ancor – HWV A[14] (10)
Tutto rida in sì bel giorno – HWV A[3] (26[b])

Un'aura placida di bella speme – HWV A[8] (27)
Un incognito affanno – HWV A[13] (25)
Un interotto affetto – HWV A[11] (19)
Un raggio di speme – HWV A[7] (3)
Un sol tuo sguardo – HWV A[13] (8)
Un vento lusinghier – HWV A[1] (11)

Va crescendo il mio tormento – HWV A[12] (24)
Vado costante a morte – HWV A[1] (26[b])
Vado costante della mia morte – HWV A[4] (20)
Vado e vivo con la speranza – HWV A[14] (29)
Vado intrepido alla morte – HWV A[11] (8)
Vado ... ma dove ... oh Dio – HWV A[12] (30)
Vaghe labbra, voi fingete – HWV A[7] (7[a])
Vaghe luci, luci belle – HWV A[7] (10)
Vanne e prega – HWV A[6] (15)
Vanne e spera, lusinghiera la speranza – HWV A[1] (30)
Vanne pur, infida, va – HWV A[13] (17)
Varcherò la flebil onda – HWV A[9] (20)
Vede il nocchier la sponda – HWV A[7] (20)
Vede, quel pastorello – HWV A[3] (9[a])
Vedi l'ape ingegnosa – HWV A[13] (16)
Vedi nel mio perdono – HWV A[12] (15)
Vedrai morir costante – HWV A[9] (18)
Vengo a darti, anima bella – HWV A[6] (27)
Vengo, dove mi chiami – HWV A[6] (26)
Vezzi lusinghe e sguardi – HWV A[9] (4)
Vieni, vieni, o dei viventi – HWV A[14] (7)
Viva Augusto, eterno impero – HWV A[13] (1)
Viva lieta e sia Reina – HWV A[8] (28)
Viva Roma, eterno viva – HWV A[6] (31)
Vivere, e non amar – HWV A[14] (25)
Vò solcando un mar crudele – HWV A[7] (24[b]), HWV A[10] (9[a])
Voi non sapete quanto giovi – HWV A[8] (9)

Vola l'augello del caro nido – HWV A[11] (23)
Volgi a me gl'affetti tuoi – HWV A[9] (16)
Vorrei da lacci scogliere – HWV A[9] (21)
Vuò ritrar dalla tempesta – HWV A[4] (17)

Zeffiretto che scorre nel prato – HWV A[13] (6)

Verzeichnis der Instrumentalsätze in den Pasticci

Verzeichnis der Partien in den Pasticci und Opernfragmenten

Air – HWV A¹¹ (26)
Allegro (Bourrée) – HWV A¹¹ (12)
(Ballo) – HWV A¹¹ (27)
(Gavotte) – HWV A¹¹ (11)
Gavotte – HWV A¹¹ (37, 40)
(Giga) – HWV A¹¹ (13)
Marcia – HWV A¹ (15)
(Menuet) – HWV A¹¹ (38, 39, 42)
Musette – HWV A¹¹ (41)
Prélude – HWV A¹¹ (25)
Sinfonia – HWV A¹ (17), HWV A³ (1), HWV A⁴
    (19), HWV A⁶ (2, 9), HWV A⁷ (22), HWV A⁸
    (11, 14, 28, 34), HWV A¹¹ (14, 28, 34), HWV A¹²
    (19), HWV A¹³ (13, 21, 29)

Albina – HWV A¹³ Alessandro Severo
Alessandro – HWV A⁴ Venceslao
Alessandro Severo – HWV A¹³ Alessandro Severo
Antioco – HWV A⁵ Titus l'Empereur
Araspe – HWV A¹² Didone abbandonata
Arbace – HWV A⁷ Catone
Arbace – HWV A¹⁰ Arbace
Arete – HWV A¹⁴ Jupiter in Argos
Arsace – HWV A³ Ormisda
Arsete – HWV A⁵ Titus l'Empereur
Artabano – HWV A¹⁰ Arbace
Artaserse – HWV A¹⁰ Arbace
Artenice – HWV A³ Ormisda

Belisario – HWV A¹ Elpidia
Berenice – HWV A⁵ Titus l'Empereur
Bircenna – HWV A⁹ Caio Fabbricio

Caio Fabbricio – HWV A⁹ Caio Fabbricio
Calisto – HWV A¹⁴ Jupiter in Argos
Casimiro – HWV A⁴ Venceslao
Catone – HWV A⁷ Catone
Cesare – HWV A⁷ Catone
Cinea – HWV A⁹ Caio Fabbricio
Claudio – HWV A¹³ Alessandro Severo
Cominio – HWV A⁶ Lucio Papirio Dittatore
Cosroe – HWV A³ Ormisda

Dalinda – HWV A⁵ Titus l'Empereur
Diana – HWV A¹⁴ Jupiter in Argos
Didone – HWV A¹² Didone abbandonata

Elmige – HWV A² Genserico
Elpidia – HWV A¹ Elpidia
Emilia – HWV A⁷ Catone
Enea – HWV A¹² Didone abbandonata
Erasto – HWV A¹⁴ Jupiter in Argos
Erenice – HWV A⁴ Venceslao
Erismeno – HWV A³ Ormisda
Ermione – HWV A¹¹ Oreste
Ernando – HWV A⁴ Venceslao
Eudossia – HWV A² Genserico

Filotete – HWV A¹¹ Oreste
Flacilla – HWV A² Genserico

Genserico – HWV A² Genserico
Gismondo – HWV A⁴ Venceslao
Giulia – HWV A¹³ Alessandro Severo

Personenregister

Orts- und Sachregister[1]

[1]In das Sachregister wurden nur die vom üblichen Instrumentarium Händels abweichenden Instrumente aufgenommen; London wurde im Ortsregister ausgespart.